中国近现代中医药期刊续编

第三辑

丹方杂志

王咪咪　侯酉娟◎主编

2022年度北京市优秀古籍整理出版扶持项目

北京科学技术出版社

图书在版编目（CIP）数据

丹方杂志 / 王咪咪，侯酉娟主编. — 北京：北京科学技术出版社，2023.11

（中国近现代中医药期刊续编. 第三辑）

ISBN 978-7-5714-3366-6

Ⅰ. ①丹… Ⅱ. ①王… ②侯… Ⅲ. ①中国医药学－医学期刊－汇编－中国－近现代 Ⅳ. ①R2-55

中国国家版本馆CIP数据核字(2023)第206624号

策划编辑： 侍　伟　吴　丹
责任编辑： 吴　丹　杨朝晖　刘　雪
文字编辑： 王明超　刘雪怡　李小丽　毕经正
责任校对： 贾　荣
图文制作： 北京艺海正印广告有限公司
责任印制： 李　茗
出 版 人： 曾庆宇
出版发行： 北京科学技术出版社
社　　址： 北京西直门南大街16号
邮政编码： 100035
电　　话： 0086-10-66135495（总编室）　0086-10-66113227（发行部）
网　　址： www.bkydw.cn
印　　刷： 北京捷迅佳彩印刷有限公司
开　　本： 787 mm × 1092 mm　1/16
字　　数： 1 051千字
印　　张： 57.25
版　　次： 2023年11月第1版
印　　次： 2023年11月第1次印刷
ISBN 978－7－5714－3366－6

定　　价： **890.00元**

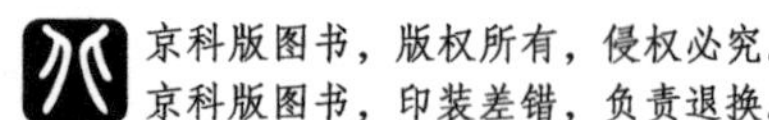

《中国近现代中医药期刊续编·第三辑》
编委会名单

主　编　王咪咪　侯酉娟

副主编　解博文　田　甜

编　委　王咪咪　田　甜　刘思鸿　李　兵

李　敏　李　斌　李莎莎　邱润苓

郎　朗　郝思岚　段　青　侯酉娟

徐丽丽　董　燕　覃　晋　解博文

序

2012年，上海段逸山先生的《中国近代中医药期刊汇编》（下文简称“《汇编》”）出版，在中医界引起了广泛关注。这部汇集了众多中医药期刊的著作为研究近代中医药发展提供了宝贵的学术资料。在《汇编》的影响下，时隔7年，中国中医科学院中国医史文献研究所的王咪咪研究员决定仿照《汇编》的编纂模式，尽可能地将《汇编》中未收载的中华人民共和国成立前的中医药期刊进行搜集、整理，并将其命名为《中国近现代中医药期刊续编》（下文简称“《续编》”）。

尽管《续编》所收载期刊的数量与《汇编》的相当，但其总页数仅为《汇编》的1/4，约25 000页。《续编》中绝大部分内容为中医期刊及一些纪念刊、专题刊、会议刊。除此之外，还收录了1915—1949年《中华医学杂志》（合计35卷，近300期）中与中医发展、学术讨论等相关的200余篇学术文章，其中包括6期《医史专刊》的全部内容。值得注意的是，《续编》还收录了1951—1955年、1957年、1958年出版的《医史杂志》。尽管这与整理中华人民共和国成立前期刊的初衷不符，但是段逸山先生已将1947年、1948年（1949年、1950年《医史杂志》停刊）的《医史杂志》收入了《汇编》。王咪咪等编者认为，将这7年的《医史杂志》全部收入《续编》，将使《医史杂志》初期各种学术成果得到更好的保存和利用。我认为这将是对段逸山先生《汇编》的一次富有学术价值的补充与完善，对中医近现代的学术研究，以及对中医的整理、继承、发展都是有益的。医学史的研究范围不只是中国医学史，还包括世界医学史，医学各个方面的发展史、疾病史，以及从史学角度探讨医学与其关系等。《续编》中收载的文章虽有些出自西医学家之手，但提出来的问题对中医发展具有极大的推进作用。例如，陈邦贤先生在《中国医学史》的自序中指出："世界医学昌明之国，莫不有医学史、疾病史、医学经验史……岂区区传记遽足以存掌故资考证乎哉！"陈先生将他所研究内容分为三大类："一关于医家地位之历史，一为医学的知识之历史，一为疾病之历史。"医学史的研究具有连续性。例如，在中华人民共和国成立初期，《医史杂志》登载了一系列具有开创性和历史性的文章，无论是陈邦贤先生对医学史料的连续性收集，还是李涛先生对医学史的断代研究，都对医学史的研究做出了重要贡献。范行准先生的《中国预防医学思想史》《中国古代军事医学史的初步研究》《中华医学史》等，具有极高的学术价值，自出版以来未曾被超越。这些文献多距今已近百年，能保存下来的十分稀少。今天能把这样一部分珍贵文献用影印的方式保存下来，是对这一研究领域最大的贡献。此外，将1951—1958年期间的《医史杂志》也纳入收载范围，完整保留医学史学科在20世纪50年代的研究成果，这很好地保持了学术研究的连续性，故而我对主编的这一做法表示支持。

《续编》借鉴了段逸山先生《汇编》的编纂思路，旨在更为全面地保存和整理中华人民共和国成立前的中医及相关期刊。愿中医人利用这丰富的历史资料更深入地研究中医近现代的学术发展、临床进步、中西医汇通实践、中医教育改革等，以更好地继承、挖掘中医药这一伟大宝库。

李经纬 九十老人

2019年11月于中国中医科学院

前　言

《汇编》主编段逸山先生曾总结道，中医相关期刊文献凭借时效性强、涉及内容广泛、对热门话题反应快且真实的特点，如实地记录了中医发展的每一步，展现了中医人为中医生存而进行的每一次艰难抗争，是记录中医近现代发展的真实资料，更是我们今天进行历史总结的最好参考资料。因此，中医药期刊不但具有很高的文献价值，还对当今中医药发展具有很强的借鉴意义。

本次出版的《续编》具40余册之规模，主要收载了段逸山先生《汇编》中未收载的中华人民共和国成立前50年间的中医相关期刊，以期为广大读者进一步研究和利用中医药近现代期刊提供更多宝贵资料。

《续编》所收载期刊的时间跨度主要集中在1900—1949年。之所以不以1911年作为界限，是因为《绍兴医药学报》《中西医学报》等一批在社会上具有深远影响力的中医药期刊是在1900年之后才陆续问世的。这些期刊开始关注并讨论中医的改革、发展等相关话题，是承载那段岁月的重要历史载体。

在历史的长河中，50年或许很短暂，但在20世纪上半叶的50年却是中医曲折发展并产生深远影响的50年。随着西医东渐，中医在中国社会上逐渐失去了主流医学的地位，学术传承面临危机，以至于连中医是否能名正言顺地保存下来都变得不可预料。因此，能够反映这50年中医发展状况的期刊便成为重要的历史载体。据不完全统计，这批文献有1 500万～2 000万字，包括3万多篇涉及中医不同内容的学术文章。虽然这50年间所发生的事件都已成为历史，但当时中医人所提出的问题、争论的焦点、未完成研究的课题一直在延续，促使今天的中医人要不断地回溯过去，思考答案。

中医究竟是否科学？如何改革才能使中医适应社会需要并有益于其发展？120年前，这些问题就已经在社会上引发广泛讨论。在现存的近现代中医药期刊中，有关这类主题的文章不下3 000篇。

关于中医基础理论的学术争论仍在继续：阴阳五行、五运六气、气化的理论要怎样传承？怎样体现中国古代的哲学精神？在这50年间涌现出不少相关文章，其中有些还是大师之作，对延续至今的这场争论具有重要的参考价值。

像章太炎这样知名的近代民主革命家，曾对中医的发展有过重要论述，并发表了近百篇的学术文章。他是怎样看待中医的？他的观点可以在这些期刊中找到答案。

最初的中西医汇通、结合、引用对今天的中西医结合有什么现实意义？中医如何在科学技术高度发达的现代社会中建立起完备的预防、诊断、治疗系统？这些文章可以给我们以启示。

为适应社会发展，中医院校应该采取何种办学模式？中医教材应该具备哪些特点？在收集期刊的过程中，我们发现仅百余种期刊中就有50余位中医前辈所发表的20余类80余种中医教材。以中医经典的教材为例，有秦伯未、时逸人、余无言等大家在不同时期从不同角度撰写的《黄帝内经》《伤寒论》《金匮要略》等教材20余种，它们在学术性、实用性上堪称典范。然而，由于当时的条件所限，这些教材只能在期刊上登载，无法正式出版，因此很难保存下来。看到秦伯未先生所著《内经生理学》《内经病理学》《内经解剖学》《内经诊断学》中深入浅出、引人入胜的精彩章节时，联想到现在许多中医学生在读了5年大学后，仍不能深知《黄帝内经》所言为何，一种使命感便油然而生。我们真心希望尽可能地将这批文献保存下来，为当今的中医教育、中医发展尽一份力。

中华人民共和国成立前这50年也是针灸发展的一个重要阶段，在理论和实践上都有很多优秀论文值得被保存下来。除承淡安主办的《针灸杂志》专刊外，其他期刊上也有许多针灸方面的内容是研究这一时期针灸发展状况的重要文献。

在中医的在研课题中，有些学者在做日本汉方医学与中医学的交流及相互影响的研究，而这一时期的期刊中保存了不少当时中医对日本汉方医学的研究成果。但如今这些最原始、最有影响的重要信息载体却面临散失的危险，保护好这些文献可以为相关研究提供强有力的学术支撑。

在这50年中，以期刊为载体，一门新的学科——中国医学史诞生了。中国医学史首次作为独立学科出现在世人面前，为研究中医、整理中医、总结中医、发展中医，把中医推向世界，再把世界的医学展现于中医人面前，做出了重大贡献。创建中国医学史学科的是一批中医专家和一批虽出身于西医却热爱中医的专家，他们潜心研究中医医史，并将其成果传播出去，对中医发展起到了举足轻重的作用。《古代中西医药之关系》《中国医学史》《中华医学史》《中国预防医学思想史》《传染病之源流》等学术成果均首载于期刊中，作为对中医学术和临床的提炼与总结，这种研究将中医推向了世界，也为中医的发展坚定了信心。这些医学史文章大都较长，因此在期刊上发表时大多采用连载的形式进行刊登。此外，这类文章也需要旁引很多资料。为了帮助读者更全面、连贯地了解医学史初期的演变过程，以及该学科对中医发展的重要作用，我们决定将《医史杂志》的收集范围定为1958年之前刊行的内容。《医史杂志》创刊于1947年，在此之前一些研究医学史的专家利用西医刊物《中华医学杂志》发表文章，从1936年起《中华医学杂志》不定期出版《医史专刊》。（《中华医学杂志》是西医刊物，我们已把相关的医学史文章及1936年后的《医史专刊》收录于《续编》之中。）这些医学史文章的学术性很强，但其中大部分只保存在期刊上，一旦期刊散失，这些宝贵的资料也将不复存在，如果我们不抢救性地加以保护，可能将永远看不到它们了。

此外，值得一提的是，近现代期刊中的这些文献不只是资料，更是前辈们智慧的结晶，我们应该尽最大的努力把这批文献保存下来。这50年的中医期刊、纪念刊、专题刊、会议刊等，都为我们提供了一段回忆、一个见证、一种警示、一份宝贵的经验。这批1 500万～2 000万字的珍贵中医文献已到了需要保护、研究和继承的关键时刻，它们大多距今已有百年，那时的纸张又是初期的化学纸，脆弱易老化，在百年的颠沛流离中能保留至今已属万分不易，若不做抢救性保护，就会散落于历史的尘埃中。

段逸山先生、王有朋先生等一批学术先行者们以高度的专业责任感，克服困难领衔影印出版了《汇编》，以最完整的方式保留了这批期刊的原貌，最大限度地保存了这段历史。《汇编》收载的48种期刊的遴选标准为中华人民共和国成立前保留时间较长、发表时间较早、内容较完备，其体量是中华人民共和国成立前中医药期刊的2/3以上，但仍留有近1/3的期刊未被收载出版。正如前面所述，每多保留一篇文献就是在多保留一点历史痕迹，故对《汇编》未收载的近现代中医药期刊进行整理出版有着重要意义。

北京科学技术出版社有限公司秉持传承、发展中医的责任感与使命感，积极组织协调《续编》的出版事宜。同时，在该出版社的大力支持下，《续编》入选北京市优秀古籍整理出版扶持项目，为其出版提供了可靠的经费保障。这些都让我们十分感动。希望在大家的共同努力下，我们能尽最大可能保存好这批珍贵期刊文献。

近现代中医可以说是对旧中医的告别，也是更适应社会发展的新中医的开始，从形式上到实践上都发生了巨大的改变。这50年中医的起起伏伏、学术的争鸣、教育的改革、理论与临床的悄然变革，都值得现在的中医人反思回顾，而这50年的文献也因此变得更具现实研究意义。

《续编》即将付梓之际，我代表全体编委向曾给予本书出版大量帮助和指导的李经纬、余瀛鳌、郑金生等研究员表示最诚挚的感谢。

王咪咪

2023年2月

内容提要

本书是《中国近现代中医药期刊续编》第一辑、第二辑的延续之作，又为收官之作，收录了包括《医学扶轮报》在内的文献 11 种。

本书所收录的期刊除来自江浙一带外，尚有广东、山东、四川等地方性中医期刊。受环境和经费等因素的限制，地方性期刊通常存续时间较短、存留期数有限，能够保存至今实属不易。本次将有较高学术价值、历史意义且保存比较完整的地方性中医药学术期刊整理、影印出版，不仅有助于完善近代中医药发展脉络，而且可以间接反映出一些地区近代中医药发展情况，让更多人看到近代地方中医工作者为了传承和发扬中医所做出的努力与贡献。

《医学扶轮报》

中西医汇通报刊，1910 年创刊，月刊，发起人为吴鹤龄，扬州南河下中西医学研究会发行，现存 1 ～ 6 期（1910 年）。

此刊在第 1 期的发刊词中详细介绍了办刊宗旨："世界医学开化以吾中国为最先，秦汉以后虽见退化，然犹代有贤豪，如孙思邈之褒集古方，许叔微之传记方案，张子和之发明三法，李东垣之发明脾胃……倘能举中国古今来固有之医学与今日东西洋之学说，合一炉而熔冶之，取其精华，弃其糟粕，实事求是，锐志图存，安见吾中国医学不能驾东西洋而上哉！"这是出版此刊的初衷，也是目标。

此刊内容既有中医学术，也有西医学知识。当时西医东渐对中医学的发展具有重大影响，此刊第 1 期第 1 篇文章即陈邦贤先生的《中西医学分科相同论》，第 2 期则有袁焯的《论今日医学界急宜扩张其势力以图自存》，可见此刊编者对中医结合西学非常重视。此刊所载文章学术水平较高，其中《心理疗病法》《切脉为传声之学说》《脑与心互为功用说》《痘科明辨》《察舌辨证法》等文章有很高的临床价值。另外，此刊还引录了许多优秀医案，如《扁仓医案合解》《勉吾轩医案》《春泽堂医案》《春在寄庐医案》《杏雨草堂医案》等。

《现代国医》

中医学术期刊，1931 年创刊，月刊，谢利恒主编，上海市国医公会发行，现存第 1 卷 1 ~ 6 期、第 2 卷 2 ~ 7 期（1931—1932 年）。

此刊编委会成员均为中国近代名中医，包括丁仲英、蒋文芳、陆士谔、吴克潜、张赞臣、陈存仁、秦伯未等。此刊设有医事杂评、言论、专著、学说、医案、方剂、纪载、案牍等栏目。在第 1 卷第 1 期的医事杂评中，谢利恒先生写道："吾今不辨国医之是否不合科学，独问国医之是否不适于现代社会？从国内观之，西医之不能战胜国医，固成绩昭著。即从国外观，德美之赞美中药，日本之复兴汉医……不在国医学术之本身上，而在国医之缺乏时代精神耳。"从这段杂评可以看出将此刊定名为《现代国医》的初衷。

此刊内容丰富，涉及中西汇通、中医办学相关内容。此刊第 1 卷第 1 期就刊登有商复汉的《中西医治疗之比较》、聂崇宽的《中西医之科学观》、严苍山的《中西医之门户见》、胡树百的《中西医之脏燥病比观》等多方面阐明对中西医学汇通看法的文章。首刊刊登了秦伯未的《医校之教材问题》一文，此文提出了当时中医发展迫切需要解决的关键问题。此刊第 2 卷第 2 期特别设立了"中国医学院专号"，专门刊登医学院教师职工的中医研究论文及中医学生的研究成果，以增加中医院校在社会上的影响力。此刊还刊登了有关中医发展问题的文章，如日本富士川游的《日本医学之变迁与中国医学及西洋医学》、郑守谦的《各国趋重中医学说》、李怀仁的《中国医药研究之法门》、姜子房的《中医与中药同时改进说》、陆士谔的《论国医》、俞大同的《中央国医馆与振兴中医药具体方案》等，对中医的发展和改革提出了多种可期的设想。

此刊收录了诸多学术水平较高的名家论述，如朱懋泽的《伤寒温病之我见》和《气病概论》、胡安邦的《伤寒以六方提纲论》和《书阴阳应象大论后》、王辉中的《外感成温与伏气成温的研究》等。此刊亦登载了一些知名医家的医案，如《一瓢砚斋医案》《碧荫书屋新医案》《潜庐医案》《澄斋医案》《尤在泾晚年医案》等。

此外，需要说明的是，在第 2 卷第 2 期封面上清晰地标注着“第二卷第二期”字样，但其目录页却标为“第二卷第八期”，此期又为“中国医学院专号”，其目录与正文内容完全相符，故目录中的“第八期”为误。这种文字错误在第 2 卷第 7 期也出现了。第 2 卷各期出刊时间均为民国二十一年（1932 年），第 2 卷第 7 期却注为“民国二十年（1931 年）”。此刊各期也并非完全按月出刊，如第 2 卷第 3 期出刊时间为 1932 年 1 月，但第 2 卷第 4 期的出刊时间是 1932 年 8 月。故读者应以各期实际内容为准，注意时间标注即可。

《中国医学月刊》

中医学术期刊，1928 年创刊，不定期，现存 1 ~ 11 期（1928—1931 年）。

此刊有一篇很有特色的发刊词，提出中医应勇于革新，向西医学习，指出中医不能“只知抱残守缺，凭借特效之方药以自足，绝不思极深研几，以求学理至当……急起整理，力谋发新，焉可墨守旧说，划地自限，不事创作……抑集思广益以求迈越于西医乎！由前之说，则必尽弃其学，醉心欧化，如戴季陶先生所言，近时青年对于五十年前读物便不肯寓目，是直丧心病狂，自暴自弃，既显示我国无一学术可以独立，尚能免除劣等民族之恶谥乎，此则一国人民之奇耻大辱，非仅医学本身问题而已也……为谋人类健康问题、生命问题，关系至重，本极艰难困苦，而在个人，则有学术之兴趣，引人入胜，不能自已者也。现在受环境压迫，既不能望有力者之提倡，惟凭借社会之信仰，勉自支撑，若再不从学术根本上谋其发展，吾恐数千年圣哲相传无尽藏之义蕴，皆将自吾而斩。医学亦随此潮流而汩没不复矣。故就医论医，吾人应急起直追，以冷静态度，做忍耐工夫，出之以敏锐之视察力，绵密之思考力，精微之判断力，以引动其日新月异自得之兴趣，为中国医学放一异彩，开一新纪元”。

20 世纪 20 年代末正是中医发展最艰苦之时，此发刊词不仅体现了办刊宗旨，更反映出当时的中医人对中医改革的强烈愿望。当时的中医人坚信“吾国固有宝藏，得以由整理而尽泄，俾出陈而发新”，并且对中医的改革发展有着明确的目标和长期奋斗的思想准备。此发刊词鼓舞着新一代中医人不断前进。

此刊发刊地为上海，现存的部分没有关于主编、编委会组成的介绍，但从所载文章可知此刊主编应为民国著名医家陆渊雷。此刊 1 ~ 7 期连载了陆渊雷先生的《改造中医之商榷》一文（其中第 6 期无刊载），这篇数万字的文章中讲到了改造中医之动机、医药的起源是单方、《内经》学说之由来、病理学说与治疗方法之不相应、中西学派之不同、中国的科学趋势、唐宋以后的医学、伤寒之外没有温热、中医方药对于证有特效对于病无特效、中医不能识病却能治病、中医有吸收科学之必要、科学头脑与中国学术的柄凿、细菌原虫非绝对的病源等，这些内容对中西汇通初期一些存在争议的问题明确地提出了自己的观点，吸引着当时的中医人投身到中医继承、改革的队伍中来。陆渊雷先生的这篇文章不仅是几十年前有关中医改革问题的宝贵历史资料，而且对今天的中医发展具有借鉴意义。

此外，此刊还刊有研究医经及临床疾病的70余篇学术论文，这些论文充分体现了此刊的学术价值。

《卫生杂志》

中医学术期刊，1932年创刊，月刊，张子英主编，中医书局发行，现存第1～2卷1、2、5、6、8及13～20、22～24期，第3卷5～6期，以及第4卷1～5期（1932—1935年）。

此刊在“编辑大意”中描述了创刊目的：“我国卫生问题太不讲究，死亡率来得很高……使人人都知道卫生问题的紧要，同时发扬我国医药的精华……非但不反对西药，不攻讦西医，又共同联络研究。”刊中有多幅名人题词，如谢利恒先生的“吾道干城”、蒋文芳先生的“养生宝筏”及钱今阳先生的“康强之道”等。

此刊不仅载有常见病防治方面的文章，如《冬日滋补问题》《皮肤病与血液之关系》等，还收录了《痢疾商榷》《肺结核之超早期诊断》《疟疾经验谈》《喉痧与白喉之别》等涉及传染病防治内容的文章。同时，此刊还设立有特别专刊，对日常多见疾病的相关知识加以普及。例如，“性病专号”收录了有关性病、白带、男女之阴阳痿病等的文章；“服装专号”收录了有关服装与疾病关系等的文章。

另外，此刊也收录了有关学术讨论、医案验方等的论文，如《内科病理治疗大要》《六气致病之原理》《骨蒸的病原和证状》《国医三焦通义》等；同时还收录了一些具有前瞻性的文章，如《中西医学术之趋向解》《中西医药优劣平议》《中医学理是否合乎科学平议》《国医以维护同道改进学术为先务》《关于医药之空间性的讨论》等。

《大众医学月刊》

中医学科普期刊，1932年创刊，月刊，杨志一主编，大众医刊社发行，现存第1卷1～12期（1932年）。

此刊可谓是中西医汇通临床应用的百科全书。其内容十分广泛，包括卫生常识、胃病指南、吐血概论、四季时症、精神病学、肺病讲义、脑病研究、大众医药顾问、小药囊等。此刊所载文章的作者有杨志一、时逸人、张山雷、宋大仁、尤学周、蔡济平等，他们都是当时的名医大家。

在此刊第3期中宋大仁写道："伤风……最初为呼吸郁闷，其次为鼻炎，鼻流清涕，发热咳嗽。其在消化器之病，为口中无味，食欲不振，或则腹痛，或下痢，或则为春温诸病，久咳则延成肺痨……通用金沸草散、川芎茶调散加减。有虚体受风，屡感屡发，形气病气俱虚者，又宜顾正解肌，亦不可专泥发散。正气益虚，腠理益疏，病反增矣。李士材曰：风邪伤人，必从俞入，俞皆在背，故背常固密，风弗能干。已受风者，常曝其背，使之透热，则默散潜消矣。"第4期中则有一篇探讨食补、药补的文章，该文章提到："食补之原素，一为炭水化物，二为蛋白质，三为脂肪质，四为无机物质，五为维他命，凡此种种，多混合于谷畜果蔬之中。药补之功能，一为温补，能使神经活泼，局部血行畅利，加增脏腑阳气，二为凉补……食补为日常所需要，药补为一时所需要。"此刊还设有"小药囊"栏目，以西医学科对所列各药进行分类，并以中医知识对其进行解说。

由以上内容可以看出，当时中医学者对西医理论的接受程度很高，且西医理论已得到一定的普及。因此，此刊在当时具备了较高的科学性与实用性，同时具有时代价值，值得后世研究。

《幸福杂志》《丹方杂志》

《幸福杂志》：中医验方验案期刊，1933年创刊，月刊，朱振声主编，上海幸福书局发行，现存1～8、11～12期（1933—1934年）。

《丹方杂志》：中医验方期刊，1935年创刊，月刊，朱振声主编，上海幸福书局发行，现存1～12期（1935—1936年）。

《幸福杂志》每期列有10～12个专题，其重要内容会在多期中连载，如"胃病研究""吐血概论"等。此刊还载有"长篇专著"，向读者介绍优秀的中医著作，最大程度地向读者普及医学知识，介绍各类疾病的治疗方法。

《幸福杂志》内容全面、浅显易懂。此刊重视养生，所载文章观点独特。如有文章提出要养成良好的卫生习惯，不要吸烟；吃饭要细嚼慢咽，不使脾胃受损；要注意食品卫生、居室卫生、个人卫生等。此刊收载了有关各类人群精确细致的养生方法的文章。

如有文章认为健忘大多由精神衰弱引起，健忘者在生活中要保护与保养脑力，不要过多刺激，勿用脑过度；小儿要注意睡眠卫生；女性要注意月经卫生、孕期卫生、产褥卫生、女子阴部卫生等；要从环境、心理、饮食等多方面对病人进行调理。

此刊的撰稿人多为当时的临床名家，他们所撰有关各种常见病的文章都具有较强的实用性，可称得上是当时的常见疾病手册。例如，尤学周的《脾胃虚弱之简治法》《胃气痛》《胃酸过多》，丁仲英的《胃病与失眠》《胃口不开》，陈存仁的《吐血治疗大要》，严苍山的《便血之研究》，张锡纯的《因凉而得之吐血治法》等。由于这些文章为读者提供了许多疾病的防治知识，因此，此刊成为20世纪30年代具有较大社会影响力的刊物。

1935—1936年，为扩大影响力，《幸福杂志》更名为《丹方杂志》，专门收载有关民间丹药验方之应用研究的文章。尤学周在《丹方杂志》的序中写道："今有《丹方杂志》之刊行，探秘搜奇，深入民间，将灵方妙药尽量披露，介绍于人群，不特为病者谋幸福，而国医药前途亦发见不少光明，实堪钦佩。"张赞臣则在序中表示："今朱君有鉴于此，搜集古来丹方，以为骨干，下及近世丹方，旁及乡村丹方，秘及私家丹方，而为之五官百骸，编为杂志，非其体，达其用，以为苍生。"另外，此刊主编在自序中写道："而于无意中发见不少治病之法，今之所谓丹方者，即道家所赠遗之品也。道家推千其教义，深入民间，同时为人治病，以眩其术，以坚人信仰，丹方亦传入民间，书中偶有记载，皆由道听途说，偶然录下者。关于单方之专书，则少有所见，鄙人于丹方之应用，往往发见不可思议之效力，对于丹方之信力甚坚，故有本刊之发行。"此刊12期共登载了约千首治疗临床各科疾病的方剂，其价值有待后人进一步挖掘。

《中国医药杂志》

中医学术期刊，1934年创刊，月刊，赵恕风主编，中国医药研究社发行，现存第2卷1～12期（1935年）。

此刊为地方性中医药期刊，内容广泛。此刊设有学说、临床各科、医案、验方、来函等栏目，并且非常重视学术讨论，如刊登了唐映书的《瘟疫与温病不同说》、姚肃吾的《春令流行性时疫的病因和治法》、单生文的《中医学理之科学观》、梁惠群的《湿温病与伤寒少阳病异同之点》、林志生的《论气血与风》等。

此刊实用性较强，较为重视验方和医案。除刊登了《隔食症验方》《治疗淋病的效方》《经过实验的喉病奇方》等验方类文章外，还刊登了《治验笔记》《诊伤寒笔记》《论瘟疫之症治》《咳嗽论治》等医案类文章，并引录《植林医庐笔记》《也是斋随笔》及邢锡波的《怀葛斋医案》等。另外，此刊也连载了一些有实用价值的书籍，如《张五云痘疹书》。

综上所述，此刊在一定程度上起到了传播和推广地方中医药的作用。

《医药改进月刊》

中医学术期刊，1941 年创刊，月刊，本刊编审委员会主编，现存第 1 卷 1 ~ 12 期（1941—1942 年）。

此刊发行于四川成都，为地方性中医药期刊。此刊第 1 期的发刊词阐明了创刊宗旨："本社有鉴于此，乃联合同志创办社刊，特辟学术论文、学术研究、整理珍闻等各栏，意在以科学之方法，发皇古医之奥义，且整齐同一步调，一致向前，务使古圣之遗意无余，中西之各美兼备，而我国医之伟迹长留于万世，始可稍尽本社同人之素志。"为体现创刊宗旨，此刊第 1 卷第 1 期便刊载了具有针对性的论文，如《我们对于国医科学化的意见》《为什么要改进中医》。第 2 期《中医管理权》一文指出："我们主张西医应该研究中医学术，中医也应该研究西医医理，两者融会贯通，自不难产生新的医术，为世界医学放一异彩。"此刊连续数期刊登的评论文章《对于建设中国本位医学的意见》对当时中医的改革与发展具有较大影响。

此刊比较注重经方的学习与应用，除刊登一般性中医学术研究文章外，每期都刊登有关于经方的文章，如《桂枝十九方合论》《甘草干姜汤》《芍药甘草汤》《三承气汤麻仁丸》《大青龙汤》《四逆十一方合论》《理中九方合论》《泻心十一方论》等，非常值得经方研习者及临床医生研究学习。

从以上内容可以看出，此刊学术水平很高，是近代中医期刊中的上乘之作。

《广东医药旬刊》

中医学术期刊，1943 年创刊，旬刊，吴粤昌主编，广东医药旬刊社发行，现存第 2 卷 1 ~ 8 期（1943 年 7—11 月）。

此刊是地方性中医药期刊，内容丰富，有较强的理论性与学术性，连载了较多理论性文章，如梁荫天的《中医学术源流》、梁乃津的《略论中西医学之特质及中西汇合问题》、曾天治的《整理中国医学之我见》、蔡适季的《现阶段中医进修问题》等。

其中，《现阶段中医进修问题》具有很强的前瞻性与实用性，其内容包括中医进修的意义、步骤、原则、条件、方式及方法等，对当时乃至现在的中医药发展都有很强的指导意义。

此刊保留了许多具有全局性的中医学术文章，如姜春华的《伤寒新论》及《中医基础学》、钟春帆的《近世内科学》、梁乃津的《霍乱》、缪俊德的《疾病之本相与现象》、袁鉴韬的《中国物理医学之针灸》等。

另外，此刊还刊登了《本草脞识》《中医应用处方集》《实用方剂学总论》《药物各论》等长篇文章，这些文章展现了当时一批致力于研究、发展中医的学者们的学术思想，虽然数量有限，但值得被保存和研究。

《医药卫生专刊》

又名《济世日报佑仁医药卫生》，中医学术期刊，1947 年创刊，周刊，施今墨主编，济世日报社发行，现存 1 ～ 15 期（1947 年）。

此刊的办刊宗旨是“建医、强种、救国”，即“不攻击西医，也不攻击中医，我们一心一德，把中西各方真实的医药卫生常识，介绍给水深火热中的同胞，同时提供有心沟通中西学术的朋友，及贤明当局，作为参考的资料”。

此刊与报纸类似，没有栏目分类，每期 20 余页。每期都有相当篇幅的普及卫生知识的内容，如《细菌常识》《为什么会发炎》《蛔虫的生活史》《如何避孕》等。此刊既收录有《伤寒质难》《国药性赋》《法定传染病概说》等学术文章，同时也向读者普及医学器材的知识，如介绍什么是注射器、显微镜等，具有一定的学术性和科普性。

另外，此刊还载有用通俗易懂的语言探讨中医发展的文章，如《中医为什么要争管理权》，强调中医机关“不但要负管理的责任，还要负规划中医药教育方针的责任”，提出科学化的中医仍是中医。

目　录

中国近现代中医药期刊续编·第三辑

丹方杂志

丹方雜誌
國醫
朱振聲主編
創刊號
半邊蓮圖
中華民國二十四年
三月一日出版
上海幸福書局發行

敬啓者。本雜誌創刊號。現已出版。讀者諸君。閱後如認為滿意者。請卽定閱全年。（全年十二冊。連寄費祇收大洋二元。國外加倍。郵票通用。）並得贈送百病秘方一部。（共計二冊。詳細目錄。見本刊後幅廣告。）以示優待。

定閱單

頃寄上大洋　元正定閱丹方雜誌　年份

請按期照下列地址由郵寄上勿誤是盼

寄閱地址

定閱人　　啓

中華民國　年　月　日　上

◎定閱處上海三馬路雲南路轉角幸福書局內丹方雜誌社

本雜誌啓事一

本雜誌雖經一載之籌備。然仝人等尚覺內容欠於完備。錯誤在所不免。尚希讀者諸君。不吝指教。以使在第二期中從事改良。不勝盼望之至。

本雜誌啓事二

本雜誌專載各種丹方。不論古今中西。要以實驗為主。讀者諸君。如有經驗丹方而願公開刊佈者。不勝歡迎。一經錄取。定當重酬。

本雜誌啓事三

本雜誌自第二期起。特闢『丹方成績報告欄』。歡迎讀者於試用之後。據實報告一切經過情形。靈驗與否。仝人等當從實披露。决不更改報告之原意。

本雜誌啓事四

本雜誌所載各種丹方。讀者諸君。如有不明瞭處。可以通函詢問。仝人等當盡我所知。詳細解答。(如欲函覆。須附足回信郵資)

尤序

許氏說文云。「丹。巴越之赤石也。」以丹列入地方物產者。禹貢所載為最早。書經禹貢篇云。「荊及衡陽惟荊州。……厥貢羽毛齒革惟金三品。杶榦栝柏礪砥砮丹」孔安國傳。「丹朱類」孔穎達疏云。「丹者丹砂故云朱類」。丹之作用。原不過為顏料以供塗飾之所需。如書經梓材篇云。「若作梓材既勤樸斲惟其塗丹雘」。其供藥用年代亦久。神農本經已收入列為上品。周禮瘍醫節云。「凡療瘍以五毒攻之」鄭康成注云。「五毒五藥之有毒者。今醫人有五毒之藥。作之合黃堥置石膽丹砂雄黃礜石慈石其中。燒之三日三夜。其烟上著。以雞羽掃取之。以注惡創。肉破骨則盡出。」漢代去古未遠。鄭注或可作信。則丹砂之入藥。當在周代以前。

鍊丹之術。不知起於何時。而丹砂之所以稱為藥用上品（神農本經）及萬靈之王（張杲丹砂要訣）者。亦有其故。試觀抱朴子。抱朴子金丹篇云。「丹砂燒之成水銀。

積變又成丹砂。其去凡草木亦遠矣。故令人長生」前人不知化學之原理。以丹砂本赤物而能變白物。又能從白物還為赤物。遂謂功過於平凡之草木。於是長生鍊丹之術因之起矣。

鍊丹之肇起。原以丹砂為主品。利用水銀化合物之變化力。以改造不能免老衰死滅之人體。而得不老不死長生永壽之軀。其術甚祕。除道中人外。莫能知之。其後經過不少人之試驗。不知受幾許犧牲。不死之藥。卒未鍊得。然幾經實驗。於攝生之法。治病之方。則發明甚多。唐之孫思邈。與晉之葛洪。同為研究長生之術者。試取抱朴子及千金翼方而比較其思想。一目即能瞭然。抱朴子溺於神仙不死之說。千金翼方止有養生之記事。而未說明鍊丹之事。最奇者千金翼方全書有湯散丸煎。竟無一丹方。蓋孫思邈為一實驗家。深知不死金丹之難得。其最合實用者。莫如從服餌與攝生。以永其天年耳。

鍊丹。所以求不死。而死之由來。除衰老外。其最大之原因為疾病。故求不死。雖有長壽。

之祕法尤須設法以祛其疾病愈研求則愈精丹之種類愈多其應用亦愈廣惟因祕密而不肯公開之故所有種種丹方道外人無從知之迨及宋朝因徽宗崇奉道教之故上有好者下必效尤道教與民間之接觸較密於是丹方之流傳於民間者日多試觀宋以前之方書如千金方外台祕要並無丹方之記錄（惟千金要方僅有鳳毛麟角之一則千金翼方則絕無）宋時之三因方本事方和劑局方則除丸散膏湯酒煎諸方而外加入不少之丹方攷三因方乃宋陳無擇所撰成於淳熙甲午以後本事方乃宋許叔微撰叔微於紹興壬子登進士第該書成於晚年和劑局方於徽宋大觀中陳師文等奉敕所編今所傳之太平惠民和劑局方又於紹興寶慶淳祐諸代續有增加與大觀本又大異矣斯三者皆成於徽宗之後丹方之增添其受道教之影響可以無疑

丹方與單方字音同其解除病苦之目的亦同然其性質則略有差異單方治病祇用藥一味切合病情者能收意想不到之效力所謂「單方一味氣死名醫」然一味之

藥所含之成分有一定之限量。病情則千變萬代。以有限之成分。應付千變萬化之病症。雖愚者亦知其不可能。丹方則有一味者。亦有由數味配合而成者。分量可以相機加減。藥味可以隨症增損。有單方之效。而無單方之弊。其形式不一。有為丸者。有碎為散者。或則便於保藏。或則利於施用。雖有成法。亦可變通改造。

丹方之收入於方書中者。固已不少。其流傳民間。或祕而不宣。書所未載者。亦不在少數。此搜羅之工作。為研究國醫藥者。應當積極進行之一事。朱君振聲。吾黨之熱心人也。今有丹方雜誌之刊行。探祕搜奇。深入民間。將靈方妙藥。儘量披露。介紹於人羣。不特為病者謀幸福。而國醫藥前途。亦發見不少光明。實堪欽佩。書成之初。敢敘其由來而為之序。

中華民國二十四年二月無錫尤學周敬誌

張序

吾友朱君振聲。以所編丹方雜誌。丐序於予、予不禁慨然而歎曰。嗚呼。朱君真有心人哉。夫吾國醫學。自金元以後。競尚復方。於是方藥雜而醫道晦。寒傷金匱。時醫不曾入目。千金肘後。時醫不存於心。以故古來之靈丹妙方。廢而不用。如薛立齋輩之學說。反為時醫所宗。每處一方。繁複至無方劑眉之目。其治病也。每云投某藥不應。再投某藥。再不應再投某藥。嗚呼、以藥試病耶、以病試藥耶。無怪其不能如古方書之丹方。「一劑知二劑已」也。今朱君有鑑於此。搜集古來丹方。以為骨幹。下及近世丹方。旁及鄉村丹方。秘及私家丹方。而為之五官百骸。編為雜誌。明其體。達其用。

以為蒼生。其能不脛而走。紙貴洛陽。可預卜也。故樂而為之序。

中華民國二十四年二月二十日武進張贊臣撰於上海醫界春秋社

自序

說者謂吾國醫藥。數百年來。毫無進步。西醫則蒸蒸日上。年有新術發明。不知西醫之進步。非醫界本身之功力。乃得各科學家之援助有以致之。如愛克司光雷錠等之應用於治療。以及各種藥物之發明。皆掠人之美。占為已有耳。所謂醫家者人云亦云。拾人之牙慧而已。吾國醫學。在往昔受教家陰陽家之影響甚大。惟不及西醫所受科學之感化為真切。故其進步較遲。

陰陽家以陰陽五行。生化尅伐為主體。其理玄。其事晦。其勢潛入醫界。為醫學上最蒙不利之事。最為進步之障碍。惟教家則大有裨於醫界。道家有煉丹之術。以求不死之方。經過幾許之犧牲。不死之方雖未發明。而於無意中發見不少治病之法。今之所謂丹方者。即道家所贈遺之品也。

道家推廣其教義。深入民間。同時為人治病。以眩其術。以堅人信仰。丹方亦傳入民間。

丹方雜誌序　二

書中偶有記載。皆由道聽途說。偶然錄下者。關於丹方之專書。則少有所見。鄙人於丹方之應用。往往發見不可思議之效力。對於丹方之信力甚堅。故有本刊之發行。然一人之所見有限。而丹方流傳於民間者甚多。尚望讀者諸君。不吝筆墨。代為搜集。源源惠寄。則不特本刊之幸。有俾於醫藥前途者亦甚大也。

中華民國二十四年二月朱振聲識于丹方雜誌社

丹方雜誌第一期目錄

治瘰癧祕方

柳子存

瘰癧。與肺癆同源。失治亦能轉癆症。遷延纏綿。調治不易。余治此症。常用家傳祕法。施之甚效。茲為造福病家計。將其法披露於下。

患者用當歸（酒洗）八分。黃芪（蜜炙）八分。貝母（去心）一錢。金銀花一錢。薏苡仁一錢。天花粉一錢。桔梗六分炒。連翹八分。陳皮七分。白芷七分。甘草節三分（炙）。海藻七分（酒洗）。水二鍾。煎至一鍾。食後服。氣實者加青皮（麩炒）四分。氣虛者加人參五分。婦人加附製香七分。服四五劑。再服後列丸藥。丸藥只可三四服。須三日一服。或五七日一服。不宜多用。

丸藥方。羊角一對。以威靈仙四兩。共入瓦罐內。加清水煎一日。待角軟。取出。以藥刀切片。用新瓦幾片。燒紅。將角鋪上焙炒。起油烟。碾末。每灰一兩。加廣木香一錢。白芥子二錢。以蜂蜜為丸。每服一錢。用梹榔二觔。陸續煎湯送丸藥。或夏枯草代之亦可。愈後。大便下黑羊屎。小便黑水。切忌生冷煎炒房事。

大補腎陽法

一仁

腎陽虛憊。則遺精。陽萎。早泄。腰痛頭暈腦弱。記憶力減退。種種衰弱之象作矣。可用何首烏大者赤白各一斤。去皮切片。黑豆拌。九蒸九晒。白茯苓乳拌半斤。牛膝酒浸。同首烏第七次蒸至第九次半斤。當歸酒洗。半斤。枸杞酒浸。半斤。兔絲子酒浸蒸。半斤。破故紙黑芝蔴拌炒。四兩淨。蜜丸鹽湯。或酒下。每服三錢。方中之何首烏。白茯苓。主治心腎不交。不眠症常用之。是能鎮靜大腦精神部也。然本草又云。首烏能補腎中之陽。能烏鬚黑髮。此說似首烏又能興奮大腦垂體之內分泌。並對於甲狀腺睪丸。亦有關係矣。蓋大腦垂體有病變者。能令髮稀。而脫髮症又多因大腦垂體之內分泌缺乏也。

牛膝其味酸平。是對於運動神經與知覺神經。均有鎮靜之作用。且可免除本方中過強之興奮性。

當歸能興奮生殖腺之內分泌。而強壯神經。此即所謂「養血」。中醫之血。常指神經言。如血虛生風者。即因運動神經虛弱而現之抽筋狀也。血不養筋者。指運動神經虛弱而現之疲乏現狀也。

枸杞。破故紙。均能興奮生殖腺。而為壯陽劑。

兔絲子為上藥之輔助。能止遺泄。

◻治疝瘕腹痛方

葉橘泉

腹部疝痛。發作時或一日半日即止。

或延五至十日不定。或忽作忽止。觸之有形如物梗阻。肛門或急迫。大便或下粘涎。或秘結。腹痛部分時或擴張。有時撫摩之較可。有時手觸之即痛甚。名謂疝瘕。蓋均屬腸之雜病也。不外大腸炎。大腸擴張。蚓突炎等。用胡蘆巴三錢。煎取粘液濃汁。和入沙糖。分二次服。再以本品濃煎。乘熱浸紗布摺七八層厚。熱罨腸部。有止痛散結疎滯之功。

按。胡蘆巴為荳料植物之種子。莢長四五寸。中藏種子十至二十粒。作斜方形。色黃。長二分許。厚一分許。子皮極薄。有皺襞。質堅。肉仁微帶油氣。有峻烈之臭。味苦。其成分為粘液質百分之二十八。脂肪油百分之六。餘則為揮發油。苦味質。單甯。黃色素等。用為滋養緩和藥。有溫暖。疎解。消散。止痛。緩和。化軟。破氣。驅風諸功。內服入腸能緩和酷厲液。滑利腸內容物。通大便。弛攣急。止痛。外罨則能消散。解凝。溫暖血運。疎風驅寒溼。有利血脈之效耳。

■治流火之驗方

王蘊玉

壬申夏。家伯父患流火甚劇。兩脛紅腫作痛。日不能行。夜不能寐。惡寒發熱。痛苦倍常。即延中醫診治。服藥數劑。毫無功效。復請西醫診斷。

謂須住院。必用解剖。家伯聞之。頗為驚恐。適值姑夫來。見之曰。此症余有靈驗之丹方。盍先試之。以免刀割之苦。方用野菊花一兩。煎湯頻服。再用番木鼈以菊花湯磨成濃汁。敷於患處。依法試之。明晨果見奇效。膚起縐紋。紅腫大減。不數日後。遂得全愈。越數日。鄰居張某。亦患此疾。余以此方授之。亦得治愈。於此可知番木鼈之治流火。確為靈驗之方也。諺云。一味單方。氣殺名醫。洵不誣也。倘從西醫解剖。非特臨時之痛苦難受。而且痊愈之時期亦長。實不足以勝我國一味之單方。噫。炫異矜奇者。可以反省矣。

▣日人發行之中將湯原方

朱振聲

日人發行之中將湯。專治婦女月經不調諸症。曾風行一時。茲出重價。賄其配劑師。得其原方。始知由國藥配合而成。藥共十二味。

延胡索三錢。(醋炒)當歸六錢。官桂二錢。甘草二錢。丁香二錢。山查核三錢。(醋炒)鬱金二錢。(醋炒)沙參四錢。續斷三錢。(醋炒)肉蔻三錢。(赤石脂炒。去赤石脂不用)苦參三錢。懷牛膝三錢。

以上十二味。軋成粗末。和勻。一劑分三服。每天用一服。滾水浸。蓋碗中。約半點鐘。將其湯飲下。如此浸服二劑。至三次。再用水煎服。當經前三四天服之尤效。

■痰中帶血方

沈仲圭

痰中夾有血絲血滴。如偶一見者。或由咳過所致。或因鼻血關係。而肺癆病者。亦往往見之。如癆症痰血。可用白芨四錢。參三七一錢五分。煎服。按白芨不但止血。兼可減少氣管之分泌(即痰)且味屬微苦。適合胃藏。雖久服而無妨消化。三七止血。無留瘀之弊。合以為方。誠肺病欬血之要藥也。

■嘔血盈盆之特效藥

沈仲圭

嘔血雖較咳血易治。但失血過多。往往逗起心臟衰弱。而致虛脫延醫診療。每嫌迂緩。可用花蕊石二錢至五錢。煆存性。研如粉。以童便一鐘。男子和酒半鐘。女子和醋半鐘。煎溫送下。其血可止。

■產後陰戶腫痛驗方

馮紹蘧

產後陰戶腫痛。由風熱鬱於經絡。氣血不能流通所致。紅腫熱痛。備極苦楚。斷不可作癰毒治。惟散風行血可矣。用當歸四錢。川芎一錢。獨活一錢。防風一錢。肉桂五分。荊芥一錢。生地三錢。元棗二枚。此驗方也。方中用荊芥散血中之鬱熱。獨活清陰中之陽結。防風開陽中之陰結。肉桂清陰中之陰結。此四者均驅風而開結。氣血流行。風熱自散。而腫消矣。益以地歸芎棗。補血而行血。不特緩和荊防桂獨之辛散。且產後血瘀血虛。藉以生滋也。

醫治凍瘡

懷霖

西北風起。患凍瘡的朋友。沒有一個不愁眉蹙額的。因為在十一月裏就發。一直要到明年三月裏。方纔會好。先是紅腫。發熱。發癢。而致潰爛出水。結痂而不落。再發熱。再發癢。出水。要延綿三四個月。非常痛苦。治凍瘡的方法很多。在西醫。用樟腦鐵司林。凡士林。中醫用皮硝。蟹殼。文旦殼等。更有許多經驗良方。但是有效的固然有。而無效的。亦不少。就是有效。到明年仍然再發。一些減不了痛苦。我們要知道。凍瘡所組織成功的原因。是濕停留在微細的血管裏。被冷風一遏。就和血凝結。而發炎。所以紅腫。發熱。發癢。而至於潰爛。出水。因濕而成的病。很多。如脚癬。濕瘰。酒刺。痔瘡。白帶。熱癤。凍瘡等都是。不過因為體質和氣候的不同。而變化的。因濕的病。終是延綿不易收功。凍瘡亦是因濕而成。雖然效方很多。都是表面上的治療。不能澈底。所以治療得不能斷根。而且濕終要尋出路。不發凍瘡。則發別種病。仍舊有痛苦給我們受。現在我得到一張效方。真是百發百中的。於學理上。實際上。很有研究的。把它寫在下面。

在凍瘡已成紅腫塊的時候。急用川桂枝三兩。核桃仁三兩。杜紅花一兩。川撫芎一兩。(中藥舖買)。拿來煎水。約半面盆。煎透乘熱洗患處。早晚各一次。藥與水勿棄去。再煎再洗。約洗十餘次。使牠不潰而塊消。消後。每天用橘皮一錢五分。生米仁三錢。粉豬苓一錢五分。宋製半夏一錢。煎湯代茶。三五天。如不覺厭。可多服幾天。此後不易再患。如再患。仍如前法。洗。服。最多不過三次。永不再發。推其原理。洗方是通經活絡。和血脈的。服方是化濕而不燥。無論屬寒屬熱。都可以用。此法試驗多人。效驗非常。諸位同病者。請一試之。得益非淺。請勿以麻煩而忽之也。

■赤鼻驗方

蔡濟平

是病之因。由於心肺積熱發現於鼻。大都病者。或好飲酒醴。濕濁薰蒸。或肺經素多風熱。或心經不遂。血熱鬱滯。皆發鼻赤而生皶瘄也。宜涼血清熱。內服煎藥。外用搽劑。庶可退盡。並忌食椒姜韭菜膏粱等品。按此方。曾得湖南洪江李漢平謝函。謂十年宿疾。曾兩度在漢口同仁醫院。及湖北醫院治療。費時數月。耗款百餘。絲毫無效。得是方如法服用。三劑而痊。誠屬驗方。特為介紹。以惠同病。我記得尚有一首歪詩。嘲笑赤鼻。併錄之以博閱者一粲。（赤鼻詩）鼻子人人有。惟君色不同。火山常肆焰。冬月不防風。倒視如澆臘。橫看似斷虹。偶然翹首望。照耀滿天紅。

（內治法）大生地五錢。赤芍藥錢半。炒枯芩二錢。生甘草八分。天花粉二錢。天麥冬各錢半。『青黛八分拌』蘇薄荷一錢。通草錢半。連喬三錢。鮮石斛三錢。青防風錢半。燈芯二十寸。嗜酒者加枳椇子六錢同煎服。

（外治法）雄黃二錢。白礬八分。硫磺二錢。乳香八分。杏仁二錢。大黃一錢。樸硝七分。輕粉四分。銅綠一錢。右藥共研細末。用密酒調和。臥時塗於鼻準。次早洗去。每夜塗之。不可間斷。

■痔漏外用藥

（一）百草霜二錢五分。黃連二分。冰片五分。麝香五分。炒旱蓮草五錢。蜣螂蟲五錢。螞蝗五條。瓦上炒焦研細末為丸。如粟米大納入管內。三日後。管即化出。用輕粉。乳香。麝香。韶粉。東丹。血竭等分。研末摻之。收功。

(二)小茴香一兩。白芷三兩。白礬一兩。研細銅杓內鎔成餅。再入炭火內煅。令烟盡取出。出火毒。為細末。用麩糊成條。插入漏內。直透至痛處。每日三次。用七日不必另用他藥。十餘日後。即結痂而愈。

(三)花蜘蛛十四只。推車蟲八只。水馬二百只。麝香五分。珍珠五分。冰片八分。研細末。敷之。能治內外痔年久纏綿之症。即久不收口之流注。敷之亦有神功。先王父錦庭公。稱之為外科至寶。其外科祕錄中。尊為章氏外科四寶之第一方。記者於各症棘手時。亦即用此藥救其窮。覺無往不利。真神方也。

◻病後耳聾

趙建霖

凡人於大病之後。兩耳聾閉。治用南棗半斤。桂圓四兩。同煎。外加葱兜半觔。略煑一滾溫食。四五次自通。忌鹽。須淡食數日。

(按)葱兜不知何物。恐為土名。讀者如欲將此方應用。可函詢趙君。通信處湖南邵陽棠下橋。翰記四時春藥號。

◻傅青主痢疾方

沈仲圭

及門潘子國賢嘗為余言。『傅青主男科痢疾第一方。施之痢下赤白。腹痛。裏急後重之初起病人。往往一劑知。二劑已。』又曰。『國賢之用是方。蓋本諸家君之昭示也。』

余聞潘子言。即檢傅氏男科。方為。白芍二兩。枳殼二錢。滑石三錢。萊菔子一錢。當歸二兩。梹榔二錢。廣木香一錢。甘草一錢。方後並云。『……其餘些小痢疾。減半用之。無不奏功。此方不論紅白痢疾。痛與不痛。服之皆神効。』

更查本草。則知方中各藥之功用為。(白芍)鎮痛。用於腹痛下痢。(當歸)潤腸。尤宜於痢疾。因當歸為油類緩下劑。不致刺激炎腫之腸黏膜也。(枳殼)為苦味健胃藥。(檳榔木香)除促進食慾外。並除裏急後重。(滑石)行水除濕(萊菔子)消穀食。(甘草)有緩下作用。助當歸排除腸內容物。(以上各藥之作用。皆根據最新出版之藥物學。讀者不能以舊說相繩。)

吾人觀上方之用量。及各藥之功用。可知本方之主藥。厥為「歸芍」。其他木香檳榔之除後重。枳殼萊菔之消食滯。不過協助主藥。以解除病人痛苦耳。惟芍藥鎮痛。亦是治症狀之藥。而量與當歸等。痢疾非比泄瀉。毋須通利小便。滑石之加。似嫌蛇足。此則以藥理學觀察本方。殊覺費解也。

男科另有治血痢寒痢方。亦以歸芍為主。他藥亦與本方大同小異。意者歸芍治痢。為傅氏經驗之結果。故用之効如桴鼓乎。吾意傅氏痢疾方有當歸之滋養。而檳榔枳殼萊菔木香。皆助消化。故於體虛患痢。胃納減少者。尤為合拍。

停孕效方

陸士諤

男女居室。人情難免。而當此年頭。市面既極蕭條。生活羣感枯竭。多子多累。一切教養諸費。既乏呂仙指石成金之術。難享汾陽七子八壻之榮。每值學校開學。攢眉籌畫。羅掘俱窮。中人之家。且猶如此。下此者更無論焉。

宋人有絕孕一方。觀其組織之精。設想之巧。當無不效。昔人以此方有礙生機。秘不傳世。清賢柯韻伯且著論斥之。余謂多子主義。節育主義。因環境不同而異其趣。不能是甲非乙。流於一偏之見。特將絕孕方公開。俾節育者有所取效。知我罪我。不計也。

大生地三錢。全當歸錢半。大白芍錢半。川芎錢半。肥知母三錢。川黃檗錢半。

經前經後。各服五帖。連服三個月效。此後倘欲受孕。可改服下方。

大熟地三錢。全當歸錢半。大白芍錢

半。川芎錢半。西綿芪三錢。肉桂錢半。

經前經後各服五帖。連服三個月效。

■種子良方

瞿何仙

抱伯道之憂者。每以其責咎於於其妻。於是私婢納妾。以致爭風吃醋。家庭失和。不知生育一事。夫婦同負其責。不孕之原因。不全關於女子。男子亦有不孕者。無子而欲求子者。男子均須服藥。

男服之方。用山茱萸（水浸去核）五兩。天門冬（水浸去心皮）五兩。麥門冬（水浸去心）五兩。黃芪（去皮蜜炙）二兩。補骨脂（酒浸。水洗炒黃）八兩。兔絲子（擇淨。酒浸一宿。晒乾）三兩。枸杞子（去枝蒂）三兩。當歸（酒洗。去蘆。全用）二兩。覆盆子（微炒）三兩。蛇床子（水洗淨。微炒）三兩。川巴戟（酒浸去心）三兩。山藥（洗淨）一兩。熟地黃（酒浸搗如泥）三兩。黃犬腎（酥炙焙乾）二副。白龍骨（火煅七次。童便鹽酒淬。布包。懸井底三日）二兩。人參一兩五錢。韭子（酒洗淨炒）三兩。鎖陽（酒洗酥炙）二兩。白朮（水洗。土拌炒）一兩。杜仲（去皮酥炙）一兩五錢。陳皮（酒洗。去白。微炒）一兩。紫河車一具。（初生男胎者佳。將米泔水洗。用銀針挑破。擠去紫血。待淨。入水罎內。好酒二斤。封固。重湯煎爛。搗如泥）上藥為極細末。入煉蜜。木臼內搗極勻。丸。如梧桐子大。每服五六十丸。漸加至百丸止。空心鹽湯下。出外減半服之。

女服之方。用山茱萸（酒浸去核）五兩。香附子（去毛四製）五兩。川芎（酒洗）三兩。熟地黃（酒洗搗極爛）三兩。白芍藥（去皮酒炒黃）四兩。益母草三兩。條芩（酒炒）二兩。蛇床子（水洗淨微炒）二兩。覆盆子（微炒）二兩。玄胡索（微炒）二兩。陳皮（水浸去白）二兩。蒼朮（米泔水浸一宿）三兩。砂仁（去殼）一兩五錢。丹參（水洗）二兩。當歸（酒洗。去蘆全用）三兩。

用白絲毛烏骨雄雞一隻。預先喂養一月。不令與雌雞同處。臨合。將線縛死。不出血。乾去毛。剖開去腸內穢汚。并膝內宿食。肫內黃皮。用酒洗淨。一應事畢。仍裝入雞肚內。不令見水。置罈內。入酒二斤。封固。重湯煮爛。取出。刮下淨肉。搗如泥。仍將雞骨用酥油和原汁。或酒炙酥為末。入藥末拌勻。

右為極細末。同雞肉。地黃。入醋煮。米糊拌勻。木臼內搗極細。丸如梧桐子大。每服四五十丸。漸加至八九十丸。空心清水飲下。如月信先期而至者。加黃芩。地骨皮。黃連各一兩五錢。清米飲下。如月信後期而至者。加黃芪一兩。人參。白朮各一兩五錢。溫酒淡鹽湯任下。如下白帶者。加蒼朮。白朮。柴胡。升麻。白芷各一錢五分。淡姜湯送下。

裂胞生救命至靈湯

王南山

治婦人臨產裂胞生。及難產數日血水已乾。產戶枯澁。命在垂危者。桂圓肉（六兩去核）生牛膝梢（一兩黃酒浸搗爛）將桂圓肉煎濃汁。冲入牛膝酒內。乘熱服之。安臥片時。即產。

按桂圓肉善補血液。牛膝梢善于達下。妙在又以酒浸熱服。使其產戶枯澁之處。即得滋潤通達之益。故能轉難爲易。轉危爲安也。

陰戶腫痛外治方

王南山

羌活防風葱白各一兩。煎湯薰于陰戶。能消腫止痛。有神效。

按。製字者。以風字從虫。蓋知空氣中多微生蟲。而風邪之病。亦多由微生蟲之爲患也。故中醫祛散風邪之藥。皆能治西醫所謂之細菌病。且有特效也。陰戶腫痛。亦必有細菌生焉。故以防風羌活葱白之袪風藥薰之。可以愈也。

肺癆簡治方

尤學周

按諸家本草所載。大蒜外用傅癰腫。

內服治腸胃病。名醫別錄謂歸五臟。散癰腫匿草瘡。除風邪。殺毒氣。唐本草謂下氣。消穀。化肉。本草拾遺謂去水惡瘴氣。除風溼。破冷氣。爛痃癖。伏邪惡。宣通溫補。療瘑瘡。殺鬼去痛。日華諸家本草謂健脾胃。治腎氣。止霍亂轉筋。腹痛。除邪祟。解溫疫。療勞瘧冷風。傳風損冷痛。惡瘡。蛇蟲蠱毒。大蒜為菜類之一。其效用既如此之大。常服之。有利於人體者甚大。然有辛臭不快之氣。故頗多厭惡之者。王禎有云。大蒜味久不變。可以資生。可以致遠。化臭腐為神奇。調鼎俎。代醯醬。攜諸旅塗。則炎風瘴雨不能加。食餲毒臘不能害。夏月食之解暑氣。則此品乃食經之上品。日用之多助者也。

肺癆。可用大蒜治之。因其內含一種硫質。對於肺癆有絕大之效力。可使全身症狀減退。減少痰量。鎮咳嗽。止盜汗。治呼吸困難。增進食量。體重加增。血液濃厚。心力活潑。而對於癆菌。亦更有破壞及撲滅之能力。大蒜之有效成分。多在其發揮物中。宜生用之。如煑熟之後。則其發揮物盡行散矣。用之必不能得效。

大蒜治癆之法。取去皮大蒜切片。用高粱浸成十分之二。酒色初淡黃。後現深黃。及泛深黃色。入瓶密貯至少須二十天可用。再次服蒜片。二分半至三分。(市秤)日服三次。可以久服。對於肺癆者極為有益。時人有提倡煤油治肺癆病者。余於臨症時得病家十四人之報告。皆謂無效。惟肺癆病食大蒜者。均得極佳效果。此則堪為病者作負責之介紹。

■經驗止血方

張又良

本方用海蛤殼八錢。(煅打)川貝母三錢。阿膠三錢。生地四錢。紫丹參三錢。煎湯送下參三七末八分。專治咯血。嘔血。子宮出血等。其作用有四。(一)增強血中之鈣鹽。以促速纖微素酶之成功。(二)低降血壓。以杜損口之再潰。(三)加增纖維素酶。得強大血液之凝固力。(四)收斂血管。制止出血。俾創口易於恢復。

■耳內流膿驗方

張繼元

余前患耳流膿。脹痛難忍。遍閱瘍醫書。覓方治之。不克奏效。延諸外科議治。亦無良法無已。乃求治於西醫。膿未止而更增流血。痛益難忍。至六十日。因理髮時匠人偶詢余苦。余告之故。彼曰令先祖滕村先生嘗傳妙方。先生豈忘之乎。余告以不知。彼曰以茸丹白眼藥各少許。注入耳內。即可奏效。匠謂得此方。治愈者數十人矣。余求愈心切。不暇計其工拙。即依其方而改良之。將藥捲於綿紙內。納入耳中。一日數易。膿止腫退矣。後以此方告人。得效者十居八九。禮失而求諸野。不其然乎。

■去眼中翳膜法

李健頤

先嚴實烈公遺傳治翳膜一方用之神效。每將各味製成藥水。儲於料瓶。以備分送。療治多人。口碑載道。今特錄下。公諸於世。不敢自私。方用川花椒二分。甘菊花三分。砂仁三粒。杏仁三枚。生鹽一分。明礬五分。胆礬五分。共為粗末。烏梅四枚。（搥破去核）再加新針三支。插在烏梅上。浸水一鐘。俟針化後。即可取用。如患膜翳遮蓋瞳人。或生赤肉者。先用朴硝桑葉冲湯薰洗。洗後即點此藥水。一日三四次。半月後。自可獲愈。

■解救蛇毒莫如半邊蓮（附圖）

尤學周

毒蛇之齒中。有槽一層。足以使毒液周流其中。蛇口有腺。與吾人同。惟人口之腺。乃分泌唾液。助咀嚼與消化食物。而蛇腺則供給毒液。自腺中達於毒處。當毒蛇嚙人時。牙床筋肉。壓迫上下齒。使其相攏。同時更壓迫此腺。使毒液沿小管至毒齒。而注入被嚙者之體內。

蛇嚙之人。其所受之毒雖微。然此種

毒液。較諸任何毒汁為烈。故一滴即足以致死命。

毒蛇之毒牙。有生定者。有可以自由展藏者。依蛇之種類而定。自由展藏之齒。有特異之構造。可將毒齒平放於上顎之皮褶內。與尋常食物之齒。不生關碍。此種毒蛇。遇其仇敵時。任其興之所至。使用何齒。其生定者。毒齒不能展藏。

蛇之噬人。並非其本性。常人見蛇之橫臥時。以為必在窺伺。預備。或熱中設法加害於人之脚跟。此實誤解。蓋蛇與其他多數之動物相同。通常在激怒或突然被擾時。迫不得已。採取惟一之自衛手段。利用其齒。襲擊人類。如有機會可以逃避。彼必蕭然遠行。不與人類為難。苟不幸而被噬。不幸而所噬者為毒蛇。則速宜救。

解救蛇毒。莫如用半邊蓮一大把搗汁服。用渣塗於患處。諺云。「有人識得半邊蓮。儘可和毒蛇一同眠。」一查本草綱目云。半邊蓮。小草也，生陰溼塍塹邊。就地細梗。引蔓節節而生細葉。秋開小花。淡紅紫色。止有半邊。如蓮花狀。故名。又名「急解索」意為蛇之纏人如索。此草能急解之也。主治蛇虺傷。擣汁飲。以滓圍塗之云云。此草覓之甚易。然人多不識。余採得一莖。並繪圖於下。（編者按。圖見封面）惟此時非開花之期。其花之如蓮與否。讀者於夏盡秋來之時。可按圖而索之也。

胃病小藥囊

章濟蒼

胃主消化。胃強則消化易。胃弱則消化難。此不易之定理也。今人之患胃病者。比比皆是。且女子尤較男子為多。但總其起因。大要不外乎寒滯氣滯食滯而已。爰得簡而有效之驗方數則。編為小藥囊。以備病者不時之需。丹方一味。氣死名醫。讀者毋以其簡而忽之。

(神香散)

治胃脘痛。氣逆難解。諸滯可解。公丁香。白蔻仁。等分研末。每服七分。白湯下。日可數服。氣滯香附湯下。食滯焦雞金湯下。寒滯薑湯下。

(和胃飲)

治氣悶腹脹。惡心反胃。消化不良。肝胃氣痛。生薑汁一匙。甘蔗汁一杯。

(三)薑附散

治肝胃痛。良薑酒炒。香附醋炒。研末。因寒痛者。薑加倍。因氣痛者。附加倍。米飲湯下。

(四)丹參飲

治胃脘諸熱痛。婦人更效。丹參四錢。檀香五錢。杵砂仁八分。

(五)茘香散

治胃脘當心久痛。屢觸屢發者。婦人

多有此病。服之最效。荔子核燒微焦五錢。木香四錢。研末。每用一錢二分。清湯調服。

（六）蜜橙飲

主治胃不納食。胃酸過多。脘滿作痛。便閉胃大。白蜜二匙。新會橙一個去皮。燉熟連橙服。

（七）香附湯

治胃氣痛。香附二錢酒炒杵。加生薑三片。鹽少許。同瘦猪肉四兩。煎服。

（八）夏枯草湯

治久年肝胃痛。夏枯草四兩。瘦猪肉十二兩去盡肥肉。

（九）胃靈散

治胃氣痛。五靈脂三錢。玄胡索三錢。石菖蒲四錢。砂仁二錢。右藥炒研細末。每服一錢。紅木香三錢。煎湯送下。

風疹神效方

周彥達

余親見長浜路興隆泰紙匣作某。忽周身發現如豆大。或如胡桃大。其色淡紅腫塊癢不可當。滬諺名為風疹塊。用香樟木。煎湯薰洗。二次即愈。又有小南門。俞家弄。劉姓子。於上月三十號。發現滿面風疹。以香樟木薰洗二次即愈。余以其神效。故錄之。

▣小兒梅毒身無完膚

鄭芸書

芸之小兒。產後四五月。乳傭乳婦不慎。婦之毒。傳染於小兒。致身無完肉。此好彼起。瘡水不乾而奇癢。中西名醫。視之。初時頗好。即見效。至月餘。依然如故。如此者足有三年餘矣。今夏得一土方。照方調治。不一月已完好。而身無一痂。後王姓友人之弟。亦患此症。年餘。芸告是方。亦照法治之。二星期亦全愈。可知是方之妙。妙不可言喻耳。

方用。紅三仙丹。及中國蠟燭油。煬而和之。搽於患處。一日兩次。早晚各一。再另服金銀花露。用以代茶。能如法照行。定能見奇效。

溼痺腰痛之特效藥

俞慎初

杜仲。金扶筋。雲茯苓。木防己。桂枝木。北沙苑。原蠶砂。薏苡仁。按痺症西醫稱關節僂麻質斯。與筋肉僂麻質斯。其治法如溫罨法。按摩法。微溫浴。蒸氣浴。塗擦麻醉藥等。然尚無特效之方劑。斯方蓋本諸家居之昭示。而對勞力感溫。腰痺酸痛。四肢乏力。甚為效驗。往往一劑知。二劑已。下走不敏。然對於特效方藥。素甚注意。每有所得。必加之研究。茲就醫療效用。略述於下。

杜仲——促進血液進行。亢奮神經脈

管。及淋巴管。使筋骨強健。

扶筋——亢奮心臟機能。促進血液增加。有溫養氣血。療治腳弱腰酸之功。

茯苓——由腸壁吸入血中。能增高血壓。使腎臟之分泌亢進。

防己——入血中令全身粘膜充血。而腎臟為尤顯。全身之過量水分。即被驅向腎臟。而腎臟之功作。亦因此迅速。

桂枝——亢奮血液。使血管呈充血。刺戟腎上皮。擴張腎動脈。以呈利水作用。功能調和氣血。溫經通脈。疏湊理。除風溼。

沙苑——溫血燥溼。且助長血液。為治腰痺酸痛。手足無力之要藥。

蠶砂——逐風袪溼。溫煖腰膝。

苡仁——刺激腎臟。使促進其利尿機能。

本方之主藥。則為杜仲。杜仲功能強健筋骨。筋骨強健。則邪無所作祟。防己為除風溼之要藥。蓋痺痛之作。皆由於風溼。風溼既除。則痺痛自息。苡仁。茯苓。助防己以瀉下焦鬱溼。桂枝蠶砂之袪風溼。煖腰膝。沙苑。扶筋溫氣血。而治腰痛肢弱。故用之效如桴鼓。

■爛喉痧之驗方

高一志

爛喉痧者。身發痧疹。而喉嚨上下潰

爛腐敗。疼痛不堪之症也。其傷人最速。乃急性傳染病之一種。經三四日間。喉部腐爛。煩躁不安。口禁痰哮。湯水不能下咽。以至死亡。此乃該症通常現狀。故無論男女老幼。甚易罹染。而小孩之殞命於此症者。尤居多數。考此爛喉之稱。係中醫名之。而西醫則名曰實扶的里亞。據稱係由實扶的里桿菌所發生。其治法祇有注射血清。及以切開之法而已。但切開及血清注射。祇能於預防期間施之。至於已經潰爛決非注射血清所能奏效。即使切開手術亦屬危險。且效驗未必十分完滿。故求安善而靈效者。則惟我中醫家所擬之錫類散一方。錫類散者。乃治爛喉之吹藥也。方用牛黃。珍珠。象牙屑。冰片。青黛。指甲。壁錢。七味等分。研極細。待用。此散無論喉痧非喉痧。凡喉部爛潰而白腐。其痛如火灼者。用此散吹入患處。能化腐為新。疼痛立止。輕症三日。重症七日。定可痊瘳。惟日夜一週。須吹數十次。至少亦須七八次。未有不轉危為安也。

（編者按）爛喉痧。即腥紅熱未能發越而毒壅於喉所致。實扶的里亞為白喉。與爛喉不同。白喉必用血清。爛喉則以錫類散吹之。

◘冷心痛之效方

沈仲圭

金石萃編北齊道興造像記。載冷心痛方。「吳茰一升。桂心。當歸各三兩。擣末。蜜和丸。如梧子大。每服十丸。日再服。漸加至三十丸。以知為度。」按此方以茰桂之辛熱。定痛開胃。當歸之甘潤。和營益血。則剛柔相濟。久服而無流弊。誠胃陽不振。肝氣橫逆。以致痛楚頻作之良方也。

■治產後兒枕痛方

楊子鈞

分娩後。胎盤脫離子宮壁而起之創傷出血。是為惡露。此必有之惡露。若因子宮壁收縮弛緩。難以排出。而停留于子宮腔中。則覺小腹攻痛。按之有塊如兒頭。俗名兒枕痛。古人於此。固有失笑散。奪命散等以為祛瘀處治。今吾鄉之侍產媪。亦有其祖傳之單方。功效甚良。即以赤小豆一升。鍋內炒焦。水煎一碗。調入赤沙糖。（加赤沙糖者。不過為調味及增加營養。緩和疼痛而已。）日服二三次。越日使下瘀血如豚肝者數塊。腹痛頓瘥。此目覩其效者也。

考赤小豆屬荳科。為一年生草本。農家種之以為雜糧。莖高二尺餘。果實為莢。中藏紅色種子。即是也。其治療作用。約略推論為下。

（1）排除癰膿　凡局部及腸膜發炎。或紅腫化膿者。本品有消炎退腫及排泄瘀毒之作用。故金匱用治先血後便之腸風。及狐惑蝕於肛門。目赤如鳩眼。四眥黑之癰膿已成症。皆以本藥為主治。而以當歸之和血副之。（名赤小豆當歸散）江隣璣雜志。單用以治腮腫。（上在東宮。若腮腫。用赤小豆為末。敷之立愈。）小品方。用以治諸腫。欲作癰疽。（赤小豆研末。以水和塗。便可消散毒氣。）梅師用以治熱毒下血。（本藥為末。水調服）及乳腫。（赤豆莽草等分為末。若酒和敷）皆收卓效。

（2）能解瘀熱毒　凡體熱不得發越。胃腸熱鬱而生炎症。因而影響于胆管。胆色素傳入血分則發黃。本品佐麻黃連翹等。有排泄瘀熱及消炎之功。故傷寒之瘀熱在裏。身必發黃者。麻黃連翹赤小豆湯是其選也。

（3）能利尿消水腫　凡皮下水腫。或尿量極少而成之脚氣。則本藥有利尿退腫之效。故食療本草治脚氣。及大腹水腫。用本品和鯉魚煑爛食之。韋宙獨行方。療水腫從脚起。用赤小豆一斗。煑取汁四五升。溫漬膝以下。若脚氣入腹。但服赤豆。勿雜食。亦愈。肘後方亦云。脚氣水腫。骨痛難行。用本藥煑食之良。

根據以上古人所記載。則知本藥之有祛瘀解毒。消癰排膿。及利水腫之作用。明甚。然則產後因瘀血停潴于子宮腔。而致腹痛有塊。用本品得以緩解者。蓋非無徵不信亦明矣。

■小兒百日欬與鷺鷥涎丸

公玄

小兒有患欬嗽。名曰百日咳者。俗名曰頓嗽。其欬嗽之狀。在不欬之時。嬉戲跳躍一如常見。驟然欬作。則欬聲連續不斷。至少須十餘分鐘方能歇止。經此一欬。小兒必面赤氣粗。似極疲勞。移時恢復常態。隔數小時後則又一作。甚則欬止肋脅引痛欬極見紅音嘶失亮。面目浮腫等症雜見。謂之百日欬者。因此病必百日而自愈。不及百日任何藥物不能見效。俗名為之頓欬者。言欬嗽時如吃飯之有頓數。一欬則必十餘分鐘方止也。頓欬即言其形狀。若謂此病必百日自愈者。乃一般人之經驗談。在學理上殊無根據。該種經驗在事實上是否確實姑置不言。以小兒肺臟嬌嫩之軀體。欬嗆而延至三月以上。於小兒肺臟必受損傷。或傳變而成他病亦意中事也。故甯早為調治。俾早日全愈。除却病魔為上策。毋使滋蔓難圖也。

茲有一方。名曰鷺鷥涎丸者。對於本症頗著成效。內用光杏仁黑山梔。生石膏。海蛤粉。天花粉各二兩。清炙草四兩。熟大力子三兩。白射干飛青黛各一兩。淨麻黃八錢。北細辛五錢。上藥共研細末用鷺鷥涎三兩。加蜜少許打丸。以用鷺鷥涎為引。故名鷺鷥涎丸。緣該症又名曰鷺鷥欬。以症狀而命名也。鷺鷥為水禽之一種。亦名曰水鴉。其頸項常伸。小兒欬時連聲欬嗆氣逆喘急。有類鷺鷥之引頸常伸。故又名之曰鷺鷥欬也。

夫肺為嬌臟。性主肅降。欬嗆之病。其始均由於外感風寒暑熱之邪。遏伏於肺。於是氣機壅塞。清肅失令。上逆而為欬也。蓋形寒飲冷則傷肺。而清肅之體。亦復惡熱。客氣襲肺。治節失於下降。欬嗆乃作。鷺鷥涎丸亦根據仲景麻杏石甘化裁而成。故亦用麻黃石羔。更加細辛。石羔所以除鬱熱。細辛所以袪陳寒。麻黃為泄肺之峻品。三味合用。肺中寒熱相搏之氣。尚有不解者乎。射干杏仁所以化痰而降逆。青黛蛤粉所泄肝而利氣。蓋肝氣主升。肝氣過升。則肺降不及。故泄肝之品。亦為必須之品。更用山梔以清熱。花粉以生津。大力子以利咽喉。甘草以協和諸藥。再以鷺鷥涎為引。以鷺鷥涎性平味鹹。鹹能下降。俾水穀之不化精氣而上泛為痰者。仍引而下之。俾輸達於膀胱。該方對於小兒百日欬頗有效果。丸不宜太大。蓋小兒不易咽也。或用絹包煎服三錢。日日服之。旬日內可望全愈。

戒烟神方

印光

鴉片流毒。其害極酷。受此害者。每欲戒而無方。市上所售戒烟丸藥。悉參嗎啡。雖可抵癮。受害尤甚。此方簡便易辦。有利無弊。務望有志戒煙諸君。從速照服。百發百中。萬勿輕忽。甘草八兩。川貝母四兩。杜仲四兩。右藥三味。用藥三味。用清水六斤。熬至一半。將藥用布去渣。再加好紅糖一斤。成膏。每次服三錢。每日服三次。溫水冲服。千萬不可加一味藥。加則不靈。服藥之日。忌食酸味幷忌房事。保養精神至禱至禱。

服法。初三天。每藥膏一兩。加入煙一錢。(此約每日吃煙一兩者言。若每日吃煙五錢。則加五分。其所加煙。只得百分之十。其癮之大小。依此類推。)第四五六天。一兩藥。加煙八分。(此約吃煙一兩者言。若吃煙五錢。則加四分。其所加煙。只得百分之八。)第七八九天。一兩藥加煙六分。(所加煙。只百分之六。)第十十一十二天。一兩藥。加煙四分。(所加煙。只百分之四。)第十三十四十五天。一兩藥。加煙二分。(所加煙。只百分之二。)第十六十七十八天。一兩藥。加煙一分。(所加煙。只百分之一。)十八天後。每兩藥。加煙五厘。再服七天。以後切切不須加煙。服完此膏。其癮自斷。並無難受。及一切毛病。真神方也。斷癮後。切忌再吃。

防法。倘戒煙期內。發生別種毛病。每兩藥膏。照期多加煙一分。不可過多。自然病愈。萬無一失。依此方治好者無數。即日吃二三兩煙者。均服一料斷癮。不但無病。且精神強健。靈極。

按此藥。又善治氣疼。民國八年。一婦人以氣疼吃煙。後欲戒除。購市售戒煙丸服之。一日不服。則煙癮氣疼並發。余令服此藥一料。二病俱除。又一僧素患氣疼。每年發時。以常用方治之即效。一年疼甚無效。余令服此藥。但不加煙。半料未服完。已痊癒矣。一婦人自十六歲患氣疼。至今五十六歲。雖經多少名醫時醫診治。均無效。每日必發一二次。發則痛苦萬分。余令服此藥。但不加煙。必可痊癒。彼即照辦。頭一次服。即不復發。不滿十日。藥未及半。已面色光潤。精神強健矣。

■風濕骨痛方

劉灼鑫

用斑蝥末一錢。芥末四錢。樟腦四錢。生蒜頭一個。好醋五兩。火酒十兩。和勻。浸七日。濾去渣。應用。凡四肢風溼骨痛等。均可用此酒搽擦患都。一日數次頗有神效。

消渴新方

張錫純

消渴者。膵病而累及於脾也。蓋膵為脾之副臟。在中書名為散膏。即難經所謂脾有散膏半斤也。(膵尾銜結於脾門。其全體之動脈。又自脾脈分支而來。故與脾脈有密切之關係)有時膵病發酵。多釀甜味。由水道下陷。其人之小便。遂含有糖質。(西人名為糖尿病)乃由膵病而累及於脾。致脾氣不能散精達肺。(內經謂脾氣散精。上達於肺)則津液必短。不能通調水道(內經謂脾主通調水道)則小便無節。是以渴而多飲多溲也。曾閱申報。有胡適之者。患消渴證。在北京協和醫院治不愈。歸延中醫。重用生黃芪治愈。以其能助脾氣上升。其上升之氣。中含輕氣。與肺臟吸入之養氣相合。即能化水。(輕二分養一分即化水)以止渴也。又金匱腎氣丸。原善治消渴。其方以乾地黃為主。即(生地黃)取其能助腎中真陰上昇。甯心火以潤肺金。則肺無心火之刑。又有腎陰之助。自能生金以止渴也。又拙前擬醴泉飲以治消渴多驗。方中重用生山藥。取其能補脾固腎。以止小便頻數。而所含之蛋白質。又能滋補肺臟也。又閱醫報。載有治消渴便方。但用生猪胰子切碎吞服。猪胰子即猪子膵。是人之膵病。而治以物之睟也。愚因集諸藥。合為一方。用之極有效驗。遂名其方為滋睟飲。(滋睟飲)生蔚芪五錢。生地黃一兩。生懷山藥一兩。煎湯送服生猪胰子一錢。至煎。渣時。亦如此送服。

◘癩痢初起特效方 馮笑農

敝人家住鄉村。前在十三四歲之時。因年輕之故。而不知自潔。以致頭髮任其生長。後被他人取笑。乃至鎮市。理髮店中剃頭。至店見先有一童在該店剃頭。頭上生有癩痢。該時余年輕。不知癩痢。有傳染之害。故等其剃完之後。再與吾剃。剃畢歸家。不數日。忽覺頭上作癢。看之生有許多細粒。如是又過數日。成為癩痢。將短髮拉之。能紛紛隨手落下。後經余父。用豆油半斤。嫩豆腐一百文。先將油置於釜中。用烈火燒之。見豆腐二面結蓋。將油取出。置磁器中。候冷。每日三次。先將患處洗淨擦之。如是半月餘。病若失。永不復發。

◘武癡方 戴橘圃

武癡者。瘋狂不羈。叫囂號哭。逢人便打者也。用石青一錢。(水飛)石菉一錢。飛淨。用黃連水。和麵為丸。如萊菔子大。每服二錢。滾水送下。須臾即吐。再以前藥加入寒食麵一錢二分。淨巴荳霜一錢二分。仍以黃連水和丸。每服二分。用細葉菖蒲末和猪心血為丸。金箔為衣。服之全愈。

瘋痰神方

戴橘圃

一切瘋痰發狂。不拘男女大小。均治。用廣東橘紅一錢五分。明天麻一錢。淨鈎鈎一錢。海浮石三錢。瓜蔞霜三錢。法夏一錢五分。白茯苓神各一錢五分。陳胆星八分。石菖蒲一錢。羚羊尖八分(磨汁冲)淡竹青一團。生姜汁五匙。煎好。和後末藥同服。

末藥方。——廣橘紅三錢。茯苓一錢。川貝母一錢。巴豆霜二錢。煅礞石二錢。沉香一錢。製南星一錢。原射香二分。共末。每次一錢。和前藥服五帖之後。煎藥止服。每早空心但服末藥一錢。開水下。

治頭痛法

王鐵如

當歸一兩。酒一升。煑取六合。飲至醉效。

此治血虛頭痛之方也。凡血虛頭痛者。自眉尖後循髮際。上攻頭痛者是。或兼頭旋目昏等證。

虛則補之。第所謂補。非藥物入口。即能化血。不過藉其氣以達於血。當歸治陽氣蹟於血分。凡氣為血撓者。皆能治之。蓋血所不足。則氣襲而居之。而痛作矣。惟當歸之苦辛甘溫。能於血之不足處。以裕之潤之。血之乖阻處。以和之行之。隨所引而莫各歸其所當歸。又安有血虛之患耶。麦之以酒。則上行之力愈速。而奏效尤捷。

凡頭風而痛。或發熱惡熱而渴者勿服。俾免助濕熱之邪。

■紅籐治腸癰

何墨君

盲腸在人體中。並無功用。且有害處。位於小腸之側端。長約三四英寸。若我人飽食之後。遽作劇烈運動。致食物侵入於盲腸。積久不運。漸呈腐敗。為釀成腸癰之大原因。或偶食不易消化之物。以及過食肥膩。致起便閉。因而釀成此症者。所見亦多。泰西各國兒童。往往將盲腸割去。以絕後患。此症若不早治。必致潰爛。逐漸蔓延於大小二腸。及至大便一下膿血。則病狀已入重候。每有性命之虞。

腸癰初起時。其臍部下側。與少腹之上端。有紅腫發熱之象。以手按之。疼痛至極難耐。而少腹脹滿。身熱煩渴等症。必隨之而起。偶有咳嗽或轉側之際。其痛勢亦必立即增劇。此症更有一極顯著之症狀。即病者右腿必緊屈伏貼於少腹之旁。不能伸直。故患腸癰病者。其痛楚情狀。難以筆墨形容者也。

曩閱醫報。謂有紅籐。為治腸癰病靈

驗之藥。余疑信參半。未嘗敢用。此次本埠城內阜民路舍親陸君純嘏。在少腹下側（肚角處）忽患疼痛。初尚並不劇烈。惟稍有發熱。陸君以為偶爾感受寒邪。故不甚注意。不意時越二日。腹部疼痛。愈見緊張。未有片刻停止。且紅腫處不能手按。寒熱亦愈利害。右腿屈服少腹。欲伸直則更增劇痛。合家惶懼。手足無措。乃求治於西醫。斷為盲腸炎病。須用手術割去腐腸。能始保無事。陸君意猶為決。遣公子來速余往。余以局方千金牡丹皮散。佐以逐瘀之方。未見獲效。乃遍查傷寒溫疫條辨。載有腸癰秘方三張。其第一方亦祇紅藤一味。乃據實以告陸君。先購紅藤一兩。如法煎服。（紅藤普通藥肆不備。後在草藥店購來。價甚賤。）詎日再去。擬進服第二方。孰知少腹疼痛。竟得完全消失。寒熱亦退。又喜右腿已照常伸屈。（據陸君云。至夜半時。已經覺漸鬆動。）全家欣幸不止。驚為仙丹。遂不復接服二方。考之藥性。紅藤為治腸癰要藥。有破積導瘀販濁之力。用誌報端。以告各界之留心此病者。附錄原方於後。

（腸癰秘方）凡腸癰生于小肚角。微腫。而小腹隱痛不已者。是毒氣不散。漸大內攻而潰。則成大患矣。急以下方治之。功效靈速。幸勿輕視。及將藥味增減。先用紅藤一兩。酒二碗。煎取一碗。服之醉臥。翌日用紫花地丁一兩。酒二碗。煎取一碗服之。服後痛漸止。為已有效。然後服後藥除根。當歸五錢。炙石蝎蚆五個。白殭蠶。全蟬蛻各二錢。蜈蚣。川軍各一錢。老蜘蛛二枚。上五藥各研細末。每日空心用酒調服。逐日服之。自消而愈。

■梅毒根除方

世廣

查梅毒一證。由於花柳者半。根於傳染者亦半。此證兇險酷烈。盡人皆知。蓋其毒鬱於經絡。漬於筋骨。侵於肌肉。斷非即時可能盡去。世人往往徒用刦劑。耗其氣血。敗其精神。而餘毒仍鬱於經絡。漬於筋骨。留於肌肉也。積久再發。不可救藥矣。茲有郁君祖傳祕方。神效捷如桴鼓。爰披報端。以廣流傳。法先酌服峻利之藥一二帖。繼服緩劑。緩劑者何。瀉而不瀉之方也。寓瀉於不瀉之內。庶使血氣勿耗。精神勿敗。而毒可漸滅。方中用大黃瀉藥也。九製大黃則瀉而不瀉。務使經絡骨髓之間。積毒掃除。再用他藥為佐。盡善盡美矣。

內服煎劑（峻利之藥）

白殭蠶三錢。蟬退四個。猪牙皂三錢。皂角子七分。土茯苓一兩。生甘草二錢。生大黃三錢。穿山甲三片。

右藥八味。用水三杯。陳酒一杯煎服。共服兩劑。服後腸鳴。須掘深坑為圊。避風而蹲。旁人尤不可在側。此藥二帖。大勢已緩。再服第二方。(和緩之劑)

九製大黃(用好陳米酒蒸九次烘九次)三錢。全當歸(酒洗)二錢。赤芍三錢。防風錢半。金銀花二錢。花粉三錢。川連四分。犀角四分。木通一錢。猪脂油五錢。

服數帖後接服第三方

九製大黃一錢。當歸錢半。川連二分。羌活五分。白蒺藜二錢。防風八分。生首烏三錢。猪脂油四錢。

(接服丸方。如輕者不服上二方。常

用此方煎服。亦愈。)

土茯苓一兩。生苡仁三錢。忍冬藤三錢。防風一錢。木瓜錢半。木通一錢。白鮮皮一錢。皂莢子六分。真奎黨三錢。全當歸錢半忌食雞。鴨。魚。蝦。雞蛋。鴨蛋。韭。葱。竹筍。一切生冷腥羶。否則不效。

外搽方藥。(如遇玉莖破爛先用)

皮硝。黃柏。苦參。甘草。四樣煎水。洗去垢膩。再用西黃二分。濂珠四分。蘆甘石二錢。飛麵二錢。右藥八樣。煅煉研極細末。過絹篩。名『加減八寶丹』摻玉莖破爛處。每天一二次自愈。假如喉中熱氣薰蒸疼痛。用開水服此末藥一錢即愈。

又方（如玉茎不必敷搽末藥）

蘆甘石一兩半。川連七錢。同入砂鍋內。水煑一宿。去川連渣不用。加入冰片六分。橄欖核灰一錢。兒茶末一錢。搽瘡上或用杏仁去皮尖研爛。和勻末藥敷上亦可。

社會上。治此症者。多用輕粉劫劑。功能速效。將毒氣升發。從口內吐涎而出。但多餘毒深入骨髓。每成廢人。西醫治此毒門。亦屬治標之策。費用多而功效寡。依此方次第治之。包能全愈。永無後患。我醫界份子。以及染斯痼疾者。胥莫忽諸。

■鵝不食草用治白皮癬之特效

謝安之

鵝不食草。卽石胡荽。或曰天胡荽。又名雞腸草。敝處醫家少用。其功用固能落瘄肉。治頭癬。除目翳。以之治癬。絕未聞及。近年來。家慈足脛患頑癬。癢極。搔至白皮脫落。見血方止。曾以治癬專藥塗之。及用鹽水洗之均無效。後先父偶見本經逢原。石頑老人謂此草辛溫無毒。汁製礙石雄黃。卽悟出其雖無毒。能除毒殺虫。可以類此。故取鮮鵝不食草擦之。神效。其癬不癢。白皮脫去半載後。家慈之病應作。又以此草擦之亦愈。

痢疾初起方

沈仲圭

葛根。炒苦參。陳皮。陳松羅茶（各一斤）。赤芍（酒炒）。炒麥芽。炒山查（各十二兩）。研細末。每服四錢。水煎。連末藥服下。小兒減半。忌葷腥麵食煎炒閉氣發氣諸物。

痢之病原。總由先感暑熱。繼食生冷。暑熱為陰寒所遏。遂鬱伏腸間而成痢。故以葛根鼓舞胃氣。陳茶苦參清化暑濕。麥芽山查以消宿食。赤芍行血。則痢膿癒。陳皮調氣則後重除。惟祇宜於腹不脹痛者。蓋無腹滿拒按之症。使不須下也。

痢疾經驗方

米煥章

痢為險惡之症。生死所關。治不得法。多致不救。尊生書當歸導滯湯一方。或紅或白。或身熱腹痛。或裏急後重。或溫熱病後痢疾。無不奏效。洵良方也。

當歸導滯湯

當歸。白芍各三兩。萊菔子一兩。車前子炒研。枳殼麸炒。檳榔。甘草各三錢。水煎。入蜜服。紅痢加桃仁。此方之奇。全在重用當歸白芍。蓋泄瀉最忌當歸之滑。而痢疾則最喜其滑也。白芍味酸入肝以和木。使木不侵脾土。枳殼檳榔消逐濕熱之邪。車前分利水濕。而又不耗真陰之氣。萊菔辛辣除熱去濕。又能上下通達。消食利氣。使行於血分之中。助歸芍以生新血而蕩滌其瘀血也。加甘草蜂蜜以和中。則又無過之烈。奏功之神奇。實有妙理耳。熱加黃連二錢黃芩二錢。日夜無度或裏急後重之甚者。加大黃木香。愚每用歸芍各一兩。萊菔子四錢。車前子枳殼檳榔甘草各二錢。病輕者亦效。此經驗方也。

▣瓦松可以療蜂刺

揆 良

予伯曾祖。伯生公。少時聰穎過人。精岐黃術。一日午後。將出診時。偶見對屋檐下。有蜘蛛網。忽有一蜂。誤觸其上。百計莫脫。為蜘蛛所覺。蠕蠕而來。見蜂將食之。蜂乃伸其鋒利之錐。直刺蛛。蛛痛甚。遂逃至屋頂。適屋脊有瓦松兩顆。蛛乃以腹擦花。須臾痛止。精神矍然如初。又行至網上。仍施其謀食主義。蜂又刺之。蜘復以松擦腹。如是者屢。每擦後。則精神愈健。其結果卒被蛛食盡而後已。公因悟瓦松能消蜂毒。姑默誌之。次日晨有鄰婦攜其幼子來診。問其病。一無所苦。祗見手指。紅若珊瑚。腫如櫻桃。知為蜂所刺。詢之果然。因悟昨日所見。令以瓦松搗爛敷之。不一時而紅消腫退竟獲痊可。

(良按)瓦松。即唐本草。所云之昨葉

。何草。綱目。所謂之瓦花。向天草是也。瓦屋間恆有之。氣味酸平。無毒。功用甚廣。然無療蜂毒之説。予今所記。係予伯生公所發明。屢試屢驗。著有奇效。何敢祕而不宣。故特載諸本刊。以告抱斯患者。

治失音驗方

子鈞

失音原因甚多。有暴病。久病。喉頭結核之殊。(無關本篇大旨故不縷述)此方所治。為風熱咳嗆已愈後所貽留之失音症。別無其他疾患。祇聲啞不揚而已。其原因固由于肺管支炎。其炎灶蔓延及于喉頭聲帶而發腫脹之故。雖然咳嗽已愈。而聲帶炎腫。一時未易恢復。吾鄉民于此。亦有其屢試之簡便方。即用鴨蛋一個或二個。加青葱。(連白)數莖同煮。和以飴糖服之。翌日。聲音即漸開明。亦目覩其效者也。

考鴨卵。日華子謂其主治心腹胸膈熱既能治膈熱。即有消炎清潤作用。(一況大論治咽中傷生瘡。聲不出者。亦用雞白苦酒半夏。是雞鴨卵之功用。似乎略同)伍以膠飴。能止渴(別錄謂補虛止渴)潤肺。(千金治咽痛潤肺止嗽)再加青葱者。葱能通陽。治喉痺(別錄)三物合用。適能奏消炎通痺之功。而聲帶得潤。故能恢復其固有之聲浪也。且三物為日常飲食佐膳之品。視之似無足輕重。然失音者。則確有奇效。足徵時賢所謂中國醫藥。肇於民間單方。非虛語也。

□吐血之特效藥

高思潛

炭質能使血纖維素凝結。故有止血之功。其他炭質如此。而血炭功力尤宏。吾嘗於冷廬醫話得三例焉。

吳球治一少年。吐血來如泉湧。諸藥不效。虛羸病危。乃取病者吐出之血。瓦器盛之。候凝入鍋。炒血黑色。以紙盛放地上。出火毒。細研為末。每服五分。麥門冬湯下。二三服。其血遂止。此蓋血導血歸法也。余案近入傳治暴起吐血方。以絲棉蘸吐出之血。火焙存性。研末服之。甚效。今觀吳案。則不獨初起者可用此法矣。陸氏所言二吐血症。皆胃出血症也。若為癆瘵吐血。則血如泉湧。本元既已大傷。決無治理。今不過胃中出血。等於外傷。故能以血炭收效。至其所以收效之理。則陸氏未言也。今案血之所以能止者。由於血纖維素凝結之故耳。血炭。則促進血纖維素凝結者。蓋血炭在胃中化開之後。因研末極細之故。故所佔面積極大。能將全胃之黏膜。密密蓋滿。而保護之。出血之處。既為血炭蓋滿。則該處之血纖維素。即因之而凝結。此血之所以止也。血導血歸一語。豈足以盡其義哉。準是以談。使用血炭之法。研末必細。用量必多。方足以奏止血之效。蓋必細始能無微不入。必多始能無隙不塡。使用者愼勿忽諸。

再者。古人止血。多用黑藥。所謂血見黑則止者。亦卽此理。惟必須研細而用多耳。

■治瘧不必用金雞納

許持平

雞納爲治瘧特效藥。盡人皆知。故爾來治療瘧疾。總不離乎此。近經多數科學家之檢討。以爲雞納。僅有效於無性生殖體 Schizonts。而不能殺滅有性生殖原蟲 Gametes。於是疊經研究。遂有撲瘧母星 Dlasmoquine。之發明。考撲瘧母星。乃人工合成之希奴林誘導體。無雞納之苦味。而有殺滅有性生殖幼蟲之特效。二者倂用。有雞納撲瘧母星可爲治瘧唯一之利器。最近又有 Atedrin。之發現。據謂亦有特效於無性生殖體。但較勝於雞納之處甚微。且取價甚昂。尚難得多數醫家之採用也。吾國時醫治瘧。向抱放任主義。至使有效之藥。置而勿用。徒令病者大感困苦。甯不可慨。國藥常山草果兩種藥品。倂合煎服。治瘧之效。實不亞於雞納。今歲夏秋之際。瘧疾盛行。敝院除原有療法外。恆用常山三錢。草果一錢。濃煎成六西西之合劑。令患瘧者。一日二次。或三次分服。頗有佳效。茲特附錄病案數則於次。以貢一得之愚。

一、張姓。(兵)年廿五歲。患間日瘧。已三次。脾臟腫大。驗血有瘧原蟲。治以常山草果合劑六西西。一日二次分服。連服二日。瘧即截止。

二、桂香(婢女)年十五歲。患日日瘧。內服合劑二西西。一日二次。熱度即退。

三、吳姓(木業)年廿三歲。患惡性瘧。勢甚重。內服合劑五西西。一日分三次服。兼服雞納。每次五厘。連服三日。熱即全退。

四、毛師母。年卅一歲。患日日瘧。先服雞納。止後復作。加服合劑。服即全消。

五、汪姓(唱書業)年卅八歲。突然寒顫。繼則身熱。熱度高至一〇四度。脾能觸知。診斷為瘧。經服合劑而愈。

其餘病案尚多。不復贅述。總之。此藥有效於瘧疾。已屢驗不爽。信而有徵矣。惟按之經驗。治三日瘧。此項合劑。效較薄弱。小兒患瘧。照年齡酌量給服。效亦不強。且間有日日瘧及間日瘧。服後無效者。但為數尚少耳。又該合劑內服。無副作用。又乏雞納耳鳴及墮胎等流弊。殊堪為臨床家所採用也。

■臌脹秘本

葉勁秋

五臌方。先辨酒丶氣丶水丶食丶血丶五種。用炒鹽一小袋。置于臍中。以絹或布扎緊縛定。過一夜。次日取鹽看之。紅黃色者是血臌。溼者是水臌。乾燥者是氣臌。臭者是酒食臌。辨明下藥。

外看法。凡皮膚上。用指捺下有潭。隨起而沒。彈之而响。如鼓者。氣臌也。腹大而高。堅硬而實者。食臌也。身上皮肉。見有紅絲者。血臌也。身冷遍身四支通脹者。水臌也。水臌即名雙臌。尚可治。單臌脹四支瘦弱者難治。

不治看法。肚皮光亮如鏡者不治。按之軟如綿者不治。生臌毒者不治。陰囊破碎者不治。水臌不論服藥一二服不效者。不治。如黃疸後成臌者凶。好飲酒成臌者凶。貪色成臌者凶。

看臌語訣。背如平板休服藥。手掌無紋不用醫。筋到臍邊休下手。陰肥無縫總皆虛。五看不消三二日。四般臌症藥休施。

凡觀諸臌要先知。最怕腰間軟如泥。耳鼻焦黑皆不治。肚臍突出不堪醫。四者有二猶可治。有三莫把藥來醫。

(以後治法)石幹(勁秋按不知何物。)晒燥為末。每取七錢。加廣木香末三錢。老米製飯爲丸。姜湯送下。如二十歲以外者。用藥四五分起至錢止。二十歲以內者。二三分起至四五分止。以一分加起。不可驟加幾分。須量人輕重虛實用之。凡服藥後。不行透則增之。行透則減之。行得三四遍爲透。服一服。須隔一日。以調理沉香化氣丸間之。此藥服之。不瀉者能瀉。已瀉者行後即不瀉。

調理沉香化氣丸

陳皮一錢。製朴一錢。猪苓一錢。澤瀉一錢。檳榔一錢。炒菔子一錢。焦查一錢。烏藥一錢。木香三分。木通一錢。豆蔻一錢。生姜三片。煎服。如合丸用以砂仁湯送下。如風寒起者。加荆防各一錢。若煎服。加石斛末一撮。其功全在此也。

忌食物

鹽。醬油。醬。豆腐。(系鹽滷提者亦不可食凡有鹽味者皆不可食)猪首。牛羊肉。鯉。蝦蟹。生冷。麵食。鴨子。扁豆。茭白。韭菜。波菜。諸般發物不可食。棗子。桂圓。柿餅諸般甘甜之品。皆能作脹。亦不可犯。若忌口不謹。則脹不退矣。

可食之物

鮮肉。肚。臟。鯽。黑魚。木耳。油麻。猪油。黃瓜。蘆蔔。白菜。鴨。白熟酒。筍。醋。核桃。葱。蒜。雞子。淡吃則可。如欲飲茶。以四磨湯當茶。不時飲之。豨肚最能通氣。絕妙。

開鹽藥

鰣魚一斤。鯽魚乾一斤。鹽一斤。用瓦罐一個。一層魚。一層鹽。攤勻。以泥封口。留一出氣之孔。炭火煆之。烟盡為度。放冷取出。碎研。病人所食之物。放入二三茶匙。吃至三四錢許。即可食飛鹽矣。食飛鹽一月。即可食如常之鹽。

氣臌方

土炒白朮。丁檀香。炒砂仁。白豆蔻。大茴。朴(姜汁炒。)五加皮。三稜炒。官桂。川椒。檳榔各一兩。為細末。醋糊為丸。如桐子大。每日空心米湯送下十五粒。又用紫蘇。連根洗淨陰乾為末。每服三錢。酒送下。

水臌方

製香附一兩。木香三錢。炒木瓜三錢。猪苓三錢。澤瀉三錢、生姜三錢。赤苓一兩。桑白皮一兩。五加皮一兩。苦丁茶一兩。海金沙一兩。麝香五釐。為細末。醋糊丸。米湯下十五粒。服完即立愈。

血臌方

製香附一兩。上沉香一兩。官桂五錢。姜蠶(水洗淨)一兩。赤芍藥一兩。酒炒當歸一兩。川獨活一兩。芒硝一兩。川椒一兩。桃仁(去皮尖)一兩。醋炒三稜一兩。枇杷葉一兩。吳萸一兩。紅花一兩為末。醋丸。米湯下五粒則愈。

酒食臌方

製香附。白蔻。沉香。砂仁。茯苓。赤豆。炒三稜。元胡。炒莪朮。焦神曲。法半夏各一兩。五味。乳沒各五錢。紫姜。官桂。大茴。川椒。丁香各五錢。為末。醋丸。米湯下。十五粒。

治臌通竅方

牙皂七錢。去皮核。煨木香三錢。為末。用酒下。初服七分。放屁已寬。二次下一錢。大小便即通。三次下五錢。四次下二錢。即止。或吐或瀉立效。

又方

黃米一升炒黃。陳香橼四枚炒黃。炒砂仁一兩。豆蔻五錢。紅花一錢。製當歸一錢。同研細末。每日清晨。一小杯白湯下。

水臌單方

用倏肚臍草打碎。冲白酒服三四次即消。其功如神。此草似芫荽一般。但芫荽有缺。此草葉無缺。一方用猪肚一個洗淨。大蒜頭須獨囊者。不論大小。每歲一個。無則多囊者亦可。去其心。砂仁每歲一分。共藏在內。用線縫口。煑爛。熱酒吃下。吃完而愈。忌用油鹽醬醋。須淡食之。

又方

人參。木香。雄黃。赤苓。胡椒各一錢。巴霜五分。去油淨。為末。陳米飯為丸。實者每服四分半。虛者用四分。第一次葱白湯下。第二次陳皮湯下。第三次青皮湯下。第四次桑白皮湯下。第五次淡竹葉湯下。六次燈心湯下。每服停三日再服。忌油膩鹽醬生冷麵食。白粥調理。未服此丸。先服五皮飲二劑。

又治臌脹方

臭梧桐葉四十九張。用淡白酒三四斤。入砂鍋內。蓋好。將米七粒放蓋上煑。以米熟為度。日日當茶飲之。自然腹內寬舒。小便利。大便通。多只二十天。少則十餘天。即愈。忌食鹽物。

治臌脹方

獨囊蒜七個。生姜一兩。同搗極爛。作一餅。在新瓦上烘半乾。加麝香一錢。安臍中。合臍上。用布包肚皮一晝夜。取起。至半夜後。腹中鳴。放屁為效。後服猪肚一個。入蒜頭塞滿。水與酒各十杯。煑爛淡食之。不用鹽醬速愈。

又臌脹仙方

蘆根現取鮮者。瓦上焙乾。為細末一兩。江西豆豉一兩。陳皮五錢。陳香櫞一兩。細芽茶一兩。硃砂雄黃各五錢。炒大茴二錢。蘆蔔子炒五錢。砂仁一兩。共為末。用西瓜一個。于蒂處開一蓋。將藥末放在瓜內。仍用切下蓋合之。綿紙糊封固。置在希黃籃上。懸掛鍋內。煑一炷香。取出空心服之。忌鹽。如欲飲茶。以蘆根煎湯代茶日飲之。

臌脹神方

川附子一枚。分切四塊。一塊用紅牙大戟五錢。河水一杯煑透。去大戟。一塊用葶藶五錢。河水一杯煎透。去葶藶。一塊用黑牽牛五錢。河水一杯煎透。去牽牛。一塊用商陸五錢。河水一杯煑透。去商陸。另用京參五錢。於朮二兩土炒。共為細末。清水泛為丸。每服二錢。白湯下服完自愈。

又方

將不落水雄猪肚一個。拭去浮垢。用白酒脚洗淨。將活蝦蟆一只。忌紅眼者。入肚內縫好。入砂鍋內煑一滾。去蝦蟆。又將萊菔子二合。炒砂仁五錢。研炒。同入肚內縫好。將老酒煑透。熟去萊菔砂仁。用酒隨意作幾次服

腹脹方

用烏臼樹皮。煎湯服卽退。又方用烏臼樹根向東南者。取用。不拘多少。去外黑皮。打碎。又去其心。將白皮打爛取汁。用上白麵作餅。鍋內河水一杓。將稻草作圈圍之。置餅于稻草上。蒸熟。食二次三次。無不愈。

臌脹外治法

風化石灰五錢。真肉桂三錢。共為細末。真社醋調。一半作膏。攤青布上。貼臍上。四圍綿紙糊固。不使通氣。貼上極癢。不可移動。至明日將所存一半。又調攤換貼。仍要糊沒。照前法。替下者將藥取下。收貯。如乾少加醋調。至明日又一換。如此五六日。大便中行去穢物。小便亦通利。

盡貼滿十日。方可去膏藥。始能盡去病根。每日煎陳香櫞湯。不時呷之。又用白豆蔻。不時嚼之。十日內漸漸退平。退後須服健脾扶元之劑調理。必不可少。

亂臌單方

用蝦蟆不拘幾個。非紅眼者。不論大小。以砂仁末入其中。泥裹。用礱糠火內煨之。去泥研末。或五分或一錢。好酒送下。

臌脹方

醒頭草搗取汁。地筍葉搗絞汁等分。冲入酒漿。服之。間三四日。又服可愈。

又方

鯉魚一尾。去腸與鱗。肉中刺孔四十九處。每孔入巴豆一粒。蒸熟。去巴豆。麦食之。

水臌方

螻蛄五枚。去上截。瓦上炙乾為末。白湯調服三錢。

又臌脹方

人中白三兩。研。陳香櫞四兩炙研。兩末和勻。每朝服一錢。

又方

白蘋紅蓼子各半。炒熟研末。用猪肝將竹刀切片。白水麦熟。蘸前末藥吃。即用猪肝湯過口。日日吃。痼病自愈。

以上仙方。及諸臌方具備。惟此方為治臌之最者。清初一異僧到松江。專治痼脹。半年之中。活人無算。有西門外科名瀛洲。以結毒奇方兑換之。因傳于世云。

最新出版

夫婦之道

家庭必備

因為他內容有

◉無論未婚。將婚。已婚。都有一讀之必要

指導戀愛的途徑選擇配偶的方法。結婚遲早的研究。房事問題的討論。生男育女的門檻。保護嬰孩的常識。

本書目錄

◉讀者諸君◉

你想組織小家庭嗎？

你想改良新生活嗎？

請你趕快來買一本吧

每冊祇收大洋四角 外埠寄費另加四分

上海三馬路雲南路 幸福書局發行

婦女病初集

朱振聲著

本書目錄

婦女病續集

朱振聲編

● 本書目錄

第一章 美容術
根本美容法
面多油垢之自療
面生黑痣之自療
髮脫重生
產後保髮不脫
粉刺簡治法
雀斑簡治法
汗疹簡治法
生髮奇方
第二章 肝鬱症
肝鬱爲百病之源
肝厥治法
劇除肝氣病之二大要件
第三章 虛癆病
乾血癆之病理及治療法
乾血癆治療之新發明
虛癆之治驗方
陰虛盜汗
血瘵虛癆治驗
第四章 性的問題
關於性的問答
忠告未經墮落之女子
談女子手淫
女子的偏頭痛和手淫
新娘患色情狂
女子夢交自療方
嫁痛之治法
夾陰傷寒之治法
關經治法
脫陰之急救
第五章 女子隱疾
女性前陰病七種
婦女陰戶奇癢外治法
陰戶奇癢治愈記
濕勝於熱陰戶生瘡
陰戶內發熱如烙
陰吹治法三種
婦女隱病治驗記
陰戶生虱之自療
子宮寒冷陰戶不暖之自療
子宮下墮自療
第六章 白帶與白濁
婦女帶下病之治法
赤白帶治法
傳染白濁小便刺痛
白濁與白帶治療
第七章 月經病
經前腹痛之治法
經行腹痛之治法
經後腹痛之治法
肝逆鬱怒經至先期之治療
生冷寒滯經行後期之治療
熱血妄行經水過多之治療
經來黑色之自療
月經異常
經已斷復來
停經治案
第八章 崩漏病
打胎之後血崩不止
婦人血崩不止
血崩不要怕
交媾血崩
血崩有二種治法
治女子血崩方
第九章 求孕術
婦人身瘦不孕之治法
婦人體肥不孕之治法
婦人下部寒冷不孕之治法
婦人骨蒸夜熱不孕之治法
婦人種子良方
附男子精薄不育之治法
附男子精滑不育之治法
附男子精少不育之治法
附男子陽痿不育之治法
附男子精清不育之治法
附男子精寒不育之治法
第十章 胎前病
對於孕的問答
孕婦惡阻簡治法
惡阻的調養法
子懸妙方
子癰良方
子嗽簡治法
乳泣簡治法
子癰之原因及治法
第十一章 小產
胯雖小產
血虛小產
預防小產
述婦人懷孕每至八月必小
產之治案
第十二章 奇胎
孕婦產生怪物之原因
奇胎如西瓜
產蛇蠶綠
孕期不如期
異談夫死三年後之遺腹子
懷孕十六月何以不產
第十三章 難產
交骨不開之治法
胎死腹中之治法
胞衣不下之治法
難產催生方
第十四章 產後
產後喘促之治法
產後血崩急救方
產後惡露不下方
產後自汗簡易驗方
產後溺閉治法
產後陰戶破碎之治法
產後瘀血作痛方
產後心痛之治法
產後腹痛之治法
產後蓐勞之奇效方
產後痢疾之治法
第十五章 乳病
乳汁自流與不行
乳吹妬乳治法
乳部腫痛簡治法
乳生積核良方
乳疽神效方
乳岩治療法
乳癰之治療法
婦人因斷乳發熱方
乳後回乳方

每冊實售大洋五角外埠另加寄費九分

上海三馬路雲南路轉角幸福書局發行

求孕與避孕

朱振聲編

今日出版

▲上集生理篇

（一）成孕之工具
男子之生殖器官
種子之主要成分
女子妊娠之主要工具
月經來潮

（二）成孕之原理
男子交接機能及生殖機能之大研究
胎成男女之原理
雙胎之研究
婦女生育遲早之原因

▲中集求孕篇

（一）引言

（二）男子不孕之原因及治法

甲 腎病
哀哉縱慾之徒
手淫之危害
早泄
見色流精
生殖器不發育
陰萎

乙 花柳病
花柳病之原因及傳變
梅毒之實驗治法
淋濁驗方
宴會中所得之白濁良方
老白濁最有效方

（三）女子不孕之原因及治法

甲 月經不調
調經之大綱
經閉有虛有實
婦女經閉成癆
逆經痛經治驗記
月經色異之鑑別及治法
經已行復止

乙 帶下
帶下之預防
白帶概論
帶下首在調養
白帶自療法
治女子白帶方

丙 下虛
子宮寒冷之治法
婦人下元虛之體不孕之治法

丁 感覺異常
陰戶作痛之療法
陰戶奇癢之療法
婦人缺乏淫情之法治

戊 生理關係
女子五不孕之研究
體肥不孕之治法
婦人不能受精之治法

己 其他
一個氣鬱不孕的女子
房後子宮出血之治法
婦人嫉妒不孕之治法
骨蒸夜熱不孕之治法

（四）求孕之方法

甲 節慾
求孕與節慾
寡慾多生子
求孕先宜聚精

乙 房中術
自然的求孕法
求孕問題
早泄者求子法

丙 服藥
種子術
種子三方
婦女種子方
顯氏家種傳子方
種子簡效方

丁 其他
求嗣之變讓法
求子與娶妾

（五）流產與安胎

甲 流產
暗產
小產與帶下之關係
小產之三大原因
半產之研究

乙 安胎
安胎之研究
房事動胎
獨出心裁之安胎法
安胎經驗方

▲下集避孕篇

（一）引言

（二）避孕原因

甲 避孕有關於人種的強弱
為反對墮胎而避孕
避孕所以增進婦人之康健

乙 人工避孕法
人工避孕法
避孕良法
不合衛生之避孕法

丙 藥物避孕
墮胎與避孕
實驗得來之避孕術
避孕用殺虫藥之危險

（三）墮胎
墮胎問題
毒藥墮胎之害
墮死胎法

每冊實售大洋伍角　外埠加寄費九分

上海三馬路雲南路口幸福書局發行

求孕與避孕續集目錄

朱振聲編

今日出版

最新出版

腎病研究

朱振聲編

（本書目錄）

朱振聲編

腎病研究續集

今日出版

本書目錄

每冊實售大洋五角　外埠加寄費九分

上海三馬路雲南路口幸福書局發行

百病祕方

朱振聲編

▣從前是……踏破鐵鞋無覓處

▣現在是……得來全不費工夫

本書將古今來不傳祕方。盡量搜羅。費數載之心血。化無數之金錢。方克出版。內容有已入第三期之肺癆祕方。有拳師口中之損傷祕方。有妓女口中之白濁祕方。有先天不足記憶薄弱之補腦祕方。有現代青年流行之遺精祕方。有日本傳來之梅毒祕方。有臥床數十年之癱瘓祕方等等。莫不靈驗異常。茲將全書目錄。披露如下。

肺癆祕方……
肺癰祕方……
肺脹祕方……
痔瘡外治祕方……
血痔祕方……
痛經祕方……
經水淋漓不斷方……
倒經祕方……
血崩祕方……
血虧經閉祕方……
治癖祕方……
白濁祕方……
血淋祕方……
黃水瘡祕方……
癩痢頭祕方……
損傷祕方……

脫肛祕方……
吐血祕方……
鼻血祕方……
七竅出血祕方……
脚氣病祕方……
陰癢祕方……
陰挺外治祕方……
膀搾筋祕方……
痰飲祕方……
火傷外治祕方……
蛇咬祕方……
補腦祕方……
腦漏祕方……
腦膜炎祕方……
面上生油祕方……
黃疸祕方……

陰毛八脚蝨祕方
膨脹祕方……
腫脹祕方……
水腫祕方……
下疳祕方……
梅毒祕方……
反胃祕方……
蒸籠頭祕方……
女子白濁祕方……
白帶祕方……
癧痰祕方……
霍亂祕方……
異嗜症祕方……
血暈祕方……
老眼昏花祕方……
雞盲眼祕方……

臥後流涎祕方……
舌腫祕方……
擊中笑穴之祕方
老年遺精祕方……
玉莖痛祕方……
精清無子祕方……
遺精祕方……
陽痿祕方……
瘋癱祕方……
痰喘祕方……
哮喘祕方……
急救吞鴉片祕方
糖尿病祕方……
猩紅熱祕方……
避孕祕方……
種子祕方……

恍惚病祕方……
癲狂病祕方……
盜汗祕方……
溺白祕方……
慢脾驚祕方……
急驚祕方……
下胞衣祕方……
屢屢墮胎祕方……
小兒梅毒祕方……
臍風祕方……
赤白痢祕方……
噤口痢祕方……
癧子頸祕方……
疔瘡祕方……
走馬牙疳祕方……
睡驚症祕方……

小腸氣祕方……
遺尿症祕方……
坐板瘡祕方……
肋膜炎祕方……
盲腸炎祕方……
黃汗祕方……
乳癰祕方……
疳積祕方……
疔瘡走黃祕方……
歪嘴祕方……
鵝掌瘋祕方……
心跳祕方……
小兒陽物腫脹方
纏喉風祕方……
流注祕方……
發背祕方……

▲每冊實售大洋四角　▲外埠加寄費九分

上海三馬路雲南路轉角幸福書局發行

百病秘方續集

朱振聲編

今日出版

肺癰秘方
杜痨秘方
流注秘方
喉痹秘方
產後痢疾秘方
痰迷心竅秘方
腦充血秘方
乾咳痰血秘方
胃火嘔吐秘方
胃呆秘方
痛風秘方
足繭秘方
爛脚丫秘方
面不生鬚秘方
脚氣秘方
家傳爛脚秘方
血蠱臌脹秘方
胎毒秘方
癧塊秘方
轉女爲男秘方
雞疽秘方
熱傷風秘方
耳鳴秘方

手指足趾發麻秘方
急救中風秘方
腰痛秘方
下頦脫落秘方
面生黑氣秘方
多汗秘方
腦漏秘方
鬚髮早白秘方
口吃及語遲秘方
睾丸腫秘方
痄腮秘方
虛人便秘秘方
最妥最效之戒烟秘方
大脚風秘方
癲癇秘方
癘風秘方
止瀉秘方
補傷止血秘方
膿窠瘡秘方
眞霍亂秘方
疥瘡秘方
面疱粉刺秘方
小兒胎黃秘方

精少秘方
老白濁秘方
梅毒爛鼻秘方
小便不通秘方
白濁初起秘方
糖尿病秘方
夏令熱癤秘方
雀斑秘方
漆瘡秘方
小兒蟲積秘方
解河豚毒秘方
齒落重生秘方
虛火牙痛秘方
脫肛秘方
腋漏秘方
多年遺精秘方
百日咳秘方
婦女尿急秘方
夾陰傷寒秘方
下疳包皮腫秘方
由白濁而起之囊癰秘方
由白濁而起之疝氣秘方
陰囊溼癢秘方
爛牙疳秘方
老婦白帶秘方

受傷發黃秘方
眼澀秘方
流火毒秘方
大背癰秘方
對口癰秘方
孕婦發瘧秘方
吐囊症秘方
急救鉛粉毒秘方
腸癰秘方
脚痛秘方
胎萎不長秘方
子宮下墮秘方
帶下秘方
瀝胞難產秘方
房後子宮出血秘方
繡球瘋秘方
頭髮脫落秘方
胃痛秘方
乳房結塊秘方
經期落後痛脹秘方
瞎乳頭秘方
胎動將墮秘方
小兒風痰秘方
楊貴妃美容秘方
寒溼脚氣秘方
危急心痛秘方
風溼痠痛秘方
生眉秘方

◎每冊定價五角特價四角寄費九分◎

上海三馬路雲南路幸福書局發行

▲▲▲▲

最新出版

保腦新書

朱振聲編

本書是用腦過度之救星　神經衰弱之慈航　無論腦漏·腦炎　頭痛·頭眩　均有根本治療

◻腦之生理
腦與神經之古說今研……
腦與髓……
腦之解剖及生理……
腦神經之生理與疾患……
目與腦之關係……
◻腦之衛生
健腦四大法……
頭腦之根本健全法……
◻腦漏
如是我聞之腦漏治法……
腦漏之驗方……
腦漏與鼻淵……
◻神經衰弱
神經衰弱淺說……
色慾過度與神經衰弱……

神經衰弱之心理療法……
神經衰弱症治方……
神經衰弱與不寐……
神經衰弱之攝生法……
鹿茸治神經衰弱之特效……
◻頭痛
勢如腦炎之眞頭痛……
頭痛治法……
頭痛簡治法……
肝陽頭痛之治驗……
外感頭痛治法……
胃熱頭痛治法……
頭痛主藥之類別……
◻腦膜炎
治腦膜炎應有變化……
腦膜炎之症狀及三種治法……

腦膜炎之經濟治法……
◻中風與癲狂
中風之研究……
中風症之調治……
腦充血治驗……
記醫林改錯治癲狂與中風二方之靈效……
狂病治療法……
◻頭眩
腎虛頭眩……
頭眩之調養……
◻其他
解顱證之研究……
跌打傷腦之治法……
胡桃有補腦之功……

▲每冊實售大洋四角
▲外埠加寄費九分

上海三馬路雲南路　幸福書局發行

尤學周編

虛癆五種

再版出書

虛勞之症。不易速痊。而肺癆。吐血。乾血。遺精。瘰癧五種。尤難圖治。非經數月。必不見效。長日延醫。經濟上之損失。頗爲鉅大。最好能自己調治。本書爲調理專家。尤學周所著。解剖詳明。說理淺顯。對於用藥之變化。頭頭是道。不厭其詳。所示各方皆從經驗中得來。靈效無比。眞虛勞者自療之門徑也。無病者讀此。亦可以知所預防爲。要目列下。

全書一冊實售大洋五角 外埠加寄費九分

上海三馬路雲南路口幸福書局發行

朱振聲編

百病常識

今日出版

讀此書後

如遇普通之疾病不必去請醫生。按症施治。卽能藥到除病。

如遇危險之疾病使能得到方針。自有把握。不致方藥亂投。

如遇疾病之親友。可以代為治療。使其早日恢復健康。

如遇疾病之預兆。可以知所預防。不致延入虛癆一途。

本書由幸福雜誌彙選而成。共分四卷。合訂一厚册。內容豐富。各病咸備。茲將第一卷之目錄。披露如下。至於卷二至卷四目錄。因限於篇幅。不克披露。

本書目錄

每册實售大洋八角寄費一角　上海三馬路雲南路幸福書局發行

承澹盦編

中國鍼灸治療學

□用科學方法整理 □用最新式編制

□揭破以前之祕法 □解決學習之題

全身經穴。用墨點穴人身。攝影製版。絲毫不爽。一檢即得

祕密不傳之補瀉手法。用淺顯筆墨。直捷說明。一覽即知

中醫界得之。多一治療捷徑。藥石不易治愈之病症。疑難解決之症狀。可以立刻解決

西藥界得之。可以研究。可以試驗。立能破除以前神祕之觀念與懷疑。

非醫界得之。可依病檢查。爲家人親友治療。照法施治。效驗宏速。毫無危險

△任何醫界不可不備之參考用書……欲自研習鍼灸術者之最良習本

本書內容……分爲三編。上編鍼灸之沿革與經穴（解剖。部位。主治。摘要。手術。經穴攝影。）中編。手術與設備。下編治療。總訣。各論。（病因。證象。治療。助治）摘要。共分五十七門。五百六十餘條。包括內。外。婦。幼。眼。耳。鼻。咽。皮膚。花柳。各種病症之鍼灸法。無不各有特效 **洋裝一大巨冊** 都十六萬言。**定價四元。特價七折** 祇收大洋二元八角。郵匯不通。可用郵票。十足通用。外加寄費一角一分

()(上海三馬路雲南路口幸福書局發行)()

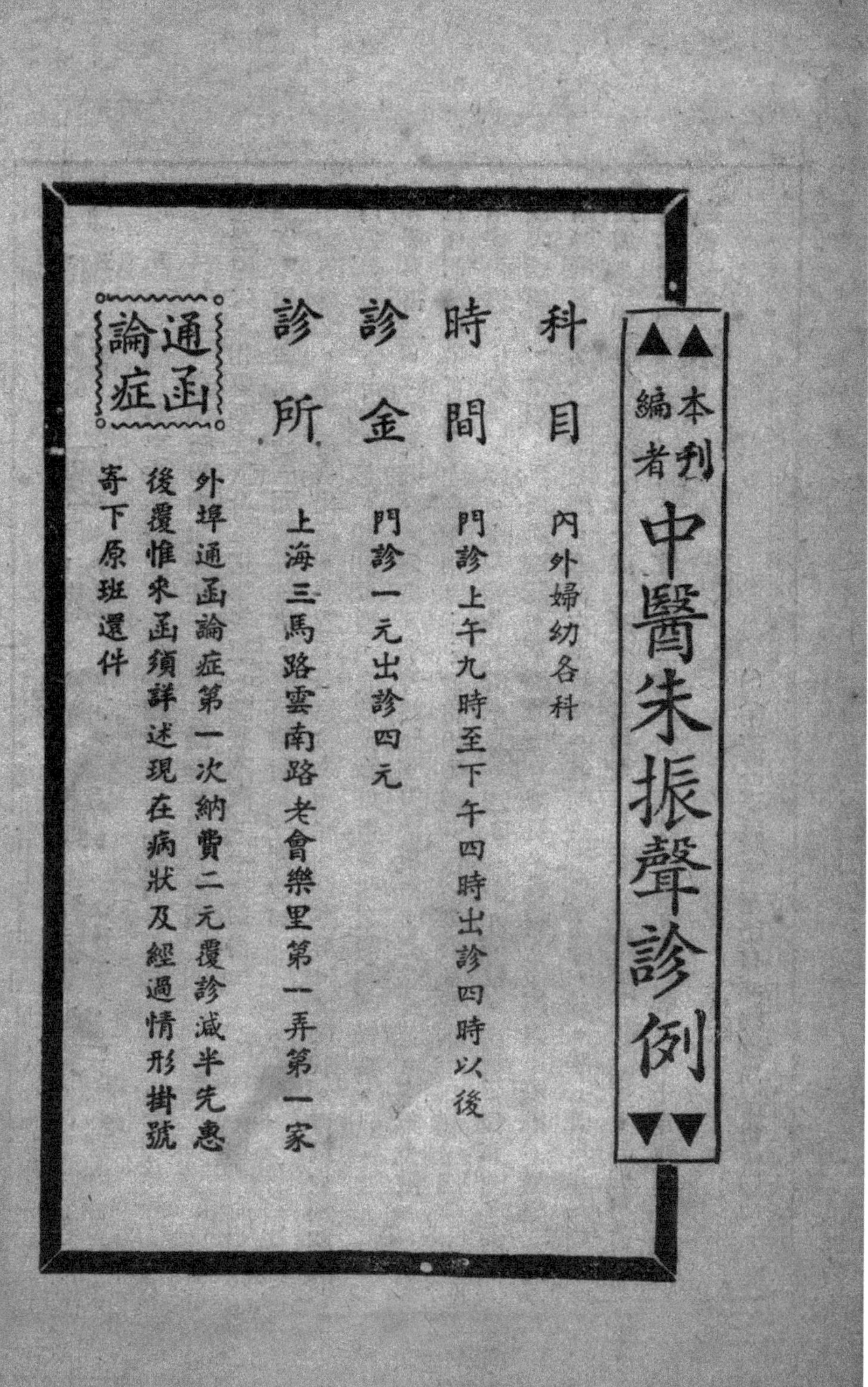

本刊编者 中醫朱振聲診例

科目 內外婦幼各科

時間 門診上午九時至下午四時出診四時以後

診金 門診一元出診四元

診所 上海三馬路雲南路老會樂里第一弄第一家

通函論症

外埠通函論症第一次納費二元覆診減半先惠後覆惟來函須詳述現在病狀及經過情形掛號寄下原班還件

丹方雜誌

創刊號

價目表

零售	每冊實售大洋二角		
時期	冊數	連郵費 國內	連郵費 國外
半年	六冊	一元	二元
全年	十二冊	二元	四元

廣告價目

等第	地位	全面	半面	四分之一
特別位	封面		四十元	
特等	底面之外 封面之內	四十元		
優等	封面內面之對面	三十元	十六元	
普通	正文之前	二十元	十元	五元

彩色另議

◀中華民國二十四年三月一日出版▶

編輯者　朱振聲

撰述者　全國醫家

發行者　幸福書局　上海三馬路雲南路轉角

印刷者　與羣印刷所　方斜支路五號

全國銷路最廣信用最著之醫藥常識報

長壽週刊

宗旨

介紹衛生方法　指導康健途徑

公開古今祕方　造成百病自療

◎長壽週刊由全國著名醫學家所撰述

優待雜誌讀者閱年收洋大全定祇一元

長壽週刊每逢星期五出版一期。內容包括內外婦幼咽喉花柳各科。以及生理學。病理學。心理學。藥物學。傳染病學。四季時病。一切性病等等。均有精詳實用之論列。至於家庭醫學常識。古今經驗良方。一切急救自療方法。莫不應有盡有。全年五十期。連郵二元。國外加倍。茲為優待丹方雜誌讀者起見。定閱全年。祇收大洋一元。寄費在內。現已出至第三年。如欲由第一期起補全。亦可照辦。惟所存不多。欲購從速。

注意

自第一期起至五十期止。為第一年。原價二元。現售一元。

自五十一起至一百期止。為第二年。原價二元。現售一元。

◎長壽週刊是內政部正式登記之醫報

國醫朱振聲主編
丹方雜志
第二期

丹方雜誌第二期目錄

腳氣外治靈方

朱振聲

腳氣始於受溼。復挾風寒食熱之邪而成。故先起於腿足。必腳屈弱。而舉體轉筋肢節疼而足胻腫。小腹不仁。心中悸動。胸滿便澁。但發熱頭痛身疼之候。絕似傷寒。人多誤治。故仲景以腳氣爲類傷寒症。另立篇目以別之。古人謂之厥。症類傷寒則難察。能致人死則難治。詳究其症候之由。平居於酒色及勞役之後。外感風寒暑熱。忽然手足逆冷或熱。其氣逆從腳下而起。上冲小腹作痛。或脹悶。或嘔吐。或昏迷。或兩足脛紅腫。寒熱如傷寒狀。從此或一月一發。半月數月一發。漸漸四肢攣縮。腳膝腫大。此爲腳氣。非中風寒也。或發作而手足不病者。亦謂之腳氣。此病南方人最多。雖由卑溼之氣所感。而始實自酒後房勞。傷其胃腎。倘不知爲腳氣。而誤以傷寒中風治之。其不至於殺人者鮮矣。

治腳氣法。白礬二兩。地漿水十大碗。新杉木數斤。煎六七滾。用杉木桶（新者更佳）盛一半浸腳。留一半徐徐添入。上以衣被圍身。使略有微汗洗完隨飲薄粥。如一次未愈。再洗二次。照前方更加硫黃三錢。無有不愈矣。

取地漿法於淨土地上掘二三尺深。用新汲井水傾入攪濁。少俟澄定。取半清半濁者吹去浮沫用之。

如脚氣兩脛紅腫。鳳仙花葉枸杞葉同煎濃湯浸洗。再生搗汁敷。

子宮下墮療法

李健頤

婦人產後。經後。因勞動過甚。以致子宮墮下。陰戶內如一物窒塞。尿意頻多。欲溲却無。或尿道紐痛。小便點滴如淋。若投與利水之藥。病必增劇。蓋子宮懸於骨盤裏。子宮口如布袋口之紐結。當產後經後。其口大開。瘀血盡溢。故子宮極虛。稍一不慎。或行動過甚。或坐立過久。每易使子宮墮下。所以產後及經後時。宜靜臥以防此患。誠為上法。倘不知慎防。以致墮下者。宜與西洋參二錢。升麻二錢。黃耆一兩。五倍子錢半。小茴香一錢。烏梅四枚。清水一碗。煎半碗。空心溫服。連服數次。效驗如神。按子宮虛弱。氣不上升。故用參耆升麻。補氣以升提之。則墮下之子宮。得補氣以上升矣。佐五倍烏梅。收斂其氣。再加茴香。薰香化氣。兼以止痛。然此症由於氣虛不能升攝。故專藉補氣升提之功。氣固則不至再墮矣。

治風濕痠痛良方

姚逢原

風濕初起。恆覺臂或腿痠痛異常。歷久不治。必致臂不能舉。腿不能動。故初起時。宜即醫治。切勿觀望。茲有一方。屢試屢驗。其方即用十大功勞三兩。八稜麻根（即臭綠麻根）五錢。千年健三錢。淫羊藿三錢。紅花三錢。全當歸三錢。五茄皮三錢。廣陳皮三錢。加水煎濃。另備一器。盛燒酒一斤。白酒二斤半。將煎濃之藥。連渣傾入酒器中。每日隨量飲之。其效如神。

痰迷心竅祕方

葉茭佩

氣鬱成火。凝結痰涎。阻鬱心宮。昏迷嗜臥。人事不省。癲癇癡狂。及狂痰迷竅。變幻諸般等症。急宜用九製膽星。黃連。半夏。黃芩。橘紅。白礬。等分共末。竹姜瀝為丸。服之。則心間如有物脫去。而病愈矣。每服三錢。金箔湯化下。痰鬱心包。膻中之氣不化。而堵塞神明。故變生諸般怪奇之證。膽星化熱痰以清肝膽。半夏化濕痰以醒脾胃。黃連清熱燥濕。橘紅利膈除痰。黃芩清熱於上。白礬消痰於中。丸以姜汁竹瀝。善搜經絡之痰。衣以辰砂。乃為鎮心安神之助。金箔湯下。俾金能平木。則肝火自平。而痰鬱自解。魂魄俱安。又何怪症之不瘥乎。

■祖傳去眼中翳膜神方

李健頤

先嚴實烈公遺傳治翳膜一方用之神效。每將各味製成藥水。儲於料瓶。以備分送。療治多人。口碑載道。今特錄登本刊。公諸於世。不敢自私。方用川花椒二分。甘菊花三分。砂仁三粒。杏仁三枚。生鹽一分。明礬五分。胆礬五分。共為粗末。烏梅四枚。(搥破去核)再加新針三支。插在烏梅上。浸水一鐘。俟針化後。即可取用。如患膜翳遮蓋瞳人。或生赤肉者。先用朴硝桑葉沖湯薰洗。洗後即點此藥水。一日三四次。半月後。自可獲愈。

補陰良方（陰虧火旺者宜之）

沈仲圭

天冬十兩去心。麥冬八兩去心。研為細末。另以生地黃三斤熬膏。和丸如桐子大。每服五十丸。

按天冬甘苦而寒。功能養陰清火。化痰止嗽。麥冬性質功用。大致類是。生地黃補腎陰而涼血陰。故肺熱欬嗽。骨蒸盜汗。陰虛便閉。夢遺咯血等症。皆極合拍。惟此為涼補劑。且能滑腸。若脾胃虛弱。泄瀉惡食者。大非所宜。

固元壯陽方

陳亦蘇

山茱萸。酒浸取肉一斤。破故紙。酒浸焙乾半斤。當歸四兩。麝香一錢為末。煉蜜丸。梧子大。每服三錢。臨臥鹽湯下。

（按）山萸補少陰（腎也）而濇精氣。破故紙壯元陽而治精冷。當歸補血以生精。下元虛寒者服之。誠有益壽種子之効。加麝香辛溫香竄。以通經絡。以暢血流。其力倍大。

治半身不遂方

俞濟民

開陽花即擇毒花。(插圖見封面)四兩。用細花燒酒四兩。漸洒花上。入鍋內炒乾。當歸四兩(酒洗)乾菊花四兩。五茄皮四兩。蒼朮二兩。(用米泔水浸一晚)。

右藥入好酒十五斤。用無嘴壜盛。麥熟。藏土內七日取出。如病人有一壺量者。只用一鐘。極量大者只用二鐘止。不宜多用。每日只服酒二次。以精猪肉送下。服酒之後。令病人將不遂半身。貼席睡。用綿被盦汗。半月之內。必愈。但服酒時。病人必然眼花暈。不必為慮。(如有虛汗或虛人不可用。惟無汗者最佳)

神醫華佗發明之麻醉劑

郭雲霽

麻沸散亦稱通仙散。相傳為東漢華佗所創製。據魏志載稱。華佗精於方藥。處劑不過數種。針灸不過數處。若疾發結於內。針藥所不能及者。乃先令以酒服麻沸散。既醉無所覺。因刳破腹背抽割積聚。若在腸胃。則斷藥湔洗。除去疾穢。既而縫合。敷以神膏。四五日創愈。一月之間。皆平復。此吾國用麻醉劑之嚆矢。見於史册者也。顧其原方。代久失傳。近閱東鄰著名漢醫外科家華岡青洲著作。詳載麻沸散之成分及用法。特譯述於左。以供諸同志之研究。

蔓沸散之處方

蔓陀羅華八分。草烏頭二分。白芷二分。當歸二分。川芎二分。炒南星一分。

右六味細挫。投於熱湯内。煑一二沸後。頻加攪拌。去滓。乘溫内服。

右列之各藥。據日本日野五七郎。及一色直大郎合著之和漢藥物學所述。有催眠。鎮痛鎮痙之功。乃對神經病慣用之藥也。

麻沸散應用時之注意。須注意左列三項。

(一)患者從來虚弱。顏色蒼白。四肢羸瘦。或微熱往來。飲食無味。其氣不順者。不可與之。

(二)脱血後元氣未復。或心下有蓄飲。而痰喘哮吼。動作短氣者。不可與之。

(三)心常悸動。或滿悶吐水。或暖氣呑酸者。不可與之。詳查右三項。而資稟壯實。縱有上列之症。可先投其主劑。俟諸症退後。與之無害。（以上為麻沸湯前三診）用麻沸散後麻醉之狀態其徵候有三（麻沸湯後三診）

（一）與麻沸湯半時許。患者屢屢小便。脈漸浮數。

（二）巨里（按即心臟部）之高動。唇舌乾燥。

（三）面色如醉。瞳孔散大。

麻醉之徵候。為發渴。飲食不進。惡寒。發熱等。甚至煩渴。煩悶。毒迴心下而死。然由患者體重不同。而其症狀亦異。在氣質沈靜之人。顏色不大變。只少現青色。惟眼不了然。妄動獨語。浮燥之人。身熱甚。面發赤色。脈浮大。口舌乾燥。瞳孔散大。妄語。兩者共同之徵候。為轉倒。而心識瞀亂。知覺脫失。其脈必緊。血色而黑粘。使安臥於靜室。以衾覆之。注意看護。常有麻醉輕而發驚狂者。

麻沸散服用之分量。大凡麻沸散二錢。水二合。用猛火煎為一合八勺。為一劑量頓服。五六歲至十歲。用半劑或四分劑。十歲至十五六歲。用七分劑或半劑。十六歲以上。皆用全劑。

過個人特異反應性者。則不能拘此例也。稟氣壯者。或無知之小兒。往往難麻醉。華岡青洲曾治一小兒火傷。與麻沸散半劑。半時餘尚不麻醉。又與半劑。使用溫酒送下。而仍自若。更作一劑與之。雖似少瞑眩。然猶未達施手術之程度。令次日再來。與以酒製之麻沸湯一劑半。始現麻醉。麻藥製為散劑。其力較強。麻醉亦速。然發嘔吐。若製為煎劑。則麻醉輕而遲。不發嘔吐。麻沸散服後之處置。使患者臥於靜室床上。以衾覆之。春秋二季宜用此法。暑時只令臥於床上可也。嚴寒之時。除覆被外。更須持床之四隅。而動搖之。或使飲酒。以助藥力。使早麻醉。

麻沸散服用之時間。日有長短。患處有多寡。手術有難易。普通早晨空腹用之最宜。過午施行手術。與一劑。二時間即起麻醉。如有及三時間。尚不麻醉者。是為難應之性質。可再經過一二日。以酒製者。而並酌贈分量與之。

麻醉之持續。有長短。大抵用二錢量。持續六時間。亦有八至十時間。知覺尚不恢復者。若用二錢量。至翌朝不醒者。亦有之。手術適當之時間。不俟醉麻極深。即可施行手術。通常服麻沸散後四時間。為最適當。麻醉後之醒覺法。麻醉雖有劇易遲速。大抵經五六時間。即行醒覺。如久不醒。可煎濃茶三四碗。或鹽水。與服立蘇。對身熱煩燥。古人有用石膏劑者。證以華岡青洲所述謂為無效。謂用三黃湯（大黃。黃連。黃芩）收效神妙。

手術後之調養。與人參養榮湯。其處方如左。

柴胡。桑葉。人參。桔梗。貝母。杏仁。松實。荷葉。五味。大棗。阿膠。

右水煎服

按右方未註分量。且與太平惠民和劑局方。若稍有出入。附記於此。以備參攷。此蓋著者經驗之方。而冠以此名。慎勿按圖索驥也。

■孕婦子癲方

錢少楠

孕婦子癲症。係胎熱火炎。一名臟燥。胎前氣血壅養胎元津液不能充潤也。清癲湯以潤燥清臟為治。

淡竹茹三錢至五錢。淮小麥五錢至六錢。紫竹英四錢至五錢。生白芍三錢至五錢。大紅棗三枚至五枚。生藕肉二兩至三兩。粉甘草八分至一錢。萬氏牛黃丸。一粒研細藥湯調下。此方以甘麥棗為君。濡潤臟燥以清神。以紫石英竹茹白芍為臣。一則溫潤子宮。一則清抑肝陽。然此種病狀。每多挾痰火以擾亂神智。故佐以萬氏牛黃丸。豁痰清火以定神。使以藕肉。既能和營養血。又能悅性怡情也。方從金匱甘麥大棗湯加味。臨症時輒多應手。為治孕婦子癲之驗方。若夾他因別症。仍當隨症加減。如因胎兒肥盛。腦系受逼。因而神昏發癲者。本方加炒枳殼一錢至錢半。帶殼春砂仁八分至一錢。如因子宮液乾。腦系失養。因而神迷成癲者。本方加青蔗漿瑩白童便各二鍾。和勻同沖。如因體肥痰盛。上迷清竅。因而似癡似癲者。本方去紫石英。加老竺黃錢半至二錢。淡竹瀝二瓢。鮮石菖蒲汁兩小匙。和勻同沖。如因肝鬱多怒。上沖心神。因而或狂或癲者。本方去紫石英生藕肉。加龍膽草六分至八分。青龍齒三錢至四錢。石決明八錢至一兩。辰砂染燈芯三十支。

笑歪嘴巴驗方

尤學周

「笑歪嘴巴」四字。乃戲言也。亦實事也。人有一時蒙昧。受人作弄。以致引人發噱。彼無以自解。乃是憤非憤而曰報之。「不要笑歪了嘴巴」。雖為戲謔。非無故也。

嘴巴歪斜。醫書歸列於「中風」一門。中風有中血脈。中腑。中臟之異。中臟者。其人眩仆昏冒。不省人事。或痰聲如曳鋸。中腑者。昏暈不識人。便閉阻隔。中血脈者。又有中絡中經之別。中經者。身體左右不遂。筋骨不能展舒自如。中絡者。口眼喎邪。肌膚麻木不仁。所謂口眼喎邪者。不第嘴巴歪斜。且牽引於眼矣。按中風一症。名雖「中風」實血熱使然。非直中於風也。昔賢亦早有「中風」非外來之風之説。乃內風之動。內風者。肝陽之動。即血熱之所由也。口眼喎邪。其原亦不出於此。

大凡一病之起。非卒然而來。病邪之伏於人身。不止一朝一夕。其發也。必有誘者以開其發動之路。如電燈然。線中雖有蓄電。不捩其紐。則不明亮。風中血脈者。如無外誘。口眼必不無故喎邪。及其笑聲一縱。口角之血脈。全部牽動。如電燈之捩其紐。觸其因。而成其果。笑歪嘴巴。有由來矣。

口眼喎邪一症。方書所載治法。多借重於大秦艽湯。（秦艽。甘草。川芎。當歸。芍藥。生地。熟地。茯苓。羌活。獨活。白朮。防風。白芷。黃芩。細辛湯服。）或用天仙膏。（南星大者一個。白芨二錢。白殭蠶七個。為末。生鱔血。調成膏。敷喎處。覺正。便洗去。）余對於此症。所見甚少。該方未曾施用。效驗如何。未敢謬爾下斷。

數年前。偶爾下鄉。在航船中。聆一人談及其鄰有笑歪嘴巴者。求治於醫。過一肉肆。肆中有一素識者見而謂之曰。汝不必去求醫。余有一法。治之神效。可照方試行也。方用大楓子。草麻子。蛇牀子。木鱉子各一兩。高粱一斤。置瓶中。火煮。如口眼歪斜在左者。用右手掌置瓶口。取其熱氣。在患處向下摩撫七八次。再取氣。再摩撫。如歪斜左右面者。用左手行之。其鄰照方試行。數次即愈云。

余以事之得於道聽塗說者。類皆言過

其實。不可全信。未敢據為口眼喎邪之對症療法。日前亦有一乳媼於劇笑之後。忽口角上牽。失其自如。求治於余。忽念前法。囑其一試。初未必其可效。乃竟偶然奏功。真出於意料之外。靈驗之方。不敢自秘。爰述其藥品。手續。及成效如右。

■梁家之點瘰秘方

朱振聲

廣東嘉應梁希曾。於花柳瘰癧兩門。頗得其中三昧。有點癧一法。據云非常靈驗。茲採錄之於下。

（一）點癧藥品

新出窰石灰。八錢。（是出窰未泡水愈新愈佳。）

鹼。潔白如雪者四錢。

硃砂。五厘。

計三味。其法。取石灰。先臨風自化。篩去粗粒。將各藥秤足。貯瓦缾聽用。或豫先製備多數。將三味加增。和勻封好。切勿近潮濕。隨帶出門。極為方便。至硃砂一味。原取其色紅。易見痕跡。以便復點。非必需之藥也。方中三味。共重一兩二錢零五厘。即加減些亦可。大約每料必如此之多。方見有效。臨時酌用。不必拘泥。

（二）點癧法

一 點時。各藥秤足。用有蓋之瓷器盛好。然後取高粱燒酒開化。極力攪勻。至恰好處。何謂恰好。以藥停腳後。其上面約二分清酒浮出。是為恰好。然後取小筆竿一枝。蘸起其浮出清酒。在癧之核外。離三分處。週圍點之。每一點約亦均離三分。切勿一片塗去。如有酒流下。當用紙捲拭淨。週圍點完。頃刻點乾。照其原點痕處。再點。連點至六七次。以痛為度。初點二三次。即微作癢。至五六次。即微作痛。如蟻咬焉。並無大痛。

一 不可並渣點上。如並渣點上。必致破皮。倘破皮。亦無甚妨害。二三日即自平滿。

一 不可錯亂點去。須次第滿原點之痕處點之。其藥味方能直達而制服其核外之根株。使他潛消永久。不能再發。

一 首次點後。計首尾足五日。須再依前法點之。使其前次所點之藥力。與後次之藥力。可以相接。方能奏功。如未消盡。越五日再點。點至全消為止。

一 點時無分點數。量核之大小而准

數焉。核之大者其點數卽多。核之小者其點數卽少。總以週圍點之爲妙。長者照長式點之。圓者照圓式點之。核之奇正不齊。卽隨其奇正之式點之。倘其核過大。則並核內亦不妨點之。且不妨週圍雙行點之。使藥味猛而有力。點至全消爲度。如其核收小則點藥亦宜漸次移入步位。勿拘其舊日所點之處也。

一　遇有昔時之破痕破口。亦不妨隨其破痕破口外週圍點之。使他垢穢。不再成膿。易以收口。倘其舊痕腫脹不堪。卽痕內亦不妨加點之。其垢穢隨結痂處而乾。亦易收口。倘其痕如有欲破之勢。則將藥渣點上。立卽破口。並貼以拔毒生肌膏。

一　其核之大小。長短。方圓。聯珠。無論如何。式樣。皆可散去。惟有舊痕之死核。則不可散去。點者須知之。

一　倘無石灰之處。卽用蝦蜃灰代之。亦可。亦取鹹能軟堅之意。其藥力雖無石灰之猛。然加鹼少許。久點亦必自消。

一　倘或鄉曲之處。一時未便有高粱酒。卽用酸醋代之亦可。蓋酒味則取其透徹經絡。醋味則取其能收斂脛節也。

一點至五六次。猶不癢不痛者。必其藥味洩而無力故也。須換過藥粉。仍開酒或醋點之。大約此藥味調酒後。未經點者。仍可久藏。乾後。再將酒調開。如已經點者。僅可藏十五六天。久一月。即要更換。大約攪至藥粉成團。酒不能清。即無味矣。

一隨其核之大小點之。其核收小。其點亦隨而減少收入。總以離核三分為妙。不可過遠。過遠則其藥力不能透其根蒂。

夢遺秘方

懷鳳

夢遺以瀉相火為主。用川黃柏一斤。要選肉厚皮薄者。去皮。劈成條子。將水酒浸。稍透。取起。咀成片。用牡蠣半斤。要青色不枯者。火燒。一紅取起。為細末。與黃柏各勻作四次。柔火炒茶褐色。不可焦。篩去牡蠣。獨用黃柏為末。煉蜜為丸。如梧桐子大。要丸得大而圓。取其易下。不停胃中。空心用鹽滾水服下三錢。服後。手摩胸膈。徐行一二百步。即食水煮飯壓之。使墜下。速入腎經。免停滯也。服時。切忌房室。譬猶築壩未固。水即衝之。壩豈能成。更宜戒暴怒。少勞頓。忌食椒蒜辛熱之物。如藥未服之先。自覺精欲泄。必待其泄去。方可服藥。不然穀道作痛。蓋精已離舍。服藥中道而止。故此作痛。數日內其火降下。小便反黃。數日後小便即清。是其驗矣。如心有妄想不甯。則用硃砂為衣。如無。不必用也。

□癲犬咬傷治方

偉曰。國狗之瘈。無不噬也。釋文。瘈。狂犬也。漢書五行志瘈作狾淮南子氾論訓作猘）蓋蛇虺啓蟄。時吐所含之毒。其氣腥而毒。犬或吞之。遂為瘈。吳俗呼為瘋狗。於驚蟄後多患之。或云。春夏為桃花癲。秋冬為梅花癲。謂蛇虺啓伏。有呼吸之氣。常流露於穴外。犬觸其氣。即病狂矣。其毒發時。犬必頸硬頭低。耳垂尾體。向前奔竄。遇人畜即噬。人略被嚙衣。即受其毒。急則七日。緩則七七日至百日必發。病發時。心腹絞痛。神識不清。痛甚而掐胸嚙指。至嚼衫袖瓷石。三四日即不救。驗病者之是中否毒。先以葵扇扇之。病者便縮身戰慄。聞鑼聲便驚擾。卽驗被染之犬亦然。適考方書。若無良法。間有先用斑蝥及草藥猛攻。使惡血從便溺而去。然以毒攻毒。究恐傷人。道光二十六年冬。有人過湘中之沙灣目擊一米船篙工。猝病如前狀。衆莫能識。會鄰船有醴陵人。以葵扇向病者一揮。大呼曰殆哉。此中癲狗毒也。如酬我六緡。有秘方可立愈。船主哀吉謂工人貧窶。當代酬半數。衆咸勸之。醴陵人不允。由是衆怒其忍。縛醴陵人置病者側。醴陵人懼染毒。願治不索酬。請衆解縛。衆慮其食言。謂必傳方愈病乃釋。醴陵人始曰。用大劑人參敗毒散加生地榆。紫竹根。煎服。如病者牙關已閉。須擊去門牙灌之。一劑而神識清。兩劑而病若失。方用。

真紋黨三錢。羌活三錢。川獨活三錢。鬼羽箭三錢。柴胡三錢。炒枳殼二錢。桔梗三錢。茯苓三錢。甘草三錢。川芎二錢。生薑三錢。加生地榆二兩。紫竹根一大握。

右十三味濃煎溫服。凡遇此毒。七日進此藥一劑。至二十七日。嚼生黃豆以驗有無餘毒。如病者作生氣惡心欲嘔。是毒已盡除。否則再服一劑。三七日如前再試。至三服而毒無不盡除。卽孕婦亦可服。或常犬被咬亦用此方。另加烏藥一兩。濃煎和飯與食卽愈。如被毒後宜卽戒食猪肉及糯米一百日為要。

編者按。此方論由本市一德路聯興行伴吳誠君。因被癲犬咬傷後三日。發熱。心翳。腹痛。四肢麻痺。受毒極重。屢醫不效。後以三十金得之市橋某甲所授。一服而愈。查是方在驗方新編中。經已詳載。獨少却鬼羽箭一味。編者以其屢試屢效。確有靈驗之故。因附入之。使同志及病者。加之注意云爾。

▣小兒麻症之速透方

楊星垣

麻為小兒之陽毒。蘊於肺胃。所以初起時勢必咳嗽噴嚏。鼻流清涕。眼胞略腫。目流汪汪。惡心嘔乾。面浮腮赤。身體發熱。三五日始見點於皮膚。形似麻粒。色若桃花。形尖稀疏。漸見稠密。有顆粒而無根暈。微起泛而不生漿。一日出三遍。三日出九遍。至六日而始出盡矣。雖較痘症稍輕。而變化則速。始終調治。俱宜留神。必須謹忌風寒葷腥生冷水菓辛熱等物。凡是葷腥俱能滯毒。菓生則難尅化物。冷尤能冰伏。伏而不化。毒乃滯留。風寒則易閉塞毛竅。毒氣何由而達。辛熱猶是火上加薪。助毒愈橫。之數者於小兒發麻時。不可不慎也。况其麻症有順逆之分。或熱或退。而無他症者為順。出透三日而後漸收者為順。紅活潤澤頭面勻淨者為順。若紅慘紫暗乾焦不潤者為逆。黑暗乾枯。一出即沒者。及鼻青糞黑。鼻扇口張。胸高氣喘。均為逆而難治。初起用藥。先以清毒解表。使肌膚通暢。腠理開張。毒從汗解。如熱毒深重者。即紫雪丹之類。隨可採用。倘神昏囈語。灼熱驚狂。二便祕結。即牛黃至寶丹亦可加入。其麻發不出。氣喘欲絕。用櫻桃汁一杯燉溫灌服。大有起死回生之妙。此汁須預時製備。濟人活命。功德無量。兹將製法列下。以供仁人君子預時多製應送。其方用櫻桃十餘斤。入磁瓶內。密封埋入土中。二三個月後俱化為水。凡遇麻症不出者。燉溫服下。靈驗無比。如臨時欲用。無處採辦。爲之奈何。不防用小米一撮。小米即粟米。要有紅殼者。煎湯不拘時服。一面用芝蔴五合。以滾水泡之。乘熱令小兒之頭面薰之即出。惟月內之小兒發麻。則不須服藥。祗要乳母忌食葷腥油膩烟酒辛辣等味。謹其風寒。避其厭穢。當心顧護而已。再麻毒必賴嗽甚而解切不可見嗽而止嗽。至在於泄瀉嘔吐腹痛。亦是麻毒使然。不得妄用補澀之藥。執而不化。以致不救。爲小兒司命者。對於斯症。愼毋忽焉。

■治黑熱病驗方

葉古紅

黑熱病在國醫學療法中。有無特效方劑。斯亦最有研究價値之一問題。鄙意醫者之目的。在愈病。而達此目的之方法果多。法不同而收效則一。求之國醫。除去一部份五行生尅之說。每有暗合科學原理者在。不佞於痡勞症。應用集聖丸輒收著效。其症狀爲勞倦。發熱無定時。四肢消瘦。胸脅脹悶。而腹部獨大。按之有硬塊觸手。面色黃而兼蒼。大便或泄瀉或秘結。小便多混濁。如米湯汁。藥後大便得下粘液污鐵物。小便清。腹部亦漸漸而愈。是病曩於北地常見之。其徵兆絕似黑熱病。今按集聖丸藥味。如使君子黃連用以消炎殺蟲。蘆薈與起腸蠕動機能。以促進膽汁分泌及起瀉下作用。砂仁。廣皮。陳皮。木香等。芳香健胃。五靈脂。夜明砂。莪朮。祛除瘀血。活潑局部神經。以奏消腫解凝效能。當歸。川芎。通經。調整血行。主藥之蟾蜍。其表皮腺分泌液。含有加瑪茵成分。等於實芰荅利斯（毛地黃）效能。而無其蓄積作用。能強心興奮。應用於血行障碍。鬱血炎腫疾患。有特效。猪膽汁為苦味解凝藥。殺蟲藥及促進糞便排洩藥。混合應用有強心。健胃。殺蟲消炎等功能。則治黑熱病用以消炎。殺蟲強心。祛瘀。理想的效用。似尚合於事實。

曩游東瀛。獲一民間驗方。專治癖塊。勞熱。瘦消。倦怠。無力。似癥非癥。試之良效。方用鱉甲一味。醋炙酥研末。配以極微量之砒石。拌勻。每服自一錢至二錢。陳酒送服。日二次。考鱉甲為動物骨質之一。富有燐酸鈣炭酸鈣等鈣鹽成分。有機性鈣鹽在醫學應用上之一般作用。由腸部吸受入血。能制止滲漏。增強活潑白血球與凝固素。砒石有變質殺蟲作用。自昔應用於貧血。惡性淋巴腺腫瘰疾等病。是方適與肘后方用鱉甲雄黃治勞瘧久瘧方相同。雄黃為三硫化砒。亦砒劑之類。患者如嫌砒石毒性劇烈。可用鱉甲一兩。醋炙酥雄黃二錢。共為細末陳酒送服。如量極為適應。

右列兩方為極普通之藥物。方今自淮以北。患黑熱病者。因經濟限制。陷於絕望者何止萬數計。病原猖獗。蔓延堪虞。特將斯方摘要介紹於丹方雜誌社。一以引起國人之研究批評。一以普告病黎。

集聖丸方

乾蟾蜍。炙焦一兩二錢。蘆薈八錢。五靈脂八錢。夜明砂淘去灰土八錢。焙乾。砂仁八錢。陳皮八錢。青皮八錢。莪朮八錢木香八錢。黃連八錢。使君子肉八錢。川芎一兩二錢。歸身六錢。

右藥共為細末。以雄猪胆汁四枚。和粟米粉為丸。如龍眼核大。每服二丸。米飲日服三次。

破傷風之驗方

王南山

破傷風當以玉真散為最有效。按該方主治一切創傷。及破傷風。雖見不省人事。手足抽搐。體如彎弓等症。只要心前微溫。用此藥敷傷口。（如膿多者。用溫茶避風洗淨再敷。無膿不必洗。如溼爛不收口者。用熟石膏二錢。黃丹三分。共研細末。加入敷之。）另用熱酒沖服三錢。（不飲酒者。滾水沖下亦可。）誠為起死回生之良方也。

家父常製此藥。廣贈各界。救人無算。非虛言也。如東吳大學之陳芝範君。振新書局之許叔良君。均係患破傷風重症。服玉真散而愈。可為強有力之鐵證也。

爰特將該方宣佈於后。尚祈 各大慈善家。照方配合。以救同病。功德無量。況此散藥價頗廉。功效甚大。遠勝於西醫數十元之針藥。誠為費小功大之善舉也。

玉真散。明天麻一兩。羌活一兩。防風一兩。生南星一兩薑汁炒。白芷一兩。生白附子十二兩。

右藥同研細末。瓷瓶收貯。勿令洩氣

為要。

祕傳傷科靈驗膏藥方

王寶爍

生地五錢。元參三錢。五茄皮三錢。川黃柏三錢。川牛膝三錢。荆芥三錢。川芎五錢。甘松三錢。香白芷三錢。川斷三錢。甘草三錢。劉寄奴三錢。桃仁三錢。木通三錢。杜仲三錢。元胡索三錢。紅花三錢。薏苡仁三錢。青皮三錢。當歸三錢。江枳實三錢。秦艽三錢。宣木瓜三錢。川朴三錢。白蘚皮三錢。黃耆三錢。赤芍五錢。香附三錢。羌活五錢。荆三稜三錢。丹皮三錢。白芍三錢。山奈三錢。骨碎補三錢。獨活五錢。蘇梗三錢。連翹五錢。防風三錢。蘇木三錢。薄荷五錢。

右藥用麻油六斤。將藥浸入油內。煎至滴水成珠。去渣。加炒黃丹粉三十六兩。用桑枝攪勻。扇至烟盡。候冷。浸入水中。越陳越好。用時再加摻藥。用乳香一兩去油。上瑤桂五錢。沒藥一錢去油。丁香五錢。化龍骨五錢。血竭五錢。共為細末。每膏一斤。加摻藥一兩。烊化拌勻。攤膏。貼患處。(按)此方係紹興下方橋。三六九傷科名醫所傳授。無論一切跌打損傷等症。貼此膏藥。無不神效。遠近各界。咸知其名矣。昔年該醫被誣涉訟。幾遭寃屈。幸我　先嚴竭力解圍。得以申雪。該醫感激之餘。特以此方為贈。曰。此乃吾家歷代相傳之靈驗祕方也。　先嚴得此方後。即煎膏廣送。活人甚衆。今余不敢自祕。故特抄寄丹方雜誌社。囑登本刊。以公同好。

■紅藤治腸癰之證實

何墨君

自本刊第一期載鄙人『紅藤治腸癰』後。此數日內。患腸癰者，每日必有詢問者多起。其中有本埠竟成造紙廠蘇君俊德。患慢性腸癰四月。(經德醫診斷。亦謂是慢性盲腸炎。)中西醫藥。百治罔效。十五日本欲進福民醫院割治。十四日見報後。當日購服紅藤。(即第一方)連服三日。少腹痛減。據蘇君言。已減去六成。因欲進服第二三方。曾來鄙寓詢問服法。經鄙人告知一切。已自去配藥再服。諒不久當能告愈也。惟太平洋電報公司韓振宗君令親。已經潰破半載。未曾收口。實為可惜。但假使少腹堅硬未全消散。仍拒按劇痛者。尚可進服紅藤。並須速用外科靈藥。為之收口。當無不能收口之理。又劉成斌君。問用何酒。則是紹興酒亦可。惟須多些耳。

■發背祕方

余先德

發背乃癰疽中之大患。緣其對心對肺對臍故也。若誤服涼劑。誤貼涼膏。定然毒攻內腑。不救。宜用瓜蔞五枚。取子去殼。真乳香五塊。如棗大者。共研細末。以白蜜一斤。同熬成膏。每服三錢。溫黃酒化服。靈效。

■陰囊重大驗方

蘇公

凡癩疝重墜。陰囊腫大如斗。用苡仁四兩。以陳壁土炒之。水麦為膠。數服即消。或破爛而腎子落出者者。用沉香。紫蘇。蘇木。南星各五錢。研末。老香緣一個。切碎。雄猪尿胞一個。洗淨。將藥入尿胞內。以好酒四五斤。麦爛。打為丸。如梧子大。每服四五十丸。空心陳酒送下。藥盡全愈。

痰中帶血之驗方

俞慶儂

鄙人去春偶染肺疾。初則咳嗽。繼則痰中帶有血絲。不及數日。竟然吐血傾盆。時愈時發。遍求中西醫士診治。而藥石無效。愈發愈緊。諸醫束手。直無治療餘步。後得一方。按法試之。二三劑病即消除。毫無痛苦。精神如前。鄙人愈後。繼傳親友。獲效者不勝枚舉。確為鄙人親自試驗之方。並無疑點。是以胆敢敬告同病諸公鑒之。方用活童雞一隻。重約半斤。多則一斤。殺斃去毛。加麥冬二錢。童便一鍾。再加河水若干。用瓦鍋煮爛。宜夜間天未明時服之。雞肉及汁水。全行服下。連服二三雞。不令間斷。日見痊愈。無論何種血症。無不見效。如無小童雞則未曾產蛋者亦可。忌服雄雞。

湧乳良方

俞愼初

經曰。『食入於胃。脈道乃行。』又曰。『水入於經。其血乃成。』此乃謂食物入胃。受胃液之消化。其糜粥傳入於腸。經腸液。膵液。胆汁之作用。化為營養分。由腸絨毛管之吸收。上歸於心。而化為血。一則行於脈管。循環全身。一則由衝任二脈導引而下。與癸水會合。男則化精。女則化經。蓋婦人妊娠之時。則月經停行。所以養胎也。至分娩後。而月經仍停行。因一部分營養分上行。不入於心。故不得統化為血。而注於乳房。分泌為乳汁。女子之血有餘。歧而分為二。若血液缺乏。身體羸弱。不足自給。何能分而為二。故在平時月經必少。或兩月一行。或三月一行。或半年一行。分娩之後。則乳汁因之而缺乏。茲將通乳之良方。錄列於下。

以備缺乏汁者之採用。

洋參三錢。黃芪六錢。白朮五錢。首烏五錢。牛膝三錢。通草三錢。當歸六錢。川芎三錢。熟地五錢。白芍五錢。王不留行三錢。半服亦可。用猪蹄一對。先煎藥去渣。後入猪蹄炖。

洋參（入胃後能助胃消化。其類似葡萄糖「沙波甯」(Saponin)「巴那規倫」(Panaquilon)至小腸腸絨毛管將該成分吸收血中。能促進血液之循環。助長血球之產生）。

黃芪（能亢奮心筋機能。收縮血管。使胃間之營養分。不致全被吸收）。

白朮(刺激胃液增加。助其消化)。
首烏(入胃後能助胃消化。入血內能促進血液中酵素作用)。
當歸(刺激血液中氤化酵素。令血液中之氤化迅速)。
牛膝(行血散瘀)。
川芎(和血鬱。疏氣滯)。
熟地(內含有鐵質。滋補血液)。
白芍(養血。)。
通草 通乳道。引乳汁)。
王不留行(刺激乳腺。導引乳汁)。
猪蹄(滋養氣血。補充乳汁。)

綜觀以上藥物之功用。可分為補氣。養血。通乳。健胃。蓋氣血充胃腑健。則消化良而營養足。並佐以通乳之藥。故能有乳誠良方也。

□衰弱不孕之驗方

李健頤

拙荊素屬寒體。外觀雖見豐肥。而內實血氣衰弱。月經素來淡白如水。骨節酸痛。約六七年間。未添男女。心甚不安。凡溫經湯種子丸歸脾湯等。偏嘗殆盡。皆無獲效。改服西藥仍乏效果。吾以是悁悁憂。而悄悄悲也。一日俯仰焦思。細心揣摩。尚乏妙術。可以療治者。觀其行動舉止。如無恙。惟其性交之時。不知感快樂之情趣。居常懷懨懨不樂之狀態。真如此病者。誠世之罕見也。以後漸漸推究。細診其脈。乃知此症。是由血氣衰弱。子宮寒冷所致。蓋血衰氣羸。則月經淡白如水。月經淡白。則不能生育卵珠。故性交之時。不知感快樂也。夫婦人以月經來時。為卵珠成熟之期。卵珠既熟。子宮溫煖。遂起一種淫慾之火。以刺激醜癖骨之神經。引起愛情之感動者。卽為有子之期也。否則病矣。按拙荊之病。既為血衰氣羸。卽宜大補氣血。氣血強壯。子宮溫煖。卽易得胎。遂用黃耆四兩。當歸二兩。大紅棗四兩。龍眼肉四兩。鹿茸（羊油炙）四兩。好酒六碗。浸一星期。日服二次。各用一杯燉熱。空心服溫。服至半月零。自覺心中稍有溫煖之狀。子宮裏。亦覺有熱之刺激者。月經變為赤色。精神清爽。四肢靈動。經淨之後。竟懷六甲。至十一月間。添一男。後因勞碌過度。舊恙復發。將及七載。又未添弟妹。旋思前年所服之藥。雖試有效。然猶在懷疑中。不如再試以證實驗與否。用原藥投之。果如前效。又添一女。以後連試三四次。皆驗。由此觀之。婦人患血氣衰弱。子宮寒冷。屢次試驗。以確證者。

腿足不能起立神效方

俞濟民

凡腿足不能起立。能食易饑。而口又健。飯時。少忍飢餓。即頭面皆熱。咳嗽不已者。此痿症也。乃陽明胃火。上冲於肺金。而肺金為火所逼。不能傳清肅之氣於下焦。而腎水爍乾。骨中髓少。故不能起立耳。而又胃火焚燒。故能食善飢。久則水盡髓乾而難治矣。可不急瀉其胃中之火哉。然而瀉火不補水。則胃火無以制。未易息也。方用起痿至神丹必效。

(起痿至神丹)大熟地一兩。元參一兩。淮山藥一兩。甘菊花一兩。白芥子三錢。當歸五錢。白芍五錢。台黨參五錢。神曲二錢。水煎服。一劑火減。二劑火退。十餘劑有起色。三十劑可全愈也。此方奇在菊花為君。瀉陽明之火。而又不損胃氣。其餘不過補腎水。生肝血。健脾氣。消痰涎而已。蓋治痿以陽明為主。瀉陽明而佐諸藥。自易成功耳。

■耳聾故紙丸方　陳克存

破故紙十兩。先用米泔水浸一夜。晒乾。再用黃柏二錢。煎水。浸一夜。晒乾。再用食鹽二錢。加水浸一夜。晒乾。再用黑芝蘇一斤。燒酒二斤。童便一斤。共麥乾。取出再晒乾。炒香。取出故紙。研末。不用芝蘇。以陳米醋爲丸。如菉豆大。每服二錢。用杜仲。(炒去絲)一錢。知母一錢。煎湯送丸。食後服之。其效如神。

■少林寺秘傳救傷妙方

——療傷萬靈丹　朱壽朋

傷科療治。多由口授或秘傳。因此世少傳書。留心此道者。頗引以爲憾。然日常家庭間。每遇跌打傷重。勢必愴惶失措。求救於西醫。則乏相當內服藥。委命於尋常市醫。則無確切經驗。方藥雜投。因循坐誤。輕者轉重。重者致命。殆亦屢見於鄉里間也。余昔年學拳術於静行禪師。師蓋少林拳之嫡派也。著有療傷秘旨。內多純正奇方。與民間草藥。不肯輕傳於人。對於從徒之親愛者。囑名錄一本。保之勿失。然當時之從學者。多不致意。因而流傳抄本。亦如鳳毛麟角。余念海內傷科少專書。日後擬將此書略加訂正行世。茲將書內適於通俗應用之療傷萬靈丹一方。先行宣佈。國醫同人。幸廣為傳播。庶於救傷保健之道。不無少補也。

療傷萬靈丹

【主治】一切跌打暗傷。悶傷。腫傷。脹痛。昏暈。垂危諸症。

【方藥】歸尾。川芎。生地。續斷各二錢。蘇木。乳香（去油）沒藥（去油）木通。烏藥。澤蘭各一錢。桃仁（去皮尖十四粒）甘草八分。木香七分。生薑三片。水煎加童便。老陳酒一杯冲服。

【引經】

「瘀血凝胸」加砂仁一錢五分。

「血攻心氣欲絕」加淡豆豉一錢。

「氣攻心」加丁香一錢。

「氣喘」加杏仁。枳殼各一錢。

「狂言」加人參一錢。辰砂二分。金銀器同煎。

「失音不言」加木香。菖蒲各一錢。

「氣塞」加厚朴。膽草各一錢。陳皮五

分。

「發熱」加柴胡。黃芩。白芍。薄荷。防風各一錢。細辛六分。

「瘀血多」加髮灰二錢。

「發笑」加蒲黃一錢。川連二錢。

「腰傷」加破故紙。杜仲各一錢。

「大便不通」加大黃。當歸各二錢。朴硝一錢。

「小便不通」加荊芥。大黃。瞿麥各一錢。杏仁(去皮尖)十四粒。

「大便黑血」加小川連一錢。側柏葉二錢。

「小便出血」加石榴皮一錢五分。茄梗二錢。

「大小便不通」加大黃。杏仁。肉桂各一錢五分。

「小便不禁」加肉桂。丁香各一錢。

「大便不禁」加升麻。黃耆。訶子。桔梗各一錢。

「腸中冷痛」加玄胡索。良薑各一錢。

「咳嗽」加阿膠二錢。韭根汁一杯。

「腸右邊一點痛」加草菓。連翹。白芷各一錢。

「糞門氣出不收」加升麻。柴胡。黃耆。白朮各一錢。陳皮。甘草各五分。

「腸左邊一點痛」加茴香。赤苓各一錢。葱白三個。

「咳嗽帶血」加蒲黃。茅花各一錢。

「口中出糞」加丁香。草菓。南星。半夏各一錢。縮砂七粒。

「舌短語不清」加人參。黃連。石膏各一錢。

「舌長寸許」加生殭蠶。伏龍肝各一錢。生鐵四兩。赤小豆百粒。

「舌上生胎」加薄荷二錢。生薑一錢。

「目浮腫」加豆豉一錢。

「呃塞」加柴胡。五茄皮。木瓜。車前子各一錢。

「九竅出血」加木鼈子一粒。紫荊皮各一錢。童便一杯冲服。

「腰痛不能轉側」加細茶泡濃三杯。陳老酒一杯。冲服。

「遍身痛難轉側」加巴戟。牛膝。桂枝。杜仲各一錢。

「發腫」加防風。荊芥。白芍各一錢。

「喉乾見藥即吐」加好豆砂。納在舌上半時。用藥送下。

「喉不乾見藥即吐」加香附。砂仁。丁香各一錢。

「言語恍惚時時昏沉欲死」加木香。辰砂。硼砂。琥珀各一錢。西黨參五錢。
「血氣攻口有宿血不散」用烏雞娘一隻。煎湯。加陳老酒黑豆汁各半。沖藥內服。
「頭痛如裂」加肉蓯蓉。白芷梢各一錢。
「頭頂心傷」加白芷。厚朴。藁本。黄芩各一錢。
「眼傷」加草决明一錢五分。蔓荊子四分。
「鼻傷」加辛夷。鱉甲。各一錢。
「耳傷」加磁石一錢。
「喉嚨傷」加青魚膽。清涼散。
「兩頰傷」加獨活。細辛各一錢。
「唇傷」加升麻。秦艽。牛膝各一錢。
「齒傷」加骨精草一錢。
「齒搖動未落」加獨活一錢。細辛七分。另用五倍子地龍為末。摻牙齦上。
「左肩傷」加青皮一錢五分。
「右肩傷」加升麻一錢五分。（若身上亦有傷不可用）
「手傷」加桂枝。禹餘糧各一錢。薑汁三匙。
「乳傷」加百合。貝母。漏盧各一錢。
「胸傷」加柴胡。枳殼。各一錢。韭汁

一杯。

「左脅傷」加白芥子。柴胡各一錢。

「右脅傷」加地膚子。白芥子。黄蓍各一錢。升麻一分。

「肚傷」加大腹皮一錢。

「背傷」加砂仁。木香各一錢。

「腰脅引痛」加鳳仙花子二錢。

「小肚傷」加小茴香。急性子各一錢。

「左右兩胯傷」加蛇床子。槐花各一錢煎服。

「外腎傷縮上小腹」加麝香二分。樟腦三分。萵苣子一撮。三味共研末。以萵苣葉搗爲膏。和藥貼於臍上。

「肛門傷」加檳榔。槐花。炒大黄各一錢。

「兩足腿傷」加牛膝。木瓜。石斛。五茄皮。蘇梗各一錢。

「兩足跟傷」加茴香。紫金皮。蘇木各一錢。

「諸骨損傷」加蒼耳子。骨碎補各一錢煎服。

「諸骨節損」加抱木茯神二錢。

「腫痛」加人參。附子各一錢。

「瘀血積聚不散腫痛服藥不效」取天應穴。用銀針刺出血。

「腫痛發熱飲食不思」加人參。黃蓍。白朮。柴胡各一錢。

「寅卯二時發熱作痛」加陳皮五分。黃蓍。白朮各一錢。黃連八分。

「腫痛不赤」加破故紙。大茴香。巴戟天各一錢。兔絲子一錢半。

「漫腫不甚作痛」加赤芍。熟地。杜仲。蒼朮各二錢。

「青腫惡寒作熱」加山查。山藥。厚朴。白朮各一錢。砂仁七粒。

「青腫不消面黃寒熱如瘧」加人參。黃蓍各七分。白朮。升麻。柴胡各一錢。陳皮八分。

□起死回生丹

葉橘泉

「方藥」活土鱉蟲（焙研淨末五錢。本品一名䗪蟲。藥店有。乾的欠効。須用雄而大的更効。將活的用刀切斷。以碗蓋地上過夜。能自接而活者方是雄的。去足焙黃。研細末用。）自然銅（製透淨末三錢。製法放瓦上。木炭火內煅紅。入好醋內淬半刻起出。再煅再淬。如是九次研末。須煅透。如不透不効。）真乳香（淨末二錢。製法。須用形如乳頭黃色如膠者為真。方有効。每一兩用燈草二錢五分。同炒枯與燈草同研細。吹去燈草灰用。）

真陳血竭飛淨二錢。真硃砂飛淨二錢。巴豆去壳研用紙包壓去油淨末二錢。真當門子三分。以上各藥。揀選明淨。同研極細末收入小口磁瓶。蠟封勿令洩氣。成人每服一分五厘。小兒減半。（須依年齡遞減）酒冲服。聶氏實驗方。除去巴豆不用。外加當歸一兩。當門子加至一錢尤効。）

「主治」跌打傷。刀銃傷。縊死驚死。溺死。壓死。雷擊。觸電。（以上二種。）雖未實驗想亦効。雖身體重傷。內傷致死。只要身體稍軟。打開牙齒用此丹灌服。移時腹中有氣響動。再灌一次即活。如大便下紫血更妙。

「用法」成人每次用一分五厘。陳好酒燉溫。冲化灌下。牙關緊急者打開牙齒灌之。灌時多用水酒。使藥下喉為要。活後宜避風調養。若傷後受凍而死。須放暖室中。忌見火。如活後轉心腹疼痛。此瘀血未淨。服白糖湯最佳。白糖飲。凡跌打損傷。如已氣絕。牙關緊閉。先用半夏在兩腮邊擦之。牙關自開。急用熱酒冲白糖數兩灌入。愈多愈妙。無論受傷輕重。服之可免瘀血攻心。白糖與末藥相輔而行。至穩至効。勿輕忽之。

「來歷」此方載在驗方新編。又經豫章彭竹樓民部家傳施救。極有効驗。當清道光初年。民部宰直隸時。有人被毆死已三日矣。民部往驗。見其肢體尚軟。即以此藥救活。其餘甫經毆死。或死一二日者。全活甚衆。維時磁州地震。壓斃甚衆。民部遣人馳往。救活不下千人。大有起死回生之功。

(實驗)滬商鉅子聶雲台先生。經其先人得自郢州孔刺史處傳出此方。與原方略有加減。即除去方中之巴豆。加入當歸一兩。當門子加至一錢。照此方修治製藥施醫。歷年所著效驗甚多。民國二十一年春。淞滬之戰聶太太憫衛國健兒之傷。曾以此藥送上海骨科醫院。交曾寶菡醫師試用。據曾醫師言。凡傷兵內傷甚重。而認為難治者。渠即以此藥試灌。輒獲奇効。因此藥不多。遂託聶太太添製。但活土鱉蟲急切無覓處。惟將家中所有盡予之。故視為珍物。非極危之症不輕用。用則有效也。又十七年前聶雲台先生之公子。充童子軍。嘗過楊樹浦正在建築中之新橋一鐵架倒下。擊碎其脚踏車。並傷頭骨。流血昏迷。立即車至同仁醫院。言腦内流。人力無可施。惟有聽其自然之發展而已。彼家以此藥灌之。兩日服三次。至第三日。目開能語矣。民國二十一年七月間雙林蔡君厲明。服務於上海美亞織綢廠。因深夜墮樓。震傷腦部。耳鼻各竅流血。人事不知。即車送某大醫院。醫見腦傷。謝絕施治。後覓嚴獨鶴先生介紹至骨科醫院。因重在交情。勉為收納。姑且試治。但已氣息僅屬。施救無從入手。經曾寶菡醫師灌以此藥。移時間腹中有聲動。再灌一次。即見聲息活動。乃從容作對症施治。數後日方見甦醒。閱二十餘日。始全恢復知覺。蔡君感曾醫師救治之德。曾醫師不掠聶太太製送此藥之功。乃親詣叩謝聶太太。并重申其濟世之願。傳方與雙林救濟院醫藥部。精選藥物。照方配用。現正施送以救人云。

■喉痧妙方

菁南舊侶

昨來滬上。見喉症盛行。傳染者衆。友人徐醫隱。科舉廢後。研究醫學有年。治喉痧症尤屬藥到春回。擬就喉痧論說。如法施治。極有神效。今抄錄一通寄奉。可否於雜誌中排登。俾病家知所治法。為岐誤。亦好行其德之事也。

今歲各地喉症之盛。為往年所未有。良由去冬溫暖特甚。至今春而未殺。冬行春令。氣候反常。故幻出紅痧一症。治此紅痧。必先辛涼透達。蓋四時不正之氣。皆由口鼻吸入肺經。而喉為肺系。苟肺蘊之邪。一齊擁上。則咽喉一線之地。何堪承受。故必疏達皮毛。使痧疹透出。散而不聚。自不致危及咽喉。治方列左。

紫蘇葉一錢。炒香豆豉三錢。薄荷一錢。牛蒡子三錢。整杏仁二錢。大貝母二錢。炒枳實一錢半。生甘草梢一錢。生薑皮一錢。連鬚葱二根。童便一茶杯兌。橘絡一錢。鮮枇杷葉一斤。去毛包。茨菇苗七個。

右方紫蘇葉之發散。係橫發入於四肢。而達皮毛。其氣芳香解穢惡。其色兼紫。入血分。解血熱。生薑皮辛。開肺經。達皮毛。此解表之浮寒也。炒香豆豉。啓發腎經。而去其積寒。合之整葱。從上至下。通陽而兼發散。再加童便。直達膀胱。藉人之小便。直領己之小便下行。所有裏之積寒。并積久而化之熱。一齊皆出。且其味鹹降而潤。自不令虛炎之火。上蒸喉嚨。而薰之使腐也。他如薄荷辛涼。牛蒡子開通十二經絡。以泄痧毒。杏仁降肺毒。貝母開肺鬱。枳實蕩滌胃府之滯。橘絡豁痰而疏絡。以展布氣機。生甘草梢直達莖中。助童便之力。使小腸大腑之毒熱。俱從小便以出。鮮枇杷葉清降肺熱。更以茨菇苗助之成其功。雖寥寥數味。其功效實不可限量矣。

倘痧出仍不大暢。則可單煨香蕈湯食之。切不可吃春筍尖。芫荽等味。或用芫荽。觀音柳。二味煎濃湯。時於頭面身間薰洗。亦足疏啓皮毛。今痧透出又有痧閉不出。或既出而忽收入。斯時必覺氣急而喘。萬分危急。茲有起死回生之方如左。去節麻黃三分。活水鮮蘆根一段。顏色白而管大者。中間打通。納麻黃於管中。兩頭塞緊。另用銀針刺蘆管多孔。河水煎飲。自能令已閉之痧。蓬蓬而起。透發無遺。蓋麻黃能溫散肺之風寒。而加入蘆管。有所縛束。不致橫發無遺。蘆管但能清肺經之熱。而得麻黃鼓動。則不但清肺熱。而有開關奪鎖之功矣。再此方凡一切小孩。喉閉氣喘。聲如曳鋸者。皆可用。不必拘定紅痧也。又有痧不即發。蘊釀毒氣。直衝咽喉。亦惟有蕩滌肺胃。疏通三焦。使邪從大小便出。治喉之藥。一忌風燥溫升。如荊芥。防風。葛根。羌獨活。柴胡。桂枝。芫荽。觀音柳。筍尖等。一忌苦寒冰伏。如芩連。黃柏。石膏。知母。犀角。羚羊。雪水。金汁。梨汁等。一忌陰柔滋膩。如熟地。黨參。黃芪。麥冬。玉竹。白朮。阿膠等。一忌酸澀收斂。如五味子。山茱萸。烏梅。棗仁。櫻桃核。葡萄乾。青葉等。蓋治喉惟一之妙訣。在使邪自上而下。不使自下而上。則喉症必日見輕鬆。

又吹喉散方

生甘草五錢。薄荷四錢。海蛤殼五錢。秋石四錢。人中黃五錢。金銀花五錢。黑山梔三錢。海浮石五錢。寒水石四錢。玄明粉五錢。桔梗二錢。天竺黃三錢。硼砂五錢。射干二錢。青黛三錢。外加正號真梅片二錢。另研拌入。右藥生曬。不用火焙。研極細末。磁瓶收貯。是症初起。即內服煎劑。外吹此散。更妙。

日醫用漢藥治療肺癆二方

張公讓

我們自己的東西。什麼都要外國人替我們研究。現在我們的醫學。也要外國人替我們研究了。日本及歐洲各國。不是正在試驗我們的藥物和鍼炙了麼。一班頑固而毫無科學知識的國醫們。當然不能負其放任之責。然而一班西醫界。生活得了相當安定以後。就把他們的責任忘了。間有一二能寫攻擊國醫之文的人。亦只能破壞。未見其能實地建設也。我們的醫學界如此。我們的醫學前途甯有可望。

現在我介紹日本醫學界研究國藥的一段小消息給大家。以為參考。

日人傳神靈湯與回生湯治療肺癆有偉效。

神靈湯

人參五分。桔梗四分。甘草二分。紅花三分。茯苓三分。梘那三分。桂皮三分。乾燥蚯蚓二分。（麝香。龍骨。）適宜量。

右藥以水三合。煎至二合。分三次。飯後三十分鐘服。

同生湯

何首烏一分。人参五分。地黄二分。桔梗三分。川芎二分。規那三分。葉蘭二分。貢連二分。

右藥以水二合弱。大煎至半量。用法同前方。

按此二方。國內時醫少用。據日本慶應大學醫學博士希川氏試驗神靈湯。其結果如下。

第一期患者 216人。　服後輕快者36。%　全治60%。　不變1%。增進2%。　死無。

第二期患者 128人。　服後輕快者46%。　全治21%。　不變4%。增進8%。　死1%。

第三期患者　112人。　服後輕快者54%。　全治10%。　不變16%。增進7%。　死4%。

據云服藥後十日。即見偉效。即覺溫暖。咳減。痰易咳出。呼吸數減少。而平靜。心悸胸痛漸退。排尿增。通便良。盜汗止。食慾增進。大抵服後之次日。即見熱退。脈搏心動改良云。(常人常服亦無害云)。

據試驗者云。同生湯亦有同樣偉效。

按以上二方。不能絕對有效者。(因

服後病情增進及死亡者尚有）諒由不合其體質和病情所致。西醫用藥較為呆板和一律。常不管病人之體質和病情而給與一樣的藥。不比國醫之隨機而變也。

■治肺癰及諸蕈二秘方

尤學周

民間有不少流傳的靈方。究其藥料。是很平常。他的效驗。又是非常靈異。在科學未發達的中國。實在無從去研究他的理由出來。

方的靈驗而不肯宣示給別人知道的。便叫秘方。秘方的用意。一般人以為懷寶藏櫝。以求善價而賈。達到他的發財目的。但是以我想來。或者並不止此。因為醫的目的。一方面固然是求利。一方面又是慈悲為懷。在拯拔人家的痛苦。靈驗的方藥。應當急於宣佈。怎會忍心秘藏着呢。這種卑鄙的思想。說不定少數是這樣。大多數未必如此吧。其中最大原因。止少還有二個。

病的來去。關係於生理心理兩方面。誰也不會否認的。古人說。『醫者意也』。可見治病是偏重於心理方面了。心理的足以影響於生理。稍有醫學常識的人。都已知道。可以無用多說。古時醫家。明達其中利害。所以把平常而靈驗的方子秘藏起來。不肯發表。免得病家以方藥平常。不信有治病的效力。心理上起了反響。失掉作用。這是不能不祕的一個原因。還有一個原因是用毒藥治病。所謂靈方也者。至少含有一些毒性的藥料。如果這種方藥。給病人知道了。他肯嚥下肚去麼。

即使嚥下去。那沒弓杯蛇影。妄自起疑。病必不會好。說不定還要加重。雖有起死回生的妙方。也不中用。這樣。不能不將藥方嚴守祕密了。

方的不能不祕。既然如上所述。怎麼我到肯把祕方公開起來呢。因為嚴守祕密。是要保持治療上的功効。我的公開。是給與大家試驗而研究他的理由。對於病家。則不妨祕不宣示。目的不同。採取的手段也就不同了。

菱。生在池塘裏。各處都有。他的果實便叫菱。取菱柄。長約寸許。晒乾。在瓦上煅過成灰。——存性——研細。加些龍腦不論耳蕈。牙蕈。鼻蕈。痔蕈等。用麻油調塗三五次。便會脫。菩提子像高粱。又像蘆荻子。苗高約三四尺。葉椏裏生子。一球球像珠子。有尖的圓的兩種。尖的像小川貝母。圓的像半夏。老媼串作佛珠用。他的根便是治肺癰的妙品。害肺癰的人。不論已成未成。咳出的痰帶有一股腥臭的。用菩提子根。洗淨。搗爛絞取汁。約二兩左右。溫服。吃了五六回。便可好了。菱柄和菩提子根。不是很平常的麼。諸草和肺癰。是最不容易拔除根源的。如果不曾目見。誰也不會深信該物會治好該病。但是。諸君。不要徒作懷疑。不妨實地去試驗一下。

■痰飲咳嗽氣喘治方

濟平

冬溫已過。春寒將來。痰飲咳嗽氣喘病。將應時而作。茲將病狀治方列後

(病狀)咳嗽氣急。動則喘促益甚。吐白痰。喉中瀝瀝有聲。坐時稍和。臥更厲害。

(治方)生麻黃三分。姜半夏三錢。白芥子八分。三味同煎汁。另用冰糖一兩。將汁倒入。上文火熬成濃膏。為

丸如梧桐子大。每日服十六丸。小兒減半

(服法)不拘時間。用一丸納口內。聽其含化。再納第二丸。如前含化。等於食糖然。

(附註)喘咳多汗者。不可服此方。

胃脘痛方

沈仲圭

胃脘痛有寒熱之別。寒症之痛綿綿不休。手足厥冷。脈象沈細。

熱症之痛。或作或止。溺赤便秘。脈象洪大。如熱痛者。用山梔七枚炒焦。水一盞。煎七分。入生姜汁飲之。立効。復發者。加玄明粉一錢。可以立止。

古云。不通則痛。痛則不痛。蓋寒甚則血凝。熱盛則鬱滯。氣壅塞。楚乃作。寒痛宜薑附之溫散。熱痛宜山梔之清化。(朱震亨謂山梔解熱鬱。行結氣。)生姜汁辛溫善散。元明粉鹹寒瀉熱。一治痛之標。一治痛之本。乃必加之藥也。

夜盲眼治法

葉橘泉

白羊肝一具。熟地黃二兩。同搗為丸如梧子大。每服四十丸。食後服治雞盲眼。每入晚則目昏不見。晝日則目光淡白。蓋肝開竅於目。肝腎兩虛。則五臟六腑之精氣不能上注於目。於是目暗無光。羊肝熟地補肝腎。故有效云云。(見眼科大全)。

橘泉按。所謂鷄盲。夜盲。及目光衰弱等非一獨立之病。實營養缺乏。體力衰弱。或病後及老人小兒等。因食物營養上缺乏之一種特別要素『維他命A』。於是抵抗疾病之力減退。而易患萎黃貧血。並發生角膜軟化。結膜乾燥等病。此所謂夜盲鷄盲者。可謂維他命A缺乏證也。

考『維他命A』缺乏所引起之病並不限於眼疾。全身的新陳代謝。都有障碍的可能。且能發生血液的製造障碍。引起貧血。

自然界中的一切『維他命A』。其來源均由綠色植物。動物由綠色植物食品中攝取維他命A後。能貯藏於體脂肪及內臟『肝』為其大本營。鰵魚賴維他命A極豐富的一種渺小海動物為食料。故其存貯維他命A之肝。最有裨益於人體。市上所售之魚肝油。含有此特別要素也。

其次草食動物之羊的肝臟。含本品亦

豐富。故新鮮的羊肝。對於維他命A缺乏證。如眼病鷄盲。角膜軟化。結膜乾燥。以及營養不足之貧血萎黃。全身的新陳代謝障碍。疾病的抵抗力減退等。均有特效羊肝丸之所以能治夜盲。明目補虛。實非補肝補腎。乃增加營養。補充體內所缺乏的維他命。用以治因維他命缺乏而引起的目疾和衰弱。確屬合理。古人經驗得來的單方。誠不可輕視。儘有暗合於最新之學理者也。

■鵝掌瘋外治方

孫承勛

指甲發灰。手掌脫皮。俗稱鵝掌瘋者。用真鎮江醋一罐。槐樹葉子約二把。（略多略少無妨）木壁子約三十文。（中藥店買）以上三物煎透。置在豬尿胆內。（豬尿胞不要洗）待稍涼。然後以手伸入豬尿胞內。扎好。浸一日夜。（即廿四小時）即可望愈。

■脚濕氣驗方

姚養怡

脚底濕氣。初生小泡。泡破流水。流水所及。蔓延潰爛。此愈彼起。難於就痊。步履維艱。深感痛苦。鄙人獲有一方。歷經試治。無不見效。方用枯礬五分。芙蓉葉（去莖）三錢。滑石（漂淨）三錢。研末。加蔴油調和。日搽三四次。數日可愈。以上各藥。國藥店均有出售。其價頗廉。

◘人參回生再造丸原方

倪息菴

余屢聞友人及病家自謂體虛。或因食量不增。或因精神衰弱。或因形容憔瘦。或因胎前產後。或因病後未復。甚致因有錢無病。入冬宜服補劑。堪以自慰而為簡便起見者。大都服人參回生再造丸。但多不效。此皆被人參兩字所誤也。以為人參乃第一補品。服之定能各病有再造之功。殊不知此丸為專治男婦真類中風。左癱右瘓口眼歪斜。半身不遂。手足麻木腰腿疼痛。筋骨枸攣。步履艱難。及小兒急驚風等症。故藥肆丸散部。列入『傷寒諸風』門而不在『補益虛損』門。且此丸服時。更須隨症用引。決非普通補品可比。茲將該丸藥品。詳敘如下。真蘄蛇。老山人參。兩頭尖。真水安息。北細辛。龜板。烏藥。黃耆。母丁香。乳香。麻黃。甘草。青皮。熟地黃。犀角。沒藥。赤芍。羌活。白芷。虎脛骨。血竭。全蝎。防風。天麻。白附子。當歸。骨碎補。香附。玄參。首烏。大黃。威靈仙。葛根。沉香。白蔻仁。藿香。於朮。紅花。西牛黃。萆薢。草蔻仁。黃連。茯苓。薑黃。殭蠶。川芎。桑寄生。冰片。松香。辰砂。肉桂。天竺黃。地龍。穿山甲。膽星。厚朴。木香。琥珀等。幸社會人士。勿再迷其名稱。而誤充補品。致起反應。

■煉萬靈丹法

金祝三

此丹專治發背。潰爛成洞。及年久爛瘡。濕毒不盡不能收口者。均有奇效。特將煉法列後。以便諸慈善家備以濟世也。藥用。

真虎脛骨（煆碎）。川連片。當歸片。人中黃。人中白。生半夏（杵碎）各三錢。另用樟腦一兩三錢。上冰片五錢。此兩味研末分六份。再另備陳石灰精末三兩。取用百年以上者愈陳愈好。貯乳鉢中候用。

以上六味。納銅鍋中。加水拌勻。以

不乾不濕爲度。攢成饅頭式。取樟冰一份。滿灑藥上即用大碗覆鍋上。碗與藥須離開寸許。再用草紙濕透。滿塞碗之四週。以防泄氣。用炭爐柔火。將鍋燉上。火不宜烈。緩緩煉一小時之久。將鍋取下。略冷片刻。即將碗揭開。則碗內凝結之白片。用銅器鏟入陳石灰末內。即萬靈丹也。宜隨時共同乳勻。再將鍋中之藥。仍加水拌勻。計煉六次。均同上法。煉畢戥其分量。約三成丹七成灰正好。亦有三八對四六對者。不過分別丹力之厚薄也。該丹須裝磁瓶中。蠟封勿令洩氣。藥滓煎洗爛瘡最妙。如發背初起漫腫時。只宜用生黃柏生鱉甲。等分研末。煉原醋調敷即愈。此丹不到潰爛時。切不可用也。

■急救吞火柴頭方 周吉人

浮萍草三錢。肥皂莢三錢。桔梗三錢。生甘草三錢。川連三錢。朴硝三錢。蒲公英三錢。連翹四錢。生梔四錢。銀花五錢。洋瀉葉四錢。生大黃五錢。黑大荳八錢。馬料荳八錢。菉荳八錢。右藥十五味。用井水五大碗煎透。待冷服之。連服二帖。服後即吃麻油四兩。白蜜四兩。或吐或瀉方。可保命。如不吐瀉。再服一劑。忌食葷腥熱物。如見吐血筋抽。其病危矣。此方乃周小農先生傳來。余依法救人。已活多人。凡將此方與人。不可取人診金。以救人性命為重。聖人云。救人一命。勝造七級浮屠。此之謂也。

◻調經靈方

沈仲圭

當歸補血。盡人皆知。然其對於婦科。尤有調經之偉効。試舉二例。用證吾言。

(1)拙荊戴英。生來健康。向無經病。民十四春。曾舉一子。臨盆非常困難。經施種種注射手術。母子得慶俱全。然已衰憊不勝矣。嗣後竭力調護。母體漸臻健康。小兒亦強壯活潑。越六閱月而經再行。覺下腹部發牽引性疼痛。下紫黑色錠狀血塊。經淨痛止。輾轉不愈。已兩閱寒暑矣。婦人畏羞。期而不言。嗣經覺察。堅詢所苦。答如上述。並謂身心康泰時。痛少瘥。憊倦時則增劇。且超前移後。甚不規則云云。當投以強壯劑及治經痛最新製劑。一則收効一時。或則効力毫無。訴之新醫藥。伎已窮焉。病者謂余曰。「子曷不以中藥療我乎。」余唯唯。因思當歸一物。中國古醫籍上。盛稱能調經種子。有補血補氣之功。婦科產科方上。鮮有不用當歸者。乃不雜他藥。於藥舖中單購當歸若干。每日煎煮五錢。數次分服。約十餘日。紅潮旋至。痛苦大減。因更持續煎服一星期。其後準期經至。痛苦若失。纏綿頑疾。一旦而除。驚喜莫名。詎料第三月經又停止。心滋疑焉。以為藥性已失。越數星期而現全身疲乏。眩暈。嘔吐之象。知已撤下孳根矣。去年春。欣然復舉一男。因更嘆當歸之真有「調經種子」之偉功也。（十九年中西醫學報）

（2）一小婦身體羸弱。月信一次少於一次。寢至止來少許。詢問治法。時愚初習醫。未敢疏方。俾每日單用當歸八錢。煮汁飲之。至期所來經水。遂如常。（張壽甫藥物講義）

觀二案。可知當歸有生血活血止痛之作用。凡月經不調。而致嗣育艱難者。又能種子。古人對於此點。亦有明確記載。不過未經提出醫者多忽焉不察耳。

本草經　主治婦人漏下絕子。

甄權　主治女人瀝血崩中。

大明　破惡血。養新血

宗奭　補女子諸不足一說。盡當歸之用知。

普濟方　治室女經閉。當歸。沒藥各一錢。為末。紅花浸酒飲之。一日一服。

太醫支法存方　治婦人百病。諸虛不足者。當歸四兩。地黃二兩。為末。蜜丸。梧子大。每食前米飲下十五丸。

圭按諸家所言之療効。與近日西人『當歸統治月經失常』相同。而普濟方治經閉加沒藥紅花。太醫存方治婦人諸虛加地黃。尤為妥適。嗣後吾人診治婦料。不論經期之超前與落後。血色之淡紅與紫暗。血量之增多與減少。以及數月不至淋漓不斷等症。僉可試治以當歸。或以當歸為主藥。另加佐使一二味。其收効當勝於四物湯益母勝金丹益母膏多多矣。又此物性雖辛溫。而味甘液濃。滋陰潤燥。即陰虛火旺之體。只須配合得體。儘可放胆用之。惟本草所載醋炒酒炒之法。則徒消耗其液汁。減少其功用。不可從也。

婦女癥塊血結瘅痛祕方

張汝偉

方名化癥丹。乃唐均良先生家傳祕方。百無一失。惟須有實積結塊。並不移動。經事不行者可服。水紅花子（、研細三錢）白螺螄殼（研細五錢）和勻為末。用葱白十四個。陳酒二兩。姜汁八匙。米飯為丸。臨臥時開水送服一錢。服後經通癥消。（按）瘕塊痞氣。不可服。（汝偉按）吾師唐均良先生。秉家學之淵源。工詩文。為有清優貢。祖父均仕而知醫。並不懸壺。至先生更從馬培之門人周憩崇先生游。藝益進。所傳祕方均有實效。年前先生歸道山。偉不忍湮沒先生之祕方。爰錄出投寄本刊。并誌其顛末。

小兒痞膨食積腹脹奇方

張汝偉

小兒消積棗。（又名神仙五製棗）此亦唐均良先師家傳祕方。百試百驗。

生大黃三錢　木香一錢　大貝母二錢

共研細末。用紅棗去核。將藥末用紹酒少許。拌搓如棗核大。納入棗中。以塞盡藥末為度。飯鍋上蒸五次。去內藥。每日用陳皮砂仁少許。泡湯服。每日服三枚以大便下惡物。精消為度。愈後服調理藥三四劑。永不復發。(按)虛脹勿服。

■走馬牙疳急救丹方

馬逸塵

凡牙根腐爛神速。名曰走馬牙疳。此症之起。乃火熱流於胃經。致有此患。勢甚危急。甚至牙落腮穿。透鼻破爛。一二日即能傷命。故有走馬之稱。言其驟也。此症有五不治。不食。爛舌根不治。黑霧如筋者不治。白色肉浮者為胃爛不治。牙落腮穿臭不堪聞者不治。山根上發紅點者不治。如是凶險。命在須臾急。用生大黃三錢。丁香十粒。菉豆一兩。共為末醋調塗兩足心。內服生梔子三錢。生黃柏三錢。龍胆草二錢。大青葉一兩。黃芩三錢。石膏一兩。黑元參一兩。鮮生地一兩。生大黃五錢。生菉豆一兩。生白芍三錢。生甘草二錢。濃煎。待溫。速服。或可挽回於萬一。外吹赤霜散。時時吹之。

(牙疳赤霜散)用紅棗一枚(去核)入

白砒一粒。如黃豆大。紮好。放瓦上。用炭火炙至粟枯烟盡為度。取出。放地上。用碗蓋住。俟冷。以存藥性。如不蓋住。藥性走散而無用。加大梅片一分。同粟研末。將患處洗淨。吹入極效。久爛之孔。生肌亦速。照方多合。待用為要。

■點目透光丹

周吉人

此丹治。新舊眼病。翳障遮睛。老眼失明。或成努肉連眼。赤爛常多冷淚。並治暴發赤眼腫痛。點之如神。惟點此眼藥。不必多用。只用少許。點入目中。如多用則有微痛。少用則不覺痛也。凡點老眼厚膜。最為相宜。點後宜久閉靜坐。方使藥性得力。消翳迅速。惟點此藥時。先將嗃鼻碧雲散嗃後點藥。更為神速。凡點眼藥必先嗃鼻。使氣開竅開。蘊毒換散。方始獲效。

蘆甘石打碎四兩。研細末。玄明粉五錢。入黃連同煑。川黃連七錢。搥碎。以水一大碗。煑數沸。瀝出滓。待用。

右先將蘆甘石末。入洋銅罐內。開口煅紅。令外有霞色為度。次將黃連。

元明粉。水中浸。飛過。候乾。又入黃連湯內。再飛過。極細。再候乾。次入銅青（研細）一兩五錢。白丁香（另研）五錢。乳香（另研）五錢。青鹽（另研）五錢。鉛白霜（另研）五錢。硇砂（另研）五錢。生白礬（另研）二錢五分。煨熟礬（另研）二錢五分。野薔粉（另研）五錢。川黃連（另研細末）五錢。右藥共研極細末。放舌上無渣。再同前藥。再研極細如膩。最好和黃連湯研如薄漿。每點少許點於眼角及眼翳上。每日點五六次。點後久閉。效驗非常。實眼藥中之聖品也。

■治痔秘法

聶雲臺

痔症極普通。凡多坐少動者多患之。故俗有十男九痔之諺。然鄉間勞動家鮮有患之者。薑椒酒醬及煎炒食物亦為痔疾之根源。予近年伏案時多。食物亦多煎炒醬腐。大便枯結。遂成痔症。已數年矣。近忽發頗劇。行坐皆苦。友人多舉某專治痔之醫以告。予因往就診焉。據云內痔外痔脫肛同時皆發。須施以注射。則痔自枯落。既免痛苦。復可斷根。索費百元。為包醫費。予思百元非常人所能措辦。又注射法為內地所無從致。因決計不用。閱驗方新編有除痔丸。即照配一料服之。同時顧玉堦居士亦患此症。用德國製錫管塗藥名海頓蘇者有效。贈予一管。亦照用之。又八不居士言蘇沈良方中有用冷水洗法。每於大便後以冷水洗之。渠嘗用之亦見效。但須有恆耳。於是數種並用。同時每日以水灌腸通大便。使易下。旬日竟痊。外痔大如指。完全消矣。內痔與脫肛。亦十餘其八九。茲錄數方如左。

▲除痔丸　當歸五錢。川連五錢。象牙末五錢。槐花五錢。川芎二錢。乳香二錢。露蜂房一個。黃蠟二錢。溶化為丸。漏蘆湯下。每服三錢。有管者。五日後漏管退出。隨出隨剪去之。(此方余服一料未完。亦未用漏蘆湯下。)

▲海頓蘇塗藥裝錫管內　蓋有小管。插入糞門。擠藥以塗內痔。其法甚佳。每管價一元三角五分。中英及各藥房皆有之。英文名。Hadense

又海甯路錫金公所東首同仁醫藥局所有治痔丸散。聞確有效驗。予購丸而未服。惟以其散入海頓蘇藥管中。同擣塗之。

▲冷水洗法　蘇沈良方東坡言腸痔下血久不瘥者。於大便後以冷水洗之。久洗為佳。久患者皆愈。予始得於信州侯使君。云沃之兩次即瘥。予用之果再沃而瘥。併與數人用。皆然。神奇可驚。不類他藥。河水最佳。井水亦可。

按東坡晚年。頗研求攝生之術。因痔疾而益愼節飲食。作藥歌以自箴。詼諧之中。而皆見道之語。藥歌錄後。

急救仙方。宋人所作。刻入四庫全書。當歸草堂醫書十種中亦刻之。坊間有售。內載痔疾良方甚多。茲摘錄其簡便者數方如左。

▲治腸風痔漏等疾　白芷一味。米泔水浸一宿。取出切片。用火煆地令熱。掃去炭。將紙舖在熱地上。以白芷放在紙上翕乾為末。每日酒調下。

▲又方　皂角去子及皮。蜜炙為末。米糊丸。用米飲呑下。

▲又方　蒼耳葉或子。焙乾為末。蜜調服。如要洗。用朴硝井花水調洗。如要塗。用蜜和雞蘇丸幷硝朴末調塗上。

▲灸法　薑切薄片放痔上痛處。以熟

艾作炷灸三壯。黄水卽出自消。若肛門上有二三痔。三五日後逐一灸之。屢試皆效。

▲治驗　許叔微普濟本事方。唐峽中王及以郎中充西路安撫使判官。乘驛入駱谷。及有痔疾。因此大作。其狀如胡瓜。貫於腸頭。熱如淬炭火。至驛僵仆。主驛吏云。此病某曾患之。須灸卽瘥。用柳枝濃煎湯。先洗痔。便以艾炷灸其上。連灸三五壯。忽覺一道熱氣入腸中。因大轉瀉。先血後鐵。一時極痛楚。瀉後胡瓜遂消。登騾而馳。

傳信適用方。亦刻入四庫全書及當歸草堂十種者。有治痔數方幷錄於左。

▲治內痔枳殼圓　用好厚枳殼。不拘多少。去瓤。細切。麩炒黄色爲末。每末一兩。入胡桃肉一個。研勻。以蜜圓如彈子大。空心細嚼一圓。米飲或溫酒下。兼用井花水淋洗。

▲白金散治久新痔痛如神（黄鼎臣傳）。海螵蛸去粗皮不拘多少。研爲細末。每用二三錢。生麻油調成膏。以鵝翎拂上。

▲痔藥方如神（朱周卿傳）。連翹。枳殼。麩炒等分。爲粗末。煎熱熏溫

洗

東坡藥歌　幷引

嵇中散作幽憤詩。知不死矣。而卒章乃曰採薇山阿。散髮巖岫。永嘯長吟。頤神養壽者。悼此志之不遂也。司馬景王旣殺中散而悔。使悔於未殺之前。中散得免於死者。吾知其掃迹屛影於人間。如脫兔之投林也。採薇散髮。豈所難哉。孫真人著大風惡疾陽。神仙傳。有數人皆因惡疾而得仙道。何者。割棄塵累。懷頴論之風。所以因禍而取福也。吾始得罪遷嶺表。不自意逾年無後命。知不死矣。然舊苦痔疾。至是大作。呻呼幾百日。地無醫藥。有亦不效。道士教吾去滋味。絕葷血。以清淨勝之。痔有蟲館於吾後。滋味葷血。旣以自養。亦以養蟲。自今日以往。旦暮食淡麵四兩。猶復念食。則以胡麻茯苓抄足之。飮食之外。不啖一麵物。主人枯槁。則客自乘去。尚恐習性易流。故取中散真人之言對症為藥。使人誦之曰。東坡居士。汝忘逾年之憂百日之苦乎。使汝不幸有中散之禍。伯牛之疾。雖願採薇散髮。豈可得哉。今食麥麻茯苓多矣。居士則以歌答之云。百事治兮。味無味之味。五味備兮。茯苓麻麥。有時而匱兮。有即食無即已者。與我無旣兮。嗚呼。館客終不以是為媿兮。

價目表

時期	冊數	連郵費 國內	連郵費 國外
全年	十二冊	二元	四元
半年	六冊	一元	二元

零售：每冊實售大洋二角

丹方雜誌第二期

廣告價目

等第	地位	全面	半面	四分之一
特別位	封面		四十元	
特等	底面之內外 封面之內	四十元		
優等	封面內面之對面	三十元	十六元	
普通	正文之前	二十元	十元	五元

彩色另議

中華民國二十四年四月一日出版

編輯者　朱振聲

撰述者　全國醫家

發行者　幸福書局　上海三馬路雲南路轉角

印刷者　興羣印刷所　方斜支路五號

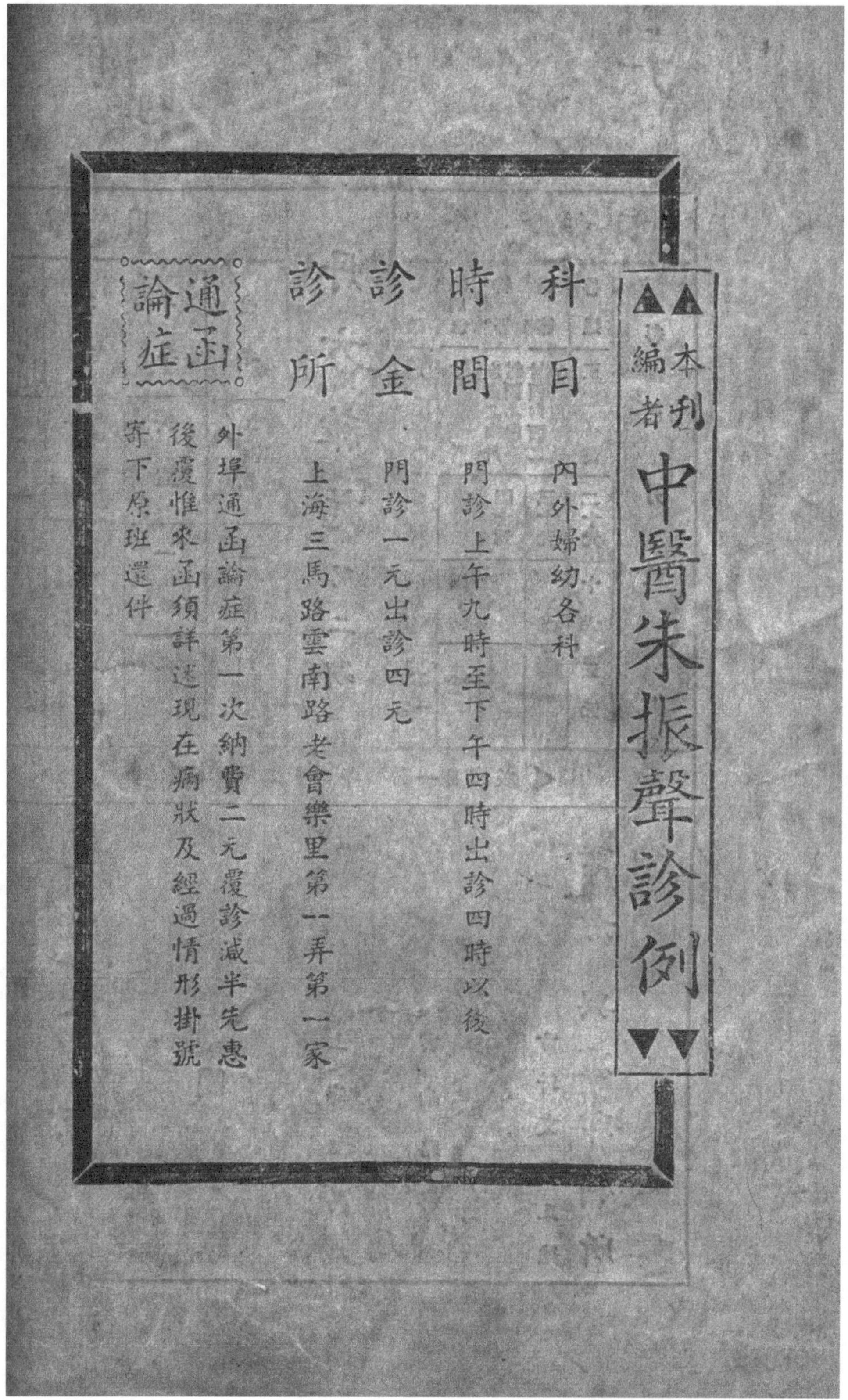

本刊編者 中醫朱振聲診例

科目 內外婦幼各科

時間 門診上午九時至下午四時出診四時以後

診金 門診一元出診四元

診所 上海三馬路雲南路老會樂里第一弄第一家

通函論症 外埠通函論症第一次納費二元覆診減半先惠後覆惟來函須詳述現在病狀及經過情形掛號寄下原班還件

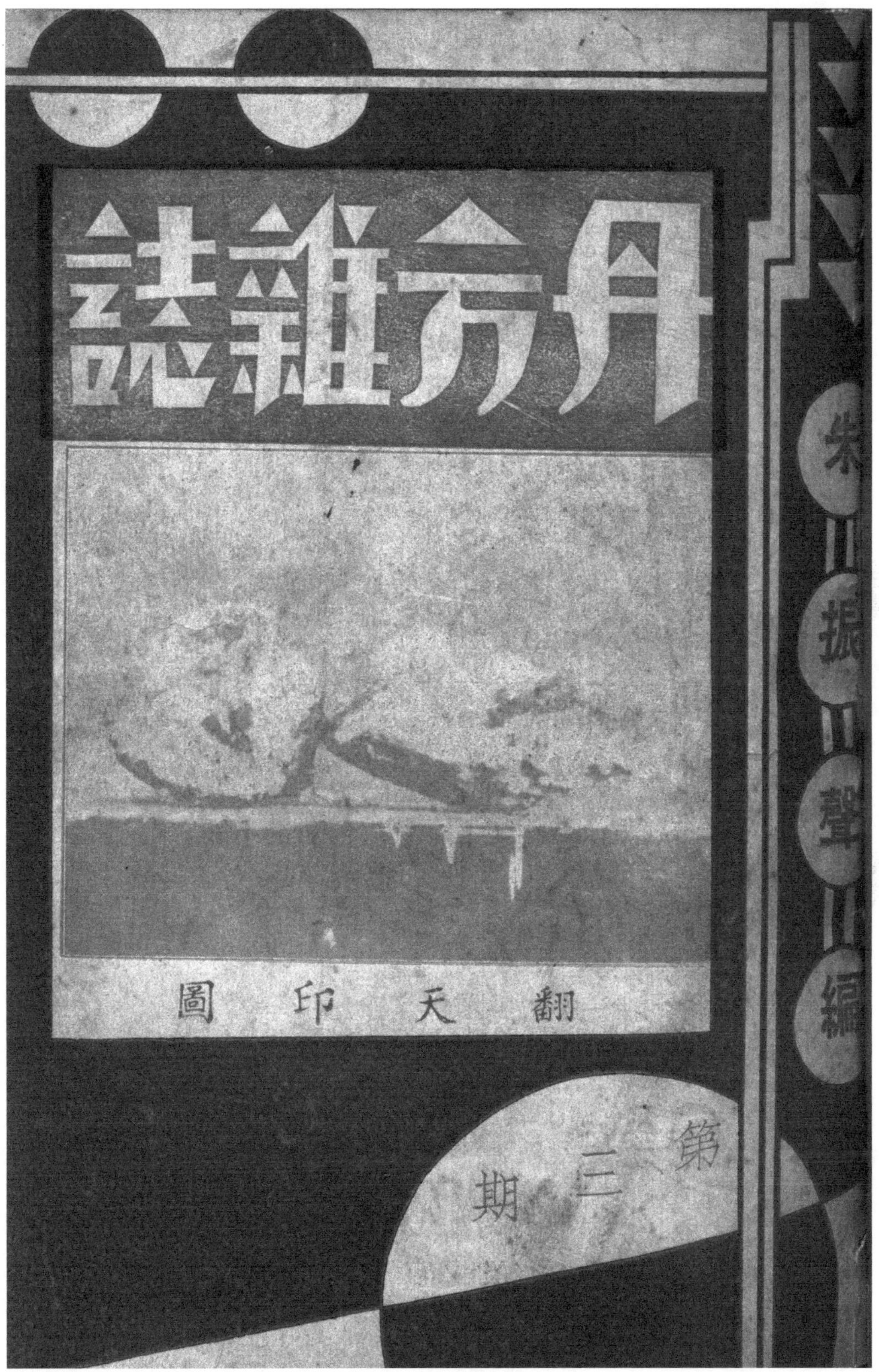
丹方雜誌
朱振聲編
翻天印圖
第三期

丹方雜誌第三期目錄

腸胃病靈丹 附圖

朱壽朋

浙江台州天台山括蒼山等處特產一種黃藥。係植物性塊狀黃色結合體。以生於青風藤朝南面者為最佳。山人秘為至寶。視為靈丹。以治一切腸胃病。或名為「翻天印。」或名為「黃金果。」或名為「菩提舌。」或名為「紫金芝。」予在天台從政期內。採得真方及來源。從事試驗研究。此品之內部。完全係金黃色纖維所集合。無味無氣。入口則立刻變色。大概所含係養氣居多。着火則漸漸灰化而成黑粉。

醫治效用

一、制酸作用　凡吐酸胃痛。中醫謂之「肝木侮土」西醫謂之「胃酸過剩。」長恃「小蘇打」「過養化鎂」為對症療法迄難根治者。無論多年久病。本品有調和酸性。節制分泌。十分之八。可收根本治癒之效。

二、被護作用　凡肝胃腸諸粘膜有損。受種種刺激。而起疼痛。本品從被護作用。可促損傷粘膜之癒合。故吐膿血之胃病。甚為相宜。

三、鎮痙作用　凡腸胃之起於神經性

痙攣而疼痛。西藥之用莨菪流膏阿刀便等劑無效時。本品投後十五分鐘內。腹部雷鳴。痙攣弛緩。諸痛若失。

四、健胃作用　凡胃弱食少。本品有促進胃液素分泌之作用。

五、緩下作用　本品有疎理肝膽。增進腸液。可收緩下之效。

六、化癌作用　本品係植物奇異之蘊結。所謂得天地精華之氣。以最淺近之理釋之。殆亦陽光與養氣之儲蓄體。一經內服。放射固有之生機。蘊蓄力。在臨床觀測。似有類似鐳錠光線之作用。故現在認為無辦法之肝癌胃癌以本品治之。有化除癌質。回復細胞生存力。可寬解症候。非絕對陷於死亡之趨勢者。尚有轉機之希望。

七・消炎作用　耳下腺炎（即頸項腫大）本品用醋磨敷之。數次即消。

用法及用量　每服二分半至三分。溫老酒送下。其不宜於飲酒或厭酒者開水亦可。

徵求同人實驗　凡醫界同人。須要試用者。署名蓋章附郵五分。寄上海靶子路中國醫學院朱壽明收。但須負治療成績之報告或證明。

痰飲驗方

譚活水

雲苓三錢。桂枝三錢。飯朮三錢。乾薑五錢。細辛三錢。五味子五錢。生石膏五錢。猪苓三錢。炙草四錢。水三碗。煎至一碗。分二服。前半加生薑汁一匕冲溫服。晚八時以後服。後半加煖酒一匕冷服。晚一時以後服。如見渴。另用法夏五錢。陳皮三錢。煎作茶時服。惟水要用伏龍肝煑者為上。否則不能煖中。三服見效。五服全愈。不愈再服。勿即喜也。仍要用甘遂三錢。芒硝五錢清之。三下後。以糜粥養之。以痰飲下伏胃中。不行不清。久久熱作上壅。定必再發。則無愈期矣。並素食四十九日。以還天真之氣。

痰飲一症。一言難盡。凡十二經絡。茍有所感。（感受邪氣）皆足致咳。甚而哮喘頑嗆。欲求根本之治。必以肺胃腎三經為主。其用藥也。又非蘇防橘夏北芪荳蔻等散降摘葉之標治所能奏效。聞有奏效者。亦初感耳。使治一月一年以上之病。必至見甚。何也。久咳之人。氣傷已極。所以能延殘喘者。以經氣未絕。雖痰飲伏留肺胃。而脾能進食。運化五穀。散精五藏。以養天真。苟不圖治。必至脾受腎侵而死。（土本尅水今弱受水侵不能運化故死）時醫不究所以。誤以溫柔之品。順氣行散之藥。或用參地杏仁等滋陰之劑。時時服之。以投病好。而遂射利。久而久之。以致陰霾四佈。水勢滔天。逝之莫挽。所謂姑息養奸。終成禍水者此也。其所以然者。十二經脈。會氣於肺。肺為周身氣海。淫精皮毛。而肺所以能達氣者。又為腎府使之也。腎府者膀胱也。腎氣不利。則膀胱水氣不輸。膀胱水氣不輸。蓄於下則為水濕。甚則腫脹。氣蓄於上則為飲為痰。而肺氣亦不利矣。肺氣不利而咳成矣。咳成而上下之氣不交矣。上下之氣不交。而胃之中土失所主矣。中土失主。而肺氣失養矣。肺氣失養。而腎源竭矣。腎竭而肝而心亦失養矣。心肝失養。而脾氣絕矣。故死。今吾用雲苓為君。補肺而瀉痰飲。助以猪苓轉運。使從膀胱而去。用桂以榮皮衛。袪邪而和心營。用飯朮健脾。能燥濕袞痰。使之化氣四達。又恐其氣不足。故助乾薑之辛。使通於肺。由肺輸出皮毛。兼提腎氣上交於肺。然無細辛之奔竄。則恐茯苓不能建導痰之功。故又助以細辛。但既有辛竄。而無酸斂。豈不使氣上冲胸而加咳。故又加五味酸濇。斂氣入腎。夫氣藥既足。足以令各建奇功。但恐有升而無降。又非所以調和陰陽也。故用石膏之重。降肺氣而瀉胃經伏熱。(痰中有火故敢用此)有降有升。有行有瀉。可以安全。惟恐病愈而元氣受傷。又不得不重用炙草。調和諸藥。大建中氣。使脾胃得所養。而不致久咳之羸夫不能進食也。至於前半溫服。要加生薑汁一匕。後半冷服。要加煖酒一匕。尤為大有深義。此非古方所有。乃我一已之神悟。蓋人身半以上陽也。身半以下陰也。溫氣屬陽。冷則屬陰。生薑汁味辛。陽中有陰。酒為濕熱之品。陰中化陽。以一日計。日中至夜半為陰。故溫服。取陽去和陰之義。夜半至午中為陽。故冷服。取陰去朝陽之義。况人身一小天地。上陽而下陰。今所以咳者。一言以蔽之曰。陰陽不交。為之醫者。是與交其陰陽也。何以知其陰陽不交。以此症遇天氣清明則稍減。天氣渾濁則加劇知之也。而又用法夏陳皮煎茶飲者何也。蓋恐病者於消導之中。偶有作渴。不知謹慎。見茶亂飲。傷敗胃氣。故出此溫中行氣之茶方也。本無深義。此為余臨床十餘年來經驗治愈多人之驗方。向守秘不傳。今特供之杏林。攻破痰飲壁壘。讀者不可以其近而忽之也。

治脫肛之特效藥

陳應期

民廿年前。夏至節後。酷暑惱人。濕溫致病。候診在舍。環而待命者。坐列其際。某言下痢。某言泄瀉。某言腹痛。某言霍亂。紛紛其說。振耳欲聾。余乃笑謂諸君。講證須憑先後。爭言莫得明瞭。待僕問明。處力乃的。說聲未了。突有老翁。前來教我。謂久痢脫肛。百藥罔效。葱白煮水。上薰肛門。定然收縮。延之上座。茶罷別去。莫知所之。余隨將某某之症。逐一問明。各訂方劑。均幸無恙。越數日。適有鵪鴿坑官德謙。抵舍求方。問渠何病。病係何人。答說伊兒。年方五歲。前因下痢。係先生醫治。後來痢止脫肛。遷延許久。幸得飲食如常。俗謂痾滑腸頭。因而肛門下墜。往者。也曾問過先生。輒說氣虛下陷。方訂補中益氣湯。義取提升其氣。氣提上升。而肛不下脫。緣何初服頗效。久服如故。即以獨參湯服之亦如故。變用參附湯服之仍如故。迄於今數越月矣。頑錮如斯。莫可如何。未知先生有無別法。而功能奏捷乎。屆時為渠所難倒。幾無地以自容。沉吟半晌。始觸前聞。憶昔老翁教我。謂脫肛錮疾。藥餌難療。須用葱白外治法。其葱頭約取觔許。不取青葉。氣味較濃。打碎煎湯。煮成一大巨鉢。置放斗內。斗面紙糊。中穿一孔。抱兒坐斗。肛門對孔。俾得薰蒸。久而溫煖。肛旁略推。輕輕微納。坐約小時。不知不覺。肛門關鎖。而吸收鞏固矣。所以然者。葱白辛香。芬芳撲鼻。鼻為肺竅。肺與大腸相表裏。肺在上。尚且感觸乎葱之氣味。而歸納於鼻孔。大腸在下。有不接觸乎葱之氣味。而歸納於肛門乎。倘謂老生常談。無足輕重。彼妄言而我妄聽。棄葱白於不屑。薄單方為無用。則抱恨終天。安能收效一旦哉。惜乎老翁之教言既傳。老翁之姓氏。未曾與之俱傳也。恨甚恨甚。

又一脫肛秘方

陸嘯寬

余患脫肛垂二十年。每次大便後。肛門下垂。大如雞卵。非用軟布浸濕熱水。夾兩股間。靜坐半小時。不易復原。痛苦萬狀。遍訪名醫。備嘗藥石。終無實效。客歲舊疾復發。較前更劇。呻吟牀褥。疲不能起。適舊友某君過我。謂渠前亦有是疾。經走方醫生某。傳其一方。即用好醋一杯。煎至八分。（約攝氏表八十度 傾入有邊痰盂中。此時熱氣蒸騰。患者坐其上。燻之不久。肛門收縮。回復原狀。行之三五次。果然斷根云云。余照法試治。果如所言。今已三年不發矣。未敢自秘。特錄之以公同病。

瘰癧奇方

唐慎坊

余祖宰山陰時。余年十二三。從師張銘蓀先生習舉子業。張殊嚴酷。遂鬱鬱患瘰癧之症。百治無效。紹郡某鄉有扁豆菴。菴尼能以灸療人疾。余父挈就診。灸十數穴。備受痛苦。毫無效驗。繼聘外科徐姓自贛來。坐治二年。耳下兩枚。徐醫以爛藥爛之。乃皮肉潰爛。而瘰癧不消。又無法收口。頷下腋下及上臂。纍纍如串珠。如雞卵。幸未潰爛。余十七歲。侍父居杭垣。鄰有鍾叟少琴。見而憐之。謂可治。即敷以藥粉。猶憶藥黑色。云有烏梅。不一月而核消創平。內服野菊根汁貝母如後方。未幾即愈。嗣後每年服貝母一料。忌食發物。後數年。晤其公子琴孫。詢以所敷何藥。公子不甚了了。旋承寄刊方一紙。內服之菊根貝母。詳載方內。而敷藥不知是樟腦雄黃和以烏梅否。歷三十餘年。中心藏之。茲錄方於左。倘患者依方治愈。願毋忘鍾先生之大德也。

附方

結核未破者　用野菊根搗爛酒煎服。以渣敷自消。（結核在胸者均治）。真川貝母（去心八兩）淡竹瀝（兩大碗）以貝母入竹瀝浸透取出陰乾。再浸再乾。以瀝盡為度。研成細末。每日食遠後。淡薑湯服二錢。四十日愈。

潰爛者　用荊芥梗煎濃湯溫洗良久。看爛處紫黑。以針刺去血。再洗三四次。用樟腦雄黃等分為末。麻油調。掃出毒水。次日再洗再掃。以愈為度。即延至胸前腋下及兩肩四五年不愈者均治。

肥皂子仁（去黑皮八兩）夏枯草（乙斤）共爲細末。蜜丸桐子大。食遠後。每服三錢。至重者。二劑必愈。再每日以夏枯草代茶飲。戒食羊肉栗子猪頭肉肝腸醋等發物數年。尤切忌動氣。

又余父官南通時。有金君黼堂者。頷下創痕纍纍。詢之知曾患瘰癧三年。頸項潰爛。偶乘船。見舟子頸頷多疤。亦患瘰癧而得愈者。口受一方。依方治之而愈。茲並錄之。

真菜油二斤。銅勺熬滾。入活壁虎二三十頭。同熬融化。貯瓶中。以此油搽爛處。搽後以布束之。一月即愈。

■慢驚簡效方

沈仲圭

〔適應證候〕睡中露睛。神氣慘弱。天柱骨倒。四肢厥冷。

〔藥品製法〕取新鮮壯健壯鼠睾丸一對。搗爛。和米粉爲丸。

〔傳方來歷〕本年二月十五日中國醫藥學社開討論會於杭州板橋路陸清潔君診所。陸君告余此方。并云頗有奇效。

〔仲圭按〕慢驚即結核性腦膜炎。初起多訴胃腸症狀。繼見腦症狀。終則病兒陷於昏睡狀態。脈搏細小頻數而不整。結核之病。無論大人小兒。首當注重營養。增強其抵抗力。故溫補脾胃。制肝安心。為治本病不易之法。若見四肢抽掣。角弓反張諸症。以全蝎為末。和牛肉。（須先切為肉糜）作圓蒸食。弛緩神經。若見神氣不足。睡中露睛諸症。即服此丸。健腦壯神。據生物學家言。鼠與人之生理近似。本方取鼠腎。尤勝於其他壯性動物睪丸之內分泌製劑也。

■臍濕治方

克潛

臍濕證之用藥。宜有恆心。方能收效於最後。若時醫時輟。必至功虧一簣也。方用。赤石脂白石脂各五錢。頭髮（肥皂洗去垢膩煆成灰之淨重）二錢。桂圓核（去殼煆成炭之淨重）三錢。明礬（煨枯淨重）三錢。頂頂好冰片二錢。輕粉一錢。各研極細細末。（用細篩篩三遍。研至無聲為度。略粗即不效。）每日敷換二三次。（初時水多。宜多換。）切勿間斷。用藥不過一料。其恙必愈。

（又方） 初生小兒。如穩婆剪臍帶後包紮不安。往往日後臍中出水。昔小孫誕後。亦患是症。旋經稔友小兒科王君告余一法。以舊大紅氈毯剪下五寸見方一塊燒灰。涼退火氣後。加龍骨二錢。(中國藥店購之價不昂)枯礬四錢。(須自己以白礬置銅器內在火上燒枯之)共研極細末摻之。濕則頻加。包紮後俟其結乾自落。余按法行之。兩星期得愈。(青翁)

婦人乳癰之治療法

張贊臣

婦人乳癰。西醫稱為乳腺炎。其乳房紅腫。熱痛不已。惡寒。治之失當。兩來複即可成膿。中醫稱為胃熱壅滯而成。此說殊可憑信。蓋此症往往發於茹葷感寒之後。所謂胃熱者。即葷滯因感寒而停於胃內。消化不良。積而釀生胃熱也。況感寒則乳腺閉塞。乳汁不下。故釀生炎症。西醫謂為釀膿菌為患。然予則以為釀膿菌為病的產生物。而非致病之原因。總之吾人苟自體強健。雖日有千百細菌。入於吾人體內。亦難得根據地以肆其猖獗也。治之之法首宜清理胃中積滯。以撤其熱。惡寒甚者。兼用散寒之劑。在四五日內。未成膿時。則未有不消者。非如西醫僅恃冷罨法之難期確效也。中國驗方。用栝蔞實一兩。(極重者可酌加。輕者可酌減)。清水煎濃汁。入好酒三五杯。（善飲者酌加。不善飲者酌減）。熱服。蓋被出汗。大便再行一二次。則立可消散。此方確有奇效。他如牛蒡。柴胡。梔子。銀花等。亦可隨意加入。又西醫稱婦人乳房。與子宮卵巢。有密切關係。中醫則謂乳房與肝臟。有密切關係。蓋因性氣暴躁。（舊說稱為肝火或肝氣）亦有發生乳癰者。治以前法。每每若效若不效。凡察知婦人性氣暴躁或抑鬱者。方中當重加烏藥。一服可輕。數服可痊。此又醫家所不可不知者。

公開二張雀斑經驗方

陳毓貞

每見婦女面上多生雀斑。以致美容變為醜貌。殊堪惜焉。昔年余亦患此。百計千方。求愈不得。諸凡市所售之美容消斑等藥粉藥水。無不遍試。終無效驗。乙丑春求學於上海女校。蒙同學許秀娟姊。授余經驗方二。一係內服。一係外用。試驗一月。果見雀斑漸退。繼續半年。斑盡退矣。茲願公開發表。俾患同病者。亦得治愈也。

（內服方）炙升麻三錢。蒼耳子三兩。

甘菊花二兩。黑芝蔴三兩。肥玉竹三兩。生地黃三兩。牡丹皮二兩。連翹殼二兩。生甘草四錢。右藥各研細末。和勻。每飯後以米湯調服一錢。忌食一切動火之物。幷戒憂思鬱怒。

(外用方)甘松五錢。山查五錢。白殭蠶一兩。白梅肉五錢。猪牙皂角一兩。紫背浮萍五錢。香白芷五錢。密陀僧五錢。鷹糞白三錢。共研極細末。每晚以蜜水少許。調敷面上。次晨以溫水肥皂擦之。

(附)西醫對於雀斑之治療法

西醫對於雀斑。亦無特效藥之發明。其平日所習用者。不外甲乙二方。玆爲讀者採用計。均披露於下。

甲方

R

Zinc Sulphocarbolat. dam 1

Glycerin oz2

Spir. vinirecti oz1

Aquae ayranti tl r oz$1\frac{1}{2}$

Aquae rosae q.s.adoz8.

M et. ft.sol

Sig. Apply twice daily.

乙方

R

Acidi lactici oz1

Aquae cz5

Sig Apply fieckles freely and often.

按！甲方係混合性藥液。在上等西藥房內配合後。每日可敷面部兩次。早夜為之。持之以恆。惟根深蒂固者。難於奏效也。乙方係乳酸和水之藥液。亦須在上等西藥房內配合。敷於斑上。每日可敷多次。至脫皮為止。脫皮後如有微痛。可用脂質雪花等塗抹之。乙方宜於秋涼時用之。脫皮以後。雀斑亦去。惟有時或不免於復發耳。

□痰飲咳嗽

趙秉公

家嚴患痰飲咳嗽。已有年餘。喉中痰聲漉漉。一勞動即氣急不舒。服藥無數。終不見效。後於親戚處得一奇方。法以生西瓜子三錢。白冰糖一錢。搗爛。用開水沖服。如杏飲酪湯然。連飲一月餘。病竟若失。常州朱鑑夫先生。患痰飲咳嗽已十七年。鄙人告以此方。服之三月。病已去其七。奇效如此。不敢自祕。以告同病者。藥性平和而價廉。盍一試之。

耳中疼痛流膿

徐海千

世傳金絲荷葉打爛取汁。治耳膿甚效。然余試之。或驗或不驗。今有一法。用冰片一分。麻油一小杯。和勻。滴入耳內。無不立愈。此方之意。用冰片化濕。麻油清肝熱。肝火濕熱一清。自然耳管清潔矣。

薰洗痔漏初起效方

鮮蒼耳子一科（全部）切碎。加水煎成濃湯。預將馬桶或溺器。以開水滌淨。趁熱。傾入器內。令患者。脫解下衣。露臀教坐其上。熱氣少殺。再以棉花蘸洗之。連續行之一週。自可除根。幸患者耐久用之。不可間斷。自效。

又方。冰片（一至三分）水仙花葉（一至三片）先將水仙葉搗爛。再將冰片摻入。外用新棉一層。薄包一小團。塞入穀道內。一日更換一次。數日即痊。此治漏瘡妙方也。

瘋狗毒蛇咬點眼方

瘋狗毒蛇齩人者多死。方書雖有治法。不甚著效。惟蕭山韓氏所傳五聖丹。獲效如神。救人不可勝數。韓氏惟製藥施送。祕不傳人。鄭拙言司鐸開化。從其同寅汪睦齋之學博世鈴處。得此方見示。汪喜錄單方製良藥施人。此方得之於其至戚。乃自韓氏竊得者。汪按方製藥以拯人。無不應手取效。因錄之。以廣其傳。

上號當門子一錢。梅花冰片一錢。火硝三分。上號腰面雄黃一錢。九製爐甘石一錢。

右藥共研細末。男左女右。用竹挖耳點近鼻處大眼角七次。隔一日再點七次。再隔一日。又點七次。雖重傷者自愈。若犬齧至二十日外者不治。若用藥後。誤喫羊肉發物。用藥再治。遲至二十日外者亦不治。宜忌羊肉發物。四十九日。兼治痧症悶死時疫傷寒痧發不出者。亦用此藥點眼角。男左女右。

◻大俠甘鳳池傷科祕方

承淡安錄

■金鎗鐵扇散

象皮炒黃色五錢。生白龍骨五錢。老材香即百年前棺內之石灰一兩。松香水製一兩。煅白矾一兩。以上五味共為末。貯磁瓶中。遇有被刀石仗等破傷者用藥摻之即愈。如破傷處發腫。煎黃柏湯。用領毛搽塗之即消。

■因傷吐血煎方

金毛狗脊三錢。地骨皮二錢。生地三錢。淮牛膝三錢。川玉金錢半。製半夏二錢。小青皮二錢。白杏仁三錢。石菖蒲二錢。白當歸二錢。南沙參二錢。藕節一兩。再磨金墨冲服。

■吐血末藥　治一切打傷

土鱉蟲三錢。乳香。沒藥三錢。血竭四錢。月石錢半。自然銅三錢。巴霜三錢。酒炒當歸三錢。猴棗三錢。生軍三錢。原寸一分。共為細末。每服七厘。開水冲服。

■上部傷藥煎方

川芎錢半。當歸三錢。白芍二錢。生地錢半。紅花錢半。乳香錢半。沒藥錢半。防風二錢。白芨一錢。玉金錢半。猴棗四錢。木香一錢。

■中部傷藥煎方

乳香二錢。沒藥錢半。生地六錢。猴棗三錢。白芍二錢。枳殼二錢。玉金錢半。川斷三錢。血竭一錢。胡索錢半。當歸三錢。杜仲三錢。

■下部傷藥煎方

川斷三錢。玉金錢半。沒藥錢半。乳香錢半。當歸三錢。紅花一錢。牛七三錢。木瓜三錢。生地六錢。白芍二錢。自然銅一錢。木香錢半。胡桃三枚。

□黑熱病特效方

駱筱峯

近年蘇北一帶流行之痞塊病。（西醫名黑熱病）與方書癥瘕積聚不同也。彼由濕食痰鬱凝結而成。此則病菌蔓延傳染為害。然其病多見脾臟腫大結於左脇。與難經「脾之積曰痞氣」同局一經。「肝之積曰肥氣。在左脅下如覆杯」。適當其位。故選用成方。亦多獲效。茲以臨床實驗簡易有效諸方。披露於後。以備病家采用。諺云。單方氣死名醫。幸勿輕視之。

〔驗方〕臭椿樹皮在上中者佳。去外面粗皮。用淨白皮二斤。切碎。入鍋內。水煎濾去渣。用文武火煎成膏。薄攤布上。先以生薑搓去垢膩。後以膏藥在錫茶壺烘熱。加麝香少許。貼於痞上。其初微痛。半日後即不痛。候其自落。敷藥週圍皮破水出即愈。此方已驗多人。珍之重之。孕婦忌貼。

按臭椿即樗也。椿樗同類而異性。李

時診曰。椿皮色赤而香。樗皮色白而臭。椿皮入血分而性濇。樗皮入氣分而性利。又古方治瘡腫下劑。用樗皮以無根水研汁服。取微利數行。足證其性利而瀉下。故熬膏貼痞。其藥力由毛竅而入孫絡。由孫洛而達病所。有通絡化瘀軟堅之效。此方屢試屢驗。同道沙筱春先生亦常用之。

〔醫典方〕松香二分。阿魏二錢。皮硝五錢。草麻子一兩。共搗成膏。依痞形大小攤于布上。貼時加麝香五厘。痞消則膏自落。

按阿魏氣味臭烈。透絡化堅。消肉積。破癥結。為痞症要藥。草麻子。皮硝。性均下行。麝香芳香開竅。合以清熱祛風殺虫之松香。粘合諸藥。搗和成膏。以治痞疾。可謂面面俱到。此方前年余以治萬生瘡痞。數日即化。嗣以治傳染之痞塊。亦無不奏效。洵妙劑也。

〔同壽錄方〕玉簪葉。獨頭蒜。穿山甲細末。各等分。搗爛。加好醋和成餅。量痞大小貼之。其痞化為膿血。從大便出即愈。然須量人大小強弱貼之。

按玉簪極能損齒。其有軟堅之功。

以推定。獨頭蒜通竅化癖。穿山甲鹹寒通絡。功專行散。和以好醋。亦酸入肝鹹軟堅之義。

〔邵氏方〕皮硝一兩。獨頭蒜一個。（小者二三個）大黃細末八分。搗作餅。貼於患處。以消為度。

按皮硝為鹽類下劑。大黃苦寒瀉血分實熱。獨頭蒜辛溫通竅。化癥積。依近世研究。謂其殺菌力極強。合三味為藥餅。有辛通苦降鹹以軟堅之妙。故治痞有奇效。同道張士種先生云。閘口袁姓子。亦以此方治愈也。

〔外臺方〕大黃十兩。研為細末。醋三升。蜜兩匙。和煎。丸如梧子大。每服三十丸。開水送下。以微利為度。老人小兒虛者減半。謂痞塊既成。毒必內聚。陽明（胃與大腸）如市。無不歸納。大黃為蕩滌腸胃要藥。功能瀉實熱。下瘀血。攻積聚。（西醫謂痞病菌。滋生於病人血液中。此藥既能下瘀血。當能除血液中之病菌）。然其性峻利。合以醋之酸收。蜜之甘緩。則藥力和平。不傷正氣。適合絡病緩攻之旨。故服後僅得微利。至隱至當也。東洞吉益。謂蜜主結毒急痛。則與大黃相得益彰。亦不背制方之義。

[祕方]鮓答。(生走獸及牛馬諸畜肝胆之間。有肉囊裹之。大者如鷄子。小者如栗如榛。其狀色白。似石非石。似骨非骨。打破層疊相連)。研爲細末。每服一二錢。用兎絲子蔓生於大藍上者。連藤帶葉兩許。切碎煎湯送下。連服五七日。自能退熱軟堅。此祕傳方也。屢試屢驗。

按鮓答治痞。本非成方。傳自東海友人。試用確有効驗。考其物品。亦牛黃狗寶之類。故有清氣之功。其形似石似骨。富於礦物質成分。其能攻堅破積。殆卽以此。引用兎絲蔓生於大藍地者。二物並用。頗有妙義。蓋兎絲溫補三陰。調元益氣。偏於助陽。惟蔓生於大藍之上。其性與之同化。旣不溫燥。又扶正氣。助大藍苦甘寒解毒之力。以爲鮓答嚮導。而成其清熱化痞之功。所以爲妙也。其初不知何以巧得此物。識者采用。亦頗見心靈。余以不易尋求。每以板藍根兎絲子代之。(每用二三錢)亦同有效。

■吐血方

陸嘯寬

吐血種類甚多。大别之有嘔血咳血二

種。咳血治愈較難。茲所錄者。乃嘔血方也。法用新鮮馬蘭草洗淨。略加鹽花。入乳鉢中。搗之極爛。包入潔淨洋布中。榨出汁一杯許。用開水冲服。每日三四次。三數日後。即可見效。半月包可斷根。此法業已治愈多人。讀者幸弗以其簡易而忽之。

小產經驗方

玄中

小產一症。世乏良方。拙荊小產共八胎。中西醫均乏善策。嗣後由友人介紹一保胎良方。自受孕服起至過小產時期止。果安好。連產三女。大小平安。產婦身體亦較清健。嗣後再孕。停止不服。即生一男。產歸大產二三次。本可不必再服。緣小產慣性。業已除去也。茲將原方抄錄於後。

上黨參四錢。炒白芍四錢。續斷一兩。製首烏四錢。炒棗仁四錢。野朮四錢。淮山藥炒一兩。六炒歸身四錢。厚杜仲四錢。棗子廿枚。蓮子十五粒。

另加牛黃鼻一個。烘乾搗碎。入藥爲丸。每晨服二錢。忌用鐵器。

此方大補肝腎。安和胎元。托住不墜。幷可調經種子。雖未孕亦可服。不孕之婦。服之易於受孕。却有奇效。勿輕視之。

統治各種癬疾方

馬濟仁

病因　本病西醫列在皮膚病中。為寄生性皮膚病。再分為黃癬。白癬。頑癬。尋常性乾癬。紅色苔癬。推其病因。黃癬。是由黃癬菌傳染而起。不僅由人類直接傳染。由鷄。鼠。犬。貓。家兔等傳得者亦有之。白癬。頑癬。是由白癬及其類似之菌。傳染而起。又尋常性乾癬。與紅色苔癬。西醫尚無正確病因。故付闕如。而我中醫對於癬症。大多主張血氣壅滯。熱毒溼毒外洩。或皮膚不潔。坐臥溼地。以致發生癬症。至於用藥方面。採取祛毒殺虫之劑大致相同。

證象　黃癬。多侵犯髮部。或在爪甲。間有生於毫毛部者。為特徵。其形成為硬固硫黃色之痂皮。（白癬）最多發生於頭部。呈銀幣乃至銅圓之塊。漸次融化擴大。皮膚覆以固著微細灰白色之粉末狀鱗屑。毛髮失光澤而脫落。且易折斷。髮屑強剝離之。其下大多乾燥。間有潮溼滋潤新鮮病灶。而於鮮屑之周圍。有小冰泡性紅暈可認。但日久者缺。此病往往波及頭之全部。大人甚少患此。(頑癬)此病生於皮膚易溼潤之部。如大腿內側陰囊等。由此蔓延至臀部前面。自陰阜至腹壁而達臍窩。此外乳部下腋窩項部等處。亦能發生。初生錢大之紅色斑。稍有落屑。漸達十文至二十文銅元大。中央稍退色凹陷。周圍之輪廓甚明瞭。隆起為堤狀。且處處混有小水泡。至後遺有枯燥痂皮。如是漸向周圍增大。常伴有劇烈之搔癢妨害安眠。因搔抓後。患部之表面。落屑結痂。剝脫後呈暗褐色。治療甚難。「尋常性乾癬」。此症最初發生於肘關節及膝機節之伸側。漸次及於四肢伸側。手背足背乾項部頭部。間有發生於掌。但鍍肘窩及膕部。則絕對不生。初為針頭大乃至瓜子大之鮮紅丘疹。漸有銀色鱗屑。遮於其上。其邊緣微有紅暈。此鱗屑剝離後。則有針頭大之出血點。此疹或呈散點狀。時有達於一角銀幣乃至半元大。有時中央鱗屑漸剝離。漸紅消退後。呈環狀。其輪廓有漸向周圍擴大者。若各疹互相接近。遂融合而呈種種形狀。甚至波及全身。「紅色苔癬」。有二。

(一)自粟大至小豆大之丘疹呈白色。漸漸變為薔薇紅色。有光澤。其形多角類圓形。少有硬性。周圍有纖細紅暈。疹之中央有臍窩。或微小。或竟無之。發於腕關節肘關節之屈。而龜頭軀幹膝蓋等部。或播種狀或呈弧形。或為圈狀。而舊疹之中央。續發新疹。三四月間往往蔓延至軀幹四肢顏面。亦有數年間仍限于一處。其限局且小。大者如瓜子或如掌。肥原隆起。健部皮膚。以狹小紅暈判分之。表面成暗紅色褐色或紫色。往往有灰白色之鱗屑。但其附近。必有孤立之原發疹。若日久者。中央漸次陷沒。而成大小種種之論廓。自覺症狀為搔癢。通常妨礙睡眠及起營養障礙等。

(二)尖圭紅色苔癬為粟大乃至帽針頭大之丘疹。其色為鮮紅。乃至褐赤色硬小結節。尖端有乾性白屑。普通有劇烈之搔癢。甚至蔓延全身。頭髮亦被侵及等。

治法　斑蝥五錢。硫黃一兩。樟腦五錢。百部二兩。蜜陀僧一兩。白鮮皮一兩。天風子一兩。白芨一兩。川椒一兩。共為細末。浸於高粱酒。約一斤中。半個月後。去渣澄清。入於料縫中。應用之時。將此酒擦抹於患處。無不靈驗。

藥性　(斑蝥)蝕死肌。傳疥癬。(硫黃)殺蟲。療瘡。(樟腦)除濕殺蟲。(百部)殺蟲。專治疥癬。(蜜陀僧)消腫。殺蟲治瘡。(白癬皮)治風瘡癬疥。(大風子)治療癬疥癩。有刼毒殺蟲之功。(白芨)治惡瘤癰腫。敗死肌。去腐生新。(川椒)除濕殺蟲。

□漆瘡神方

玉蓮

漆瘡俗名叫做漆咬。就是聞到了新漆臭烈的氣味。會得身上發出一種疹塊。淫癢異常。傳遍肢體甚至皮破斑爛。流水作痛。或者寒熱交作。甚至於人極困頓難受。這大約因為漆這樣東西。臭烈的氣味太濃。而方書上說漆是一種辛熱有毒的東西假使這人的皮毛很疏。腠理不密的。那末這種臭烈有毒的氣味。能夠傷人肌腠。於是就要發漆瘡了。

有些人患了漆瘡。只消離開了這漆味臭烈的所在。休息休息。自然平復了。若是劇烈的。一時不容易好。那末一定要用藥調治。否則等瘡潰爛。治起來更麻煩了。治法可以用韭菜葉打汁。調三白散敷患處。內服化斑解毒湯。但是漆瘡切忌熱水沐浴。並且必須要戒葷腥。這倒是不可不注意的。

附錄三白散方

杭粉一兩。石羔三錢。輕粉五錢。研為細末。

化斑解毒湯

元參。知母。石羔。中黃。川連。升麻。連翹。大力子。甘草。淡竹葉。

□遍體出血治法

吳去疾

廿四年三月十一日。本埠某報地方新聞欄內載。常熟現任支塘農教館長陶元龍。平日身體素健。最近忽患奇症。不論口鼻及下部。即齒唇間與完好之皮膚上。手足胸前。終日由毛孔出血不止。羣醫束手。此種奇症。世不多見。無怪人不知治。其實吾國醫書。早有論及。特人不之察耳。如能留心研究。自有古法可循。不患奇症之難人矣。

醫治遍體出血之法。清人趙學敏所著本草綱目拾遺海參條下有之。謂其法得之臨安儒醫盛天然。盛治一婦人。患眼鼻口耳髮根皆出血。下部亦然。時已昏不知人。詢其夫得病之由。數日前受驚而起。時天酷暑大旱。又中燥烈之氣。致血溢奔騰。上下散出。即不救矣。諸醫皆斂手無策。盛有叔曾於都中得一方。專治此症。幸尚記憶。遂急喚人取山泉一桶。燒酒一觔。挾婦起坐。裸其小腿。先以燒酒淋之。俾酒從踝下。即滴入水桶內。淋訖。然後將腿置水中一飯頃。其上下血即止。婦亦甦。面色如粉。叫人覓壯年乳婦。以乳哺之。再用海參半觔。切片。焙為末。每次調服二錢。日三服。蓋海參能生百脈之血。若失血過多。必須以此補之。其生血之功。捷於歸芍也。

觀上所述。可知吾國醫書。實有無盡之寶藏。在後人之善為發掘。願世人之勿輕視也。

■發頤(即乍腮)治法

錢玄

症狀　發頤一名乍腮。症見頸中頤頷間腫大。牽引牙齦浮腫。以致妨食。按之或疼或不痛。或作酸甚者。須作身熱形凛。頭痛體熱。如感冒之象。或有併發咽痛者。

原因　巢氏病源云。腫之生也。皆由風邪寒熱毒氣客於經絡。使血澀不通。壅結皆成腫也。按頸頰間乃少陽之地位。少陽內寄相火。且與肝經相連。其風火循經上乘。卽易患發頤。兼之有外感客邪。於是身熱作矣。由此而引動咽痛者頗多。

外治　按此症除內服清火散邪之方外。對於局部敷藥治療。亦極關重要。可用如意油玉樹神油之類。搽於患處。須時時搽之。每日宜連續搽十餘次。方能有效。病輕者僅用外治法已可痊愈。若病重腫勢較甚者。非玉樹神油所能勝任。宜搽用六神丸。法用上好黃酒。化六神丸廿一粒。搽腫處。少頃藥乾。另用黃酒滴患處。使其潤濕。移時又乾。則再搽藥。若兼咽痛者。宜吹珠黃散玉鑰匙等咽痛藥。

內服　宜清火達邪消腫之方如下。製天蠶三錢。輕馬勃七分。薄荷葉一錢。桑葉二錢。連翹三錢。甘菊花一錢半。忍冬藤四錢半。甘草節五分。土貝母三錢。若有惡寒身熱者。宜加荊芥豆豉。咽痛者加射干桔梗。

禁忌　宜禁食一切烟酒辛酸腥味。及一切激刺性激烈之品。

注意　由先患發頤。然後引動咽痛者。則可兼吹喉痛藥。內服清熱之劑。

即可全愈。若先患咽喉病。漸漸劇烈而致頸間腫大者。此乃由咽喉病所引動。宜以咽病為重。應延醫生診斷治療也。

治痢疾簡驗方

宗吳

吾邑唐耕畬氏云。海蛇同蘿蔔煎食。（不拘多少）治痢效如桴鼓。且自身家屬。均曾患痢。一服而愈。有患是疾者。輒令試服。未嘗一失。此方係得自邑醫王叔通云。按蘿蔔與海蛇均為食常佐膳之品。竟能消滅阿米巴原蟲。（乃痢疾病源）而治愈痢症。亦云奇矣。唐氏乃忠厚之士。決不虛搆。籍載永祥和尚治痢方。將蘿蔔在冬日懸陰處風乾。閱年治痢。極有良效。此方由來。不無淵源。

治驚搐祕方

百年

余友平天靠家。近來發生一種奇症。每日自四句多鐘起。身上覺得疲倦寒冷。入睡則全身抽搐。並以手掌。自擊頭面。觀其狀態。類似驚癇。及醒覺時。則神清氣爽。飲食如常。平某無法可使。遂遍詢名醫療治。亦無效果。現有曾患同病之友人處。得一祕方。謂將黃雄貓尾上之血滴下。臨睡時以開水冲服即效。平其從最年幼之小孩起。如法試用。果然一服見效。特錄之以告患有同病者。

百年之友平天靠。即居住華仙弄之平智峯君。此方既經平君試服見效。足徵極非無稽之談。故為刊登。以利病者。

按平智峯係紹興之文學家。辦理黨務及教育設施等事宜。從孩童年間即患抽症搐。竟一服貓血而獲根治。是誠難得之單方也。

（按）是項作用。竟有如此宏效。其理何在。敬請海內名達之士。詳為解釋。作公開之討論。並請現代之新醫藥學博士。詳加生理試驗。如得到有確實效果。然後改良。以安瓿裝製注射劑。普及發售。不但為吾國患該病之救星。亦國產動物血液中之唯一良劑也。

■婦女下部寒冷不孕方

葉超然

婦女下部寒冷。絕無溫熱之氣。雖在交感。亦不覺溫。似為稟賦之薄。體質使然。誰知非關賦稟。而為胞胎不溫。蓋胞胎居於心腎之間。必藉心腎之氣為養。心腎火衰。胞胎寒冷。心腎氣旺。胞胎受蔭。而寒自散。從來沍寒之地。草木不生。重陰之淵。魚鱉不長。子宮寒冷。必難受孕。亦理也。欲治其冷。以溫腎補心為主。然用藥則又切戒燥熱。必取其自然。而有春日融和之象。方為合度。擬方如後。

製附片五分。官肉桂五分。炒潞黨三錢。炒白朮三錢。炒懷藥五錢。炒杜仲三錢。巴戟肉鹽冰浸三錢。補骨脂鹽水三錢。兔絲子酒三錢。剪芡實三錢。炙甘草一錢。

右藥如不湯服。可改丸服。三月之後。子宮自然溫暖。受孕不難矣。

■腰痛方

哈同壽

八九月後。胡桃成熟。採藏家中。惜其不能歷久不敗。若患腰痛。與白酒同食。其效無比。按本草謂胡桃可以補肝腎。白酒可以溫通陽氣。此方吾鄉人皆知之。未悉全國人能知否。故寫出以載貴刊。

編者按。哈君是武進縣孟河人。

小兒慢脾驚方

陸淵雷

鄉居幼孩方朞歲。患病甚劇。招余診治。面色青黃。顖門及眼泡俱已低陷。昏睡不省。大便溏泄。日三四次。身微熱。無汗。舌萎色淡。惟兩手脈尚有胃氣。云滬南稍有名望之醫。俱經延治。而病則日劇。余索視其方。淡豆豉清水豆卷焦山梔鮮石斛。不可勝數。即謝不能治。病家堅索方藥。乃用烏梅丸加養血之品與之。不知其果服否也。明日入西醫醫院。醫治一星期。了無進步。病家絕望。乃出院回家。不復醫治。靜待命期。又一星期許。有鄰家乳媼無意中見之。曰。此慢脾驚。易治也。奈何坐視其死而不救。命取雞矢。溏如飴。奇臭者。與服。云是慢脾驚必效方。病家既無他法。即亦不嫌穢惡。覓溏雞矢。塗病孩口中。灌之以湯。竟日有起色。不半月。已憨跳如常矣。此病用雞矢後並未服藥。不可謂非雞矢之功。慢脾驚本是險症。而雞矢能愈之。不可謂非奇方。故錄之。

下疳包皮腫

尤學周

患下疳者。其人若爲包莖。則必於潰爛之時。同時包皮發水腫性之腫脹。腫脹之皮膚。發有光澤之水紅色。內含水分。以指彈之即可破。此症殊爲困難。既感腫墜之痛苦。而包皮一腫。即不可翻上。洗瘡敷藥。又感困難。因之包皮內部。愈加潰爛。若不先消去包皮之腫。斷難收治愈之功。顧治法雖多。每每不能速效。茲將一最易而最有實驗之秘方。錄之以貢於世。其法用鮮馬齒莧一握。搗之極爛。納入青黛細末五錢。川連細末三錢。冰片少許。共搗成糊。用蠟紙或油紙攤勻。包於陰莖上。每早晚各換一次。二日可消。包皮腫消。即可翻上。而好洗滌敷藥矣。（鸞）

（學周按）包莖之人。有因包皮太小。不能下退等。有因包皮太長者。最易藏垢納污。故宜常洗滌。患包莖之人。若尋花問柳。其毒裹於包皮中。最易傳染花柳病。患此者宜深加注意。

馬齒莧爲清熱解毒妙品。以之治白帶白濁。皆甚靈妙。佐以青黛川連。退毒之力尤偉。此方不特可治包皮腫。一切熱毒皆可用之。

血痢治驗方

李健頤

血痢是由熱毒伏於大腸。腸管發炎。腸之粘膜破爛。血液溢入肛門。而出於大便。又因肺氣不固。無力收縮。以致屢欲登圊。而下無多。腹中刺痛。口渴舌燥。身體倦怠。此症為痢之最重而最惡者。苟治不得法。變症叢生。豈可不慎哉。

血痢既屬血分有毒。肺氣不收。故宜涼血鮮毒。兼固肺氣。若血熱已退。肺氣清肅。則諸症皆可立愈矣。鄙人用生地。赤白芍。檳榔。藕片。知母。桃仁。涼血退熱。佐大黃山查肉。直入大腸。滌除腸垢。加杏仁桔梗。升提肺氣。氣升則清陽上升。濁陰下降。其大便即可通順矣。又增木香川楝。行氣止痛。此方歷治多人。皆著奇效。謹將原方列後。并附加減等法。

治血痢方　生地五錢。赤白芍各三錢。桃仁二錢。藕肉三錢。檳榔二錢。知母二錢。山查肉二錢。大黃四錢。杏仁三錢。桔梗三錢。木香一錢。川楝三錢。蜜水各一碗。煎八分。食前溫服。如無裏急後重者。去大黃。加桑皮白頭翁各二錢。熱甚口渴者。加石膏一兩。川連二錢。口渴液枯者。加阿膠女貞子各三錢。身熱氣喘者。去桔梗。加石膏一兩。更宜臨證權衡加減。切不可板方誤事。至為叮嚀。

▣陰虛盜汗方

單大年

陰虛盜汗。（卽夜眠自出汗者）。面色多不華。人多忽視之。不知與健康實有極大關係。鄙人試驗而知者。則有用平淡之藥品。竟效驗良佳。茲錄其方于下。地骨二錢。穭豆衣三錢。紅棗五個。水煎去渣服。至愈為度。

▣難產奇驗方回生丹

柯集安

（一）緒言

回生丹。保產之仙方也。前有修合送人者。臨產一丸。坦然快便。不覺其難。吳門馮同學製此丸。蒙以十丸見贈。余知其丹之好。不知其丹之神也。歸卽隨便送人。癸丑冬有一難產者。子死腹中。余聞而急檢篋尚有一丸與服之。死胎立下。母命獲全。人咸驚歎。余遂發願修製送人。迄今已數十年。屢試屢驗。而艱難諸證之獲救者不下數萬人。但不知此方起於何人。記云長葛孫奎薹得之異人傳授。然製法湯引尚有缺處。不若余得者之詳且明也。爰不敢自秘。列之於左。方剸忌鐵器要緊。

（二）製法

綿紋大黃一斤。（為末。）蘇木三兩。（打碎。河水五盌。煎汁。三盌。聽用。）大黑豆三升。（水浸取殼。用絹袋盛殼。同豆煎熟。去豆不用。將殼晒乾。其汁留用）紅花三兩。（炒黃。入酒四五盌。煎三五滾。去渣存汁。聽用。）米醋三斤。文火熱之。以長木筯不住手攪之成膏。再加醋三斤熬之。又加醋三斤。次第加畢。然後加黑豆汁三盌再熬。次下蘇木汁。次下紅花汁。熬成大黃膏。取入瓦盆盛之。大黃鍋。亦鏟下入藥。土白黨二兩。當歸一兩（酒洗 川芎一兩。（酒洗）香附。元胡索各一兩。（各醋炒）蒼朮一兩。（米汁浸炒）蒲黃一兩（隔紙炒）茯苓一兩。桃仁一兩。（去皮尖）川藤（五錢）。（酒洗）炙甘草五錢。地榆五錢。（酒洗）川羌活五錢。化橘紅五錢。白芍五錢。（酒洗）木瓜三錢。青皮二錢。（炒）白朮三錢（米汁浸炒）烏藥一兩五錢（去皮）良薑。

木香各四錢。乳香。沒藥各二錢。益母草二兩。馬鞭草五錢。秋葵子三錢。熟地一兩。三稜五錢。（酒浸紙包炒）五靈脂五錢。（醋炙化焙研末）山萸肉五錢。（酒蒸擣爛入藥）

右藥三十味。幷前黑豆殼共曬乾為末。入石臼內大黃膏拌勻。再下鍊蜜一斤。共擣千杵取起為丸。每丸重二錢八分。陰乾須二十日。不可日曬。不可火烘。乾後重二錢有零。以蠟護之。用時去蠟殼。按證查用過引調服之。

（三）主治各證

一臨產用參湯服一丸。分娩全不費力。如無參淡鹽湯亦可。論曰凡胎已成。子食母血。月足血成塊。謂之兒枕。將產兒枕先破。血裹孩兒。故難產。服此逐去敗血。須臾自生。橫生逆生同治。亦有因氣血虛損。宜多服人參為引。

二子死腹中因產母染病所致。用車前子一錢煎湯服一丸或二丸三丸。無下不者。若因血下太早。子死。用人參車前湯服。如無參用陳酒少許煎車前服亦可。

三胎衣不下用炒鹽少許。泡湯服一丸二丸。即下。

四產後血暈。用薄荷湯服一丸即醒。

以上四條危證。乃臨產緊要關頭。一時即有名醫。措手不及。起死回生。此丹必須預備。

五產後三日血氣未定。還走五臟。奔充於肝。血暈。起止不得。眼見黑花。滾水服一丸立愈。

六產後七日氣血未定。因食物與血結聚胸中。口乾心悶煩渴。滾水服一丸立愈。

七產後虛羸。血入於心肺。熱入於脾胃。寒熱似瘧。實非瘧也。滾水服一丸立愈。

八產後敗血走注五臟。轉滿四肢。留停則為浮腫口渴。而四股覺寒。乃血腫非水腫也。服此丹愈。

九產後敗血熱極。心中煩躁。言語顛狂。非風邪也。滾水服一丸愈。

十產後敗血流入。心竅閉塞。失音。用甘菊花桔梗各三分煎湯。服此一丸愈。

十一產後未滿月。誤食酸寒堅硬之物。與物相搏。流入大腸。不得融化。泄痢膿血。用山查湯服此丸立愈。

十二生產時百節開張。血入經絡停留日久。虛脹酸疼。非濕證也。蘇梗煎湯。服此丸愈。

十三產後月中飲食不得應時。兼致怒氣。餘血流入小腸閉塞水去。小便澀結。溺血似雞肝。用木通四分煎服。又或流入大腸。閉卻肛門。大便澀難。有瘀血成塊如雞肝者。陳皮湯服此丸愈。

十四產後惡露未淨。飲食寒熱不得調和。以致崩漏形如肝色。潮熱煩悶。背髆拘急。用白朮三分。廣皮二分。煎湯服此丸愈。

十五產後敗血入五臟六腑。並走肌膚四肢。面黃口乾。鼻中流血。徧身斑點危證也。陳酒化服此丸可愈。

十六產後小便澀。大便閉。乍寒乍熱。如醉如癡。滚水送服此丸立愈。

十七產後血崩糯米湯下。

十八產後赤白帶下。煎阿膠艾葉湯下。

十九產後嘔吐。陳皮生薑湯下。

二十產後瀉血。大棗湯下。

二十一產後咳嗽不止。五味子五粒蘇葉一錢煎湯下。

二十二產後傷寒頭疼。身熱無汗。加麻黃三分。葱薑煎湯下。

二十三產後傷風。頭痛身熱自汗。冬

加桂枝。春夏加防風白朮末各三分。葱薑湯下。

二十四產後喉中似蟾鳴。敗血冲過於心。轉入肺。肺主氣。血冲心。氣與血俱結成一塊於喉中。聲似蟾鳴人以為怪。得此證者。十不救一。服此丹可愈。

二十五產後便澀腰痛似角弓。產婦百日之外。血氣方滿。今在月中。七日之外。食油麵爽口之物。以致煩躁不得安甯。因循不肯服藥。兼傷房事。或久病後坐臥當風。取其一時之快。不肯房事將息。宜乎有此事也。急服此丹即愈。

二十六經脈不通。婦人經脈猶溝渠也。溝渠壅塞則水道不行。婦人氣閉則經水不通。切勿因循養病而喪軀。要急服此丹。以通流之。保其天和。遂其化工。美哉妙哉。

二十七治室女經痼不通。至女經脈與婦人不同。隱匿於胞絡。漸入子宮。至十三四歲出現。始知人事。苟或喜怒寒濕温熱失宜。以此經不通。痼乾痼也。宮中癸水不行。猶地之水痳逆而乾痼也。室女身中亦猶是也。易曰天一生水。地六成之。

先服四物湯三五帖。使癸水生於宮中。然後服此丹。引導流通。不可聽庸醫作癆療治也。

四物湯方。當歸二錢。川芎八分。生地三錢。柴胡七分。白朮炒焦。元胡(醋炒)香附。各一錢半。白芍酒炒一錢二分。黃芩(酒炒)三稜各一錢。水煎臨臥服。

二十八治女經痼不通。加蓬朮三分。薑黃末五分。赤芍二分。天花粉四分。俱為末同酒化開。不拘時服。經自然通矣。

二十九治婦人月信後不一。空心酒化服卽準。

以上危證皆產後破血為害也。故此丹有奇功。至產後一切異證。醫人不識。人所未經。但服此丹。無不立安。倘一丸未應。二丸三丸必效無疑。胎前常服此丸。壯氣養胎。滋陰順生。調和臟腑。平理陰陽。更為神妙。室女閉經月水不調。衆疾叢聚。服此丹者。諸病悉除。無不神效。南方近來此等病證最多。予甚憫焉。故製丸送人。並刊此方廣布。使世之善人君子。或製丸或印送。俾四海之閨中。免此難證。幸甚幸甚。

（四）來原

先祖主事節庵公未遇時。祖母朱安人艱於產。每有性命憂。不得已為墮胎計。從鄭老醫迄煎劑投之。至再弗教。鄭聞而驚曰。吾此劑無虛發者。今至再而無害。必貴胎也。亟安之。時公家於邑之南新漬村。暇時偶獨步村西。見一道者持筐坐塘涇橋下。心異而與之語。灑然有物外之致。筐內有同生丹一封。因請焉。遂手授公曰。蘖止一丸。用之神效。他日依方自製。但不可輕小人耳。公出金為酹。笑面卻。歸視其方平平也。及產服其丸立應。是生吾世父矯亭公。官學士。越四年復孕。即自製服之效如前。遂生吾父改亭公。官御史。其他投之無弗奇驗。然後知往日所遇者仙也。而方仙方也。始珍藏而珍傳之。以及不佞範。凡百五十年。不啻拱璧。邇日莊誦感應篇。見一善而有思齊心。見一惡即有內省心。以至濟急救危二語。豁然有悟。以此方公開。以附於濟急救危之義。蓋生育雖愚不肖所恆然。二命存亡在呼吸。聞其危急為何如。而此方萬投萬應。良非小補。遂附之篇末。庶幾哉。為中所稱百善之一也。願閱者傳服四方。共行方便焉。

■大脚風治方

愛人

(原因)此亦風寒濕氣。浸淫足脛。日積月纍。而膝臏一部分之水分。藏納太夥。流注於皮膚之間。凡臨水居溼者。多有此證也。

(證狀)其脚腿腫大異常。其皮脂有時而流出黃臭水者。

(治法)海桐皮一兩。漢防已五錢。片薑黃三錢。原蠶沙五錢。穹蒼朮三錢煎湯。臨臥時洗。覆以輕被。令其微汗。日日行之。甚則半月可愈(方見冷廬醫話)余遇有患此證者。每令其照方。再加陳酒一小盃冲。以助藥力。惟洗時須輕手按摩。勿令皮破脂流。使水浸入。

■經前便血方

老圃

經前便血之病。是氣不攝血。血不循經。貫注於大腸之間。有以致之耳。婦女月經至期不行。而由口鼻出血者。謂為倒經。以其不循軌道。倒行於上也。至於經行之前。大便下血者。與倒經同一義理。唯一行於口鼻。一滲入腸間。上逆與下溢之道不同耳。

西醫以吐血衄血痔血便血。概稱為代償性月經。指所出之血。不為月經。而從其他局部出血。偕代替月經以排洩也。古籍以脾胃為生化之本。營養之源。蓋人有此身。必資穀氣。穀入於胃。脾主消磨。以奉心臟。而化為血。故內經云。中焦受氣取汁。變化而赤。是為血是也。而引血液以下行。衝任實為之主使。衝脈起於胞中。導血液以下行。任脈布於血管。為血液之總司。故內經云。任脈通。太衝脈盛。月事以時下是也。總之脾胃為血液之產生地。衝任乃子宮之導血所。其理已彰彰明矣。然則腸與行經之路。迥各有別。今其月經能入屈曲之腸。下趨肛門。厥故何歟。良以直腸與子宮。並域而居。其間相隔僅薄膜一層。故直腸與子宮有連帶關係也。設婦女素來稟賦孱弱。平日氣分偏激。最易使脾胃鼓動之權減退。中陽運行之職失司。至於衝任本能導氣上行。引血下行。而有二大作用。因之血液不能上通心臟。下輸子宮。以營新陳代謝。而子宮與直腸相隔之薄膜。必有罅隙之處。於是月經不走子宮。滲入腸間。於將行二三日前。舍正道而不由矣。即內經所云。陰路損傷。則血下溢是也。治療宜引大腸之血。從子宮下行。余得一驗方。補益心腎。統攝衝任。用之甚效。炒潞參三錢。炒白芍錢半。炒歸身錢半。炒松熟地三錢。炒萸肉三錢。炒冬朮錢半。炒黑荊芥炭八分。炙黑草四分。炒黑防風炭八分等藥。

◻痛經驗方

勝白

全當歸一支。煎濃汁不斷服。可治一切痛經。及經期不調諸病。

此方余試之屢矣。靈效非常。治痛經尤佳。獨惜無從定其齊量。故服之者。僅至減輕而止。不能斷根也。博物志稱當歸能止痛。不可解。吾初謂當歸。原無止痛之用。後乃知所謂止痛者。殆即指止痛經而言也。此藥本極佳之品。惟中國有之。乃中國醫家自標寒熱之目。強劃當歸為熱藥。自是當歸僅與他種補藥數十百種。為老婦人熬膏煎藥之用。其真正之效用。乃全然晦矣。反是西人識其功能。製為流膏。Eumenol主一切子宮月經各症。自是當歸出口日多。（廣東有專販當歸之店自成一街）而當歸之價乃日昂矣。

預防發背祕方

俞遂初

凡人將發癰疽惡毒。半年前。或一年前。必常常自覺口乾。或作渴。思飲茶幷水。或食已即饑。名為中消。倘有此症後發背。必難治療。急須每日服下述祕方。久服可免發背。縱不免。必可治療。

凡人未發背時。不作渴。正發背時。亦不甚渴。及發背得痊後。愼勿自謂無恙。仍須服下方。每日夜各一次。服至百日後。覺自身饑飽如常。津液不渴方止。

用金銀花。開時摘取花數觔。晒乾。聽用。臨時將晒乾花一觔。同甘草二兩。共為細末。無灰酒打麪糊為丸。酒下八九十丸。不拘時服。每日服三次。

如閒常無事。摘取金銀花四觔。用溼水洗淨。入石臼中杵爛。置大瓦礶內。入井花水三碗。無灰酒三碗。調稀。煎十餘沸。藥性出。取下。生布濾去渣汁。入礶再煎成膏。滴水不散。又將一觔焙乾。用甘草二兩。共為細末。取膏摻入末內。以酒打麪糊。和入石臼中杵。一二百下丸。如菉豆大。食遠酒下八九十丸。此藥得酒者。白沸湯下。

嘔血祕方

華梧棲

凡吐出全是血者。謂之吐血。吐出全是血而多者。謂之嘔血。覓三四兩重大當歸一隻。全用。切細。取好陳酒一斤。慢火煎至一碗。燉於鍋中。以溫為妙。候將要吐尚未吐。口中有血含住。取藥一口。連血漱和嚥下。即此一劑而愈。後不再發。每有醫家阻云。吐血尚要戒酒。豈可酒煑當歸而服。服則血噴不止。如之何。殊不知當歸二字之義。當者當其時。歸者。引血歸經也。全用則定血。此方活人多多。從無一誤。若痰中帶血者。未經試過。不敢妄傳。

(編者按)此方頗有意義。確能藥到病治。服者切忌起疑慮。蓋患吐血者不特宜安其身。且當安其心。若因(酒煑)而起疑心。則其心必慌而不得安矣。是欲止血而反動其血。不特無益。且有害焉。

又十灰丸亦為吐血妙方。若治嘔血。與三七末同吞。十灰丸各藥舖皆有出售。謹慎者不妨舍彼而就此。

腫脹發喘驗方

尤學周

勞力之人。勤勤不息。易患脫力勞傷。此輩既無恆產。又易生育。子女成羣。生計艱難。不得不如牛如馬。為生活而奮鬪。雖疲乏不堪。亦不顧休息。誠以一寸光陰一寸金。耗費光陰。卽耗費金錢。將貽窮乏之虞。於是拚命力作。不顧胼手胝足。在生計方面。固不憂其凍餒。子女亦不至於啼飢號寒。然人身精力。雖曰愈用愈出。用之太過。疲乏隨之。若再強任勞役。則疲之愈甚。百鍊之鋼。尚有鈍弊之日。何況血肉之軀。蓋勞力之人。粗飯蔬菜。又不注意於調養。營養虧耗。脫力勞傷之症。每易發生。

余曾治一農人。面黃浮腫。兼發氣喘。脈細弱如遊絲。證情甚危。其妻絮絮述其境遇之困苦。負担之重大。勤動太甚。積漸而至於斯。余疏一方。囑其多服。方用生黨參五錢。西黃耆四錢。淨萸肉二錢。焦白朮錢半。川牛膝二錢。白蔻仁六分。陳廣皮一錢。炒白芍錢半。炙甘草七分。乃困於經濟。無力常服。僅服七劑而止。雖見起色。尚未入坦途。因思得一簡便而又省錢之秘法。囑用生姜一斤半。大紅棗兩斤。生猪肚一個。將生薑切絲。同紅棗塞入肚內。置磁罐。加清水。燉爛。患者分三餐將肚棗等吃完。如無胃口。先緩緩飲湯。一個吃盡。再如法吃一個。農家依余言。盡五個而愈。

■滋陰百補固精膏

何君穆

敝處紫陽觀。有一老道。能為人治病。頗著成效。數百里外。不論老幼。凡有病。皆就其診治。余常往該觀遊談。老道傳余一方。名百補固精膏。可治青年一切衰弱之症。先用香油一斤四兩。入蒼耳草一兩。熬數滾。再下谷精草五錢。天門冬。麥門冬。蛇床子。遠志(去心)。兔絲子。生地黃。熟地黃。牛膝(去蘆)。肉豆蔻。虎骨。續斷。鹿茸。紫梢花各一兩。熬得藥黑色。又下木鱉子。(去殼)。肉蓯蓉。官桂。大附子各六錢。少熬。待藥俱焦黑枯。濾去藥。將油又熬滾。方下黃丹八兩。柏油二兩。用槐條不住手攪。滴水成珠。方將後藥為細末投入。硫黃。赤石脂(煅)。龍骨(煅)。木香各二錢。陽起石四錢。乳香。沒藥。丁香。沉香各四錢。射香一錢。下盡。攪勻。又下黃蠟六錢。傾在罐內。封固好。井水中浸七日。每膏藥用紅緞一方。藥三錢。貼在臍上。再用二個貼在兩腰眼。只用一錢一個。貼男子精冷寒。陽不舉。夢泄。遺精。小腸疝氣等。貼在丹田臍下。女人血崩。赤白帶。經水不調。臟寒。貼臍上下。

◻血崩靈效方

勝白

地榆一兩。側柏葉五錢。昔風先生傳我此方。謂治一切婦人血崩。甚有靈驗。此方未經試驗。但聞師言甚佳。竊按地榆一藥。原為酸斂之劑。Adstringentia 按之載籍。神農本經稱其止汗。及主婦人帶下五漏。陶氏別錄。稱其止膿血主內漏。開寶本草稱止痢極效。日華子敘其功効。則謂止吐血鼻衄。腸風。月經不止。血崩。產前後諸血症。并水瀉。其餘方書皆云。用之斷下。Obstipatia 如聖惠方用之止男女吐血。及婦人漏下赤白不止。肘後方且云下血二十年不止者。地榆可止之。劉河間亦云。陰結下血不止。漸漸極多。腹痛不已。地榆湯主之。其方為地榆四兩。甘草三兩。半炙半生縮砂仁七枚。右為末。每服五錢。水縮砂同煎至一半。法滓温服。他如肘後以地榆煑汁。熬如飴糖。以止痔痢。綱目取地榆上截。切片炒用。治大小便血。無非稱其有收斂之功。然則地榆止血。殆有徵乎。若夫側柏葉中本含有Acidumtannicum 甚多。自然為絕對收斂之劑。故別錄頌其主治一切血症。他書亦稱其止尿療蟲利。然則二藥相合。能止血崩。殆可信乎。

■全鹿丸原方

編者

全鹿丸。壯精補陽。可治一切虛勞。方為當歸身。知母（去尾淨）天門冬（去心皮淨）懷熟地各四兩。人參（去蘆）四兩。白茯苓（去皮）四兩。金櫻子（去粗皮刺淨）四兩。芡實肉六兩。牛膝（去蘆）六兩。蓮肉（去心）四兩。山藥四兩。黃柏（去皮）四兩。懷生地四兩。麥門冬（去心）四兩。白芍二兩（炒）枸杞子（去蒂）八兩。茯神（去皮心）四兩。杜仲（酥炙去絲）四兩。白朮（東壁土炒）四兩。蓮鬚四兩。山萸（淨肉）八兩。女真實八兩。覆盆子四兩。柏子仁六兩。肉蓯蓉四兩。（酒洗）黃芪（蜜炙淨）。四兩。骨碎補四兩。五味子二兩（淨）。桑椹子四兩（淨）。陳皮四兩（淨）。兔絲子（酒煑搗爛。晒乾淨）八兩。

右用雄鹿一隻。取精肉十二斤。用血髓腎肝心全角。截作片。用無灰酒二十五斤。煑熟。將前藥再入酒肉內。煑乾為度。如未全熟。再加酒五斤。取出。晒乾為末。煉蜜為丸。如梧桐子大。空心溫酒淡鹽湯。或白滾湯送下。

■痰火方（佚名）

治男婦老幼一切痰火。少年服之。無癆怯吐紅之患。老年服之。亦無中風痰厥之憂。解日用飲食煿炙五臟六腑之毒。兼消酒積。去裏膜外濕痰。第一清痰降火。止嗽定喘。其驗如神。

廣陳皮（去白）一兩。好白朮二兩（陳壁土炒）。黑枳實一兩（麥麸炒）。天花粉二兩。陳枳殼一兩（麥麸炒）。前胡二兩。山查肉二兩。生甘草四錢。大半夏二兩（製半夏法。用姜汁泡三次。一次約用薑三兩。搥碎。用水一碗。將罐熬滾。入半夏炮。如此者三共要泡一日。取起。晒乾。）大黄五兩。（製法。用上好錦文大黃一觔。將好水白酒五壺。入鐵鍋內煮。酒乾為度。取起晒乾。切片。再入鍋內。微火炒黑。細細夾碎。晒極乾。同前藥磨為末用）春月。加白芍藥二兩。夏月。加黃連二兩。（薑汁炒）秋冬不加。右藥共為末用老米作糞。和為丸。如梧桐子大。每服六七丸。不拘清晨晚間。用白滾湯送下。

■便血與見色流精方

屠慧子

昔年莊德敏先生見賜二驗方。謂在十年前。由勞動過度。以致腎關不固。見色流精。彌感痛苦。後經友人傳方。用蘇芡。蓮子。（不去心）薏仁。三味，煮食一月。病即爽然若失。又于六年前。其友高鳳谷君。設一商舖于鄉里。主其事者姓呂。素習外科。出其秘方治人。輒驗。余抄出一方。係專治大便出血。方用小臭椿樹。用其一層青皮。用刀刮下。陰陽瓦焙乾存性。陳酒紅糖引服。二三次即痊。

■治小兒疳積良方

韓克昌

小兒疳積。時有所聞。本處向有一方

。按方製丸。廣為施送。已歷多年。遠近討取者。接踵而至。為廣惠羣兒計。爰特錄方於後。以實本刊。凡小兒肚大脚細。面黃毛落。食積奶疳之症均効。方如次。

當門子三錢。牙皂一兩。砂仁四錢。細辛一兩。茅朮一兩。蟾酥三錢。薄荷一兩。廣木香四錢。母丁香四錢。頭梅冰三錢。石菖蒲一兩。辰砂四錢腰黃四錢。

以上研為細末。以燒酒浸蟾酥為丸。以辰砂為衣。丸如蘿蔔子大。每歲一丸。每日早晨以開水吞服。以兩服為度。如病重者。三服而止。切勿多服。並須切葷忌腥油膩生冷麥食。一切發風動氣之物為要。

◻接骨驗方

高星顯

主治　骨格跌損折斷

處方　上血力花一分。廣木香七厘五分。沒約七厘五分。上台寸香七厘五分。

服法　將上藥四味。研為細末。黃酒冲服。蒙被發汗。

蹊後　一劑保好。屢試屢驗。

附註　腿或臂不幸跌損折斷。須安好

骨格原來位置。方可服藥。否則即易接長歪斜。

■治男女腿受寒驗方

高星顯

主治　男女腿部受寒。麻痛不能舉動。

處方　金蓮菊三錢。胡椒三錢。生薑三片。葱寸長白帶鬚三科。

服法　黃酒半片。連藥裝人長頸壺內。放鍋水中。壺嘴露出水上。煑服出汗。用藥器煎服出汗亦可。

諗後　此方治病初得者為特效。女人產後受寒腿痛為最效。少則一劑。無不愈者。

(附註)金蓮菊一藥。乃本地俗名。本草內無此藥名。為一年生草本。味辣臭。性屬大熱。春日下種。至霜降節後種成。將種連蒂採下。晒乾備用。茲寄上種子一色。請種植實驗。

(編者按)該種子現已種於盆內。能否長成。尚未可必。

■祖傳傷膏

嘉善張經匯厝氏 七世家傳傷科

(方劑)松香一斤。樟腦半斤。黃蠟四兩。硃砂一兩。

（製法）先將松香。樟腦。黃蜡。砂鍋內烊化。續用硃砂調和。另剪紅布一方。勻攤布上。

（效用）鐵器。甕器。甎石。損傷。皮開血流。痛不可忍。將膏貼上即止。三四日後。包可全愈。其驗如神。

◻治癲狂病驗方

江惠民

癲狂一症。古人有主痰。主火。主肝風。主陽明邪熱諸說。聚訟紛紜。莫衷一是。直至清王清任先生出。謂為「腦氣與臟腑氣不接。」特立癲狂夢醒湯一方。以攻瘀為主。至是重重魔障。方得迎刃而解。按王先生此論。以今語釋之即循環障礙也。蓋由腦經受絕大刺激。全身靜脈管及頭部毛細血管鬱血所致。血行凝泣能致發狂。傷寒論早已論及。如「太陽病不解。……其人如狂。血自下。下者愈……宜桃核承氣湯。」「太陽病……而小便自利。其人如狂者。血證諦也。抵當湯主之。」餘如熱入血室。而致譫言。便血不盡。其人必小有異徵。瘀血之能令人發狂。昭然可見矣。今觀杭州廣濟醫刊阮其煜先生發表以癲癇龍虎丸方治愈癲狂病一則之價值。惜其方解。仍屬虛玄。爰本管見所及。命筆錄之。就正於碩彥。（阮先生原文請參廣濟醫刊。限於篇幅。故不備錄。附註。）

癲癇龍虎丸方

西牛黃三分。巴豆霜三分。水飛神砂一分。白信三分。酌加米粉為丸（此方須依其分量配合不可更動）

惠民按砒之為物在人視之。無不提心弔膽。防其入口。以劇毒故也。觀去歲申報載范鳳源君。所作啖砒記。自述日服亞砒酸鉀五六滴。不十日。容光煥發。精神振足。……惟過服則覺腦脹。且引一農女。因失戀憤而服砒。竟得面顏絳紅。……終為慕美性所驅。過服而殞。……於此片斷觀察。砒足促進血液循環明矣。蓋血液運行。血色素隨之奔集微血管中。設血液豐富。其面容自會絳紅。此理不可泯滅。然癲狂病之起因。由於頭部毛細血管及靜脈鬱血所致。故癲狂夢醒湯中桃仁。以攻瘀為主。故能取效。本方當以白砒為主。砒既能增進血液循環。而用之梅毒。且有清血作用。清血之說。即為疏瘀。所以功同桃仁。試觀乞兒於嚴冬。服砒禦寒。行其來乞之術。即了然矣。蓋血行速。則體溫亦隨之亢進。砒能促血行。故能服之禦寒也。試觀服砒過量之人。必七孔流血而死。緣白砒增進血液循環力頗強。多服血齊奔集入毛細血管。待至量小而血多時。則致頭暈腦脹。（范君嘗謂過服則腦脹。）甚至血愈集愈多。血管漲至無可再漲時。血管當致暴裂。血隨外溢。因之七孔流血而亡。此足以證明砒能增加血液循環也。故此方。當以白砒為主。取其增進血液循環。以清解鬱血。輔之巴豆霜。促血下行。制之西牛黃。取其安撫神經。與夫制砒之燥烈。合之水飛神砂。取其鎮靜神經作用也。酌加米粉。恐傷胃氣耳。但此方分量。配合適中。不可隨加隨減。此則須注意焉。

◻花柳病秘本

邱崇山

此症無論中西醫。多用輕粉等劫劑。取其容易見功。不問病者利害。將毒升發。從口內吐涎而出。必留餘毒流入骨髓。日後每成廢人。遺害後嗣。今盡將此症萬全治法。和盤托出。輕而易舉。簡而易明。照書取用。無需更張。內服方殺菌大小敗毒散之外。

更有一二三煎丸。澄濁通毒丸。加減八寶丹。黄參水六方。為從家大人蘭台指正書中收入者。用時隨意。

秘方殺菌大小敗毒散　治楊梅惡瘡。淋濁下疳。一切花柳病。無論男女。按法服之。毒深者連服四日。休息數日。再服。以愈為度。

余因鑑染梅毒者。本身痛苦。遺害妻子。波及無辜。為禍社會甚烈。故苦心研究。參以化學生理。數年苦功。得此不傳妙法。屢試神效。切勿輕視。

先服小敗毒散

淨銀花三錢。淨連翹三錢。川軍三錢。淨蟬退三錢。草河車三錢。地丁四錢。口防風二錢。龍膽艸三錢。蒲公英三錢。木鼈子製三錢。土貝三錢。元明粉二錢。甘草稍三錢。水煎空心溫服。

次一日服大敗毒散。

綿紋真川軍四錢。殭蠶卅六個。山甲三錢。蜈蚣三條。全蝎七個。雙花三錢。靈脂炒三錢。杏仁（去皮尖）二錢。皂角子仁（炒研）三錢。蛤蟆（大的）二個。甘草二錢。乳沒四錢。生姜二片。引水煎空心服。

上二方。須前後間服。體壯者連服無

妨。體弱者服二日。休息數日。再按先後服之。忌牛羊肉。雞。鵝。魚腥。油膩。葱。韭。蒜一切生冷發物。服藥後。毒從大小便瀉出。幷無痛苦。如覺瀉後毒盡。身軟。可以用麵湯或米湯補之。或用西洋參七八分。煎湯服。好冶遊及娼妓。即無毒。常服小敗毒散預防。無論如何最大梅毒。皆不能傳染。

中西醫治梅毒方藥甚多。求其確有效驗。毫無流弊者。實不多得。西藥之六零六。九一四。雖可立時奏效。但注射後過若干時間。梅毒仍有復發之機。且患者如當時有發熱身疼頭疼等病象。尚有不能即予注射之禁忌。愚為身疼。頭疼發熱。原為毒素發達所致。病者方急於求愈。而注射醫者必命俟毫無發熱等外家方可。或有因延緩而喪其身者。（注射手術鄙粗更有發生危險之可能）殺菌敗毒散。則百無禁忌。無論何人。隨意購服。簡便安當。費錢少而收效大。服殺菌敗毒散。再注射六零六九一四。注射後。再服殺菌敗毒散。效力更速。

青茶散　外敷魚口便毒輕性病。

青黛二兩。細茶葉熬水。調為糊。厚

敷患處。隨乾隨敷。

桂黃散　外敷魚口便毒重性病。

南星二錢。白芷三錢。玉金三錢。桂枝二錢。大黃三錢。黃柏二錢。共為細末。火酒調擦。乾則再上。

圍堆縮毒散　治魚口便毒。及諸瘡腫毒初起。從四周圍之。毒即堆聚。不向外蔓延。

五倍子二兩。白芨二兩。白斂二兩。赤小豆一兩五錢。芙蓉葉二兩。白礬三錢。兔絲子一兩五錢。乳沒一兩。共為極細末。雞子青調糊圍敷周圍。乾即換易。

一煎丸　治楊梅諸毒重者。用一煎丸。連服二煎丸。輕者用二煎丸。以三煎丸收功。以愈為度。

白姜蠶三錢。蟬退二錢。猪牙皂角三錢。皂角子七分。生甘草二錢。生川軍三錢・穿山甲尾炙三錢。土茯苓一兩。水酒煎服。腹響即往高阜處大便。便後用土埋之。否則傳染。重者服此。氣壯者大便後再服一劑。忌食魚腥生冷。

二煎丸　當歸二錢。赤芍三錢。防風二錢。銀花三錢。花粉三錢。川連一錢。犀角五分。木通一錢。甘草一錢猪脂油五錢。（此味換麻仁一兩。亦可。）酒軍三錢。水酒煎。忌同上。輕者服此。

三煎丸　當歸二錢。川連五分。羌活五分。白蒺藜三錢。防風一錢。首烏三錢。猪脂油四錢。九蒸大黃一錢。水煎服。忌同上。以此方病後調理。

澄濁通毒丸　治五種淋症。傳染熱毒。白濁遺精。疼痛不止。醫或以澀藥止之。久久不愈。或預防傳染楊梅結毒。潰爛疼痛。兼治大小便不通。及熱疝便毒。夢遺滑精。白濁大便。泄瀉等症。兼服礞石滚痰丸。與子龍丸。均奇效。

鹽炒黃柏一兩。芒硝炒知母一兩。川軍二兩。（人中白一錢拌炒）黑白丑二兩。（生熟各半）川楝子炒三兩。橘核二兩炒。檳榔五錢。連翹二錢。共為細末。每服二錢。溫水下。二便不通。用柴胡一錢。煎水下。忌韭菜茴香。

加減八寶丹　楊梅毒發。生殖器破爛。用此撒之。乾則香油調搽。

西牛黃二分。或減半。珍珠粉四分。或減半。琥珀四分。冰片二分。乳石九分。白石脂四分。蘆甘石二錢。（用黃連一兩同煑。水乾。去黃連不用。

」外搽。如咽中熱痛。水冲服一錢。

黄參水　楊梅諸痛破爛。先用此洗。再搽上藥。

皮硝。黄柏。苦參。甘草。淨花。蘇葉。硼砂。食鹽。川軍。馬齒莧。川椒。乳沒煎水洗之。

萬應靈霜丸　此方為宗山經驗方。治楊梅便毒。魚口下疳。偏身流注。諸漏惡瘡。無名腫毒。穿鼻落骨。結毒頑瘡。蝕毁皮肉骨出。多年楊梅風。手足不能屈伸。漏蹄流注穿破。日久不愈。腎囊風溼。抓破潰爛。風毒血熱遍身紅腫。或生疙瘩癬疽。發背。對口鎖口。乳岩腦花。鼻口生瘡。女子生殖器內外結毒。咽喉腫疼。單雙蛾喉。骨節疼痛。胃口疼。痰厥。中氣中瘴。癲狂。羊角風。

西牛黄一錢。或減半。粉霜三錢。歸尾五錢。焙乾。白芷稍五錢。晒乾。小丁香五錢。乳香六錢。沒藥六錢。明雄五錢。硃砂五錢。槐米五錢。淨蕊烘乾。射香二分。靈藥五分。共研極細末。老米糊為丸。如蘿服子大。隨病輕重。每次自五丸至二十丸。小兒一二丸至三四丸。隨症加引。更效外敷用火酒研調。忌酒腥生冷。韭葱。發物。過飽房事。(粉霜製煉法)水銀兩一。青鹽一兩。火硝一兩。白礬一兩。綠礬五錢。共研至不見水銀星為度。放入小鐵鍋內。白磁碗扣蓋。用生熟石膏醋和封固。木炭火燒。煉三炷香時。先用文火。再用武火。三炷香後。取下晾涼。揭開藥升於碗內。白色者為佳。刮下即是粉霜。紅黃色則不可用。(靈藥升煉法)人言三錢。土硫黃三錢。共為末。照上法文武火煉四炷香時。如琥珀色。刮下為靈藥。別色不堪用。

搜毒飲　治梅毒愈後。留毒未盡。不時發作者。鳳仙花一科。紹興茶二錢。核桃一個。小棗七個。黑芝麻研三撮。水酒各半煎服。取汗。所用衣被。須拆洗。方可再用。以防傳染。

消毒雙解飲　治楊梅濁毒。使從皮膚表出。以上數方。已足應用。姑錄此方。以備一格。麻黃二錢。威靈仙二錢。川軍炒三錢。川羌錢半。白芷錢半。皂刺三錢。銀花三錢。山甲三錢。蟬衣三錢。防風二錢。川連二錢。山梔錢半。赤苓三錢。旱蓮草三錢。馬齒莧三錢。山羊肉煑湯。同黃酒煎服。食羊肉飽後。服藥。取微汗。衣被拆洗再用。

丹方雜誌 第三期

價目表

零售	每冊實售大洋二角		
時期	冊数	連郵費 國內	連郵費 國外
半年	六冊	一元	二元
全年	十二冊	二元	四元

廣告價目

等第	地位	全面	半面	四分之一
特別位	封面		四十元	
特等	底面之內外 封面之內	四十元		
優等	封面內面之對面	三十元	十六元	
普通	正文之前	二十元	十元	五元

彩色另議

中華民國二十四年五月一日出版

編輯者 朱振聲

撰述者 全國醫家

發行者 幸福書局 上海三馬路雲南路轉角

印刷者 興羣印刷所 方斜支路五號

全國銷路最廣信用最著之醫藥常識報

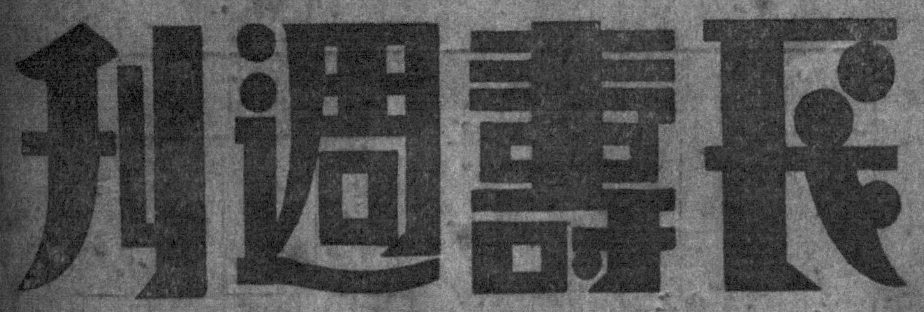

宗旨：介紹衛生方法　指導康健途徑　公開古今祕方　達成百病自療

◎長壽週刊由全國著名醫學家所撰述

優待丹方雜誌讀者定閱全年祇收大洋一元

長壽週刊每逢星期五出版一期。內容包括內外婦幼咽喉花柳各科。以及生理學。病理學。心理學。藥物學。傳染病學。四季時病。一切性病等等。均有精詳實用之論列。至於家庭醫學常識。古今經驗良方。一切急救自療方法。莫不應有盡有。全年五十期。連郵二元。國外加倍。茲為優待丹方雜誌讀者起見。定閱全年。祇收大洋一元。寄費在內。現已出至第三年。如欲由第一期起補全。亦可照辦。惟所存不多。欲購從速。

注意

自第一期起至五十期止。為第一年。原價二元。現售一元。自五十一期起至一百期止。為第二年。原價二元。現售一元。

◎長壽週刊是內政部正式登記之醫報

朱振聲編
丹方雜誌

丹方雜誌第四期目次

◻治瘰癧瘡

孫思詠

瘰癧瘡。俗名栗子經。初起貫串細核。形同佛珠。後竟潰爛。蔓延頸項。時發時癒。治之極難見功。即精於岐黃者。亦無良法診治。茲有先嚴遺下治癧靈方。曾經醫痊多人。且能斷根。永久不發。奇驗如神。鄙人不敢自秘。特此抄奉。祈登入本刊以供衆覽。治法如下。用紅棗半斤。新鮮奶奶草二三斤。冰片五分。穿山甲五分。以大砂鍋儲滿清水。用炭火煎成濃汁。約剩二三大碗。每日清晨。服二茶盅。勻作一星期服完。隔十天再照上法煎服。連服三次。即能消核。如已破爛。收效更速。倘遇天氣溫煖。隔一二宿。即起霉花。可仍置鍋中。復煎一滾。不妨。如逢暑日炎天。越宿即餿。其味甚酸。不宜再服。奶奶草。其形似落花生葉。而圓梗空心。拗斷有白水出者。即是。鄉間荒僻之處。遍地皆是。採拔極易。設遇冬令難覓。則乾萎之草亦可。惟見效稍緩耳。該草性含燥熱。服完後。宜另服清涼之劑最妙。編者按是草名澤漆。宜熬膏外敷為妥。

下焦寒涼泄瀉及五更瀉方

錫純

坎中丹　治腎經虛寒。相火衰微。大便常作泄瀉。或每日五更時泄瀉。并治一切下焦虛寒之證。至女子血海虛寒不孕。用之亦有殊效。

硫黃純黃色者研細（一兩）赤石脂研細（一兩）二末和勻。每服五分。食前服。一日服兩次。不知則漸漸加多。以服後移時。微覺溫煖為度。若治女子血海虛寒不孕者。宜於方中。加炒熟小茴香末二錢。

或問五更瀉證。雖一日大便止此一次。久則身體必然虛損。其故何也。答曰。人身之氣化。與天地同。一日之陽氣生於子。是以人當夜半之時。身中之陽氣。即由腎徐徐上升。至五更寅時。乃三陽出土之時。腎中上升之陽。已達於中焦。乃因陽微力弱。不能透過中焦。遂復轉而下降。以成五更泄瀉。夫人身之氣化。原當朝升暮降。以隨天地氣化之自然。而後臟腑。始調和無病。非然者則臟腑中之氣化。上下不能相濟。其人將何以堪乎。是則五更瀉證。原為緊要之證。而不可不急為治愈也。

■寒溼流筋方

沈仲圭

風寒濕襲入經絡。四肢痺痛不舒。不論新久。下方歷治輒效。鮮軟桑枝。大豆黃卷（或用黑大豆亦可）。生米仁。樞木子。（即十大功勞紅子）。黑者名極木子亦可用。如無用葉或用南天燭子亦可各四兩）。金銀花。五加皮。木瓜。蠶砂（各二兩）。川黃柏。松子仁。（各一兩）。右十味。絹袋盛而縫之。以好燒酒十斤。生白蜜四兩。共裝罎內。將口封固紮緊。水鍋內蒸三炷香。取起。置泥地上七日。即可飲矣。每日量飲一二杯。病淺者一二斤即愈。

■赤白帶下方

吉人

凡婦女赤白帶。下脫不禁。帶下出於腥寒濕熱所傷。傷心經者色赤如津。傷肝經者色青如泥。傷脾經者色黃如爛瓜。傷肺經者色白如涕。傷腎經者黑如神血。宜用香白芷一兩。海螵蛸去甲蝦二個。血餘炭一錢。共研為末丸如桐子大。淡酒湯空心送下二錢、每日早晚各一服。

此丸乃足陽明少陰厥陰藥也。白芷辛溫燥濕而去風。烏鰂骨味鹹溫收。溫而和血。髮者血之餘。補陰消瘀。煅黑又能止血也。

肥人求孕驗丹

吉人

凡婦人肥胖不能受胎。乃子宮脂滿壅塞。故不能受孕也。當以此丸服之。自能受胎。用川芎一兩。白朮土炒一兩。半夏曲一兩。雲苓五錢。製香附一兩。神曲五錢。橘紅二錢。甘草二錢。共研為末。米湯為丸。如菉豆大。每服四五錢。分早晚服之。此藥乃治太陰厥陰藥也。橘夏白朮。燥濕以除痰。香附神曲。理氣以消滯。川芎散鬱以活血。則壅者通而塞者啓矣。茯苓甘草。亦以去濕和中。助其生氣也。肥而不孕。多由痰盛所致。故以二陳為君藥。而加氣血藥佐之。所以奏效如神也。

治痢神方

宗吳

余于上海國醫學院肄業時。嘗聞講師沈仲圭先生云。苦參子治痢。乃北人習用之方。苦參子又名鴉胆子。其服法或用龍眼肉包裹。或用六一散裹拌。吞服甚有效驗云。閱醫學心悟。有治痢散一方。苦參子用為主藥。因之苦參子治痢。余腦海深多印象。乃試之臨牀與查紬檳陳香芍等同用。用量自八分至三錢。不出二劑。屢見後重除而粘物蠲矣。苦參子本草雖云含毒。治痢誠有奇效。因特為大衆介紹。

□刀傷止血方

懷霖

用橡皮膏治刀傷。差不多成為很普通的習慣了。因為橡皮膏。在任何藥房都買得到。價也不貴。取用便利。治刀傷很有效驗。然而很容易使傷口潰爛。因這橡皮膏的組織。是純粹的粘質。沒有其他藥物。只有粘物的功用。而並沒有任何藥力作用。倘使割破了或擦傷了微細血管。貼上橡皮膏。是很有效驗。兩三天就見功效。傷的是細血管。所以沒有多量的血。不必用止血藥。這血自己會止的。貼上橡皮膏。是保護這已傷的皮膚。過幾天這皮膚恢復原狀。刀傷就好了。用橡皮膏。不過是一種保護作用。若是傷的是大血管。那末這橡皮膏是沒有用的。用橡皮膏治刀傷。還有一種弊病。因為橡皮膏是很緘密的。不透空氣。貼在皮膚上。要阻碍皮膚汗毛孔的排泄。使排泄物不能化到空氣裏去。醞釀而起了腐化。而使傷口要潰爛了。所以用橡皮膏治刀傷。很容易使傷口潰爛的。是不十分妥當的。

現在我有幾個治刀傷妥當的方法。寫在下面：

凡被刀傷或擦傷。先要按住傷口。不使被風和污穢侵入。因為傷口吹了風。要成破傷風症。是很危險的。傷口被污穢侵入。要起腐化而潰爛的。所以先要注意這點。然後用清潔白布。最好用消毒紗布。把傷口扎住。用布類扎。是能夠吸收水分。和透空氣的。不致使傷口潰爛。倘血出不止。急用下列的藥止血。

烏鰂骨粉。（是烏鰂魚的脊骨。晒乾後碾的粉。）

蘆粟霜。（是夏天吃的蘆粟。皮上所括下的白霜。）（以上二物。有人家收藏備用的。

藕節炭末。（中藥舖買。）

蒲黃炭末。（中藥舖買。）

以上四種。任何一種。就便取用。摻傷口上。立即止血。倘所傷的是大動脈管。大量血出不止的。急用下列兩種藥止血。
花龍骨末。（中藥舖買。）
參三七末。（中藥舖買。）
任擇一種。摻瘡口上。立即止血。血止後。再用紗布扎住。過幾天。這傷口就漸漸地好了。
這六種藥。治刀傷。止血。是很有效驗的。最好在平時預備一二種。以便臨時取用。

□治食積冲目三方

仙

此方自家祖衡峯公遺下。歷用至今。其效不爽。

（甲）蘆薈二錢。神曲二錢。生地二錢。川連一錢。穀虫三錢。使君三錢。川朴一錢。穀芽一錢五分。木通二錢。石决（煅）三錢。麥芽五錢。伏毛一錢。白菊二錢。歸尾二錢。老米為引。

歌曰　目痞曲朴與川連。蘆薈木通君子聯。白菊穀虫兼穀麥。地歸石决伏毛全。

（乙）君子三錢。川朴一錢。麥芽一錢五分。枳殼一錢。蘆薈一錢。穀精草三錢。穀芽一錢五分。木通二錢。伏毛一錢。查肉一錢。穀草三分。萊菔子二錢。川連一錢。香附三錢。
歌曰　再方只朴木通君。伏毛蘆薈山查肉。穀麥穀芽與穀精。香附川連萊菔靈。

(丙)杭菊三錢。石決三錢川連一錢。使君三錢。蘆薈二錢。只殼二錢。查炭三錢。木通二錢。香附三錢。麥芽一錢五分。夜明砂三錢。雲苓三錢。穀芽一錢五分。川朴一錢。穀蟲三錢。建麯二錢。老米車前為引。
歌曰　又方只朴夜明砂。穀麥苓連曲菊查。香附穀蟲君子薈。木通石決共煎佳。

如目瘼。以猪肝切片貼之。
如食積未曾冲目或初患。大便如酒糟。目睛青白。腹痛時起時止。見水即吐。頭髮枯黃。口吐清水。弄鼻或嚙指甲。寒熱往來。甚至發厥。等症。家父友竹除用仲景甘草粉蜜湯及烏梅丸之外。另用下方亦累獲效。
厚朴一錢五分。蒼朮二錢。橘紅一錢。君子三錢。穀蟲三錢。神曲一錢。香附二錢。查炭一錢五分。南香五分。甘草八分。生姜三片。穀芽三錢為引。口渴加麥冬三錢。花粉一錢五分。熱甚加雲連一錢。嘔加法夏二分。

吐蚘。加川椒烏梅各一錢五分。如小兒體弱腹痛吐利。投以安蚘湯累效。鄙人近年來用山道年（Santoninum）及迦路米（Calomel）此二藥甘淡無味。西藥房均有出售。惟山道年一味。因歐戰之後。藥價甚昂。服時以二味和勻。臨睡時。以開水送下。（或以白糖水）次日其蟲從大便瀉出。愈多愈妙。

■搭背實驗秘方

孫效成

搭背方雖多。而靈驗效速。萬全穩當。可靠者甚少。今將家傳秘方。為治搭背之特效藥。用巴豆肉一兩。明雄一錢。同為末。炒至黑色。研細。納瘡孔中。外貼膏藥。化腐提膿。較八將更速。不日腐脫生肌。治搭背有效。治發背亦效。用此藥治翻花瘡。更速效。翻花瘡雖有專藥。不及此藥之速效也。

■子淋驗方

妊娠漏液。屬於血類。多因娠體營衛衰弱。或因濕熱滲乘。不能蒸化。氣不能攝。液乃下注。亦曰子淋。此症大耗胎元。蓋流溢過多。即有水涸舟擱之虞。亟宜培益氣血。佐以滲化濕熱。宜令每日服玉液金丹一丸。用車前子二錢。細生地二錢。煎湯冲服。至七八九而水止。再與調理即痊。且仍能足月安產也。查玉液金丹。馮存仁堂最妙。又及。

■補天五子種玉丹 男人服之

費菊人

男人之血。即化精補天者。乾也。乾為天。天一生水。補血添精之義。體不足而有四者之病。可以統為治之。立方加減於後。服藥不可間斷。

大熟地八兩。淮山藥（人乳拌蒸曬）四兩。塊雲苓（人乳拌蒸曬）四兩。淮牛膝炒二兩。山萸肉四兩。（酒拌炒）粉丹皮三兩。（酒炒）福澤瀉三兩。（鹽水炒）當歸身四兩。（酒炒）五味子二兩炒。枸杞子四兩。（酒拌蒸炒）女貞子三兩（鹽水蒸炒）。覆盆子三兩。鹽水洗炒。車前子二兩炒。厚杜仲二兩。鹽水炒。川續斷二兩。鹽水炒。外用紫河車一具。用甘草煎水。浸。洗淨。挑去血筋。煑爛打。或焙乾炒磨。以上各藥。如法炮製。共研細末。煉蜜為丸。如桐子大。每晨淡鹽湯過服四五錢。久服自能生精益腎。如有別故。照後加入。自必得子也。

一　如氣不足。精不射者。加蜜炙黃著十兩。熬膏。如有力之家。加人參一兩更妙。

一　如精薄。或精少。加大米魚肚四兩。用蛤粉炒。鹿角膠二三兩。蛤粉炒。猪脊筋十條。取出汁來。拌入茯苓內。蒸曬焙乾。

一　如臨事易泄者。加鹿角霜三兩。生研和入。金石斛三兩。此石斛不能研末。只能煎水作丸。人參一兩炒。麥冬二兩炒。

一　如體熱加地骨皮二兩。蓮鬚二兩。牡蠣粉二兩。金櫻子熬膏代蜜。

一　如體冷精寒之人。加肉桂一兩。去皮研入。巴戟天二兩炒。鹿角膠四兩。蛤粉炒。破故紙四兩。鹽水炒。或加製過鹿茸一對。

一　勞心之人。心血耗散。常至臨事不舉。此心血虧少。非腎火虧也。本方加桂圓肉四兩蒸。酸棗仁四兩炒。抱茯神四兩炒。如人參。當歸。柏子仁。益智仁等。一派補心血之藥。均可加入。自然君火生旺。君火一動。相火必隨之。未有心不動而腎舉事者也。世人每謂相火不旺而陽痿。服附子。鹿茸。海狗腎。硫黃。鹿鞭。一派大熱之藥。甚有靠此熱藥而縱慾。不知熱性猛烈。反致消耗精血。即太極之謂陽生陰死。火旺水枯。日後必生異毒。血海易於枯槁。莫可制也。富貴之人。往往如此。愼之戒之。如有不善服丸者。改合膏滋服之。亦可。

▣治癱瘓驗方

程方懷

下方專治。中風癱瘓。半身不遂。肢節攣痛。手足麻痺。足痿無力。筋寒等症。曾靈驗多次。洵良方也。

【處方】大熟地四兩。歸身三兩。羌活一兩。木通五錢。桂枝一兩。(酒炒)荆芥一兩。蒼朮一兩。薏仁二兩。白茄根四兩。川芎一兩。獨活一兩。遠志肉一兩二錢。五加皮一兩。防風一兩。秦艽一兩。川牛膝一兩。枸杞子一兩。薄荷五錢。新鮮桑枝尖二兩。酒炒。

【方法】將藥用酒浸透。越宿啓用。絲綿包好或用細夏布袋。放於罎內。再以好黃酒六十大茶盃。外用破衣封口上。加皮紙箬殼。封紮。置於鍋中。

火炙時許。退火七日。日服三次。（分晨午夕）每次服一茶盃。如不飲酒。或服小酒盃半盃。將酒飲完。再將藥渣照前式復煎再吃。初起瘰癧者。一料卽效。年久者數服見功。上方皖歙吳作梟先生祕方。活人無數。神效異常。余友稱贊備至。特懇索得此方。不敢獨好。特錄之公諸於世。望讀者勿輕置之。

■⿸疒善癀頭之外治方　沈宗吳

⿸疒善癀頭書名螻螻蛄。多生童孩頭部。毛髮脫落。袋膿腫脹。瘡口細小。膿不易出。瘡口將刀劃大。雖得膿出較暢。翌日瘡口細小如故。往往經月淹纏。甚至癤部範圍擴大。滿頭腫脹。形如皮囊裹水。討厭之至。吉星耀君告伊同村吉洪梅子宗漢。年方六齡。於前年夏季。此疾生於頭頂。屢赴鄰村顧家橋吳姓瘍醫。乞施刀圭。毫無寸效。旋經某塾師授一單方。將食鹽圍敷瘡口。略感疼痛。七日之後。果然膿盡腫消。逐漸收口矣。按⿸疒善癀頭乃一種頑固之暑癤。如施刀圭。必須十字切開。或敷降藥今有單方食鹽之靈驗。大可避煩就簡。按食鹽有防腐消腫拔毒之功。我人均知可以預防疔瘡。宜若可信。

■傷科紅白藥方　王一仁

【紅藥方】西紅花一兩。製地鱉一兩。自然銅一兩。廣木香一兩。製乳沒各一兩。桃仁霜一兩。當歸尾一兩。飛辰砂研四錢。兒茶一兩。麒麟竭一浸。南瓜葉治刀口止血神効。可和入。

【白藥方】馬前子（即土木鱉）用童便兩二十四日。刮去外皮。杵細。炒至淡黃色。田三七五錢。九製胆星八錢。青礞石六錢。炒枳殼二兩。大海馬一對。（製海馬法）烘乾用蘇木茄皮水浸烘。浸九次。上紅白兩藥。治傷効。乃已故傷科世醫黃亞雄君傳出。

■腳氣症經驗良方　謝仁山

凡患腳氣者。腳腫。能食。不渴。大便堅。小便短。脈沉緩。或緊者。宜服此方也。

蒼朮四錢。（米泔泡）熟附一錢。淮膝二錢。木通二錢。沒藥二錢。加皮二錢。狗脊四錢。（去毛）桃仁二錢。（去皮尖）青皮一錢。

淨水煎服。戒食鹽、猪肉、瓜菓、寒

冷、等物。不戒者。雖藥中病。亦不能愈。不可不慎。渴者。蒼附減半用。加花粉二錢。桑白二錢。不欲食者。加干姜一錢。神曲錢半。有汗。加生者三錢。便溏。加白朮四錢。

如腳氣由他病誤服寒涼升散藥。傷損內外陽氣。冷汗出。大便溏。不渴。不食。不寐。面青唇白。脈沉微者。宜服此方。黃芪一兩五錢。(炒)炒白朮二兩。熟附子五錢。炙甘草五錢。用水四碗。煎至減半。去渣。再煎。取一碗。控冷服。此症最為危急。速宜放胆多服。若稍遲疑。必致不救。

方內熟附子一味。或改用火炮附子一兩。見功更捷。

腳腫藥忌

一 腳氣攻心。心痛。嘔吐不食。汗未出猶可治。汗已出。即日死。心陽外散故也。

一 升散藥。不可服。如麻黃、桂枝、防風、羌活、柴胡、乾葛、秦艽。升麻之類。服之。則提寒濕上攻臟腑也。若見腳背已消。而腹反腫脹不治。

一 攻瀉藥。不可服。如大黃、黑白丑、檳榔、厚朴、葶藶子、巴豆之類。服之。則虛其中陽。寒濕之邪。愈乘虛上逆矣。若見嘔逆腹脹。不治。

一　滋陰藥不可服。如生熟地、天冬、麥冬、元參、丹參、白芍、杞子、龜板、之類。服之。則濕愈盛。腫愈加。而不食矣。

一　利水藥。不可服。如猪苓、雲苓、澤瀉、之類。嫌其泄陽傷陰也。陽泄而寒生。陰傷則渴起。而助濕。亦惟遷延待斃而已。

一　腫自上消者吉。自下消者。是為脚氣上攻。此必曾服驅風藥。或服風濕藥酒所致。必死無疑。

脚腫戒口單

食鹽（戒兩個月）猪肝。猪肉。猪脚。鹹味。一切湯粥。瓜菜。生菓。一切寒涼等物。犯之者。其腫必自下漸上。不可不慎。腫在脚根下為輕。腫至足肚大腿為重。腫及腹更重。至此。則防其攻心。腫及心則死。以脈盡於行度故也。然未曾汗出。為心陽尚未亡。猶可挽救。余於本月。曾醫一人。腫自足背。至心痛不止。幸未汗出。與之調治。半月全愈。如一見汗出。即日便死矣。不可不知。并忌用酒。或水洗脚。

宜食各物

白糖。(用以代鹽)油炸付竹。白鷄鴨蛋。

上述各方。皆補藥也。非瀉藥也。苟其人曾服生地熟地等滋陰藥。一服朮附者付等方。其大便必瀉而不止。不必疑畏。仍當照方再服。至腫消。乃止其瀉可也。蓋本寒濕。反服生熟地之類。而助邪。遂至大寒凝結。腹內如冰。今得朮附溫補脾腎之湯。如太陽一升。凝冰自釋。所以便瀉耳。此正陽回之佳兆生機也。不知者。見藥服後而瀉。不以為功。反以為藥之過。必改絃易轍。日治日深。積重難返。比比然矣。不可不預為告知。知所遵循也。

□魚口便毒方

尹祥裕

無論男女。下部左右潰爛。以及諸醫束手。若用此方。均堪救治。方用夏枯草五錢。蒼耳子三錢。煎水時時洗之。另用生荔枝核三錢。青菓核三錢。桃仁三錢。(均是核之仁)將上藥醋浸一宿。水洗後即以此搽之。然後黃柏燒灰。同松花粉撲之。如是天天勤用。用完三四劑即愈矣。

牙齒痛方

濟平

大凡牙齒疼痛蛀蝕。不外風火虫三者為患。火有虛實之分。虛火痛緩。日輕夜重。實火痛急。無分晝夜。風痛係痛而且腫。甚至頭目皆痛。吸風亦痛。虫痛發時必在一處。叫號不已。但亦有虛痛專在一處者。有一驗方。對於各種齒痛。均可用之。幸注意焉。川椒三分。細辛二分。（此味必須秤準。多則反致頭額牽引作痛。）白芷。防風各一錢。以上四味。量齒痛之輕重。輕用開水泡透。重用膏粱酒泡透。時時含入口內。片刻吐出。再含數次即愈。

清宮祕傳救急丹

射香四兩。蒼朮十兩。陳皮八兩。雲苓十六兩。梅片四兩。加皮八兩。紫朴八兩。大腹子十兩。細辛四兩。燈心灰十六兩。百草霜四兩。硃砂四兩。鬧陽花八兩。牙皂十二兩。牛黃廿四兩。另加八錢。明雄黃四兩。火香十二兩。共為細末。

此丹普救濟世。神效異常。屢試甚驗。用保羣生。凡一切中寒中暑。中風中濕。感冒觸穢。濕鬱熱蒸。山嵐瘴氣。瘟疫邪毒。絞腸霍亂。每遇猝證。並皆治之。真有捍災禦患之功也。

一　治染受山嵐瘴氣。頭悶惡心。胸滿。肚腹脹。嘔吐嘈雜。四肢厥逆。精神昏憒。不思飲食。速用少許此丹。吹入鼻中。或用三五分。白開水調服。

一　治中風中暑。中濕中寒。中火中氣。觸穢神昏。不省人事。牙關口禁。痰壅氣堵。四肢頑麻。癱瘓不舉。筋骨疼痛。步履維艱。用此丹少許。吹入鼻中。或用三五分。淡姜湯調服即愈。

一　治文武癡癇。痰迷心竅。天行時疫。霍亂痧毒。絞腸痧痛。嘔吐泄瀉。胸堵脹悶。頭暈神昏。用此丹少許。吹入鼻中。或用三五分陰陽水調服。即覺舒暢。

一　治喉痺喉癰。纏喉腫毒。單雙乳蛾。口舌糜爛。牙宣牙癰。牙疳齒漏。風火牙疼。骨槽風痛。小兒走馬牙疳。痘疹餘毒攻目。眼疾等症。用丹外敷內服。立有神效。

一　治癰疽發背。對口疔瘡。無名腫毒。疥瘡頑癬。瘰癧鼠瘡。乳癰結毒。臁瘡痔漏。臟毒腸風。小兒丹毒。署令毒癬。癩瘡胎毒。臍瘡浸水。用此丹調敷患處。大人服三五分。小兒服二三分。燈心湯調服。

一　治蜈蚣蛇蝎螫毒。酒調此丹。塗擦。立止疼痛。凡遇六畜中疫。以此吹鼻。或調灌立痊。亦利物之一助也。

▣骨痿治療法

李健頤

【定義】大熱消灼。骨膠內竭。卽平潭人所謂熱癀風也。

【原因】腎臟伏熱。蒸灼內燒。骨枯髓減。發為骨痿。

【病理】遠行傷骨。復逢大熱所感。熱勢內攻腎臟。腎不生髓。髓不長骨。骨中之膠質受熱之灼。變為灰質。其韌帶之彈力性。痿疲不舉。足不任身。素問痿論曰。『腎氣熱。則腰膝不舉。骨枯而髓減。發為骨痿。』又曰。『有所遠行勞倦。逢大熱而渴。渴則陽氣內伐。陽氣內伐。則熱舍於腎。腎者水藏也。今水不勝火。則骨枯而髓虛。故足不任身。發為骨痿。故下經曰。骨痿者。生於大熱也。』可見骨痿之症。由於熱灼骨髓。骨髓之膠質變成灰質是也。

【症狀】腰脊不舉。或足腳攣急。不能步履也。

【診斷】靈樞邪氣藏府病形篇云。『腎脈微滑。為骨痿。坐不能起。起則無所見。』

【療法】用芭蕉根四兩。革薢一兩。肉蓯蓉。扶筋膏一兩。（冲）兔絲子五錢。同猪腰子蒸服最效。按芭蕉根味甘大寒。瀉骨中大熱。以為君。革薢甘苦平寒。堅筋骨以為臣。然專寒無補。則腎臟愈虛。再加蓯蓉扶筋膏兔絲子。直接補腎。以為佐。此方補瀉兼備。故有奇效之功。亦有食冬瓜一二百斤而愈者。

■小兒走馬牙風之治法

李健頤

小兒見有發熱嘔乳。牙齦上發生紅粒。口不哺乳者。即是馬牙風。急宜早治。否則變生險惡。絕乳而殤。世之育兒者。勿庸疎忽視之。先父實烈公。心甚愍焉。專心研究。發明一種藥品。治此症最靈。（即用硃砂川貝天竹黃陳皮瓜蔞霜各二分。僵蠶二尾。荷薄葉二張。共為末調冬蜜擦患處。

一日數次。飲與桑葉甘菊杏仁麥冬薄荷湯。見微汗。而病即除矣。）珍藏秘方。歷有年所矣。余竊思醫具活人救世之心。遇有良方。理應發表於世。俾人人知所施用。而獲同登壽域。且小兒即將來國民份子。豈可不重為保養者耶。

■兒科救急丹

王肖舫

小宮粉一合。欄路虎二十個。苦瓜蒂十個微焙。枯凡四分。南硼砂四分。上冰片四分。共研細末。收貯聽用。此方能息內風。消頑痰。鎮靜其沖激。調和其升降。對於兒科七日內以及百日內之急驚風痰喘嗽心煩各症。恰為對症良方。試用屢効。

【製藥】小宮粉即上海小東門外馬姚街祥雲壽號出售之小合茉莉宮粉。他粉無效。

按欄路虎即沙裏狗小虫所變者。形如大蒼蠅。色帶微綠。有兩翼高腿善跑。六七月間。生於河畔河灘。見人則回頭向人。勢欲欄路。故名欄路虎。人若捕之。飛行甚快。不易捕捉。用時漸焙。以研碎為度。枯白凡微焙存細。月石生用。上冰片務購頂好者。

劣者無效。苦瓜蒂微焙。勿太過火。焙甚無效。

【用法】共爲細末。磁瓶收貯。用蠟封口。勿令洩氣。七日內。小兒用二厘冲服。百日內用三四厘。週歲用一分至一分半。急驚風痰喘嗽心煩。溫水冲服。啞喉瘡。紅白口瘡。均吹於患處。凡一切風熱痰涎。上壅昏瞶。眼睜成痙。及慢驚風各症。須消息用之。

■治偏頭疼方

王振信

頭之左或右一邊痛疼。方用螻蛄兩個。活蠍子兩個。將四個小活物。共搗如泥。敷患處。鄙人曾患偏頭疼。百醫無效。後得此方立見痊愈。轉治他人亦百發百中。故錄之以救同病。

編者按螻蛄係一種害虫。體長寸餘。褐色。有翅能飛。能掘地。晝常居土中。夜則鳴。其聲連續不斷作螻蛄聲。喜就燈火。夏日田間潮濕之處及菜園地下多此虫。活蠍子則中藥店裏賣。

■頭痛驗方

劉秀泉

啓者。鄙人內子。於五六歲時。即患

頭痛。約於兩星期内發作一次。甚為猛烈。如此八九年間。遍試諸方。均未見效。及嫁出後。其病照常。鄙人甚為憂慮。後由『壽世保元』中。檢得一方。連服三月其病頓愈。迄今三四年間。並未復發。今將該方原文抄錄於下。以資研究。追風散。防風一兩。（去蘆）荆芥穗一兩。羌活五錢。川芎一兩。白芷五錢。煅石羔一兩。全蝎五錢（去頭尾）白姜蠶二兩（炒）白附子五錢（炮）天南星一兩（炮）天麻五錢。地龍五錢。川烏一兩（炮去皮尖）草烏五兩（炮去皮尖）雄黃三錢半。乳香二錢半。沒藥二錢半。炙甘草一兩。共為細末。每日食後臨臥時茶湯調服五分。

主治年深月久。偏正頭疼。又治肝臟久虛。氣血衰弱。風毒之氣。上攻頭腦而痛。頭眩目暈怔忡。煩熱。百節酸痛。腦昏目痛。鼻塞聲重。項背拘急。皮膚瘙痒。面上遊風。狀若虫行。及一切頭疼。並治婦人血風。攻注頭目昏痛等症皆治之。

◘治腦膜炎方

黃滄浪

腦膜炎之病名係最近幾年發明。從前

稱為大頭瘟。頸項發直。角弓反張。繼以昏睡。重者三數日卽死。輕者半月而亡。是一種流行傳染病。甚為危險。可用 。皂礬(中藥)銅元二枚可買一兩。焙焦研末由鼻孔慢慢吸入。再用公貓尿。用吸水棉花(卽西藥店所賣之藥棉)蘸少許塞耳內(取貓尿法。用大蒜抹貓鼻。尿卽下)

功效 當日卽愈。今歲敝處盛行此症。用此方治好無算。小兒患者亦效。

(編者按)黃君係江蘇淮陰縣濱湖鄉孫家村人

◻治頭暈方

沈資良

頭暈者。目眩頭暈。見物旋轉。合眼亦然。睡時則如倒懸。

方用 大鯽魚一尾約四兩至半斤。童便(小兒的小便水)一盃。

用法 將魚鱗及腹中各物取去洗淨浸在童便內一天一夜(二十四小時)然後用清水三盌煑之。至水賸一盌時。魚熟。連湯飲食之(不加油鹽等物。切記)

功效 輕者一尾重者尾兩卽愈。

治偏頭疼方

胡喚民

病狀　一半頭疼或左或右。

方用　白芷。黃連。菊花。黃芩。羌活各二錢。用水煎之。俟水將乾時取出。用布包好。將水擠出趁熱。敷烙患處。冷時再煎再敷。如是三次則愈。避風雨天為要

又方　方永鑫

方用陳僑麥麵一茶盅。陳醋半盅。將麵炒至老黃色。加醋再炒成稠糊。趁熱夾布內。敷額上髮際。再炒再換。至鼻流黃臭涕淨而止。切記避風。

各種頭疼簡治法

李秀林

方用　麩子（即麥之內皮）一二兩調醋炒熱為餅貼痛處。避風。

治蟮拱頭（俗稱爛泥頭）方

吳敬庵

小兒因受夏日暑熱。以致頭上起無數的紅疙瘩。疼痛難忍。甚則破流濃水。方用　紫草膏（此藥膏中藥店賣）冲和膏（此膏係藥面。中藥店賣）各一錢。用法　將藥膏及藥面再和成膏塗患處即愈。此膏又治針眼即眼皮上所起

腫而脹疼之小紅疙瘩。

治禿瘡方

吳敬庵

禿瘡者。小兒頭上生白色而堆起之瘡。方用　番木鱉六錢。當歸五錢。藜蘆五錢。黃柏三錢。苦參三錢。杏仁三錢。狼毒三錢。白附子三錢。鯉魚胆二個。蘇油十兩。

用法　將藥入油內熬至黑黃色。去渣再入黃臘一兩二錢化盡收入罐內。每用少許用藍布裹指蘸油擦患處。

(編者按)小兒頭上如白盌之瘡。痛癢難忍。

1. 用煤油洗之。半月即愈。(同事某君之婢女用此醫愈後長髮極長)

2. 用防疫藥水又名臭藥水。合清水成白色者後洗之十日即愈。(臭藥水西藥房賣每磅約洋一角)

3. 明礬五錢。加白米飯湯化而洗之亦效。取其簡便者試之可也

又方

解承謙

用松香一兩。雄黃一錢。將上二味共研細末。用川連紙又名竹紙。捲緊。蘸杏仁油或好蘇油。用鐵箝夾住燃火燒之。下放一盤。接下滴之油。

用法　先將患處洗淨後搽此油膏數次

即愈。

■頭上熱癤子治法

小兒被夏日所晒。以致頭上生熱瘡。方用　天仙子（廣東中藥店賣。銅元數枚即可）。用法　將藥用茶水潤濕若餅狀。塗於患處。已生膿者亦有特效。

■痄腮驗方

沈資良

患者兩耳之下和腮部腫起。硬紅而疼。飲食不便。宜急診治。候頭破出膿則費事矣。方用　潮硇二錢。高粱酒二兩。（即無色之酒又名燒酒。白乾或蒸酒）置盌內。使之混合然以火燃之。趁熱用手蘸燒着的酒擦抹患處。蘸酒時宜快。慢則恐被火燒。如不敢如此。則將酒燒着頃刻用木版或他物將盌蓋上。火自息滅。用手蘸熱酒抹之冷則再燒。將藥抹完則病自消。

■眼生白點方

吳澄生

去年友人林君為予道其母於眼中瞳神處。起一白點。視物大受影響。經服藥數搽。未見功效。而點日益擴大。殊費焦灼。後於同事處得一方。以粂牙箸（愈老愈佳）磨婦人乳汁滴點處。數次白點全消。聞該方嘗試驗多人。

功效　頗確實云云。

治目疾方

黃滄浪

各種眼目紅腫痛等症。可用「夜明砂」（中藥即蝙蝠糞）詳揀其中所食飛虫類有未消化者。研為細末。用骨針蘸水帶藥點入大眼角。數次即愈。實不可多得之良方。

暴發火眼治法

曹德祿

病狀　眼紅腫疼。

方用　防風。歸尾。枯礬。膽礬。銅綠。薄荷。菊花。盧干石。各一錢。

用法　將上八味用水煎。熱燻熱洗。涼時亦可洗。

功效　此方余及友人皆試屢驗。

治眼痛方

邱蒙周

病狀　因肝熱以致眼紅腫痛下午及夜間更甚。

方用　夏枯草（炒）三錢。香附（醋炒）三錢。甘草（炒）一錢。

用法　放茶葉少許作引。用水煎服。

功效　數服即愈。

□治暴發火眼方

樊學虞

病狀　春，夏，秋，之間因內熱以致白眼珠紅腫疼。

方用　硫酸鋅又名養化鋅一錢。硼酸五錢（半兩）。蒸溜水十兩。上二味西藥店賣每磅約洋五角。皆係白色之粉。蒸溜水西藥店也有。每磅（計十二兩）約二角。若無蒸溜水純清水。雨水及雪水皆可。

用法　將藥入水內。慢攪化開。隔蒸過之新棉花淋之。每用藥水一錢可治好二三人。（按上方計算。所費不過二角五分。可治好二百餘人）每日早晚各點一次。每次只點一滴。如綠豆大。在大眼角上二三日即愈。

又方　吳敬庵

芥穗。生地。赤芍。連翹。蘇葉。各三錢。薄荷葉二錢。菊花一錢五分。將上七味用水煎趁熱動洗。用紙將藥蓋好。留一小孔使熱氣薰眼。溫時再以棉蘸水洗。

□鼻臭

廣州西關拱日西路慈愛禮拜堂　李惠亭

吾人苦鼻中發臭。方用真松樹花粉。（春夏之間松樹所開之黃花粉。嗅之無味。中藥店賣。銅元一枚可買約二錢。）用紙包好時時嗅之即愈。功效小兒曾患此症嗅之即愈。他人試之亦效。

鼻淵治方四則

王君

鼻淵者鼻常流清水終年不愈如傷風者。又名鼻漏或青草熱病。長草時。春至秋則發病。

（一）用「鵝不食草」塞鼻自止（此草古名「石胡荽」又名「雞腸草」。處處有之。）

（二）用「荔枝」燒灰存性。棉裹塞鼻內。亦效。

（三）用燒酒（即高粱酒）半壺。煎極滾。鼻吸熱氣入腦內數次即愈。

（四）獨頭蒜搗爛。貼兩足心。取效後立即去之。此症古稱腦漏選其易而無礙者試之可也。

治歪嘴方

章友仁

因病或因氣以致嘴歪者。購鱔魚兩條。用法　一手攜頭。一手攜尾。放在腮上力拖。二鱔互相掉換。嘴向東歪。則向西拖。向西歪則向東拖。以拖正為止。手續頗簡。效則神速。同病者不妨一試(編者按)章君係江蘇金山縣洙涇基督教堂牧師。其言當可信。有人用鱔魚血治歪嘴法將鮮血抹於歪向之對方。血乾則縮故能將歪拉回。然有時拉之太過。反向此方歪來。不若上方之準確也)

又方　莊允中

因病以致筋抽。而成口眼喎邪者。方用　皂莢肉(皂莢子內包之肉。又稱為肥皂膠)煅存性(即用鍋炒成炭)研末搥白米飯貼之。向左歪貼右邊。向右歪貼左邊。覷其藥力挽正。立即將藥洗去。

■口臭　李患亭

因胃火以致口臭。方用　荔枝乾。(乾菓店及大雜貨店裏賣。每斤約洋四五角。)食數個即愈。

功效　小兒曾患口臭。食二枚即愈。

■小兒口內生疽方　黃廷章

口內生疽。則口流涎。舌紅甚則破爛不能吮乳。方用　硼砂一兩。白礬三錢。

將二味放於鐵鍋或銅鍋。焙至乾。候冷。研細末。用少。許抹於舌上。數次即愈。此藥抹之略痛。切勿抹多。不久即平。若舌破爛。當用藥五六分冲水一盃。用棉花蘸藥水抹之則不痛矣。余常備斯藥贈人。索者甚衆均皆獲效。

■爛喉痧

李漢鐸

各種喉腫痛症。方用 乾尿鹹粉。（男人夜壺內或便池中之白尿鹹。焙乾磨成細粉。）將筆管吹入喉內。低頭流涎。吹三次。即腫消痛止而愈。

■治白喉方

張兆平

喉腫疼發燒不能飲食。常有性命之憂。

方用 大生地一兩。元參八錢。麥冬去心）六錢。炒白芍四錢。薄荷二錢五分。貝母（去心）六錢。生甘草二錢。丹皮四錢。

用法 水煎服。

功效 輕者日服二劑重者日服三劑。小兒減半。無病可服勝過打預防針。藥性和平。上方係仲子鳳先生得之廿餘年。無論輕重莫不藥到病除。

■治喉梗骨類方

王超英

不論何種骨類梗於喉中。不能嚥下又不能吐出。方用　燈心（燒存性）桑螵蛸。（燒存性）。共研細末。吹入喉內。涼水送下。此藥能使骨和肉相離。故梗物即嚥下。

◻又治白喉方

冰片三分。硼砂一錢。膽礬五分。燈心灰一錢五分，共研細末每用少許吹入喉中，令吐痰涎以出毒氣。

又方　丁先誠

方用　西瓜霜二錢。大冰片五分。硃砂一錢。人中白五分。雄黃精一分。元明粉五分。上藥共研末。每用吹入喉內三四次

另內服川貝母錢半。豆根二錢。麥冬二錢。黑元參三錢。苦梗二錢。連翹錢半。金銀花六錢。粉草七分。清水煎。

◻老年牙痛

朱煜堂

老年之人。常患牙痛。乾皂夾半個。飛羅麵或細白麵一把。用老醋調成糊。先將皂夾搗成細末。合麵及老醋成糊。攤布上。臨睡時貼痛處以藥靠肉，布在外。

功效　重者二晚即愈。此方編者曾試過多次皆有效。

治各種牙痛

傅劍華

余固牙痛者之一。痛時頭脹腦眩。坐臥不安。寢食俱廢。同病咸知。雖購市售藥水丹丸。不過暫解片刻。至於根本治療。苦索不得。茲承敝友張君見示祕方。據說是從前葉天士先生所擬。其效無比。濡筆錄后誠患者之好消息也。

方用　煅石膏七分。生地黃二錢。荊芥一錢。防風一錢。丹皮一錢。生甘草七分。青皮六分。以上共七味為基本方。

用法　以下照患者如何。加味同煎服之。如上門牙痛。病心火。加製夏八分。麥冬一錢。如下門牙痛。病腎火。加知母一錢。炒黃柏一錢。如兩邊上痛。病胃火。加白芷八分。川芎一錢二分。如兩邊下痛。病脾火。加白朮八分。白芍一錢二分。如左邊上痛。病胆火。加羌活一錢。龍胆草八分。如左邊下痛。病肝火。加柴胡一錢。黑山梔一錢。如右邊上痛。病腸火。加炒枳殼一錢。製大黃一錢。如右邊下痛。病肺火。加桔梗一錢。炒黃芩一錢。

功效 輕者一服。重者二服即癒。孕婦忌丹皮川芎大黃。方分上下左右門牙及孕婦忌服等。抄錄務須當心。

治牙出血

譚雲錦

平時或熟睡之際。滿口出血成條或塊。多年不愈。甚至喪命。方用 生松實七個(即松樹果實之青色者。松子即生在內)好酸醋四兩。用醋煎松果實數滾。待冷用醋漱口。每次約十分鐘。連換三五次即效。此方親自試過。數年之久牙出血現已痊愈。

治牙痛方

邱蒙周

牙痛。牙腫或爛牙齦。用潮腦(一角錢的可用三次)鹼。鹽。硼砂各少許。共放入盃內。再用熱好醋投入攪之俟稍冷漱患處。數次即愈。

各種牙痛方

曹德祿

方用 花椒。艾葉各一錢。將好醋四兩。煎上二味。漱口。家母曾試用之甚效。

治蟲牙痛方

簡天降

蟲能蝕牙。牙有缺陷之處，遇冷熱及氣皆疼。患者可用。五倍子一錢（中藥店賣）。研末。用水四盌煎之賸半盌時卽止。將藥水含在口內一刻吐出再含。如是三四次其蟲卽死。蓋五倍子。除蟲。痛止。永不再發。已試過多人皆愈。

耳內生臭膿方

沈資良

耳孔生膿。臭氣難聞。疼痛甚至不能安眠。俗稱「耳底子」。方用　蛇皮（一卽長蟲退下之白皮）一條或半條。蔴油浸透。用鐵鉗將帶油之蛇皮夾起。用火燒之。下置一盌。油卽滴下。將此油滴入耳內。功能止疼去毒。數次卽愈。親驗之方。

又方

林證耶

方用　燒酒。吳茱萸。（吳茱粵人呼為薯油能下產後餘血。故粵中產婦多用之。中藥店有賣。價不昂。）

用法　先將吳茱萸約一錢。搗碎。浸酒四兩。隔數小時卽可取用。（可常年浸之。隨時應用。）將酒以淨布濾清。灌入耳中。酒熱再換。如是者三次。日洗三回。數日即愈。

功效　殺蟲除毒。鄙人因取耳受傷。數年於茲。由友人介紹。用此藥三天即愈。他人試之亦見效。

又方　鄒溥惠

男子手指甲若干。用新瓦焙乾。研細末。每指甲一錢。配大梅片一分。先用濃細茶水洗耳內。隨用藥棉略撚成條。透入耳內。吸乾後。用藥末吹入耳內。或以乾淨鴨羽挑入。

治感冒方

邱蒙周

因受風涼以致頭疼鼻塞發熱。病雖輕淺。不可忽視。用好茶葉。冰糖。濃煎。趁熱飲之以多為妙。則汗出而愈。

傷風咳嗽方

普通大人及小兒傷風頭疼作燒及咳嗽等。用橘皮一個（鮮乾皆可）紫蘇葉三錢（中藥）及冰糖。用法　將上二味同煎約二十分鐘。用藥水冲冰糖。臨睡時趁熱飲之。

功效　出汗即愈。小兒等冬日多患之。屢試屢驗。

又方

方用　生薑一兩。好蜂蜜二兩。

用法　將生薑搗爛布包擠汁合蜜用開水冲臨睡時服。

功效　輕者一次重者二三次即愈。編者小兒等服之皆效。並治久咳連至四五十聲者三四次即愈。

又方

方用　大麥芽三錢。肥皂膠十個。用冰糖同煎。臨睡時服之。

(按)肥皂膠乃肥皂籽肉包之內。其色白。婦人用之泡水作泯髮之黏膠。

■治噎膈反胃方

噎膈者。平時常有氣隔喉胃之間。隔氣不舒。食物不能下咽。胃亦不能消化。係因少運動。食時仍多思想所致。此為不治之症。余得一祕方用半斤乾帶白霜的柿餅。放乾飯上蒸食。不用水。亦勿雜食他物。就用此當飯吃。早晨可用些易消化之食物。午。晚。皆用柿餅代飯如此十數日即愈。

又方

方用　韮菜汁。梨汁。薑汁人乳各一兩。將上四汁合盛一盌內。放飯鍋內蒸熱服之。每晚臨睡時服一次。如此三服後。停三天再服。三劑自愈。

■胃氣疼

南京金陵神學院　李漢鐸

各種胃疼。用蒲公英三錢。糯米酒或甜酒半斤。蒲公英中藥。糯米酒又稱為甜酒或酒粮子。北方稱為江米酒。稻香村等鋪內買。將糯米酒燒滾冲蒲公英。當茶臨睡時飲一大盃。煎之亦可。

功效　重者日服三次。輕者一次。二三日即愈。

又可　張路加

方用　蘇打粉（白色藥。粉西藥房賣。每磅約洋三角）大黃粉（中藥店賣）。

用法　蘇打粉二分。大黃粉一分。白開水送下。小兒減半或三分之一每日服。

功效　輕者三日重者多服幾日即愈。此乃余多年之驗方。

■治胃寒氣疼方

胡喚民

冬日常發之胃氣疼或心口疼。可用母鷄一隻去毛臟。外加潞黨參。建芪。益米。蓮子。黃臘。小茴香根各四兩。以上皆中藥。外再加紅白蘿蔔各半斤。用法　將建芪和小茴香根用布包好放鷄腹內。空處則塞以其他各味。放砂鍋內用清水煑之。俟鷄爛爲度。將布包之二味取出。其餘皆可食用。每次盡量食之。約二三次即食完而愈。如患者爲婦女另加紅花一錢。

療治胃病驗方

郭壽山

患胃病者。一遇生氣或愁煩困苦。飲食不節。即覺心口上攻而痛。敝人療治過胃病七八十人。無不應手而愈。方係薄荷冰。上梅片。各四分。旱三七末六錢。上硃砂一錢。共研細末。每日溫水送服二次。每次一錢之譜。連服三五次。准可見效。蓋旱上七大有清血止痛消腫之功。薄荷冰。梅片。可消胃炎。並有調胃殺菌止痛之力。硃砂內含硫礦水銀。亦有清血消毒之妙。此方屢試屢驗。藥到病除。患者放膽用之。不用疑慮。胃病愈後。多食補養之品。以調胃力。病中切忌生冷刺戟之物。

胃病兼治胃寒神效良方

錢求真

五靈旨五錢。公丁香一錢。明雄黃一錢。白胡椒五錢。廣木香一錢。巴豆霜一錢（油去淨）。紅花五錢。只壳一錢。右藥共二兩務要道地藥材。研為末過羅。貯瓶待用。每服五厘。多至一二分。男左女右。放在手心。以古銛之立愈。忌水二時。

■治肺癰方

孟庸

患肺癰者。面黃身瘦。吐痰如膿。治法用　大絲瓜三條。炒白芥子一兩。將絲瓜子取出炒焦黑色。再把絲瓜絡放火上燒八分黑存性。連同炒白芥子一兩共打成極細末。（此法藥店能作大絲瓜及白芥子中藥店賣）。每日三次飯後服二分。白開水送下。

■治肺癆病法

肺癆患者。面黃身瘦。下午發燒。早出盜汗。咳嗽吐痰。痰中帶血。胸前作疼。腰疼。背酸。全世界至今日尚無醫治此症之特效藥。患者九死一生。泰西各國多信用「魚肝油」。惟該油效力極慢。味又腥臭。與麥精。糖類混和之油。力又較弱。往往服油數瓶。仍毫不見效。貧窮者又無力用。茲有本部同事史君口述親見之法詳列於後。先購買獨頭蒜二斤（無獨頭蒜可用老蒜代替）將蒜皮剝去十餘粒。放饅頭內（每個內放三四粒蒜）蒸熟食之。蒜熟時即變辣為甜。史君之友第三期肺病服此一月即愈。法既省錢而又簡單。北平報登一方。亦用獨頭蒜惟用水煮熟。飲水食蒜。煮時吸其水氣。

治咳嗽吐血或第二期肺病法

徐守道

方用叭噠杏仁四兩。白芨二兩。共研細末備用。

用法。每服一大湯匙。小兒減半。先用溫開水調成稀糊。再用冰糖開水冲之。每早晚睡後及起前各服一次。

功效　輕者十日重者二十日即愈。

治痢疾方

梁廣厚

山查粉一兩。木香一錢。水煎服。紅痢加白糖少許。白痢加紅糖。紅白痢加紅白糖。

又牛　徐保三

枯芩二兩。杭白芍一兩。苦參一兩。川連五錢。澤瀉三錢。新艾三錢。查肉三兩。茯苓三錢。枳實一兩。共研細末。每服二錢。開水送下。小兒則用布包好以水煎服。

□治久痢方

羅心佛

下痢日久不愈。身體虛弱。不思飲食甚至命在旦夕者。方用　蘿蔔二斤。鮮牛肉一斤。老薑一兩。將蘿蔔及切肉成小塊。將薑切成薄片加清水。用瓦或砂鍋煑之。用文火慢慢煑約四五小時。以肉爛為度。然後用潔淨白布絞汁（不用肉及蘿蔔等只用其汁）調以油鹽日食數次。食後痢必盡下。一二次即成好糞矣

□治瘧疾方

孟庸

瘧疾。每日按時先惡寒後發熱。多患於夏末秋初多蚊之際。治法用法半夏五兩。大貝母五兩。陀僧五錢共研細末。於未惡寒之前約二小時服一分。開水送下。輕者一服即愈。重者三日服三次。予送此藥已二十年矣。多奇效。如患三陰瘧疾者。每早晨服炙龜板一兩。製鱉甲一兩。生熟地各五錢。青蒿三錢服數劑每日下午服「金雞納霜」二厘約半月自痊。忌食葷膩。切切。（編者按）孟君通信處。為江蘇

阜甯縣中國耶穌教自立會

又方　徐保三

方用　肉桂二錢。乾薑一錢五分。斑蝥兩個。花椒一錢。將上藥共為細末。用五分藥末以高粱酒和成餅。貼肚臍上。外蓋以普通暖臍膏一張。或用斑蝥三個。雄黃三錢。硃砂三錢。將上三味共研細末。和糯米粽子為丸。如黃豆大。棉花包塞鼻內。男左女右。神效。

急救時疫

莊允中

夏秋之交。上吐下瀉不止。甚或手足抽痛名為轉筋。狀甚危險。方用　金銀花三錢。生甘草二錢。好黃土五錢(如廿文銅元大)小黑荳五錢(微炒乾勿焦)生白礬二錢(即明礬)上五味除黃土外藥店皆有。用水煎急服。輕者一劑重者二劑即愈。屢試屢驗。

治霍亂吐瀉方

尹福清

傷暑霍亂。腹疼急痧。心肝胃疼。胸結吐酸水。一切夏秋時症。用之皆效。

方用　母丁香一兩二錢。沈香四錢。蒼朮一兩二錢。明雄黃一兩二錢。火硝一兩二錢。煨木香六錢。蟾酥一兩二錢。

製法　前六味共為細末備用。先將蟾酥入銅鍋內加燒酒四兩化開。入前藥末。調和為小丸如綠豆大。每服二三丸。小兒一丸。溫送下。主能起回生。凡一切外症疔瘡等用燒酒。開塗患處。再內服二丸。亦主能消散。

■夾陰傷寒

男婦夜行房事而受風寒。以致肚疼難忍。急去中藥店買好肉桂末。四角錢。開水送下。

功效　不十分鐘即疼止而愈。

■婦人血崩驗方二則

婦人經來過多或不止或各種血崩症。用當歸一兩。貢膠一兩。(麵炒)西紅花一錢。冬瓜仁五錢。黑荊芥穗三錢。黑側柏二錢。黃酒及水各半煎空心熱服。

又方　張路加

婦人產後下血不止及平日血崩用星星草二兩。牆頭或田內者俱可（按此草各處皆有。葉細長如麥葉其花或籽細小散開如星。故名星星草）絲瓜瓤一個。鮮乾俱可。（乾的藥店裏賣）。平常洗澡堂多用以洗身。用法 將上二味用水同煎藥水一碗服之。

（編者按）讀者如欲得星星草之標本。可函詢江蘇徐州西鄉郝寨佈道會。並望張君將該草原枝寄下。以備繪圖鑄版。

■婦人產後冷熱寒戰方

吳氏世

婦人產後月內發現。時冷時熱。用大熟地四錢。益母草三錢。建蓮子十粒。川續斷二錢。雲茯苓二錢。杜仲二錢。鹽水炒。焦朮二錢。麥冬二錢。白芍二錢。牛夕二錢。紅花五分。姜炭六分。燈芯少許為引。水煎服。

■小兒七日臍風方

吳士達

小兒七日內臍風。用全蠍兩個。殭蠶兩個。硃砂。冰片。川連。甘草。元麝各二厘。胆星少許為引。

用法。將上八味共研細末開水沖服。

■婦人難產方

沈資良

婦人生產至期不下者。用金雞納霜丸（補藥店買）二三粒。開水送下服藥後

不久卽產。(編者按金鷄納霜 Quinine 係一種普通催生藥。不到期者。切不可服用)

■治孕吐方

王超英

婦人受孕。嘔吐不止。用川黃連四分。紫蘇葉三分。共研細末。每用少許。白水送服。雖至重者數劑卽愈。

■又治難產方

鐘德祿

到期不產。胎死腹中。或橫生倒養。用當歸一兩。川芎七錢。清水七兩。陳黃酒三兩。煎服。功能安生胎。下死胎兼治一切橫生倒養。

■治婦人產後一切雜症

張捷三

治婦人產後一切雜疾病。作冷。作燒。咳嗽吐血。天水不至。病在垂危者皆能治之。

方用 附香(炙)一兩。丹參八錢。川續斷一兩。廣皮三錢。甘枸杞一兩。白朮(土炒)一兩。大生地二兩。杭芍八錢。杜仲一兩。阿膠一兩。條芩一兩。歸身七錢。茯神八錢。錢澤瀉四錢。血餘一兩。炒棗仁一兩。黃芪一兩五錢。甘草(炙)五錢。五味子一兩。製法　上藥十九味共研細末煉蜜為丸。如桐子或黑豆大。服法。每晚臨睡時。白水送下。頭一次。服十丸。每日加添一丸。直至六十丸止。不可間斷。如胸前發熱者即停止。三五日後再由十九起。能服六十丸而不覺胸前發熱者。則病即大愈矣。

■治瘋癲方

病狀　陰癲陽狂。不省人事。登高棄衣。笑歌不寐等。或神呆靜坐。語言不發。皆痰入胞絡之患。

方用　乾葫蘆(一尺大者用半個。小者用一二個。連子帶瓤。風乾者為佳)用法。將葫蘆砸碎用水四五十盌煑之。賸兩盌時倒出候溫。使患者盡量飲之。

功效　服後將痰吐出即漸漸而愈。此方編者試過二人。一人有效。

■瘋癇祕方

吳君

除羊角瘋。豬頭瘋外皆可服用。

病狀　因氣悶。失意。驚恐。或其他意外之事。因而發瘋。西醫謂之神經病或腦病。中醫稱之痰迷心竅。以去胸中之痰為主。瘋有文武之分。文瘋是光說話顛三倒四。忽天忽地。見神見鬼。夜不能睡等現象。武瘋是打。罵。要。鬧。叫。武者易治。文者難醫。

方用　輕粉。虎珀。巴豆。茯神。石膏。海石。胡椒。皂礬各一錢合研極細末。用法。看病之輕重而用藥。輕者每服一二錢。重者每服三四錢。用白糖五錢（即半兩）開水一大盌化開後。冲藥粉攪勻飲服。以上吐下瀉為見效。過七日後如仍病如前。可再服一次。如完全見效。可服下方。茯神。洋參各一錢。加青果三個水煎服。如無青果可以金橘餅（乾貨店賣）代之。愈後忌食花生。油膩一個月。

■接骨妙方

徐秀東

先父八十歲時。因行路不慎。致將幹腿折斷。用此方製成膏藥。貼患處兩月後即不扶杖而行。如是少年人有傷骨者用此膏藥。二三星期即能痊愈。誠妙方也。此方乃膏藥之一種。用桑白皮四錢。鹿角霜四錢。喬麥麵四兩。土鼈三十個（活的十數個可足）高醋斤半。以上諸藥研成細末。用生鐵鍋熬不可加水。熬藥之時用鮮桑枝攪之。等到熬成稀飯狀。攤於黑布上。趁其溫熱時貼在患處。奇驗無比。再者此膏藥必於用時現熬。不可預先製成以備需用。恐藥力已過無效耳。

(編者按)山東蓬萊縣戴照軋君寄來一方。亦同此同。惟所述熬膏法用法較詳。玆摘錄如下、

桑白皮七錢。鹿角七錢。土元七個(公的)喬麥麵七錢。老陳醋一斤(土元又名土鱉。如無公的。用母的也可。但效力不如公的大。在國藥店買。活的乾燥積存物或柴草下多有之)。用法將上四味共研細末放入砂鍋內。用桑木(無桑木則用他種木柴也可)火熬之。先用大火。俟膏將成再用微火慢慢熬之。至將藥滴入水內成珠。沉下水底為度。患處大者。藥可加倍。將膏攤在紅布上趁溫熱時貼於患處。若傷在四肢。貼膏後。再用竹片或薄木板包圍傷處略扎。過六小時。細聽患處必有響聲。由緩而急。此係斷骨相接。千萬勿使患者轉動。總以平臥為宜。待聽患處響聲又由急而緩時。速將膏取下。仍將竹板用布條患處輕輕包好。漸漸可以痊愈。切不可久貼此膏。至多不過九小時。久貼則患處必凸起。此膏用時現熬。預備無效。

治水臌方

王洛卿

水臌者。肚腹臌脹。用紅茅大戟。芫花。檳榔。甘草。各一兩五錢。共爲細末。每日服三次。即早。午。晚。每次二錢。重者三四錢白滾水送下。此藥性彼此反對。藉此反動力使水下瀉。服後大便如牛皮凍。服至不結凍爲止。忌食鹽一百廿天。可以秋石（藥店有）代鹽。愈後禁忌酒色一年。則永不再犯。

又方 邢潔真

用黑魚（又名孝魚）一條。重約一斤。獨頭蒜。黑魚頭有星。各處皆有。按患者之年歲大小用蒜。譬如卅歲則用蒜三十頭。加清水將上二味用砂鍋煑極爛。食魚及蒜。飲其湯。一次食完。

功效 輕者一服。重者每禮拜一次。三次即愈。愈後忍食生鹽四十九天。

治哮喘方

黃澄秋

患哮喘者。一遇風寒即發。呼吸艱難。喉間鼾齁有聲喘嗽。坐臥不安。方用 製南星一錢。姜製夏一錢五分。赤苓一錢。牙皂角一錢。枳壳一錢。

淨麻黃一錢五分。炙甘草五分。桂枝尖一錢五分。光杏仁二錢。用水煎服。服後蓋被取微汗即愈。

■治項後頑癬方

項後及耳之前後生有濕癬。流水甚痒。多年不愈者。用楮樹皮汁。取法。此樹形如桑樹惟葉底微白。秋天結果形如草梅。以刀劃其皮。即出白汁如牛乳。用手指纏布蘸汁塗二三分鐘。功效 止痒。七日即愈。

■治蠍螫蛇蚣蜈及一切毒虫蛟傷方

方用葎草又名勒草或割人藤。此草莖有倒生細刺。善勒人膚。普通人家院內籬笆上及道旁及野地多生之。草葉似草麻而小且薄有五尖。八九月間開細紫花。結子狀如黃麻子。（見本草剛目卷十八、七十二頁）剪下一段。莖葉同搗糊。敷傷處。一分鐘內可以消腫止痛而愈。又治發痧肚痛。摘草頭七個加食鹽少許搓爛成一團。用溫開水送下。其痛立止。

■治蚊子叮方

鄉間蚊子最多。善叮人。不堪其擾。叮處作癢。將鳳仙花葉一瓣。揉碎。把汁塗在被叮處立能止癢消毒。夏天各處皆有此花。花有紅。白。紫。之分。但功效大致相同。

■治瘋狗咬傷方

萬世謙

不論男女老幼被瘋狗咬者，神經錯亂。言語失常。用紅皮鷄蛋一個。班蝥兩個（是一種花蓋能飛之虫。中藥店賣）將雞蛋開一小孔。把班蝥研細末放入蛋內。用紙將孔糊好蒸熟食之。不忌口。不怕驚。一次卽愈。真妙方也。

又方

天虛我生先生所輯家庭常識第二集中所載張君一方。實嘗經試驗。活人者三。用敢負責介紹於下。大黃三錢。桃仁七粒。去皮尖。地鼈蟲七個。炒去足。上三味藥。共研末。加白蜜三錢。用酒一碗。煎至七分。連渣於空腹時服之。如不善飲酒。用水對和煎服可也。附注意之點如下。

（一）服藥後。別設糞桶。以驗大小便

。大便必有惡物如魚腸豬肝者。小便則如蘇木汁。通大小便數次後。藥力盡。大小便如常。須再服藥。藥再服。則惡物又下。藥不拘劑數。直服至服藥後大小便毫無惡物為止。假令惡物未盡。中止服藥。則留餘毒物於腹中。定貽後患也。

(一)小孩減半。孕婦不忌。

(一)此方即抵當湯去水蛭虻加地鱉蟲白蜜酒也。

(一)此藥較其他方藥為靈便。服者但忌數日房事而已。如鑼聲等忌否均可。

(一)被狗噬者。倘不明狗噬之癲與非癲。不妨服藥以驗之。若是癲狗。服藥後必下惡物。若係好狗。則大便略濇而已。藥性和平決無妨礙。

(一)桃仁春生。稟陽和之氣。地鼈殼食。得中和之性。酒以養陽。蜜以和陰。大黃能推陳致新。得蜜與酒。化苦寒為馴良。共成去瘀生新之功。則邪去正安。於孕更為有益。況被癲狗噬者。命垂頃刻。豈可拘泥而自誤耶。

小便淋濇祕方

附插圖

陳應期

小便淋濇。大多由於溼熱下注。尋花問柳者。傳染白濁。初發之時。小便大多淋濇作痛。用新鮮娃草一兩。新鮮芭蕉根四兩。水二大碗。煎一碗半。入滑石三錢分三次服。

答「傳」書論丹與丹方

尤學周

振聲先生有道。某不敏。願以丹方進一言。藉作本誌啓事之同聲。想無不可。若竟不以一知半解之見誚。欣幸于無旣矣。頃讀雜誌之創作。列方數十。確皆極佳。然略有不憚處敢與先生商榷之。讀篇首序。意欲求明丹方之典故。不惜盡錄字彙之註解。且依煉丹說而引及丹砂之藥物。却將丹砂藥物而涉及丹方之本題。殊多牽強之嫌。某憑一得之愚。略貢芻蕘。或許認為直友也。溯自有史以來。至堯傳舜。曰。惟精惟一。允執厥中。只此八字。便是丹道之原子。涉周。老子為柱下史。著道德經。曰。丹在身中。非白非青。此指丹道之基礎。釋家四相。與孔門四勿。以及顏子登泰岱。遥望蘇城之白馬。（見孔子家語）此指煉丹之效用。王陽明充滇軍。一日。忽憶若然聖人到此地位。作何感想。一語而悟輒定靜安慮。格物致知之作用。即是煉丹之採取。再按丹字左丿屬陽。右𠃌主陰。中一點以像太極。後又一畫。丹成。金剛所謂一合相。醫家曰拖。易曰爻。皆指功成緣滿之真相、砂字指塵砂。丹經此字最多。又有掬砂得金語。即儒家所謂存心養性。能去放僻邪侈言。迨中國固有之哲學。其與藥物也何尤。如以藥物而求長生言。斯是被丹經比喻所惑者。醫家尤不可不知。免受以肓引肓（原文）之見識。在現今之世為尤要。至於單與丹字音同。誠然有是言。按一味藥為單方。如藥多不便為單。而故名為丹。義始通。而却以道家煉丹為指歸。似乎不可訓。矧以丹方為加減。更然其不可能。假以丹方逐味註釋性味與功用已盡足。一經出入。經方有時且不可。何況奇異之丹方。如何而可。丹方之義。本諸名醫所不取。考諸方藥並無君臣佐使之配偶。或竟有與病者應禁忌。無乃一服而有不可思議之效奇。此固名醫當氣死。緣非出於軒岐之道門故也。如華元化遇石笠師。跪受教。師曰。子所習皆醫人以味。而不知自醫。並不知勿藥而醫疾。今孺子尚可教。吾以青囊授與汝。中有藏不可躲。(見青囊祕笈)傳為治療之獨門。故有單方之謂歟……………

華德路華德坊五十二號傅啓

傅先生大鑒。僕不才。「盡錄字彙之註解。」膽敢為人作序。誠為不自量力。乃編輯者不作為覆訊之用。而反錄之於前茅。方引為平生最榮譽之快事。不料事隔數月。編輯者轉來大函。拆穿僕「錄字彙」之西洋鏡。無異當頭賜以冷水一盆。欣喜之熱情。為之頓消。轉覺慚愧無旣。惟足下對於僕所「錄之字彙。」既謂為「殊多牽強。」則足下之高論。必有深見獨創。而糾正其誤者。於是平心靜氣。沐手而展誦之。初讀之。見許多引證。嘆為聞所未聞。再讀之。即發見不少瑕點。三讀之而始知為一派胡言。且深疑其未知從何處抄拾人家之牙慧也。

「惟精惟一。允執厥中。」此堯命舜。而禪以帝位之辭。引為丹道之原子。已覺不倫。(何謂丹道原子。亦莫名其妙。)而以「丹在身中。非白非青」。謂指丹道之基礎。更覺可笑。按僕所讀過之道德經共八十一章。並無此二句。或者足下所讀者為八十二章。故添入此語。即有之。望文生義。曰丹在身中者。乃所以異於身外之丹也。道家煉丹。原有內丹與外丹之別。外丹即丹方之由來。內丹即俗所謂運丹田之氣也。外丹多用丹砂。丹。赤色。內丹非赤色。亦非青亦非白。故曰非白非青。乃足下不明其義。且不明其出處。以道德經歷人。而不知拾人牙慧者。竟上人之大當也。

『釋家四相」大約指我相人相衆生相壽者相而言。「孔門四勿。」大約指非禮勿言勿問勿聽勿動而言。「孔子家語」少年時亦曾讀過。似乎無顏子登泰岱之故事。或者腦力不若足下之健。有之而忘去。

亦未可知。釋氏四相。卽色空之旨。孔門四勿。乃克己之道。充其量亦不過煉丹時應採用之方法。所以防魔障之襲擊。乃竟指為煉丹之效用。真牛頭而不對馬嘴矣。

煉丹之術。遠在周秦以前。而足下以王陽明格物致知之作用。謂卽煉丹之採取。未免不分時代。不知上下與古今。且陽明之定靜安慮。其所欲得者。乃約束此心之道耳。故寄門人冀元亨書云。「所云靜坐事。非欲坐禪入定也。蓋因平日為事物紛拏。未知為己。欲以此補小學收放心一段功夫耳」。陽明之學。本重實踐躬行。惟其方法單提致良知。偏重於向內。而一般「未入之流。」往往借為幌子。陽明學說。因之日趨墮落。而為反對王學者所籍口。其罪誠不可恕也。

至於丹之古文作㫡。外象丹井。內象丹形。有說文可憑。並無屬陽主陰太極等之說。足下所云。未免近於曲解。吾國醫學之不彰。大多為曲解所遺誤。彼閉門造車者。不知軌道之闊狹。反自號於衆。以菸其創作。而未知其不合法度。不能合轍。有識者大笑絕倒於其後。果真如足下之拆字法以解釋字義。則仁義之義。為「我王八」三字合成。足下於此。又將何說。

丹砂明明一物。乃強指為二。而強辯飾非曰砂乃塵砂。且曰丹經有掏砂得金語。足下所讀之書。大多為海內孤本。如道德經。孔子家語之類。故其內容。與僕所讀之坊間流行本不同。大約丹經亦然。僕自愧凡俗。不敢作昇天之想。故對於丹經。亦未寓目。不敢向「黑漆牆門」上弄斧。故無言可辯。惟抱朴子金丹篇有云。「余凡受太清丹經三卷。及九鼎丹經一卷。金液丹經一卷。余師鄭君者。……家貧無錢買藥。……夫金丹之為物。燒之愈久。變化愈妙。」又云。「凡草木燒之卽燼。而丹砂燒之成水銀。積變又還成丹砂。」丹而須用錢購。可用火燒。其不在身中。明明指用丹砂煉製之丹也。而足下竟謂「與藥物何尤。」此則大惑不解者也。想足下所藏之孤本丹經。未曾說明內丹與外丹。遂將僕所述之外丹。牽連及於內丹。真所謂纏夾二先生者是矣。自己為「丹經所惑。」反以是譏訕局外人。局外人對之。惟有笑其愚蠢而已。

單方與丹方。其不同之點。讀書明理者。類能辨之。而足下以藥多不便為單。故名為丹。此又一曲解也。「似乎不可訓。」無異夫子自道。

丹方之可否加減。確乎為一大問題。讀吾序文者。與足下啓同一疑竇。或不乏其人。竊思方之與人。萬無發而皆中。一成不變之理。人體有強弱。病情有深淺環境有寬狹。既不可以一方而統治病之初起與熾盛之期。又不可執一方而遍治體質不同之人。故靈驗如黑錫丹。紫雪丹。活絡丹。五寶丹。靈砂黑虎丹之類。亦往往隨證候而以不同之藥引送下。此亦加味之意也。日人岡西為人。於滿州醫科大學收藏有丹方之一百九十六種醫書中摘出丹方有二千餘方。此二千餘之丹方。最初之發明者。未嘗不視為靈藥妙術。奇貨自居。然幾經試驗。亦有靈有不靈。此無他。即病有深淺。體有強弱。不經加減。效力不彰耳。余以為羽士之煉丹。經化學作用。成一結合體者。其數量成分。當有一定之限度及標準。然施之藥用。尚得臨時配合。如昇降藥之煉製。各藥品有一定分量。及其應用於外症。往往與他藥混和用之。況施之於內服乎。此二千餘之丹方。今所常用者。僅數十方而已。皆限於作用之故耳。

青囊祕笈之為丹為單。今姑不論。試觀和劑局方之經進地仙丹乃得之於一隱士。伏虎丹乃一道人授與鍾姓老人者。震靈丹乃紫府元君南岳魏夫人方。養正丹。出寶林真人谷伯陽傷寒論中。黑錫丹乃丹陽慈濟大師。受神仙桑君方。此與華元化事有相類處。可證丹方與道家關係之密。同時可證華元化之所得。乃丹方而非普通之單方也。僕之所言。已盡於此。足下如有懷疑。尚望將拙序及本篇細細讀之。並平心靜氣而讀之。如有疑點。不妨提出直接質之於僕。幸勿在暗中挑撥。背人說壞話也。

中國藥學大辭典 廉價出讓

本局前在預約時購得同行書中國藥學大辭典數十部現在此書實售十四元惟本局為便利國醫同志起見願照以前預約價十二元出讓再加贈價值二元之醫書一部惟以售完為止欲購從速外埠再加寄費四角

上海三馬路雲南路轉角幸福書局

丹方雜誌 第四期

價目表

零售	每冊實售大洋二角		
時期	冊數	連郵費 國內	連郵費 國外
半年	六冊	一元	二元
全年	十二冊	二元	四元

廣告價目

等第	地位	全面	半面	四分之一
特別位	封面		四十元	
特等	底面之內外 封面之內	四十元		
優等	封面內面之對面	三十元	十六元	
普通	正文之前	二十元	十元	五元
彩色另議				

中華民國二十四年六月一日出版

編輯者 朱振聲

撰述者 全國醫家

發行者 幸福書局 上海三馬路雲南路轉角

印刷者 興羣印刷所 方斜支路五號

全國銷路最廣信用最著之醫藥常識報

長壽週刊

宗旨：介紹衛生方法　指導康健途徑　公開古今秘方　造成百病自療

◎長壽週刊由全國著名醫學家所撰述

優待丹方雜誌讀者定閱全年祇收大洋一元

長壽週刊每逢星期五出版一期。內容包括內外婦幼咽喉花柳各科。以及生理學。病理學。心理學。藥物學。傳染病學。四季時病。一切性病等等。均有精詳實用之論列。至於家庭醫學常識。古今經驗良方。一切急救自療方法。莫不應有盡有。全年五十期。連郵二元。國外加倍。茲為優待丹方雜誌讀者起見。定閱全年。祇收大洋一元。寄費在內。現已出至第三年。如欲由第一期起補全。亦可照辦。惟所存不多。欲購從速。

注意

自第一期起至五十期止。為第一年。原價二元。現售一元。

自五十一起至一百期止。為第二。原價二元。現售一元。

◎長壽週刊是內政部正式登記之醫報

丹方雜誌
朱振聲編
肺癰草圖
第五期

丹方雜誌第五期目次

瘰癧癭症實驗方

湯士彥

按瘰癧癭症。在外科治療上。同為不易奏效之疚性疾患。吾儕於施治之頃。每苦無相當善法。足資補救。良以此類病症之肇原。胥由於肝腎兩經。精血虧損。恚怒憂思。氣逆痰凝所致。或係風熱血燥。邪搏筋攣。治法止宜益氣養營。滋水培木。而忌追蝕攻下。行氣散血。此固治本之準繩。不得不奉為圭臬也。第失之治標。坐令蔓延擴大。亦非計之得者。故鄙人於臨證之際。輒投以昆布海藻之適宜製劑。頗收良好効果。有時並佐以化痰散滯利膈通絡之品。若貝母、木香、香附、青皮、橘絡、橘核、桔梗、柴胡、刺猬皮、炙甲片等。隨手加入。亦有相當輔力。於是乃深信昆布海藻之功用。對於瘰癧癭症。確具有研究之價值矣。考本艸所載。曾明言其能洩結、軟堅、化頑痰、消癭瘤、即近日西醫所恃為外科重要藥品之碘Iodine。即從海藻中煉出。故其對於瘰癧癭症。及頸項腺腫大結核等。恆投以鉀碘鹽雜調劑。Pot Iod Co。並稱人身缺乏碘質。為發生瘰癧癭症之一大原因。而其主要成分。又據化析測知者。昆布含石灰質百分之二・三八含碘質百分之一・二三四。含矽質百分之二六。海藻含石灰質百分之七・二七。含碘質百分之〇・三三九。含矽質百分之〇・五。含鉄質百分之・〇九二三。因是而更可知上藥之價值矣。今將余實驗之製劑。分述如下。

(一)消癭酒　治瘰癧癭症之屬於局部外科性者。特別有效。

(方劑)昆布半斤。海藻半斤。冰糖四兩。

以上共浸酒二斤。密封於甕。待四日後。榨渣濾淨。每日用三兩。作三次分服。即每次一兩。在飯後以開水對和可也。

(二)消癭散　主治同上。

(方劑)昆布一兩。海藻一兩。香附五錢。木香五錢。浙貝五錢。茯苓五錢。

共為細末。收貯候用。每日用六錢。作三次分服。即每飯後以開水送服二錢可也。

舉例一　病人余濤。住杭城紫荊橋。年三十八歲。患癭症。體質尚健。嘗養住良。項左高凸如饅首。皮色如常。並不覺疼。微礙轉側。不咳嗽。無他兼狀。余以消瘿酒。囑其日服三兩。十日來診。平其半。再劑經旬。竟告愈。

舉例二　患者孟晉生。曾服務於前吳興警察總所。其右腮漫腫。如患痄腮。已歷年餘。並不感覺痛苦。惟甚礙觀瞻。頗引以為憾。余每日投消瘿散六錢。分三次服。一月後。消弭無形。（附注）患者服藥至三日後。忽起忌藥作用。自覺胃慾頓減。漾漾欲吐。頗為不舒。余乃投以小蘇打五厘。Sod Bicarp gr 5後亦漸安。此種不慣受藥而起之反嚮，有時當減其分劑。或竟停服。

鴉片之吸食及其戒絕方

尤學周

（緒言）鴉片原為藥物。濫用之結果。因之流毒全球。其受害最烈者。莫如我國。今我國民政府。以全國人民吸食者之衆多。已決心禁種。禁運。禁售。禁吸。務使澈底禁絕。黑籍同胞。須及早回頭。堅心忍耐。訪求良方。為之戒治，俾得完全斷癮。返為康之國民。禁烟先哲林則徐有云。「鴉片之毒。甚於洪水猛獸。天下萬世之人。斷無有以鴉片為不必禁者。此禍不除。十年後。無可用之兵。可籌之餉。鴉片流毒內地。如癰疽流毒人身。癰疽生則漸成膿。鴉片來則漸以致寇。必須將鴉片烟銷除淨盡。乃為杜絕病氣。」深知灼見。是能切中其弊者。

（吸食鴉片之原因）鴉片之害。盡人皆知。而每年之上癮者。為數不少。一般青年。亦多趨之若鶩。明知故犯。可恨可痛。考其原因。不外下述數項。

（一）因失意而吸者。營業失敗。宦途失意。情場失戀。志意不遂等時。精神受盡剌戟。萬念俱灰。輒借此以為消遣。而乃漸漸上癮。（二）因縱慾而吸者。世間青年子弟。為放縱性慾計。往往乞靈於鴉片。以求一時之愉快。如是經久。遂致欲罷不能。（三）因狎邪而吸者。青樓場中。過其放浪生活。更非有通宵不倦之精神不可。吸者被迷於銷魂陣中。焉有不上癮之理。（四）因賭博而吸者。呼么喝六之場。各出其全副精神。以求博得一勝。迨至身體疲倦。即抽鴉片。以支持其精神。如是成癮。（五）因疾病而吸者。人生疾病。固所難免。但世俗之人。往往罹病。不延醫診治。譬如患牙痛。腹痛。下痢。咳嗽。誤聽人言。自用鴉片療治。雖能麻醉取快於一時。豈知吸食之念。即由此牢結。以後隨發隨吸。卒乃上癮。（六）因玩弄而吸者。紈袴子弟。遊手好閒之徒。長日無事。輒一榻橫陳。玩弄吞吐。以消磨光陰。日久漸成習慣。非此不足以愉快其精神。

（吸食雅片之診察法）吸食雅片者。易於發癮。癮發時。有欠伸。流淚。流涕。寒顫。盜汗。抽筋。身體疲倦。夜間睡眠不安。心跳。胃納不宣。神經易受刺激。作噁。吐酸。腹瀉等現象。

吸雅片者之面部。其色大多帶灰黑。而無光彩。呈呆滯之狀。兩唇呈紫暗或暗紅。微帶黑色。不比常人之唇。顯呈朱紅色然。牙齒內部或外部。多發黃黑色。故吸雅片人之精細者。常以牙刷刷之。食指中指與大拇指螺紋之外部。因久吸烟灼而發泡。遂致表皮剝落。或起粗厚之狀。又三指之合攏處邊部。有烟跡黃斑。惟精細之人。吸食之後。即以肥皂洗滌手指。並將烏賊骨摩擦。其烟跡則因以消滅。

(吸食雅片之害)歷來敘述雅片患害之文字。多偏重於體質方面。少有人道及精神方面之害者。實則吸食雅片之人。不僅身體發生變化。且其思理亦由正常而趨於怪癖。心地由光明而變為險惡。行為由高尚而變為卑鄙。蓋染此嗜好者。其精神異常。日間喜睡眠。夜間則又興奮。當其一榻橫陳。正值萬籟俱寂。於是一面吞雲吐霧。一面瞑目疑思。久而久之。神經甚為敏捷。思想甚為深刻。往往發生幻覺及錯覺。至經濟之不寬舒。則又擘畫及於經濟問題。甚至發生利己損人之惡念。

吸食雅片之人。對於事業。不甚進取。而將晝作夜。影響於整個家庭。家庭間滿充暮氣。其為害之大。非片言可盡。

(戒絕良方)雅片既為毒物。足以傷身敗行。故宜早行戒絕。戒烟之方甚多。其最便捷而經濟者。莫如淡菜綠茶膏，方用淡菜一兩。綠茶膏一兩。食鹽四兩。烟灰四兩。水三碗。煎一碗。儲有蓋磁瓶中。烟癮來時。食一二匙。卽不癮。且精神百倍。毫無痛苦。誠奇方也。如食完一服。第二服餘藥照舊。惟烟灰減去五分。成三錢五分。第三服更減去烟灰五分。成三錢。直減至無。則烟已完全戒絕矣。且不論烟癮大小。均可如法戒絕。藥旣和平。手續更為簡單。如上法戒絕之來一致一者。不下數百人矣。誠患烟癖者。均可脫離苦海之仙槎也。

■大便中有蟲治驗方

顏蠡泉

人生在世。最怕的是生病。俗諺說。「英雄也怕病來磨」。所以我們對於身體。應該格外保重。假使一旦為病魔所襲擊。則所受的痛苦眞非筆墨所能形容了。古語說得好。「有病方知無病樂」。可稱一些不錯。我們雖然怕生病。但是人生一世。那能保無病呢。因此在生活的過程中是逃不了這樣的一幕。不過旣然生了病。是有名目的症侯還好。最怕的是生了那些無名怪症。弄得中西醫生一齊束手。不死不活。那纔眞正尷尬呢。猶憶去年新聞報茶話欄刊着殺甫君的奇病述異。

說一小孩的糞便中發現蜻蜓田螺黃蜂等幼蟲。中西醫生。均謝不敏。後登報徵求良方。得到一個簡治法。不數服病已霍然。現在把原文錄在下面。

民九。余在江西水警隊長任內。駐防南昌時。該地有彭姓律師某。罹一怪症。大便中發現蜻蜓田螺黃蜂等幼蟲。蠕蠕而動。遍訪中西名醫。無不束手。於是出重金登報徵求治法。適魏紫侯先生居南昌。魏為贛之大儒。精岐黃術。而不輕於行醫。閱報命其子往授以白馬尿和雄鷄冠血冲服治法。患者如法泡製。不數服即告痊癒。穀甫君又云。斯病之來。殊為不可思議。余因屢見報載各種奇病。特筆而出之云云。大便中出蟲。見何病症。又何故而生蟲。筆者固茫然不知。不過因這兩種物品。並不是藥。而竟能治愈此種怪病。是真匪夷所思了。

鴉片病釋及治療方法

陳秩平

考鴉片一物。自明代始入中國。鴉片病亦可斷自明代始。然迄今三百年來。未見有道及鴉片病真理者。所以治鴉片病方。在吾國醫書不多見。至傅青主男女科及潛齋醫話所載。一則重用鴉片烟灰。一則服藥仍須帶吸。就今市面所販賣戒烟藥酒藥丸藥水。又皆攙以烟灰或嗎啡。亦要帶吸。並假以猶豫時期。以日減月削之功。待緩緩乃能收效。皆非良好活法。須知鴉片原質為罌粟。性酸濇。酸者能斂。濇者能固。本為一時的治病藥物。今乃採漿汁熬膏。復加以火化吸烟。是酸濇性直不啻百倍於原質。再作隨餐食料。久之臟腑血脈。悉為所變。此鴉片病發生之原因也。常視吸鴉片人。服熱物常自在。服清涼反不安。又大便每數日纔一通。每通枯燥如羊糞。飯食少進。體瘦如柴。是則由鴉片酸濇加以最盛火毒。吸入于胃。散于經絡。使人身元陽壅遏不行。陰液因而枯涸者。鴉片病所種之病理也。論病可名之曰陰枯陽結。吾人試思之。治陰枯陽結症。豈古無善方。奈人不去尋思耳。傷寒論曰。傷寒脈結代。心動悸。炙甘草湯主之。自後千金翼將此方移治虛勞。寶鑑移治呃逆。外臺移治肺痿。蓋均屬陰枯陽結不足之症。與鴉片病殆亦異因而同果者。先哲有言。藥不執方。合宜而用。平師其意。復用炙甘草湯移治鴉片病。亦奇效異常。屢試屢驗。夫惻隱之心。人皆有之。況屬國醫國藥。用治國人之病。豈忍祕而不宣。致貽染是疾者。因世無良方而長抱無窮之累也。玆將炙甘草湯方配製服法。開列於後。

炙甘草湯分量配法

防黨參一斤。炙甘草三兩。麥門冬三兩。火麻仁三兩。真阿膠三兩。乾地黃二兩。南大棗十五只去核。桂枝尖一兩二錢。淡乾薑一兩二錢。

製丸法

右方先取黨參一味。另熬。去渣成膏。以滴汁成珠為度。阿膠燉溶。餘藥合蒸熟。揀出桂枝炙草乾薑麻仁。晒研細末。合調勻。再取麥冬地黃大棗黨參膏阿膠和藥末。舂千搥。作丸。桐子大。晒乾。入貯磁罐。封好。待一星期後取服。

服丸法及功效

服丸隨烟癮大小及次數。每服先于平日在吸烟前之一小時。服下以五錢至一兩半為度。飲酒者取酒送服。不飲酒者。取飯湯或白湯送服。有時或飯湯白湯均不便時。即淨丸呑服亦可。癮輕者一料。癮重者二料告癒。服丸時可即斷吸。全無病苦。且精神百倍。此丸不惟可治烟病。即平人常服。亦可強身體。驅百病。誠良劑也。

妓女口中之淋濁秘方

雲

雲從前頗喜女色。偶與妓交接。即發生敗淋之症。初黃而後紅。苦甚。須經治日久。始能告愈。嗣遇一楊妓。告以秘方。據云黃者用黃鷄冠花。紅者用紅鷄冠花。黃紅幷兼者。黃紅幷用。將花置瓦上。放火內燒焦為度。俟冷。用頂上膏梁酒冲服。須儘酒量飲之。飲後蓋被而睡。醒時即小便。而病自除。雲照法試服。果驗、以後屢試屢驗。傳告於人。而人人服之均驗也。

漆瘡之驗方

尤學周

有人觸及於漆。往往顏面手足等處。發生小塊。或小水泡。紅腫痒痛。晨夕尤甚。其重者。變為小膿泡。皮膚即因此腐爛。所謂漆瘡者是也。

漆瘡感染。因人之體質而異。有直接與漆接觸而不易感染者。有旅行漆樹之下。或通過漆店之前。亦能發生者。考漆瘡發生之原因。必以漆中含有毒質所致。此毒質果何物耶。古來因不知漆之成分之故。妄加推測。各執一詞。據日本理化博士。真島利行氏。研究漆之成分。經九年之久。始悉漆中毒質。為脂肪及單甯等之特別化合物。學名烏路希窩爾 Urushiol 含有劇毒。為非揮發性之物質。與甘油及橄欖油同。至通過漆樹之下或漆店之前而即感染者。實因塵埃與烏路希窩爾之微量。直接附着於皮膚之故。按諸實際。烏路希窩爾之分量。即為千分之一毫之微。其對於感漆過敏之人。亦易於中毒。故接近漆樹漆店或新漆器。而感染漆瘡者。自足無怪。

治漆瘡之法。用杉木屑煎水洗。洗後。取生蟹黃塗之即愈。有塗後反見潰爛者。無用憂慮。數日即能收功。

■妙想天開之咳嗽治法

張仲勳

款冬花二兩。佛耳草一兩。熟地黃一兩。焙研末。每用二錢。裝潔淨水烟筒上。如吸水烟然。噴之。有涎吐出。此方治一切咳嗽。不論久遠晝夜。無不效驗如神。好在藥品不貴。患者不妨試之。

治痢必效方

陸壽人

夏秋之交。痢疾最多。裏急後重。用生大黃四兩。川烏二兩。苦杏仁。（去皮尖）四十九粒。正茅朮三兩。（米泔水浸一夜切片。用麻油炒透。）六神麯三兩。花檳榔一兩。麸枳壳一兩。共研細末。凡患痢疾。每服五分。輕者三服可愈。重者不出十服。必愈。每日服三次。宜於晨午傍晚。紅痢用開水吞服。白痢用生姜湯吞服。暑熱痢用六一散湯送服。閉口痢用生火腿湯服。均極神效。

預防螳螂子的祕方

顏鑫泉

大凡嬰兒自初生以至週歲的十二個月內。隨時有發生螳螂子的可能性。在口內兩腮的部分。漸漸的腫硬起來。而且那腫起的地方。不能受着壓力。不然就覺得痛不可言。因此患螳螂子的嬰兒。當把乳頭送進他口內的時候。他為了吸吮的關係。自然而然把兩腮癟攏。乳頭觸及腫起的部分。他就哇的哭起來。假使腫到極利害的時候。那麼不吃乳也要哭個不休了。現在對於這症候的普通治法。除了一割之外。簡直沒有其他的方法。不過割後也並無若何的害處。而且割後停止十數小時的吃乳後。那病也就很快的痊癒了。可是對於割除的刀針棉花等等的物件。須經過嚴密的消毒。否則是很危險的呢。又據上海某名醫的經驗說。「嘗見一小孩四歲。尚不能言。其顋短。胸骨高。目無神。脚不能立。完全呈畸形。衆醫不能識。余見其啼時腮內膜有青色斑痕。正當割螳螂子部位。因問初生時曾經割治否。曰有之。是則因其腺(按此處係腮腺)被去淨盡。故其病不能治也。但腺不可盡除。除必有害」云云。可見割治過當。將遺害終身。這一層。倒也須切實注意。數年前。吾鎮有一位名醫。年逾古稀。祕製一種靈驗的膏藥。在嬰兒初生後。就將此項膏藥在嬰兒面上近腮的部分。左右各貼一張。就永保無螳螂子之患。據一般曾經貼用的人家說。確實靈效。不過兩張膏藥的代價。須大洋一元。因此那些貧苦人家。還是無力購貼。後來那老醫病危。膝下無後。因此就把這靈驗的藥少。當看一般親族戚友。口述出來。原來那膏藥祗用芒硝二三粒。（國藥鋪裏買。價格很便宜。一枚銅元可購一二十粒。）略敲碎。另用普通膏藥二張。將芒硝放於膏藥中心。（每張用芒硝二三粒。注意。）對準腮部貼上。四五朝後揭下。那麼就能永久不患螳螂子了。此方萬試萬驗。特為介紹。望讀者隨時宣傳。利己利人。亦一舉兩得也。

■治小兒遺尿良方　陳傳祥

年輕小兒。每患遺尿之症。頗難治愈。今傳祥有一簡便奇效之良方。功驗無比。

方用生白蓮半斤。日食念粒。繼續食之。不日可愈。並不再患。保可絕根。

舍姪今年七歲。亦患斯症。後承同學鍾惠慶君告以此方治之。果得以治愈。現已有年半不遺其尿。洵明證也。

■諸般咳嗽神驗方　周吉人

蜜炙款冬花一錢。象貝母一錢。知母一錢。水煎一盅。外用冰糖五六錢。放銅杓內。向火上融化。滴入藥內服之。數服全愈。並治咽喉發乾。以及咳嗽中帶血。亦以此法治之。神效無比。此吉人百試百驗之品也。惟冰糖烊後。和入藥中。切不可以藥水冲入冰糖之中。致使不靈而自悞。

□秘傳口眼歪斜方

朱振聲

蒼朮。（童便浸）一兩三錢三分。當歸（酒浸洗）七錢七分。細辛一錢七分。白姜蠶（水浸微炒）一錢七分。藁本一錢七分。甘草（微炒）一兩。川烏（煨）一兩三錢。金釵石斛（去根）三錢三分。川芎三錢三分。防風一錢七分。人參三錢三分。何首烏一錢七分。蟬衣（用白者）一錢七分。全蝎（去嘴足。用粳米炒黃）一錢七分。白芷一錢七分。兩頭尖一錢。草烏（煨）一兩三錢三分。麻黃（去根）一錢七分。天麻（煨）一錢七分。硃砂一錢七分。荊芥（去根）一錢七分。

右為細末。飢時。用溫茶調服。量人肥瘦有力者服八九分或一錢。老弱者服六分或七分。

□手足麻木不仁及半身不遂

尤學周

凡男女氣血兩虧。手足麻木。不能行動。下列一方。連服五劑可愈。倘未全愈。將陳酒十斤。煎藥漸服。必可愈也。

金毛脊一錢。川牛膝一錢。海風藤一錢。宣木瓜一錢。桑白皮一錢。松樹節一錢。杜仲一錢。續斷一錢。秦艽一錢。桂枝尖一錢。熟地三錢。當歸身二錢。虎骨膠三錢。河水二碗。煎至六分服之。或用陳酒一小杯。和入服之更妙。並治半身不遂。

■男人陽痿不起

周吉人

凡男人陽痿不起。用棉花子。水浸。曬乾。燒酒拌炒。去殼。用仁八兩。破紙(鹽水炒)二兩。韭菜子(炒)二兩。共研為末。葱汁為丸。如梧子大。每服二錢。空心酒下。久服自愈。並用蛇床子天天煎水洗下部更好。

■己戌丹

專治蛇蛟。瘋狗咬神效秘方　凡為毒蛇所咬。瘋犬所咬者輒有性命之憂。苟治療稍遲。或治不得法。毒發必死。其死甚慘。茲覓得屢試屢驗之『己戌丹』原方及其用法列後。

奎廉球一錢高粱煆。真大紅瑪瑙一錢高粱煆三次。上腰黃二錢。上白馬（即白硝）二錢清水洗三次。當門子一錢。上犀黃一錢。大紅硇砂一錢。大泥片一錢。

右藥八味共研極末。分裝一百小瓶。用蠟或火漆封固。勿令洩氣。點男左女右女眠角內。先點三點。閉目仰視。使藥性下行。少時再點三次即愈。最妙忍淚不出。恐藥隨去。如有淚滴下。可即抹于口中食之無妨。此係救人性命。有呼吸之間。重者可速服一小瓶。溫開水送下。孕婦忌點服恐。有墮胎之虞。但其間亦有不墮者。患者自酌可也。

配藥須知

一、此丹中貴重藥品居多。應向城市內大藥號配製。

二、前人向在上海雷允上藥號配製。該號亦有配就現成之藥發售。每瓶八角。每四分之一料。計廿五瓶。合洋十七元五角。每全料計一百瓶。洋七十元正。

施法須知

一、治病時用骨針或紙撚挑藥少許。分男左女右點入眼潭內（即近鼻之眼角內）令病人閉目仰首。使藥下行。約五六分鐘。然後啓目。

二、點藥時若淚多。則中毒尚經。點三次卽愈。苟點藥而無淚。其毒深。應日點三次。連點三日。以求毒盡。毒極重者可服一小瓶。蛇咬者毒發甚速最好點服並用（卽一面點目。一面內服）傷處可貼薄紙數層或吸水藥棉以吸其毒水。毒盡卽愈。

■毒蛇咬傷方

邢潔直

平日將臭虱（卽臭虫）浸於菜油內（蘇油亦可）藏於瓶中。愈久愈好。遇有蛇咬取臭虱搗爛和唾液（卽吐沫）塗於傷處。毒可解。痛可止。其效如神。

又方　馮永樂

凡人為毒蛇所傷。方用｜獨蒜兩個。艾一團。用法　將蒜切作片。遮於傷處。用艾燒之。燒七柱。卽安康。其效如神。

■治黃水瘡方

韓克理

黃水瘡者　嘴上。面上。手足等處生瘡流黃水癢而傳染甚速。方用　松香。五倍子。枯礬。黃丹。梁頭灰（屋樑上之灰塵。去濕）共等分。共研細末。用蘇油調成糊塗患處。用棉或布纏好。輕者二日。重者三四日卽愈。或用豆腐渣及做豆腐擠出之黃漿水。煑沸洗患處。用腐渣敷。一日三換。蓋漿內函鹵。洗之去毒。渣乃吸其黃水。三四日卽愈。

又方　李潤生

小兒常患之於頭或面部。癢而流黃水。水到處傳染甚快。方用　孵出小雞的蛋殼。用砂鍋將蛋殼(卽出過小雞的蛋皮)焙黃。研成極細末。撒在患處。如己結疕者。可用好芝蔴油少許使成糊狀抹上。數次卽愈。百發百中。

又方　鮑忠

青黛。紅丹。銅綠。各一錢。外加明礬一錢。用葱汁煑之使枯。研成細末備用。用時　將上藥共研細末用好芝蘇油調糊抹患處。明礬可多可少。癢則多加。此方　屢試屢驗。

又方　吴敬庵

先以荆芥。防風。透骨草。陳艾。羌活。獨活。赤芍。桔梗各一錢。煎水洗患處。再敷藥膏如下。乳香。官粉。銅綠。樟丹。各一錢。枯礬四分。共究細末蘇油調敷。

又方　郭建唐

法用黃蓮（藥店可買）少許。在火上焙極乾研細末。用芝蔴香油和之。成稠糊狀。先用開水洗去瘡上之甲。再塗是藥。二三次卽愈。屢試屢驗。

■治疥瘡方

王振信

疥瘡　多生於手指之間。刺癢難過。方用硫磺一錢。黃花士林油九錢。（西藥店賣）用法　將上二味和勻抹患處。功效　解癢殺蟲。曾治好多人。

■治大疥瘡及細疥瘡

葛志彰

大疥瘡　用樟腦二錢。血竭二錢。水銀五錢。枯礬五錢。大楓子肉一兩。硫磺八錢。以上六味共研細末用麻油或青油調和。每日早晚二次。將藥置於手心。竭力擦磨。患處。愈久愈熱則愈好。如是一禮拜卽愈。治細疥藥味及重量與上方同。惟另加硃砂二錢。斑毛五個。用法亦同上。

又方　徐子麟

不論乾濕週身的疥瘡。用（柏殼　卽柏樹上的花。柏子臥其中。其形如花）約一斤。硫磺約二兩。料香（卽普通敬神所燒的香）一小束。先將柏殼堆在地上。爲硫磺研成細末。攙在柏殼中。將料香燃着。放在當中。患者蒙被用櫈坐在上面。到出汗時再蒙被睡下。經夜次日即愈。

又方　徐保三

手指間。背肘。腕。膝等關節及臂部皆爲好發部位。始則限於一處。繼則延及全身。瘙癢極甚。常有水泡膿泡混合其間。可用　硫磺粉四兩。石灰四兩。清水半斤。共放洋磁盆內。用火煑沸約半小時。後將黄水倒出備用。水下之沉澱不要。每日早晚用此黄色之水擦患處。將膿之泡刺破使藥進內。數日即愈。

■週身濕癬方　吳敬庵

週身或兩腿之間濕毒爛癢流水。方用

羌活。白芷。芥穗。苦參。黄柏。連翹。雄黄。百部。檳榔。蛇床子。甘草各三錢。木鱉子仁八個。

將上十二味共研細末。和猪板油搗成糊爲丸。如核桃大。手拿藥丸在患處搓摩。

■火燒或湯火傷方　賈樂山

傷未過全身之半者。起水泡或紅腫者。方用　石灰水。植物油（芝蔴油。花生油。胡麻油之類）等分。將石灰放在水內。發開。攪勻。澄清後將水傾在油內。攪合到油水合一變成黃色。以布蘸之敷傷處。每小時一換。痛止後敷以猪油或雞油用油紙紗布包內。功能解毒止痛。三日即愈。

又方　　　孟　庸

皮膚局部忽為湯泡火傷。焦灼疼痛。方用　蘇油一兩兌白菜汁一茶杯。外用火紙三層（即表心紙。水煙袋所用之紙）酒（高粱或米酒）石灰一斤。地榆末三錢。用法　先將芝蔴兌白菜（一南方青菜）汁飲之。使大便疏通。以免火毒攻心。（取汁法。將白菜切碎用布包好壓之即出水）外用火紙蘸酒貼傷處用布帶裹之。第二日洗去火紙。再用石灰一塊化在清水一大盌內。俟灰下沉。將水倒出（要水不要灰）兌地榆末三錢。和蘇油三兩攪之成白色用布蘸此水敷之。數日即愈。

又方

被火或開水湯者。紅腫起泡可用　雞蛋黃油。取油法。先將雞蛋用水煮熟。將蛋白剝去不要。只用蛋黃。將黃置於鍋內或銅鐵勺內乾炒成黑炭。冒烟欲着時。壓之始出油。其色黑。用法 將油塗在患處。每日三次。重者用紗布浸油敷之。此方止疼。二三日即愈。編者屢試屢驗之方也。

治傷口用藥

王輝明

凡一切刀砍斧傷鉄傷打傷。舉凡出血各傷。凡一切未經生膿傷口。只須搽上一次。裹好。自有神效。此方乃古神效金鎗秘藥。不傳於外。經鄙人多方求得。不願自奇。願供衆好。其實一經道出。人人皆可自製。法如下。

方用 生石灰粉半斤。生大黄半斤。搗細同入鐵鍋內熱炒許久。直等大黄燃燒成灰。石灰紅透。(同時不要因鍋燒紅停止)鍋內石灰和大黄化合物呈暗黄色。仍如前拌炒。漸變成粉紅色。再炒直至鍋內藥物呈白色。後始將鍋移置他處。冷後。則藥成矣。若加少許冰片。掃粉。及紅粉也可。如不能多量製造。只需按量減少亦可。

鉄打損傷流血不止方

吳敬庵

方用 馬前子三錢。麻黄二錢。乳香

三錢。沒藥三錢。四味共研細末。收藏瓶內。用時將藥末敷患處。此方止血消腫。如小兒面部受傷出血。敷藥後即令其隨意多食大棗。愈後無疤痕。

◻治小毒瘡方

鄧冠英

成人常患在下體兩腿或兩腳各處。小兒則多在頭部。身上亦有之。流濃水疼癢間有。係因熱毒或痱子毒所致。多發於夏秋之間。方用「蒲公英」「金銀花」等分。每日煎湯當茶飲之。小兒或加些白蜜和飲更妙。此藥和平價廉隨地皆有。好人飲之無害。數日則瘡毒漸消而愈。百發百中。

◻無名腫毒內服方

蘇寶善

身上各處時起之瘡或一切無名腫毒。方用　金銀花四錢。蒲公英四錢。當歸四錢。元參四錢。用法　將四味用水煎服。小兒減半。每劑可煎二三次。服後止疼消腫。

◻治陰瘡祕方

河南方城趙河博愛學校徐予麟

不論在身體何部。凡不起紅腫高大狀

態的瘡。從皮膚中由瘡口流出清水。並無膿血。往往醫生不能起名。以致多年不愈者。方用　豬油二兩。官粉半兩。石蟹一錢。

用法　將石蟹研成細末。合官粉在豬油內同熬。以致成膏藥狀為止。不可太過火。將藥攤布上貼患處。每三日一換。數次即愈。記者親自見過。

■毒瘡

南洋林證耶牧師

一切皮膚上之瘡症。以及一切損傷。

方用　吳茱萸。白川椒。臭屁蟲。（即能放臭氣而有毒之飛蟲。在南方正當荔枝元眼結實時產生甚盛。野花中亦常有之。粵人呼曰臭屁蟲。）若無此蟲。可用蜈蚣代。）用法　吳萸川椒各約三錢。同蟲若干。（要活的）浸茶油或其他植物油一斤。（約浸一星期可用）先以硼砂水（或溫和之鹽水或白開水（淨洗患處。然後以藥棉或潔淨之軟棉布蘸油敷上。裹以巾帛。日換一次。數日即愈。

功效　治凡皮膚上一切有毒中毒而見傷者。有殺蟲止癢。拔毒生肌之功。重症七日。輕症三天即愈。鄙人常備應用。為屢試之靈藥。重症如三里發等惡毒大毒。輕症如疥癩刀傷之類。亦皆見効如神。

搭背

南洋林證耶牧師

背上生瘡。方用　天南星。（即野生之假芋頭形與真芋無異。不過其葉起鏡面。多生於卑濕之地。手觸南星肉。不勝其癢。遇水越癢。見火止癢。藥店有乾南星賣。惟得生鮮者更良。頭圓者為真。長形者假。但亦可通用。）用法　搗爛敷瘡上。一夜即穿。以溫鹽水（硼砂水更好。白開水亦可。）洗去膿污。再敷一服即愈。（注意。若見膿頭。須先設法拔去。既穿後所敷之藥。須有定時。約隔一小時看之。至新肉蓋滿瘡口為止。不然。恐新肉壅起）。功效　止痛。攻積。拔毒。埋口。生肌。天南星為一切瘡科良藥。上為一友人親身嘗試所得之效果。又一友人眼蓋為他人手踭所觸。紅腫發膿。痛不可當。乃以生星敷之。兩次即愈。

疳疾祕方

羅網脫

食物不消成為疳疾。方用　金鈴子（又名苦楝子）研極細末。每服一錢白水送下。小兒減半。連服七日。比數十換之三道年強勝百倍。

■小兒肺炎方

王超英

發熱咳嗽。呼吸急促。或發熱。身浮紅粒。屬實者可用　大黃七分。天麻六分。木通六分。竹黃七分。黃柏五分。箙子一錢。車前五分。姜蠶五分。全蠍五分。或加鈎藤七分。水一碗。煎三分之一。小兒一年以內者作三四次服。五六歲者作一次服。若十歲上下者。每服二劑（即藥量加倍）。用溫沸水頻頻送下。服後如吐痰勿驚。

按此方治「肺炎」較西藥為佳。屢試屢驗。

■小兒放白屎良方

莊允中

小兒小便放出白如牛乳或如米泔水色之屎。名童子敗。方用　鵝不食草（此草處處皆有。廣東青草藥店賣）五錢。多食亦無妨。用法　將草洗淨切碎。和青皮生鴨蛋一個烙熟。一次服。功效　食二次即愈。但愈後須用洋參湯補之或用西藥補之。以善其後。

■治小兒食癪方

任光祥

小兒肚大青筋身瘦。積住食水。方用秋後「桃樹葉子」。取在陽面上好葉子約二三斤。用水洗淨。在水內用鍋煑之約二小時。將葉取出擠乾不要。再熬鍋內之汁。熬成膏藥。攤布上貼肚臍。不過一月即愈。

□乳瘡

李漢鐸

有嬰兒食乳之婦人。易得此症。因受小兒鼻風所致。紅或青腫痛。

方用　鹿角末(一角錢)高粱酒二兩。將上二味置盌內蓋好。放於水鍋內煑半小時。臨睡時飲發汗。如不能飲酒可用一兩。再加甜酒二兩。飲後將渣敷患處。汗出即愈。如已潰破則不能用。

又方　吳敬庵

乳瘡　不論已破未破疼不可忍。大括蔞一個。乳香一錢五分。沒藥一錢五分。當歸一兩。甘草三錢水煎服。

□瘰癧結核未破者方

鉛三兩(報館用以印字之鉛亦可)。在鐵器內用火炒取其上面之黑灰和好醋塗上。上用布貼之。見水即換布。去其毒汁。如此半月不痛不破內消而愈。上方係錄自「驗方五千種。」患者試之如有効。請示知。

治瘰癧方

病狀　頸項經絡上結核成癧之疾。俗稱瘰子頸或老鼠瘡。西醫稱為淋巴腺結核。亦係肺病之一種。多人因之喪命。輕者頸上或左右生疙瘩大小一串。患時亦不覺痛苦。惟日久則破爛流膿水。甚則全頸皆爛。甚危險。

方用　輕粉。紅昇。各二角錢的。生石膏。熟石膏。各一角錢的（以上共用六角大洋）。豬板油四兩。

用法　上四味都是中藥。連豬油共搗成糊（用鐵錘在大石上搗即可）將藥攤油紙上貼患處。外用布包好。每日早晚各換一次。忌房事。宜多食華薺。海帶等物。輕者半月重者一月即愈。

（編者按）此係祕方。得之於一交通部之衛兵。

婦女瘰癧治方

吳敬庵

婦女頸上之瘰癧堅硬難愈。方用　生南星。五倍子各三錢共研細末。將蜂蜜攤於布上。再將藥味撒在蜜上滲成糊貼患處。或用膏藥貼之亦可。

■治蛇頭疔方

萬世謙

此症多半生在大拇指上。腫疼發紅。形如蛇頭臂腕現紅線者。方用　黃泥（地上之黃土有粘性者）。谷糠一斤（北方小米之糠）。將病指用黃泥包好。把糠用燒着。將指放糠內燒之。泥乾再換。如此燒烤五六次即愈。

■治疔瘡方

吳學禮

疔瘡生在手上或臂上必有紅線。疼痛難忍。方用　獨頭蒜一個（無則大瓣蒜亦可）用法　將蒜之外皮剝淨。在多人走路之土地硬光處。吐自己唾沫。將蒜研沫成泥。遂用此泥敷疔處。另用。甘草三錢。黑豆五錢。二味同煎。毒即消散。如遇疔處肉厚。一夜即能拔出。如疔在口上。鬢上。頰上。內毒必深。急須服大劑解毒湯。方可起死回生。解毒湯方。地丁一兩。菊花一兩。上二味同煎。服三劑即愈。

■治人中疔方

人中即鼻下。上唇中間之凹槽。此疔

色白。發癢麻木。方用　生雞蛋一個。用針刺一孔。套在疔上。按住勿動。十五分鐘後。再照樣換一個雞蛋套上。三次即愈。

▣治箍腰蛇方

孟伯焱

病狀　圍着腰部起小紅點。痛甚。

方用　陳石灰。高粱酒。二味。先將陳石灰研成細末。調酒成稀漿。抹患處　立時止痛而愈。（編者按。陳石灰係多年房基下或牆上之石灰）

▣治凍脚裂方

黃景福

農夫及普通人。冬天多患脚裂流血疼痛。可用　脂粉五錢（即婦女用以塗面使用之粉）。生豬油三兩將上二味同搗敷患處。能使裂痕即合。且保下年不裂。

又方　周海和

冬日天寒以致手足凍裂。甚者破爛流水。疼痛難忍。方用　黃臘二兩。豬油四兩。松香二兩。赤石脂三錢。冰片一分。製法　先將豬油化開。取出油渣。再下黃臘及松香。俟化合後。再下赤石脂。攪勻後即下離火。等藥略溫。再加冰片攪勻。即成金黃色之藥膏。此藥又名黃金膏。用法　先將患處用溫水洗淨。將藥攤薄紙上貼患處。外包以絨布。每晚換藥一次。此藥余在南京施捨有年。用者數日即愈更治其他破爛流膿水之瘡。因其能生肌收口去毒也。

□腿脚腫症

姜文德

腿足等處因受溼而清或紅腫痛者。方用　甲魚一隻。秋石一錢。甲魚又名水魚或鱉。去頭令游水中去其血。煑熟後去骨加秋石當鹽用。再煑飲湯食肉。重者二隻輕者一隻腫消即愈此方屢試屢驗。

□治綉球風方

鄧蘭村

外腎皮受風腫大。用炕內燒透炕坯一塊。好醋一斤。將坯搗碎如核桃大。入鍋內炒極熱。取放盆內。把醋倒在坯上則有熱氣上騰。先將一圓凳置盆上。人坐凳上腰圍一被。連盆圍好。勿令洩氣。汗出即愈。曾治好多人。（編者按。北幾省多炕。即用土坯所搭成之床。冬日可以燒火。南方因地潮多不用之。故此方只適用於北方之鄉間。睡潮溼土炕之人易得此症。以

當地之方治當地之症可也。（一）

收口藥膏方

孟醒君

凡癰疽破傷。膿毒已盡。久不收口者。方用　兒茶一錢。蘇油三兩。黃臘三錢。用法　將兒茶研成極細末和麻油及黃蠟同化成膏。攤少許於油紙上貼患處。每早用白礬（即明礬）少許化開水洗患處。再貼之。數日收口矣。

治外痔方

羅心佛

肛門左右腫起大如黃豆。非常痛癢。甚者破爛膿血淋漓腥臭不堪。方用大田螺一個。冰片三分。川連三分。用法　將螺蓋取出入冰片於內。不久即化為水。再入川連末調勻擦患處日夜數次。數日即落痂而愈。

麻瘋人的救星

沈蘭堂

敬啓者。鄙人自得江蘇興化章鑑虞先生發明蒼耳草熬膏。治愈麻瘋之特效。月前分送傳單公布之後。患病之人。先是疑信參半。鄙人熬製。實驗多人。功效非常迅速。祈請諸君。見字推廣救傳。俾病夫早治痊。瘋人幸甚。國家幸甚。製法。每年務在小暑後立秋前（不在此時無効）。採取蒼草云子及根。乘鮮斷成二寸長晒乾。欲熬時每次以五斤為標準。放在鍋內。將溪水加滿（勿用鹽水）。耗則陸續再添。由七點鐘熬起。約至午後一點鐘。取榨用布濾去其渣。再將汁熬至晚七點鐘。漸成稀膏。約重九兩左右。待冷時。貯入瓷器收藏。服法。每飯後食一湯匙。用滾水冲服。再者患病之人無草熬膏。鄙人亦可權為代辦也。（註）沈君通信處。為詔安縣北門外廟後街。

治瘋癱方

李仁基

半身不遂。用　水浮蓮（乾者）一把約二兩。米酒二兩。豬肉四兩。用法水浮蓮係一種水面上生長的植物。多生於池沼。葉是三角形的。莖呈花瓶式樣。由水中取出曬乾備用。將水浮蓮同豬肉用水麦熬。再加米酒食肉飲湯。二三次即愈。

楊梅風驗方

王洛卿

因風溼或花柳毒入骨。以致筋脈拘急

。四肢痲痺不仁。不能移動。用正川麝三分。硃砂一錢半。梅片五分。丁香一錢半。雄黃二錢。沒藥一錢半。大風子二錢。乳香一錢半。大黃二錢。輕粉一錢半。防風二錢。龍骨一錢半。枯礬一錢半。將上藥共十三味同研極細末。先用紙做一筒。將藥放入紙筒撞實。再用新白布一方將紙筒捲緊。以粗白線縛固。然後將此藥捲浸入四兩真芝麻油內。數小時後待油浸透內藥。乃用鐵鉗（火筷子）鉗起藥捲。引火點燃。油即下滴。用盌接之。頻頻以湯匙掏盌內之油以澆之。

淋在藥捲上。要燒至油將盡。所賸只有不過一匙油時。其色黑如醬油。藥就燒好了。若藥燒嫩則無力。過老則發力甚大。故製法最要小心。用法將藥捲放在滴油之盌內。連同所賸之油一齊研之成糊。每用取藥半匙或一撮合水銀少許。在手掌心揉勻（病者如手能動自作更好）。用力擦手足大骨節共十二處。兩肩（臂與身相連之骨節）。兩肘（肘臂相連之骨節）。兩腕（手肘相連之骨節）。兩胯（大腿與身相連之節）兩膝蓋骨（大小腿相連之骨節）。兩踝子骨（腿足相連之骨節）是也。病重者並擦手足指小骨節。擦時以極熱覺疼為度。每日早晚分四次擦之。至多可擦六次。連擦三日後覺牙疼為度而止。是為奏效之顯證。倘牙未疼。宜另備藥再擦。定有功效。藥力。擦藥至第三四日之後。牙痛漸漸加劇。病重者毒深。牙痛而腫。口流涎水。切勿下咽。毒即隨水從口而出。可食爛稀粥一禮拜即愈。輕者毒淺牙痛亦輕。（往意）。凡非花柳之毒。用藥不發。若只流白濁。毒未入血亦不生效。流有瘡與芒果（即病核）並見者。即為入血。亦即花柳之憑證。若生疔毒及骨痛或墜毒或腐爛和年久之症。更為毒入血無疑。用此方無不效驗。除花柳毒以外。其他各症凡毒入血者皆可用。見有以上之現象者。即為毒入血。又用此藥擦時。牙未作痛之前。宜多食雄雞。鯉魚。鵝肉等發毒之品。以助藥力。使毒盡透出。無絲毫留蘊。則病愈後。無餘毒再發或北風骨痛之弊。至於牙痛。可以忍耐。至不能忍時可用止牙痛之藥治之。

治牙痛諸方——（一）煲綠豆水俟冷漱口。切勿下咽。恐解藥力。（二）冰片。硼砂各一分。研末擦牙齦。（三）吳茱萸八錢。蓖麻子一兩二錢（去殼）。將上二味合搗成糊。加雙料酒（即好白乾兒又名高粱酒）及灰麵粉（即飛羅麵或極細白麵）少許。放砂鍋內煮熬成膠則再加麵。以此膠乘熱敷在兩腳心正湧泉穴。限敷一小時即須除去。牙痛自止。如不止隔三小時。將藥膠煮熱再敷。亦限一小時除去。最多以三次為限。此方吸血下行凡一切牙痛及虛火上升。吐血衄血等症皆治之。但藥性猛烈。可已則已。非無可奈何時切不可用。

■急救吞食鴉片

為覓短見。吞食雅片。醉睡神昏。口吐白沫。已中烟毒。不急施救則死。急用　明礬二錢五分。甘草一錢。藜蘆二錢。用熱水煎灌服。一服吐。如吐不止。另用大葱煎湯與服即止。

又方　　莊允中

用　生柿子澁水一大杯。製法　每年在五六七月。柿未成熟之時。取下略敲破。和水浸於小缸中貯用。蓋生柿澁水對於鴉片最有敵性。服之使鴉片失其効力。可取二物以試之。鴉片一遇柿澁水即化為黃水。

解百毒方

如誤食毒物或毒藥等。用　綠豆一把。甘草三錢。先將綠豆擣碎合甘草同用水煎十分鐘後即可服用。

治猩紅熱痧疹閉而不出方

病狀　乾熱。氣悶。身有紅點。喉腫痛等現象或痧疹已出忽而收回。

方用　去節麻黃三分。活水鮮蘆根一段約三四寸。色白而粗者為佳。

用法　將蘆根中間打通。納麻黃於管中。兩頭用蘆根片捲成捲。塞緊。另用銀針刺蘆管多孔。河水煎服。

功效　能令已閉之痧疹透發。服藥前先外芫荽（北平稱為香菜）搓成團。遍搓手足心及胸前後頭面等處。愈後勿受風寒。

治氣喘方

痰塞氣管。呼吸為難。秋涼常犯之喘病。重者不能睡臥。方用　西洋參五分。半夏一錢半。瓜蔞仁三錢。旋覆花一錢半。（夏布包）苦杏仁二錢。

枇杷葉（去毛）一錢半。忍冬花一錢半。竹茹二錢。麥芽三錢。水煎服。青年人可免西洋參。不可多服。氣平則止。如服後見汗。則不可再服。輕者一服即舒。重者三服即愈。同事袁君尊慈老大人，試過甚效。

■治小兒諸症驗方

崔金聲

小兒無七情六慾。故所患諸症非食水即冷熱所致。此方專治小兒一切疑難雜症。如驚風。發燒。不食等。方用鈎藤一兩。雲苓一兩。橘紅一兩。薄荷五錢。藿香一兩。川軍一兩。硃砂一兩。甘草一兩。用法 將上八味重七兩五錢。共研細末。煉蜜為丸。五分重。每服一丸開水化開送下。一歲以內者可服半丸。大人如因內熱而發生暈迷。類似中風亦可服二三丸即愈。

■治婦科百病驗方

崔金聲

治婦女一切雜症。用 益母草四兩。當歸二兩。紅花一兩。川芎二兩。桃仁一兩。杭白芍一兩。木香一兩。柴胡一兩。香附一兩。鬱金一兩。共十五兩。同研細末。白蜜為丸。三錢重。每服一丸。胎前腰腹疼痛。胎動不安。下血不止。溫黃酒送下。臨產能安魂定魄。氣血調和。諸病不生。黃酒下。一切難產或橫生不順。或胎死不下。連日不能分娩。童便黃酒合下。一切死胎。不能生產。腰腹脹疼。死在須臾。炒青鹽湯下。產後衣胞不下。童便黃酒下。血暈不省人事。荆芥穗湯下。產後下血過多。已成崩漏。頭暈目眩。當歸湯下。產後耳枕作痛。黃酒下。產後惡露不盡。膝腰疼痛。童便黃酒下。產後鼻孔出血或吐紅。藕節湯下。產後中風牙關緊閉。半身不遂。失音不語。左癱右瘓。手足亂抖。角弓反張。不省人事。薄荷湯下產後傷寒。頭痛惡寒。發熱。葱白四五段煎湯下。產後頭疼項強直。白芷湯下。產後四肢無力及面目浮腫。木瓜湯下。面目發黃。茵陳湯下。產後膝腿及足後跟疼虛腫者俱用牛蒡湯下。產後腰疼淡薑湯下。心胃疼陳皮湯下。產後血虛身熱。手足酸麻。百節疼痛。五心煩燥。口渴咽乾。童便黃酒合下。產後痰喘咳嗽惡心。口吐酸水四肢無力。薑棗湯下。產後懵寒壯熱。身出冷汗。童便黃酒下。產後胸腹或小肚子疼痛童便黃酒薑汁湯下。產後氣短不思飲食小棗湯下。岔氣疼痛。木香湯下。產後驚悸如見鬼神。狂言忘語或心虛胆怕。黃酒調硃砂少許送下。產後心血不足。不能安寢。小棗湯下。產後洩瀉。糯米湯下。產後勒乳成癰成吹乳一切癰疽及無名腫毒。先用醋擦患處再用黃酒送服一丸。產後赤帶用小棗。白帶用艾葉湯下。產後赤痢紅花湯下。白痢老米湯下。產後大便不通芝麻湯下。小便不通車前子湯下凡婦女月經不調。或數月不見者。每晚服一丸黃酒送下。最為神效。

蠱脹症經驗良方（共十九條并原序）

蔣公愉

在舊書攤購得濟衆錄一冊。末附蠱脹經驗方。共十九條。并附緊皮開鹽諸方。按臌脹原為難治之症。此方前後一貫。層次井然。洵經驗之方也。急為刊載如下。俾病家知所採擇。（振聲）

夫醫之道。肇自炎羲。始設醫方。繼而伊尹。以元聖之才。撰成湯液。俾後世無夭橫之患。自周以來。各有名家。盡闡發前人奧蘊。所以嘉惠後人者。亦云大備矣。製方之體有十。製方之用有柒。肆氣生於天。陸味成乎地。而其陰陽造化之機存焉。蓋人身者。卽壹小天地也。製方之際。小有差謬。卽效否異焉。故有方藥同製。而效否適相懸絕者。則以用藥之等分佐使。所服時候早晚。用違其製度耳。弟友恭亭陳君之太夫人。染患氣蠱之疾。五絕已犯其肆。共計肆醫束手。弟友徬徨無措。朝夕為憂。多求名醫。而莫能救。自曾肯堂子孫出其秘藏蔣君之先君拾玖方以授曰。服此方。雖至危。罔不立效。乍閱之。似無奇怪。惟是製方之體用輕重等分。、不盡善盡美。而且服藥早午夜之時。莫不因人之呼吸與天地之闔闢相感焉。誠哉可久而可大也。敬亭之太夫人壹服而病愈。因謀此方。梓行於世。廣惠後人。屬弟為序。弟雖不敏。覩此方奇效如神。又焉容默默而不贊襄剞劂乎。是為之序。　昔嘉慶庚午。臘月。望前壹日。白雲外史、孝文氏、韓兆昌題於羊城、越王台之右、近恩書塾、修竹軒。

家本吳越。浪遊嶺表。庚申歲。容胥

江官舍。得蠱脹之疾。自夏至秋。醫藥無效。奄奄待死。自問無生。望各良友。暨居停主人。相對淒涼。無所措手。惟有扼腕嘆奈何而已。於是難中忽憶及太夫人精於岐黃壹道。疑難之症。為治療者。百不壹失。此症或有遺方。亦未可知。因力疾遍搜行篋。幸獲拾玖方。並緊皮丸。開鹽貳方。論症壹切。遂方服丸。叁周始能兩愈。蓋此患為極重難治之症故也。茲特敘明。並將親身歷驗之調理宜忌各款開列。以公濟世之同病焉。　昔嘉慶庚申。九月。蔣公愉題於慎餘院內之深柳堂。

一方內藥料。決要上等藥材舖。鮮明正地道。斷不可稍將低應。以徒勞無功。依方泡製。不可加減。因有人與吾先後時患此症。知余服此方即愈。索此方服之。因嫌藥輕。妄為加減。竟不效。至為包醫者悞。惜哉。

一服藥決要按時。須令壹人專意伏侍。倘有參差。難以奏效。蓋患人身血氣所到。與藥性適合。始能去病。是以一緩一急之妙用也。吾服此方。忽見頸強。忽然肩背臃腫。忽然心怯。忽然下身微腫。將病層推層出。然後始愈。服此方。勿疑為泄病也。一服此方。必須淡食壹百日。以丁計之。性命為重。即戒貳百日。亦何碍焉。余生平晨夕為饞所悞。俗態未除。迨淡食始知此中自有真味。亦宜少食。總以淡為佳。切忌鹽醋。待神完氣足。然後服開鹽方未遲。凡飲食與服藥之性忌者勿食。如厚朴忌羊血之類是也。宜食猪肉。陳皮湯。旱芹菜。熟藕。馬蹄。炒芝麻。瞿麥煎湯代茶。忌食魚腥、麵果、糯米、煎炒、生冷。每服藥。即刻同渣再煎服。

緊皮丸。內用人參膏為丸。而人參膏太貴。無力者焉能辦。予改為代參膏。開丸服之。代參膏列後。其功不下於人參。按之病人腹上。按之有窩者易治。脈細臍突者難治。症有五絕難治。面黑肝絕。手無算斗紋心絕。肩縮肺絕。腳腫無血腎絕。臍突脾絕。犯此五絕者。症雖重。惟服此方。甚應效。

治蠱脹第一日服此方 即同渣。再煎服。服後小便必長食葷一日。

白朮二錢五分。(土炒)茯苓二錢五分(去皮)赤茯錢半。(去皮)陳皮錢半。半夏(姜汁炒)木通(酒炒晒乾)蘇葉各一錢。加生姜一大片。大棗肉三枚。爲引。

第二日早服此方。即同渣。再煎服。不忌葷。

白茯。赤茯。陳皮。白朮（土炒）各一錢半。春砂一錢。（去皮打）青皮一錢。（醋炒）加生姜三片。爲引。

同日午服此方。即同渣。再煎服。不忌葷。

白朮（土炒）半夏（姜汁炒）春砂去衣。醋炒。草果去皮。木通各一錢。黄芩（酒炒）八分。猪苓一錢五分。去皮。（忌鐵）蘇葉八分。（炒碎）磨沉香三分

。（冲藥服）淨水煎服。

同日晚服此方。即同渣。再煎服。不忌葷。

猪苓一錢五分。去皮。（忌鐵）磨沉香四分。（冲藥服）川朴（姜汁炒）烏藥。春砂（去皮打）白芷各八分。澤瀉。尖梹。白茯。白朮（土炒）半夏（姜汁炒）香附（醋炒）黄芪（炙）麥冬（去心）瞿麥各一錢。淨水煎服。

第三日早服此方。即同渣。再煎服。不忌葷。

白朮（土炒）一錢。木香（切片）錢半。草果（去皮）半夏（姜汁炒）蒼朮（米

泔炒）各一錢。白芷。春砂（去皮打）厚朴（羌汁炒）陳皮各八分。黃芪一錢（蜜炙）丁香三分。（切片）蘇葉一分。（炒碎）磨沉香五分。冲藥服。淨水煎服。

第四日早服此方 即同渣。再煎服。不忌葷。即與第三日早服方同

木香切片。錢半。半夏（姜汁炒）蒼朮（米泔炒）白朮（土炒）草果去皮。各一錢。白芷。厚朴（羌汁炒）春砂（去皮打）陳皮各八分。黃芪一錢。（蜜炙）丁香三分。（切片）蘇葉一分。（炒碎）磨沉香五分。冲藥服。淨水煎服。

同日午服此方。即同渣。再煎服。不忌葷。

白朮土炒。（碎）白茯。香附各錢半（醋炒）澤瀉。厚朴（姜汁炒）木通。歸身（酒炒）木瓜各一錢。春砂（炒碎）黃芩（酒炒）青皮（醋炒）陳皮各八分。淨水煎服。

同日晚五更服此方。即同渣。再煎服。不忌葷。

白朮（土炒）香附（醋炒）陳皮各錢半。木通。半夏（姜汁炒）腹皮（酒洗晒乾）白茯（去皮）只壳。木瓜。麥冬（去心）

蒼朮(姜汁泡)檳榔各一錢。磨沉香五分。(冲藥服)白芷尾八分。(碎)陳香梗八分。淨水煎服。

第五晚四更服此方。即同渣。再煎服。不忌葷。

白茯二錢。(去皮)白朮錢半。(土炒)陳皮一錢。川朴一分。(姜汁炒)木通。香附(醋炒)砂仁(去衣研)半夏(姜汁炒)木瓜。蘇葉(炒碎)只殼各八分(姜汁炒)淨水煎服。

第六日早服此方。即同渣。再煎服。不忌葷。

半夏錢半。(姜汁炒)瞿麥一錢。木瓜一錢。炙芪八分。木香八分。(蜜炙)蒼朮一錢。(米泔浸炒)砂仁一錢半。(去衣)蘇子二分。(炒碎)淨水煎服。

同日午服此方。即同渣。再煎服。不忌葷。

白朮(土炒)猪苓(去皮忌鐵)白茯各錢半。陳皮。木香(切片)澤瀉各一錢。淨水煎服。

第七日午服此方即同渣。再煎服。不忌葷。即與第六日早服方同

白茯。白朮(土炒)猪苓(去皮忌鐵)各錢半。陳皮。澤瀉。木香(切片)各一

錢。淨水煎服。

同日晚服此方。卽同渣。再煎服。不忌葷。

白朮二錢半。(土炒)半夏錢半。(姜汁炒)白茯錢半。(去皮)扁束八分。木香八分。(切片)。木瓜。陳皮。木通。瞿麥。只壳。蘇子(炒碎)梹榔各一錢。淨水煎服。

第八日晚服此方。卽同渣。再煎服。不忌葷。

猪苓(忌鐵)茯苓。白朮土炒。各錢半。瞿麥。萹蓄(炒打)木通。陳皮。澤瀉各一錢。淨水煎服。

第九日早服此方。卽同渣。再煎服。不忌葷。

白朮錢半。(土炒)白茯錢半。陳皮一錢。木香八分。(切片)蘇子一錢。(炒打)淨水煎服。

同日午服此方。卽同渣。再煎服。不忌葷。

白茯。香附(醋炒)木通各錢半。石榴皮。梹榔。蘇子(炒研)春砂。只壳。萊菔子(炒研)陳皮各一錢。磨沉香八分。冲藥服。淨水煎服。

同日晚服此方(卽同渣。再煎服。不忌葷。定見效)

白朮（土炒）猪苓去皮。（忌鐵）茯苓。澤瀉各錢半。陳皮一錢。瞿麥一錢。加燈心十條。每長六寸。煎服。

第十日早服此方。即同渣。再煎服。不忌葷。

香附（醋炒）木香（切片）川朴（姜汁炒）陳皮。蘇子（炒研）春砂去皮。（碎）各一錢。白朮（土炒）木通。白茯各錢半。半夏姜汁炒。二錢。白芷八分。淨水煎服。

同日午服此方。即同渣。再煎服。不忌葷。

白芷。土桑白。只壳。香附（醋炒）半夏（羌汁炒）蘇子（炒研）青皮。檳榔。陳皮各一錢。木瓜。木通。白朮（土炒）麥芽炒錢半。砂仁八分。（研）木香八分。（切片）磨沉香八分。冲藥服。淨水煎服。

以上共十九方。按時照方。連服十日。如未全愈。再服一週方愈。

緊皮丸方

人參。大生地。赤茯。神麴（醋炒）木通。車前。麥芽（炒）澤瀉。白茯去皮。（忌鐵）青皮（醋炒）半夏姜汁。炒各一錢。蒼朮二兩。姜汁炒。陳皮一兩五錢。故紙二兩。（鹽水炒）白歸身二兩。（酒洗）莪朮八錢。醋炒。正川朴一兩五錢。（姜汁炒）共為細末送麵糊為小丸。早晚每吞三十粒。白開水下。倘貧人不得人參。可去人參。而用此丸。每次用五錢。研爛。開下代參膏服之。其功效同。

代參膏方　玉竹二斤。防風二兩。炙芪一斤。杞子十二兩。（酒蒸）枇杷葉六兩。去毛。（蜜炙）天冬八兩。龍眼干肉十二兩。地黃十二兩。濕紙包。煨熟。切片。酒浸一夜。各藥依法泡製熬膏。煉蜜十二兩。收貯。開緊皮丸。服此膏。能治九種胃氣疼痛

立效但恐藥力太猛。略停數日。方可服。孕婦勿食。宜戒。生冷麵腥等物。

開鹽方　先服緊皮丸。待神氣爽足。然後服效開鹽方。則無患矣。白朮八分。蒼朮八分。射香五厘。共為細末。用鯽魚二條。去腸臟。將藥同鹽一兩。入魚肚內。紮緊。。新瓦焙乾。研末。磁器密貯。每早用白滚水服一錢。

四大症。蠱脹沾其一。昔稱難治者。然有是病。必有是法。若未得其法耳。愚今幸於數十年之下。得觀是篇。

誠可作壽世之金丹。慈航之寶筏也。後得此方而愈者。幸廣為傳報。

肺癰之靈驗方

附插圖　金振華

敝友李君。會患肺癰。經中西醫治。亦無效果。後經余戚家採悉一方。用連根拔起之肺癰草。洗淨後搗爛取汁。每日飲三次。約一次為早晨。二次為午後。三次為臨睡。陳酒過服。連服數日即愈。按切忌羊肉魚鯗葱等一切生冷發物。此方經多人試之。皆有實效。故敢錄之。查此草春末開細黃之花。秋結子。亦可採至明年下種。然人多不識。故附肺癰草一顆。以便病家採用之易。

治瘧如神之鬼哭丹

尤學周

鬼哭丹見於古歙王於聖所輯之慈航集。治瘧如神。無論一日間日三日之瘧。久不愈者。服之即瘥。此方脫胎於證治準繩之鬼哭散。而效驗過之。原方云。「鬼哭丹治邪瘧疲瘧如神。一服即瘥。常山八兩。（醋泡。春五日夏三日。秋七日。）檳榔二兩。製半夏二兩。川貝母二兩。（去心）共研細末。雞蛋清打麵糊為丸。梧子大。隔夜臨睡酒服三十粒。次日晨早再服三十粒。即愈。真神方也。」余改為湯劑。亦效。

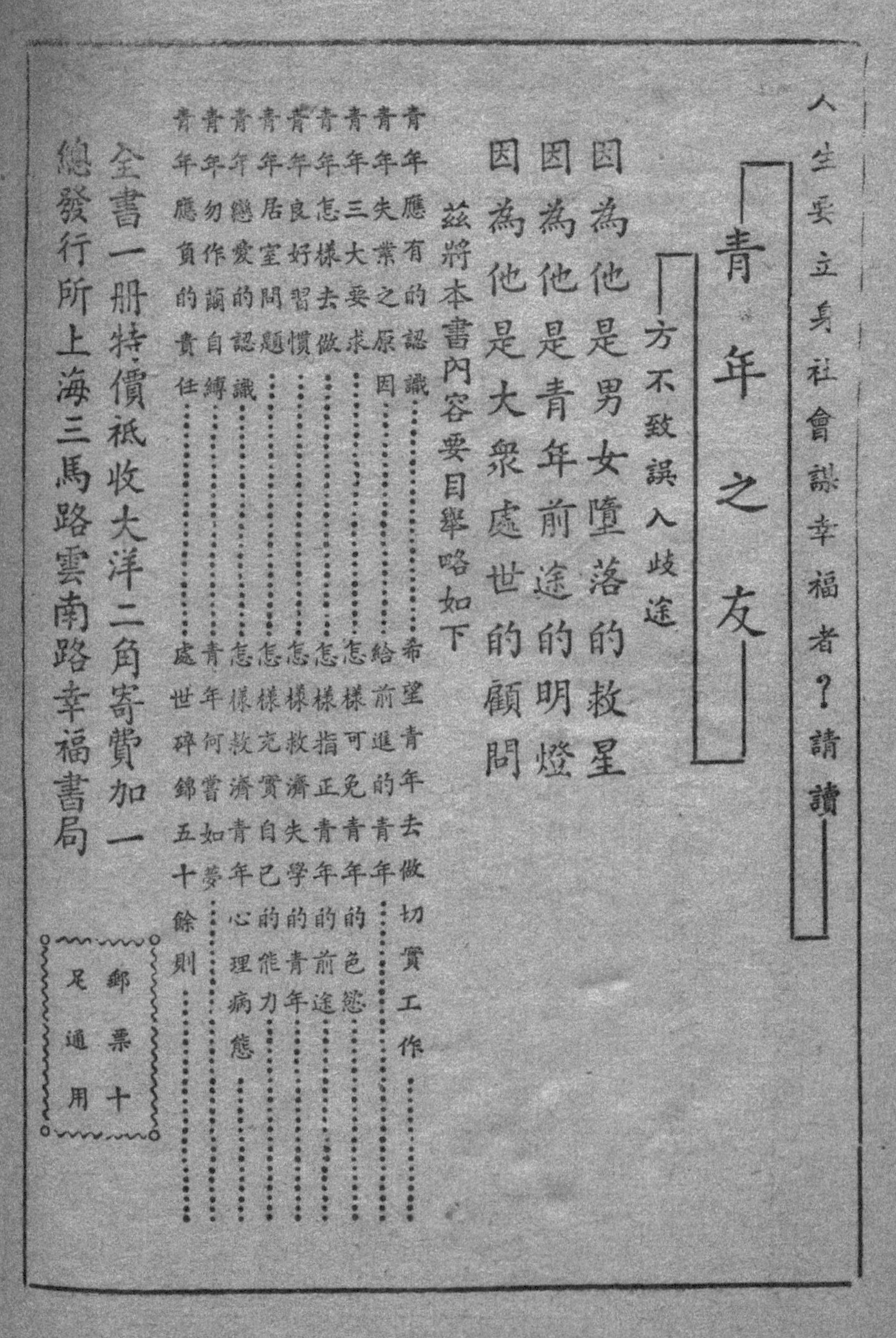
人生要立身社會謀幸福者？請讀
青年之友
方不致誤入歧途
因為他是男女墮落的救星
因為他是青年前途的明燈
因為他是大衆處世的顧問
茲將本書內容要目舉略如下
青年應有的認識……希望青年去做切實工作……
青年失業之原因……給前進的青年
青年三大要求……怎樣可免青年的色慾……
青年怎樣去做……怎樣指正青年的前途……
青年良好習慣……怎樣救濟失學的青年……
青年居室問題……怎樣充實自己的能力……
青年戀愛的認識……怎樣救濟青年心理病態……
青年勿作繭自縛……青年何嘗如夢……
青年應負的責任……處世碎錦五十餘則……
全書一册特價祇收大洋二角寄費加一
總發行所上海三馬路雲南路幸福書局
郵票十足通用

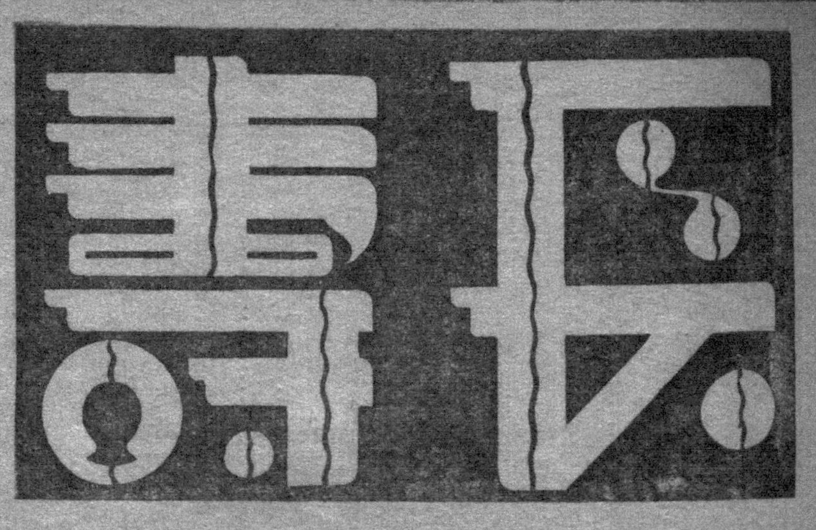

本刊內容包括內外婦幼咽喉花柳各科。以及生理學。病理學。心理學。藥物學。傳染病學。四季時病。一切性病等等。均有精詳實用之論列。至於家庭醫藥常識。古今經驗良方。一切急救自療方法。莫不應有盡有。第四年第一期今日出版。封面用彩色精印。內容由名醫撰述。至於長壽漫畫之雅俗共賞。活體排印之清晰美觀。尤其餘事也。茲將第四年第一期之目錄。披露如下。

特價

本刊每星期出版一期。實售大洋五分。全年共五十冊。連郵二元。（國外加倍）凡聲明由丹方雜誌介紹者。祇收一元。以示優待。（八月底截止）過期實收二元。決不通融。

定閱處上海三馬路雲南路轉角幸福書局

汪洋醫師
最近編輯

中西醫藥講義

⊙最完備最切實用之醫書

■有志學醫欲窺門徑者不可不讀
■臨床醫家欲作備忘者不可不讀
■社會個人預防疾病者不可不讀
■家庭團體欲知衞生者不可不讀
■身帶惡疾自己療養者不可不讀

■中醫臨診參用西法者不可不讀
■醫校學生欲資參考者不可不讀
■學校公團灌輸常識者不可不讀
■體質虛弱鍛鍊體格者不可不讀
■欲知最新注射方法者不可不讀

⊙講義內容

本講義凡廿四科二千零五十九頁一百零一萬七千餘字印刷精良絕無糢糊不清之弊計廿六厚册成一大盒歷經九版每逢一版必增以新發見之學說爲西醫家之參考爲中醫家之大研究

⊙講義科目

（生理學　解剖學　病理學　診斷學　內科學　傳染病學　婦科學　眼科學　藥物學）
（兒科學　外科學　產科學　花柳病學　皮膚病學　耳鼻咽喉科學　處方學　製藥學）
（種痘學）

以上各書對於醫藥各科大致收羅無遺於醫藥界應有學說經驗無不詳載爲臨床有益文字

⊙特價

全書共計廿六册定價廿一元現爲普及起見特減爲大洋八元寄費一概在內

（上海三馬路雲南路口幸福書局發行）

丹方雜誌 第五期

價目表

零售：每冊實售大洋二角

時期	冊數	連郵費 國內	連郵費 國外
半年	六冊	一元	二元
全年	十二冊	二元	四元

廣告價目

等第	地位	全面	半面	四分之一
特別位	封面		四十元	
特等	底面之內外 封面之內	四十元		
優等	封面內面之對面	三十元	十六元	
普通	正文之前	二十元	十元	五元

彩色另議

中華民國二十四年七月一日出版

編輯者 朱振聲

撰述者 全國醫家

發行者 幸福書局 上海三馬路雲南路轉角

印刷者 興羣印刷所 方斜支路五號

丹方雜誌
野紅花圖
朱振聲編
第六期

丹方雜誌第六期目錄

老年吐血之急救方（仁）

驟患吐血。血色鮮紅。顴赤如醉。咽喉碎痛。大便清稀。兩足逆冷。舌質淡紅。脈虛弦數。勢將不支。此危症也。經云。『年六十。陰氣大衰。九竅不利。下虛上實。涕泣俱出。』下虛者。陰虛也。上實者。陽浮也。年正花甲。陰虛則陽無所附。陽浮則陰無所主。故大怒之後。形氣遽絕。血菀於上。血去而陰愈傷。命門之火。不能潛藏。故咽痛顴紅也。陽浮而下愈寒。溫養無資。生氣欲絕。故便溏足冷也。此下真寒而上假熱。故脈應之以虛數。舌應之以淡紅。若投養陰清肝之品。不但緩不濟急。究於病情不合。當此之時。非大劑引火歸原。則暴脫易如反掌矣。附列方式如下。

吉林人參一錢。熟地黃三錢。龍骨六錢。煅牡蠣六錢。肉桂心三分。熟附子一錢。土炒於朮三錢。炙遠志二錢

治小兒痘疹之起發丹

王一仁

起發丹又名梅花丸。治小兒痘疹。能起死回生。丹之製法。於臘月取梅花

。不計多少。陰乾。有兩外。用當歸五錢。茯苓一錢。升麻五分。竹茹八分。甘草三分。用水鍾半。煎八分。溫熱時。將梅花拌浸一日。取出晒乾。研末。用鷄喉血丸。如菉荳大。臨用二丸至四丸。男用雄鷄血。女用雌鷄血。

◻消退雀斑驗方

宗吳

雀斑係面部微血管破裂。留下一種淡黃色之斑痕。累累多生者。有損面部美觀。前昨沈煥章君告我。伊友近得消退雀班單方一則。親試多人。咸有効驗。法用生川烏及白丁香。等分研末和勻。調以白蜜於每日晨起。盥洗後薄敷。大約一星期後。便著奇効矣。

◻專治鼠疫神效方

戴子光

鼠疫初發時。耳聾頭痛。不進飲食。逾一二日不治。即口吐綠水。再若不治。即吐紅水無救。此方。在東三省治愈多人。遇此症。急服一劑而兩耳流紫黑水。疫毒己洩。嘔吐立止。又服一劑。兩耳不聾。頭不痛。飲食如常。遂愈。將藥味開列於下。麻黃二錢。銀花八錢。連翹三錢。雄黃三錢。桑皮三錢。甘草二錢。引用黃土水煎服。先用滾水將黃泥澆開。和勻。俟澄清。取浮上清水為宜。

■產育真相及其催生妙方

顧權生

蓋產門之上原有骨二塊。兩相鬬合。名曰交骨。未產之前。其骨自合。若天衣之無縫。臨產之際。其骨自開。如開門之見山。婦人兒門之肉。原自科生。皮亦橫張。實可寬可窄。可大可小者也。茍非交骨連絡。則兒門必然大開。可以手入探取胞胎矣。此交骨為兒門之下關。實婦人鎖鑰之健。而交骨能開能合者。氣血主之也。血旺氣衰骨不開。氣旺血衰兒不臨。氣所以開交骨。血所以轉兒身也。治以降子湯。氣血雙培。用之屢驗不爽。

真潞參三錢。當歸三錢。川芎一錢。紅花五分。牛膝三錢。柞木枝三錢。炙龜版五錢。婦人頂心髮灰三分。

按潞參以補氣。芎歸以補血。紅花以活血。牛膝以降下。柞木枝以開門解骨。龜屬北方。以益腎。髮本血餘以養心。俾氣血充足。心腎既濟。服一劑兒門必響亮一聲。既能分娩於片刻。亦且無暈厥之弊耳。

婦女痛經治方

顧權生

經云女子首重調經。經不調則烏能孕育。女人經行之際。或超前或落後。均覺少腹脹痛。方書謂之痛經。乃是經水澀鬱。宜用艾葉一兩。泡濃汁。和以赤砂糖。再用真豆油入鍋內熬熟。以艾汁傾入油內。待砂糖鎔化為度。當期服之。經即暢行。腹痛即愈。

齒痛立効方

顧權生

諺云。齒痛小病。牽動全身。於此可見齒痛之苦。法以北細辛研末三錢。上梅片二分。潮腦五分。共研勻。搽患處立止。無論風火虫牙痛。統治如神。

黑錫丹藥理之解釋

黑鉛二兩。硫黃二兩。

將錫鎔化。漸入硫黃。俟結成片。傾地上。出火毒。研至無聲為度。治陰陽不升降。上盛下虛。頭目眩暈。

(一)鉛又名黑錫。氣味甘寒無毒。甘。能烏鬚髮。治實女。故曰甘。

寒。(1)有鎮靜作用。故能鎮心安神。治反胃嘔噦。風癇吐沫。

(2)有解毒作用。故可治蛇蝎所咬。解金石藥毒。

(二)硫黃。酸溫有毒。因能鎮靜運動神經。而治小兒慢驚。故曰酸。溫。(1)因能興奮內分泌腺。(即可補命門真火不足)。

(2)能興奮生殖腺。即可壯陽道。

(3)因能增加不隨意肌之緊張力。如宗奭曰。今人治下元虛冷。元氣將絕。久患寒泄者。服之無不効也。

元氣將絕。指心臟虛弱。久患寒泄。指腸肌之虛弱症也。

(三)上盛下虛。指黑錫丹不但有興奮生殖腺與內分泌腺之作用。同時亦有鎮靜神經之作用。

(四)頭目眩暈。頭暈為心力虛弱之現狀。此丹能強壯心力。故可治頭目眩暈。

陰陽不升降之現狀。即氣促。出汗。手足冷。頭暈。均為『心力虛脫之現狀』也。

近今醫家。多用此丹以治虛脫性氣促症。換言之。即因心力虛弱之氣促症可用之。

劑量。作煎劑時。每次可用二錢。

鼻痔與下死胎方（奇）

鼻瘜又名鼻痔。係肺藏濕熱。上蒸於腦所致。治法不一。山東王肖舫同志。謂以苦杏仁去皮搗爛。用人乳調勻。塗於患處。數次即愈。

胎死不下之治法。方書所載甚多。其簡單有效者。莫如用牛膝三錢。葵子五錢。水煎服。胎死腹中。中醫有極靈之方。曰平胃散。蒼朮 米泔炒）厚朴（姜汁炒）陳皮各三錢。酒水各一盅。煎耗其半。加朴硝末五錢。再煎三五沸。去渣溫服。死胎即下。

腎虛腰痛壯本丹（佚）

凡腎虛腰痛。久則寒涼。用壯本丹治之。此丹壯精骨。補元陽。利大小便。養丹田。功效甚大。

肉蓯蓉。（酒化。焙乾）杜仲。（酒洗。焙乾）巴戟天。（酒浸。去皮。焙乾。）青鹽各五錢。煨胡桃。破故紙。(鹽水炒)小茴香各一錢。共為細末。用猪腰子一對。破開。去白膜。入藥其中。紮住。再用麵糊包緊。入火內煨熟。去藥去麵。每服一個。陳酒送下。立效如神。

■痞積秘方 (王子萍)

專治五痞八痢。肚大青筋。丁奚哺露。服下立效如神。

三棱五錢。蓬朮五錢。橘紅二錢。青皮二錢。查肉三錢。川楝子三錢。黑丑八分。麥芽二錢。萊菔子錢半。檳榔錢半。香附三錢。松壳三錢。黃連錢半。神麯三錢。厚朴錢半。右藥共研末。米湯飲下。每服二錢或三錢。

■峨嵋禪師養胃丸 王子萍

本方由峨嵋山天涯禪師所傳。治小兒脾胃虛弱。不思飲食。痞積面黃。嘔吐泄瀉。肚腹疼痛膨脹等症。

蒼朮五錢。茯苓三錢。廣皮五錢。益智三錢。白朮五錢。青皮三錢。草果仁三錢。厚朴三錢。枳殼三錢。麥芽三錢。砂仁二錢。神麵三錢。甘草一錢。

右藥共為細末。米糊為丸。如粟米大

姜送下二錢。

□酒齄鼻治療法

馬壽民

鼻準忽現紅色。延久愈紅。且起小瘰。破流清水不痛。時破時起。星家謂為火燒中堂是也。經以鼻為中正之宮。肺開竅於鼻。宗氣之道。係心肺之門戶。故經曰。心肺有病而現於鼻也。鼻準發紅者。火乘金位也。大都好飲杯中物。因酒濕熱乘肺薰蒸。或因肺經素多風熱。或因心經不遂。血熱鬱滯。皆發鼻赤而生皶瘡也。宜用涼血清火。服煎藥。塗外治。庶幾消退。忌食椒姜韭膏梁等。擬方於後。

內服藥　大生地五錢。赤芍藥錢半。炒枯芩二錢。生甘草八分。天花粉二錢。天麥冬各錢半(黛八分半)蘇薄荷一錢。通草錢半。連翹三錢。鮮石斛三錢。青防風錢半。燈心二十寸。嗜酒者加枳椇子六錢同煎。

外塗藥　雄黃二錢。白礬八分。硫黃二錢。乳香八分。杏仁二錢。大黃一錢。樸硝七分。輕粉四分。銅綠一錢。右藥共研細末。用蜜酒調和。臥時塗於鼻準。次早洗去。每夜塗之。不可間斷。

口眼喎僻

毛志伊

凡患中風。面目相引。牙車偏急。俗名(牽嘴風)。若不急治。往往成終身之癖疾。初起時。用熬壯蠣。枯礬。生附子。(炮去皮。)伏龍肝。(卽竈心土)等分搗篩為散。以三歲雄雞血。和藥敷頰。偏左塗右。偏右塗左。正則洗去之。勿令太過。余以之治數人皆驗。

王道士療妬方(大風)

紅樓夢上。有「王道士胡謅療妬方」一則。王道士所說之療妬方。謂紅棗生梨去皮與冰糖同煮。每日食紅棗六枚生梨一個。日久之後。婦人可以無妬矣。而不知此方固亦有所本。初非曹雪芹所自造也。「行廚集」中曾載有療妬一方。「法用赤豆。薏仁。天門冬三藥。共研為末。以蜜和之。製成丸藥。婦人食之。可以不妬。如無天門冬。去之亦可。」王道士之療妬方。或卽此本。不過改為紅棗生梨冰糖耳。又「靜耘齋集驗方」中亦載一療妬方。「用天門冬(去心)益智仁各二兩。赤豆炒薏仁各四兩。百合茯神各一兩共研粉末。以蜜和之。製成如梧桐子大之丸。每日食後。服九十粒。以開水送下。」此方不僅能療妬。久服且可健身。此殆與王道士所說之方相同。所謂化痰止咳。服之身體安健。一年服不好。則服二年。二年不好。服至三年。則自然不妬了。又古稱鶬鶊。其肉可以療妬。故海甯陳廣陵曾顧取盡天下鶬鶊之肉。以啖婦人。並又憤而著「妬律」一書。以警天下之婦人而壯天下男子之胆。此公亦可謂好事甚矣。

■喉症外治方

蔡濟平

近來喉症盛行。原於去冬無雪。入春又復過暖。肺胃本已蘊熱。更感時令之風溫。內外合邪。互相引發。咽喉為肺胃上竅。肌肉嬌嫩。不耐薰灼。紅腫腐爛。病家見有白腐。誤認白喉。多進寒涼。往往遏伏。邪不得達。為害非淺。茲有外治一方。拔出風熱。其患即解。屢試有驗。幸勿輕視。方用班蝥四錢。(去足翅。以糯米炒製。去米。)全蝎六分。元參六分。真台麝六分。真血竭六分。梅片三分。以上六味。共研細末。磁瓶收貯。外用蠟封口勿令洩氣。凡遇喉症。無論大人小兒。取藥少許。（約菉豆大一點）放在常用膏藥上。右邊痛。貼右喉外面。左邊痛。貼左喉外面。左右俱痛。兩面均貼。立時起泡。其痛自止。（一見起泡。即應去藥。久貼潰爛皮膚。轉足誤事。切記切記。）泡勿弄破。任其自破可也。

■皮膚瘡癬靈藥　彭滌生

（方名）皮膚病藥油

（藥品）麻黃（去根節）一兩。川椒五錢。蛇床子五錢。班蝥七個。黃柏一兩。白礬一兩。火楓子（去殼四十九個）草蔴子（去殼四十九個）。

（製法）將麻黃。川椒。蛇床子。班蝥。四味。放入銅鍋內。用小磨麻油十兩傾入。以文火熬至藥枯。去渣。再將黃柏。白礬。大楓子。草蔴子等四味。研極細末。拌入藥油內。然後離火用木杵不住手調和退火氣即成。

（注意。熬時。須文火慢慢熬枯。）

（裝置）用玻璃瓶裝好。口蓋木塞聽用。

（用法）將油盛夏布袋內。在瘡上擦之

。每日須擦七八次。以擦至皮膚發熱為度。重者一星期。輕者二三日卽愈。

(効力)此方功能開發濕熱。無論瘡已內蘊。用此開提。無不奏效。

(加減法)如治膿窠疥瘡。須加上好銀硃五錢。

(附記)此方。鄙人用以專治疥瘡。無不應手奏効。後經鄙人以藥性推測。用作兼治黃水。天泡諸瘡。亦頗見奇功。且以之治老年濂瘡。亦無不可。惟須略加松葱膏。方見神功。

□神驗松葱膏

彭滌生

此方專治一切濕熱濂瘡。黃水。天泡。諸瘡。奏効如神。

(藥品)松香半斤。葱頭四兩。黃栢五錢。人中白一兩。明雄三錢。漂青黛一兩。血竭五錢。兒茶五錢。

(製法)將松香半斤。連葱白頭放入瓦罐內。盛水煑之。去上面油沫。然後將松香取起。如做米糖式。不住手拉之。連煑連拉。以松香油分去盡。全發白色。研之鬆脆為度。隨卽研細。和黃栢等六味細末。卽成。用時可稍加冰片。

（裝置）以玻璃瓶嚴貯。蓋好勿可洩氣。

（用法）將藥末摻瘡上。或調入中國膏藥滋內。及凡士林內。貼瘡上亦可。

■盛杏蓀太太親身經驗之胃病方

青青

胃病。是中西醫師認為最難治的病。因為它的性質。很能持久。憑你千方百計。病發時。雖然治癒於萬一。但是。病人或者受了刺激和精神疲弱的時侯。它立刻會恢復它時故態。仍舊發作起來。

青青在三年以前。因為受到巨大的刺激。起先抑鬱不快。經過了若干時日。忽覺心痛難忍。經醫生的察視。斷為胃病。後來時癒時發。發時痛澈心肺。飲食不進。時嘔清水。難堪異常。旋經醫生的指示。說吃「小蘇打」。可以治療。於是「小蘇打」變做我三年以來的每天伴侶。

不過。醫生也說。「小蘇打」只好治痛於一時。不能永久飲服。因為他性極消化。每天飲服。胃囊勢必剝薄。於個人身體大有關係。並且它還同吸烟樣的有癮。假使你不吃它。立刻又會發痛。……我聽了這許多話。不覺使我胆寒心驚。於是就跑到上海醫院。請它們診治。

診治了好久。總不得一些效果。在一天無意的談話裏。竟發現了治胃病的祕方。

湯小姐。她是上海醫院的看護主任。她做了二十餘年的護士。關於各種的病態。都非常有很深的經驗。她對於我的胃病。有如下的供獻。

「胃病。只有「靜養」「愼食」「早起早睡」。「摒除一切思想」。勿受刺激。才能治好。不過。能夠達到這樣目的。除非是有產階級。否則。你仍舊要像牛馬般的度着生活。那就對於胃病。非常危險了。

從前盛杏蓀的太太。她也患着胃病。經過許多醫生的診治。化費達六七萬元。那病仍舊還是這樣的利害。後來。得着一個鄉下人傳給她的祕方。果然把這病痊癒了。

那祕方是。用生鷄蛋幾個。除去了蛋黃蛋白。把蛋殼放在瓦上。用火煨焦。研成細粉。一待發時。卽將灰吞下。如是三次。卽癒。

黃疸良方

周彥達

浦東人。姓姚。患黃疸證。其候眼目身面俱黃。納食呆。小便黃。舌胎黃厚。脈弦數。因家寒無力。請醫調治。余施一方。

鐵屑一味。研極細末。每日清晨。用白滾水送下七八分。未及半月而愈。後又有一友。言一甯波人。張姓者。病黃疸數月。諸藥不效。問余有何單方。即以前方與之。服二十餘日而痊。繼後又有數人。服此方均愈。但其姓氏不能記憶。倘有貧苦輩。患此證者。不妨以此方試之。定然良效。

陰囊濕癢之驗方

馬濟仁

陰囊腫癢。乃纏綿難治之皮膚病也。在普通者觀之。以為無甚大礙。但自生理病理上察之。確有很重大之關係。茲先將病原狀態述之。

原因　此症之起因。極為複雜。(一)不潔之交合。(二)喜高粱厚味。(三)體肥濕熱素盛。(四)懶於洗濯。(五)坐臥低處及熱地。(六)汚鐵之手。為之謀介(如擦腳了。而即搔陰囊等)。(七)先天遺傳性。

地位　寄生於陰囊皮膚上。由小及大。蔓延全部。甚則更波及陰毛及兩股內側。

症象　初生時期。不過陰囊發癢。漸漸皮膚焮紅。地位擴大。奇癢難堪。此時搔之搦之則適意非常。至流血漏水血而不顧。但過度搔搦之後。每凝結黶蓋。皮膚呈紫褐色。不三五日輒作。循環不已。每發一次。則蔓延一圈。

經過　陰囊濕癢固屬小症。然於生理上言之。亦未可輕視。須知陰囊中包藏睪丸。睪丸乃精虫之產生地。當精液射出時。精虫亦由丸而出至精管。若射入女子陰道。則精虫與女子之卵子。混而為一。日漸長大。即成胎兒。所以至劇烈之囊癰病症。其毒素恆能內浸睪丸。致精虫生活力薄弱。而減少以至纖滅。

治法　此症之重要。既如上述。但治療之法。古今醫書。罕見良方。除預防使其根本不產生外。患之者僅有制其毒素。不使其蔓延而已。友人虞君。患此有年矣。於廣東得一外治法。確有奇効。同病者。已治愈多人。故特錄出。

用紫蘇葉一兩。（不用梗）煎水薰洗

之。將外面之醫蓋。一律洗濯清楚。再用煆蘆甘石極細末。（粗者萬不可用）。約三四錢。麻油調塗。以淨白細布裹之。兩頭繫於前後袴帶。一週時去之。塗三四次全愈。毫無痛苦。永不復發。

豫後　魚肉葷酒等等。皆須避忌。再癢痛發作時。切莫以冷水洗滌。圖目前快樂。不旋踵間皮膚收引。疼痛異常。坐立不安矣。

■陽熱發腫

李健頤

腫之一症。屬陰者易治。屬陽者難瘳。以其陽病當投涼藥。涼藥滯濇。腫即難消故也。可用白茅根一兩。車前子八錢。瞿麥四錢。商陸二錢。煎湯。空心溫服。連服數次。莫不立瘳。

■外痔經驗方

李健頤

用白信一錢。新瓦上焙紅色。研爲末調。茶油抹最效。或用冰片水銀三仙各等分。研末調甘油抹。亦效。

■風毒薰筒方

李健頤

用冰片銀珠丁香各二分。射香一厘。硃砂五分。辰砂一分。水銀二分。硼砂五分。兒茶五分。艾一文。合共用紙捲為筒。約如箸長。每離一寸。用筆畫為限。向病者薰之。燻時用菜荳湯啣在口內。至湯熱再換。待燻至一寸完。將口內所啣之湯。盪出。一日一次。約至一條薰完。風毒可愈。

白濁方

李健頤

用洋參一錢。麥冬三錢。紫石英三錢。清水煎服。數劑即愈。

生肚尾疔方

李健頤

先用瓜子菜。小蚯蚓。硃砂。白菊花。冬蜜。搗敷以退疔癀。繼用金銀花煎酒服。服後即將渣再塗於疔上。即立見效。

牙疳出血方

李健頤

牙疳一症。常見齒齦諸部結生血瘤。時流血水。治療甚難。每多綿延數載。終成不治。予屢用老片三分。硼砂二分。硇砂二分。青銅綠一分。共研細末。外擦。再用生地黃三錢。白茅根一兩。生藕肉五錢。桃仁二錢。丹參三錢。煎服。最有效驗。

喉疳之原因及治療

李健頤

喉疳一症。原因有二。一因父母遺傳

藏毒所致。一因嗜好辛熱之物。熱毒內蘊而成。然有急性慢性之分。急性者初起喉中發炎。一二日喉部即變潰爛。甚至潰爛之處。刺痛不堪。湯水難下。若患此病者。須早療治。否則蔓延廣大。殊難醫治。慢性者初起喉中不覺疼痛。遇有感冒或煩燥勞役。喉間即覺微痛或嚥下嗇嗇。如有物哽之狀。病症綿延。少則五六年。多則十餘載。莫能治愈。鄙人有一秘方。傳自吾友陳君所經驗之方。係用冰片。老片。青黛。麝香。三仙。水銀。川連。大黃。雄黃各等分。再用白艾絨條。香白紙捲成為條。紙面用筆畫成度寸。俾有分準。患者宜先用黃土水含口中。即點該藥條。向鼻中薰之。每次薰一寸。薰後即用石膏一兩。生地黃五錢。生射干五錢。山豆根三錢。元參五錢。生蒲公英一兩。川連二錢。牛旁子三錢。清水煎服。日薰二次。服藥二次。連醫一二星期。即可見功。無論急性慢性。皆可用之。

■一個有效的吊筋法

倪息庵

吾們有時因為閃挫或跌仆的關係。忽

兩手足或其他部分發生轉筋。輕的酸痛難忍。重的腫脹攣縮。發現青紫。關節雖沒有脫臼。舉動却非常苦楚。在這個當兒。假使限於經濟。或一時找不到傷科醫生。也沒有其他靈驗的單方。那就容易躭誤了。

現在我有一個向來有效的秘方。待我來公開一下。就是用王不留行三錢。白芥子三錢。紅花一錢。黃梔子三錢。和在一起。先把他打的粉碎。然後加入適度的陳黃酒浸透。再上鍋隔水燉熟。取出待少涼。還加雞子清一枚。用箸攪勻。最後和入乾麵粉。拌到成團的時候。在厚紙上攤做兩餅。分袱在所患的一邊的手足心。譬如左足對筋。連左手心也一同吊上。大約經過一夜。就現出十分青藍色的藥痕。那就好了。

這個吊筋法。表面看來。似乎和普通吊筋藥相髣髴。其實用意和效驗。大不相同呢。但是我還要附帶的說一句。這個方法。是吊的屈筋的筋。並不是吊小兒驚風的驚。請不要因為似乎音同而發生誤會纔是。

患黑熱病者之福音

江北各縣。自發生黑熱病以來。（中醫名為痞塊病。西醫名為卡拉阿差）蔓延之速。死亡之衆。甚於洪水猛獸。實堪驚人。凡經傳染。何殊宣告死刑。非僅愈趨愈廣且烈。尤影響於民生民族。關係重大。日前淮陰士紳王叔相君莅滬。謂有專治此病奇效之中藥古方。經慈善家訪王君於旅寓。叩其良方。王君願將該方公諸同緣。（藥方見後）按該方藥價成本只需二元。即可救人三命。比較西藥之值。不及十五分之一。惟煉藥手續繁雜。不可錯誤。只限於療治斯疾。實有關係在

馬。（甲）黑熱病丸方（非此病不可服）皂礬二兩（煅煉三次方能用）。綠豆粉一斤。土鱉子四兩。黑棗四兩。當歸八兩。紅糖八兩。此係一料。研極細末。米湯蜂蜜為丸。做丸每七粒重三分。每日分早中晚服三次。每服七粒。食前服用鵝食水送丸。多配分量照加。惟皂礬一味。須裝入化銀泥罐內。置大爐火中煉成硃砂色提出。冷後再煉。如是者共煉三次方可用。至要。至要。又酒方。臘黃酒一斤。雞內金二兩。土鱉子四兩。當歸一兩。紅花一錢。以上五味。埋在土內。一

百日後。方能取用。每服五錢。在服丸藥後。停一二小時。飲之。多配分量照加。。(乙)黑熱病膏藥方。棕樹根。海帶。皮硝。紫穀子。莵蘇子。紫蘇種。川芎。右七味各等分一料。四十八兩。共熬膏藥。每張重三錢。外加阿魏。照前藥十分之一。

□公開一個戒毒丸方(佚)

(藥品)松蘿茶。甘草各二錢。川椒。楊金花各三錢。(舊衡)

(服法)將上藥煎濃汁。癮大者一次服完。癮淺者分三次服。服後須臥。

服後現象。服後約三四小時。即昏糊似醉。口吐臭痰。大便排泄粘腥之物。視覺滿室發赤如焚。甚則手舞足蹈。欲往外奔。故事先宜雇多人看護。癮小者四五十分後。即清醒如常。不過倦怠思睡耳。其癮深者。須五六小時方能恢復。

(服後注意)服後宜將窗戶閉固。勿令外風侵入。尤須防病者外出受風。否則必生變故。

(說明)去歲政府明令嚴禁毒丸。犯者軍法從事。一般癮君子驚惶非常。羣思戒絕。若乏效方。後由鹽阜。傳來此方。試用後頗徵奇驗。因此而獲脫離苦海者甚多。余得諸身試者口述。故樂而為之介紹。深願紅籍同胞速一試之。

(附註)楊金花產兩廣。洋貨店烟店皆有售。且能治哮喘病。

呃逆驗方

會一

呃逆一症。不善治療。往往變成大症。今得簡便丹方。遂服遂愈。已經驗多人。方用。廣木香。沈香。各五分共為細末。清水送下。

患尿急病并淋瀝之靈藥

杭州中華豐記織工廠工友　袁豐順

余之祖母。患尿急病。三載百藥無效。後得親戚王君。他是養育堂董事長。告知一秘方。以大癸花梗(中心似綿花)黃酒煎服二次即全愈。而不復發。告患同病多人。服之皆效。經驗多人。余之父親。為道德起見。特種癸花梗傳方送藥。多年。愈人不少。病重不能起床。年老花甲。最多五次即愈。

吐血良方

沈家門北裕宏記莊　周延鑽

生白藥三錢。銀花炭三錢。東瓜子五錢。丹皮炭三錢。側柏炭四錢。鮮生地五錢。焦梔三錢。釵石斛四錢。鮮藕五錢。鮮毛草根一握。（洗清潔）川貝母二錢。鮮枇杷葉四片。

■久年頭疼驗方

諸城王肖舫

久年頭疼或偏頭疼。雖當盛暑。見風即疼。必戴棉帽。百治不愈者。

當歸身一兩。川芎五錢。杭菊花五錢。甘松五錢。荷葉五錢。紅花五錢。防風四錢。羌活四錢。大向陽花頂殼二個。（此物去蒂形如帽）共合一處。煑數沸。趁熱取出。扣於頭上。臥床見汗。一次即愈。須避風三日。

■腳氣症經驗良方

符麗生

用水魚一隻。約觔餘。公更佳。勿放血。原隻放入水鍋內。燒至將滾。俟其死。取出。去背黑衣。洗淨。復用滾水煑透。然後用手開其肚甲。不要內臟。勿過冷水洗。分為肆段。連甲放在大瓦砵內。加綠豆捌錢。薏米一兩五錢。和入後開六味之藥水。隔水燉四點鐘。不用油鹽。宜用咸檸檬汁點食。幷趁熱飲汁。切勿飲酒。

山菩提（鮮用二兩。乾用四錢。勿錯用老鼠獹冬瓜）鮮崩大碗七錢。金釵斛一錢五分。木瓜一錢半。牛膝一錢。陳皮一錢半。

右藥六味。用水三碗。煎埋碗半。去渣。俟煖水魚用。

此方出潮州。活人無數。百發百愈。但此山菩提。必須細認。潮州產者佳。開時取使晒干。存貯方便可也。此山菩提。省城。漿欄街。集蘭堂有賣。廣芝館有賣。吾於光緒六年。八月。因微病。兩足軟痛。步履艱難。初未見腫。延醫調治。服水藥廿餘劑。皆補陰滋腎之品。雖覺略好。而步履仍然軟弱。至十月。則兩足忽腫。心殊恐怖。有友薦食此水魚方。予見此方有生草藥。嫌其寒涼。利水傷腎。初心亦疑。後乃試之。第一次。見其開胃。第二次。小便長而多。腳漸消腫。至第四次。則輕爽消腫。舉動如常矣。適有友人。曾患腳腫。予即告之。連食數次。其應如响。又一友亦患腳腫。已不能行動。服藥罔效。初服此方。尚覺腫大。但開胃而已。又再服多次而腫漸消。漸愈。又一友。亦患此症。既不能行動。又不能飲食。危甚。殆甚。照此方服。是時食難下咽。家人將其汁灌飲。僅半日。思食其肉。連服廿餘次。全愈。誠壽世之良方也。所願仁人君子。廣為傳報。則護福矣。近日讀書人與工藝人。少行動者。易染此症。初起之時。兩足行動無力。胃口減少。漸至兩腳跟見腫。是其候也。急炒熱生鹽。用布包裹。(自膝)熨至腳趾。如有汗出。可抹去汗。每日熨數次。兼食水魚之方。更好得快捷。或用臭屎茉莉強煲猪腳筋食亦好。

用水魚方醫同痊愈者。以後當永戒食水魚。并多放生也可。夫人莫不好生而惡死。凡物皆然。當體天地好生之德。常存善念焉。

水藥方列(食水魚愈後。宜復此方數劑。方為盡善)。

製首烏二錢。當歸一錢。茯神一錢半。陳皮一錢。木瓜一錢。防己一錢。金釵斛一錢半。澤瀉一錢。谷牙一錢半炒。獨活一錢。海桐皮一錢。如生羌二片。淨水煎服。(但愈後。宜服下列丸方。使其氣血充足。使無復發之患矣。)

凡脚氣軟痺。小便短而黃。食飯減少。急服此方。百發百驗。食水魚可隔一二日服一次。因其過於滋陰也。如已消腫輕爽。小便清白。可不用食水魚。只服此水藥方可矣。

脚腫愈後宜服此丸方（此方大補氣血。補脾除痰。益精固腎。壯筋骨。健步行。為病後調養元神之聖藥）

正於朮一兩炒。當歸身一兩五錢。高麗參六錢。雲苓八錢。破故紙六錢鹽水炒。黃芪八錢。防黨參一兩五錢。川芎六錢。何首烏一兩。炙甘草二錢。金狗脊六錢去毛。舊熟地八錢。正川斷八錢。生白芍六錢。法半夏六錢。虎骨膠五錢。廣陳皮四錢。春砂仁六錢。澤瀉六錢。大棗肉三兩。

右藥廿味。共研細末。用蜜糖為小丸。每次空心服三錢。陳皮湯送下。忌食生鷄公。赤鯉魚。一百日。便無患矣。

■喉症初起方 甯波陳氏喉症專科傳

此方治一切喉症初起。左右兩邊紅腫。嚥下困難等症。倘潰爛者忌服。其方如下。牛蒡子二錢。浙貝母二錢。桔梗二錢。防風二錢。荊芥穗二錢。淡竹葉二錢。生甘草八分。

右藥七味。以水二盞煎服。

喉症預防法

陳氏

一切喉症。均由冬日鬱火。至春發出。且近年紙煙盛行。火毒愈重。一時驟發。每多不治。茲將經驗預防各法列後。伏愿仁人君子。廣為傳佈。功德無量。

萊菔子三錢。薄荷六分。桔梗二錢。青黛五分。象貝三錢。青鹽一錢五分。

右藥六味。每人預服二科。其所積火毒盡消。可不感染各種喉症。

菩提救苦丹

江南製造局常年施送方

專治春夏感冒風寒。時行溫疫。暑濕頭痛。口渴。身熱。目脹。筋骨疼痛。惡心怯寒。脈息洪數等症。屢試神效。其方列下。

紫蘇四兩。葛根四兩。羌活四兩。蒼朮三兩。赤芍三兩。香附三兩。花粉三兩。元參三兩。陳皮二兩。生地二兩。白芷二兩。防風二兩。川芎二兩黃芩二兩。厚樸二兩。甘草一兩。細辛一兩。右藥十七味。用新荷梗荷葉煎水為丸。每丸重二錢半。內傷飲食。外感風寒者。炒神麯煎湯化下。餘俱用生薑湯。或用開水下。惟受暑勿用薑。大人每服一丸。小兒每服半丸。日久藥味發變更妙。

■霍亂吐瀉良方

王振文

此方專治霍亂吐瀉。腹痛。絞腸痧。吊腳痧。時疫等症。頂上川連二兩四錢。乾薑二兩一錢。華撥六錢。丁香三錢。廣陳皮三錢。砂仁三錢（去殼）。車前子六錢。（播去殼浮皮揀淨）黃芩二兩一錢。炒麥芽三錢。真川貝六錢。荊芥穗三錢。

右藥十一味。共為細末。用鮮荷葉搗汁。和藥為丸。勿用蜜。每料分作二百丸。一丸可救一人。小兒半丸。開水送下。雖至重之症。二丸必愈。

■治紅白痢疾驗方

此方一料可治數人

警頑

川烏（麵包煨透）一錢五分。生熟大黃各一錢。杏仁（去皮尖）一錢五分。粟殼七個。川羌活一錢五分。甘草一錢五分。

右藥共研細末。紅痢用燈心湯冲服。白痢用薑湯冲服。紅白兼有者。二湯並用。水瀉用清水湯冲服。每服四分。小兒減半。此方屢試屢驗。至三服無有不效者。

又方

洪舜百醫士

此方專治紅白痢疾。無不神效。每服二錢。其方列後。

枯芩二兩。杭白芍一兩。苦參一兩。川連五錢。澤瀉三兩。新艾三錢。查肉三兩。茯苓三兩。枳實一兩。

右藥九味。共研細末。每服二錢。開水送下。小兒則用布包好。以水煎服。

治小兒紅白痢疾經驗方

王銳卿

用陳海蜇與荸薺同煮。（海蜇荸薺先要洗淨。）略為加些水。俟海蜇消烊。則去其渣。將荸薺與小兒食之。自愈。

按海蜇不宜多。自己要斟酌。蓋海蜇多用。荸薺之味太鹹也。

昔余之小兒。患紅痢。醫藥無效。後有醫友告以此方。治之即愈。復有某姓小兒患紅白痢。延至月餘。服藥不靈。後得王君傳以此方。治之果驗。嗣又有沈某之子。患痢已成噤口。百藥無效。亦用此方治之。果然小兒喜食。大開其胃。進以痢疾散即愈。

□治小兒吮乳久瀉綠糞方

陳連生

連鬚葱一整根。連皮生薑一錢。黃丹四分。

先將葱薑同搗如泥。然後加黃丹和勻。敷臍眼內。外以膏藥封蓋之。泄止後三天取出。此方百試百效。經驗多人。

□治夾陰傷寒祕方

仁

此病由房事不愼。感冒風寒所致。不論男女。初起小腹上微痛。漸痛漸劇。至面色發青。腹如刀絞。如病輕者。急以生薑或大蒜切片。如一銅錢厚。置臍孔。方以艾絨捻及黃豆大。燃火灸之。三火可愈。重者須購真麝香二三釐納臍中。取活鴿一只。破開其腹。連臟帶血。亟覆臍上。以布紮緊。更以重衾覆蓋。但露其首令臥。少頃即覺通身發熱如火。不可稍動。致空氣透進。約六小時。令汗發透。病卽盡退矣。此方救人不少。不可輕視。

行房事後受風寒秘驗方

廣智

按此症醫生不知底蘊。每作尋常風寒治。多致不救。惟此方極靈極速。茲錄如下。

川附子四錢。吳茱萸（川連汁泡去梗）一錢二分。雲茯苓二錢。炒白朮一錢五分。炒白芍一錢五分。生薑三片。紅棗三枚。

右藥用水煎服一帖。再服後方。

川附子三錢。吳茱萸（川連水泡去梗）一錢。抱木茯神（硃砂二分拌）二錢。製半夏三錢。白芍一錢五分。白通草二錢。生薑二片。紅棗二枚。

右藥用水煎。熱服卽愈。

治癆症吐血奇驗方

丁福保

用仙鶴草（此草出杭州）六錢。大棗十六個。水六杯。同熬五六點鐘之久。俟水已收成一杯。然後服下。此方最有奇效。予親見服此而痊者甚多也。

楊典臣

又方

方用桑樹根之莖。剝去根上粗皮。去其根之心。取肉淡煨。連食二三次。其效如神。且能斷根。真濟世之良方也。

■又方

俞履儂

活童雌雞一隻。(重約半斤多則一斤)殺斃去毛。加麥冬二錢。童便一鍾。再加河水若干。用瓦鍋煑爛。宜於夜間天未明時服之。雞肉及汁水全行服可。連服二三雞。不令間斷。必可獲愈。如無小童雞。即未曾產蛋者亦可。忌服雄雞。

按據俞君來函謂。丙辰之春。染肺疾。初則嗆嗽。繼則痰中帶有血絲。不及數日。竟然吐血傾盆。時愈時發。遍求中西醫士診治。如石投水。愈發愈緊。直無治療餘步。五月初旬。節屆端陽。乃回里養痾。得友人傳授此方。依法服之二三劑。病魔即完全消除。毫無痛苦。精神如前。繼傳親友多人。無不獲效。且妙在無論何種血症。均能以此方治。無不應手奏效也

■治風熱痰多聲嘶方

何可人

廣射干二錢。蘇薄荷八分。苦桔梗一錢五分。浙貝母三錢。括蔞皮二錢。苦杏仁（去皮尖）一錢五分。牛蒡子二錢。雞子青兩個。

此方能疎風清熱。化痰利肺。治一切熱痰膠結。以致聲嘶之症。甚效。

■化痰止咳神方

鄭伯萃

青鹽五錢。半夏五錢。食鹽二錢五分。白文冰。

右藥共研細末和勻。入磁器內藏貯。每日早晨或臨睡時。取末一錢半。開水冲服。

■治咽嗝奇方

丁福保

此方錄自清代野記。係用老蘇梗泡水。和麵粉。俟日食時。在日中搓為丸。須即日曬乾。丸皆中空。治咽嗝神效。此理誠不可解。前清光緒廿二年。丙申七月朔日有食之。武進王仲光孝廉在蘇州製此丸。中果空也。他時製之則不然。

按余友鄭萍溪君亦曾照此方配製。據謂所製之丸。確是中空。且治咽嗝亦確有效。未知是何理由。故特錄出。以俟博雅君子之研究。

治暈船方

佚名

炙防黨參三兩。炙杞子一兩五錢。乾薑五錢。炙北芪一兩五錢。當歸身八錢。黃精（蒸透）二兩。飯白朮一兩。蛇膽羌二錢。法半夏八錢。舊熟地二兩。陳皮三錢。淮山藥二兩。共為細末。煉蜜為丸。每丸重八錢。

又方

前人

烏梅肉一兩。黃連三錢。

右二味同搗如泥為丸。如黃豆大。行船時服十粒。即無暈眩之患。

治婦女紅白帶方

英

炙芪四錢。紫白石英各三錢。煅龍骨三錢。川芎一錢五分。煅左牡蠣三錢。陳皮一錢。生栢葉（去皮殼搗爛）十粒。

右藥七味。用清米湯一大碗煎汁飲之。如腰痛者。加杜仲三錢。如眼花眼脹者。加枸杞子三錢。此方治一切虛症之紅白帶極效。

戒煙藥簡驗方

萬鈞

鴉片烟之為害。盡人皆知。受其害者

。已不勝指屈。今日政府雖嚴禁止。然而一般有癮者。欲戒無方。良可嘆息。而今肆中所售各種戒烟藥。似覺有效。不知其中仍用烟膏。故不服而癮如故也。余近於友人處。求得一方。價廉易得。功雖略遲。而服之無損。據云已救多人。如法製服。不數月而戒絕矣。其方如左。

大粉甘草。不拘分兩。熬膏如烟。初以烟一錢。入甘草膏一分。照常吸之。繼則烟遞減而膏益增。至膏有八九分。烟僅一二分。則所吸者。皆甘草膏。而癮自斷矣。願有志者起而試之

◻試婦人有無孕法

葉瑗

川芎一兩。煎艾葉汁混而飲之。如婦人腹動者。是已姙娠。不動者。則未姙娠也。此法甚確。希望姙娠者。曷試之。

◻防難產法

葉瑗

用茯苓。桂皮。牡丹皮各一錢。甘草二分。生薑三片。水一茶盃半。煎成一杯。臨月時每日飲一回。至產出時為止。

吐血丹方（附圖）王念茲述

隣婦王氏。身軀高大。體強健。夫死子幼。憂鬱形於色。近幾年來。子長而頑。不事操作。屢戒不聽。遂患吐血之症。乃鄉民示以野紅花根。和猪肉（富纖惟性之赤色肉）同煮。野紅花如數。（產於高山）赤猪肉四兩。約一角錢。（不加鹽淡食）淡食而愈。此時僕年尚幼。且志不在斯。（醫藥之學）故未知也。今季春末夏初之際。婦入山採薪。覺有冷感。繼之頭暈目眩。突吐鮮血數口。當下如醉如癡。迨至家中。又吐數口。面色黃瘦。形容憔悴。僕適入山採集標本。亦得野紅花一物。乃請於僕。如法服之。越三日而痊。

便血驗方

孫達之

凡大便前後帶血。年久不癒。用下列藥方為丸。服三日即可告癒。久服可以除根。（並可消痔）

龜板膠二兩。淮山藥二兩。鱉甲膠二兩。雲茯苓二兩。米粉八兩。真蜜二兩。

小兒水瀉驗方

孫達之

凡小兒水瀉或泄瀉。小便甚少。食慾不振。精神萎靡。甚至四肢作冷。哭無涕淚。（加熟附片五分）。服下列藥方。可有特效。輕者一二劑。重者五六劑。無不見效。

薑半夏二錢。炒麥芽錢半。廣陳皮八分。六神曲二錢。粉葛根三錢。猪赤苓（各）三錢。煨姜五分。

吃皮疔療治秘方

佚

吃皮疔治皮潰爛。爲皮膚科中。中西醫生所最難醫治之瘡瘍。余鄉土人某專以治此症而起家者。詢之秘而不宣。一日余友於足面亦患是疔。雖延名醫療治。經年不愈。厥後。聘某療之。不二十天而愈。誠單方中之靈芝也。後其子某受業於余。告乃父之秘方二則於余。余不敢秘。錄之登入本刊。以濟世之患是瘡也。

（其一）巖葱。（如瓦葱然。產於巖石之上）。採以搗爛。和白蜜及麻油。拌巖葱搗後之渣滓。塗於患處。神效無匹。

（其二）野山小竹。（如筷粗之小竹）。

刮其竹衣。焙乾研末。置於龜音膏藥內。作為粉末。貼患處即愈。

赤遊丹毒之特效方

程次明

嬰孩赤遊丹毒。以其遊走不定。故曰遊丹。丹者赤色也。尚有一種丹毒皮膚。按之硬如鐵板者。俗稱鐵板遊丹。凶。赤兼紫色者。凶。此丹毒發現。從腹流入四肢者生。從四肢流入腹者死。更有肌膚上發現紅色細瘰者。俗名遊瘰。都係血分風熱內熾。而外出於肌膚。有諸內。而形諸外。內經謂「諸痛癢瘡。皆屬於心」。屬於心之血分也●要之經所謂諸痛癢瘡者。指皮膚病之一切也。後人當以意會之。舊法亦以砭割針刺。俗謂之挑遊丹。以放出毒血為能事。不知嬰孩受了多少的痛苦。結習相沾。良深慨歎。金鑑謂百日內。忌砭刺出血嬰孩。以其血液未長。故治療遊丹。不主砭刺。以猪精肉切薄片。貼於丹上。以吸收其熱毒。此移花接木之法。最為神妙。奏效極速。人毋忽視。內服芭蕉根汁。清血解毒。功效甚宏。屢試均驗。神效無比。誠保赤之救星焉。二法錄登於左。

內服　鮮芭蕉根。搗汁。以夏布漉去渣。服每以二小盅。入烏糖少許蒸該汁。做一絲綿乳頭式樣。浸漬汁中。與乳嬰代乳吮之。不過三四次服之。即可全愈。

外貼　鮮猪精肉。切薄片。貼於丹毒上。乾即換之。以吸盡丹毒為止。

■婦科百靈方

楊惠元

當歸二兩。川芎二兩。大黃四兩。血竭四兩。百草霜一兩半。

右用醋童便。調和為丸。如棗大。

主治產婦科三十六症

一　治妊娠六七個月。無故惡血。時時自下。名曰胎漏。用此丸治之。用法。用蓁艽糯米湯下。或當歸湯下亦可。

二　治胎死腹中。服此丸。其胎自下。傷胎亦同。服藥用秤錘燒紅。浸黃酒。鮮地黃汁同下。或榆白皮煎湯。加黃酒同下。

三　催生。於產時服此丸一二粒。用紅花黃酒童便下。

四　治難產。服此丸。用榆白皮煎湯

黄酒下。或蠶繭。或出蠶紙燒灰同下。

五 治胎衣不下。服此丸。須臾自下。用舊毛筆頭燒灰。紅花煎湯。黄酒下。飛燕子糞燒灰同酒下。牽牛子煎湯酒下。燕穴草亦可。

六 治産後發冷發熱。用童便。鮮地黄汁送下。悪血惡露。眩暈不省人事。雖非産後。發冷發熱者。倶用此引送下。

七 治産後乍冷乍熱。頭疼口乾。服此丸。熱者蜜水煎紅花湯送下。冷者薑湯送下。頭疼陳皮湯下。

八 治産後月經閉止。乍寒乍熱。服此丸自愈。用元胡湯或芝蘇湯。或血見愁送下均可。

九 治産後眼目黑花。血腫。用黄龍尾三穗。鬼棘針煎湯。童便一盞同下。

十 治産後心悶口乾。用醋。黄酒。紅花下。發熱生地黄汁黄酒下。

十一 治産後心腹脹悶。嘔逆不止。用生半夏。生薑等分下。或香附。或柿蒂燒灰。或芝蘇燒灰黄酒下。

十二 治心腹臍胸疼痛不止。用當歸

湯下。

十三　治臍腹疼痛。腹脹腹鳴。下痢。用桃仁七個。古銅錢七個。煎湯送下。

十四　治產後臍下及兩脅疼痛。不可忍受。用醋湯下。或當歸乳香湯下。或元胡湯下。

十五　治產後骨節疼痛。用酸棗。鬼棘針燒灰。黃酒下。牛膝當歸湯送下亦可。

十六　治產後中風虛弱。卒然傾倒。口眼歪斜。牙口緊閉者。用當歸湯下發汗。

十七　治產後手足不隨。言語不出。用官桂。當歸。梓柳根湯送下。

十八　治產後失音不語。用燈草湯。或鬼棘針。紅花。童便湯下。

十九　治產後言語顛狂。用木通。烏龍尾湯下。

二十　治產後積聚疼痛。面色黃瘦。四肢無力。用當歸黃酒下。或沒藥黃酒下。或乳香黃酒下。

二十一　治產後血崩惡露不止。乍寒乍熱。口乾舌燥。赤白帶下。漸漸黃瘦者。用桂枝燒灰下。

二十二　治產後浮腫。小便減少。用

燈心。鬼棘針。紅花煎湯。童便下。

二十三　治產後小便帶血。大便燥結。用木通湯。或桑白皮湯下。

二十四　治產後身體黃瘦。頭痛。四肢沉重。用當歸湯荊芥湯送下。

二十五　治產後經血不行。日漸黃瘦。口燥唇乾。米穀不化。或經如豆汁。用鬼見愁湯。或血竭沒藥湯下。

二十六　治婦人無子。月經不調。或前或後。赤白帶下。用乳香當歸湯下。

二十七　治產後寒熱咳嗽。用當歸丁香人参湯下。

二十八　治室女無故心悶腹脹積聚成塊。用血竭或沒藥或血見愁或蘆薈。俱用黃酒下。

二十九　治室女自小黃瘦。好吃泥土。月經閉阻。或來如豆汁。赤白帶下。用當歸沒藥黃酒下。

三十　治產後喉中作貓喘息。用桔梗。鬼棘針。甘草湯下。

三十一　治產後徧身生斑點者。用當歸。紅花。加蒲黃(炒)黃酒送下。

三十二　治產後寒戰咬牙不甦者。用官桂鬼棘針下。

三十三　治產後寒戰多汗。咳嗽吐膿。腰胯疼痛。用元胡湯下。

三十四　治產後口乾燥。唇焦黑。心煩悶。用當歸黃酒下。

三十五　治產後心胸兩脅上喘下疼。汗出如注。形體不收。乍靜乍亂者。用人參百部湯下。

三十六　治產後心腹脹滿。身體厥逆。兩肢無脈。四肢不收。難以屈曲者。用當歸紅花五加皮湯下。

按　第一症至三十症。對症用藥。多收奇效。三十一症至三十六症。係敗血症產褥性破傷風症。則難見效矣。

清痰定喘丸

楊惠元

胆星三錢。半夏二錢薑炒。陳皮三錢。杏仁三錢。瓜蔞三錢。桔梗四錢。貝母三錢。阿膠二錢。兜鈴二錢。枳殼二錢。蘇梗三錢。桑皮二錢。白菓二錢。

右為細末。蜜調為丸。如棗大。每服一二粒大效。

■治黃疸病方

楊惠元

先用苦瓜蒂焙乾為末々作嗅劑。內服茵陳煎湯。當茶飲。數日即愈。

■刺猴子驗方

楊惠元

好生於面部手部。色黑多刺。每蔓延數個。或十數個。用刀剃去。塗鴨丹子仁二三次即愈。

■治乳頭開裂方

一民

寒水石八分。蚌蛤粉八分。梅冰片八分。

以上三味。取價約兩角四五分。購時須囑研細末。

雄雞糞白　二分。

取老雄雞（閹過者無用）糞尖端之白色者。不可帶糞。研末。

荸薺汁一小杯。將前藥調融。敷患處。立即止痛。哺乳時可將藥洗去。

按此方係敝戚胡氏所藏。此次因家叔母亦患此症。痛苦不堪。雖經名醫診治。亦未見效。後為敝戚所聞。即將該方抄贈。按方配置。在上午十時搽敷後。至中飯已止痛。

次日下午裂處脗合如故。毫無痛苦矣。

■治痔瘡腫痛方　一民

豬腿骨去兩頭。同萬年青。入砂鍋內煎煑一炷香。乘熱薰溫洗。日三次。四五日全愈。

■治火傷　張瑞亭

宮粉一兩。麻子油二兩。黃蠟少許。加火為膏。用塗火傷。有立止疼痛之效。未潰者不腐。已潰者生新。屢經試用。輕者三日。重者五日。完全治癒。但塗藥後。勿施防腐綳帶。不然患部疼痛難忍。一旦難以立愈。必因此延長病期。慎之慎之。

■治腫毒方　張瑞亭

松香二兩。光頭麻子八十個。女人頭髮一束。(燃灰)硃砂少許。

將以上諸藥。購齊之後。用錘錘之。至將麻子錘細為度。加火微熬。塗厚紙或布上。用以貼敷未成膿以前之腫毒。有奇效。

■治淋血　張瑞亭

茯神六分半。棗仁炒黑四分。萸肉五分。魚鰾三分。生壯力三分。鎖陽洗五分。烏附子四分。瞿麥一分。木通三分。

用水煎服。以治淋血。輕者二劑。重者四劑。完全治愈。

疔瘡方

顧振夏

蒼耳草梗中之虫一百條。草蔴子四十粒(搗爛)。真雄黃一錢半。嫩松香十兩。葱汁一兩。漂淨辰砂一錢半。杏仁(去皮尖)五錢。

製法。將以上藥品研細末。打成羔。一料。打時宜蒸。切不可以火燒之。

用法。每用三分貼患處。忌火。疔立出卽愈。

祖傳外用風濕秘方

鄭文石

桂枝一束。(約十餘枝)樟腦三兩。火酒三兩。生鹽三兩。芥末五錢。

製法。先將桂枝煲水。約大半盆。盛以面盆。再將其餘之藥品。放入盆內。與桂枝水勻和。溶解後。熱洗痛處卽愈。

功效。專治久年風濕骨痛。連洗數次。則將原藥水再煲用之。其效如神。此方乃先祖秘傳。治人無算。

■暑天必備之十滴藥酒方

陳敏

雅片烟三錢。。生川軍三錢。元紅花五分。仲筋草三錢。小茴香三錢。焦枳殼三錢。橘葉二錢。樟腦三錢。宣木瓜三錢。廣陳皮二錢。延胡索(炒)三錢。薄荷三錢。

右藥各研粗末。用真高梁十六兩。將藥浸入酒內。封好。不令出氣。浸至七天。加丁香研末三錢。木香研末三錢。共浸至一月。取出。濾淨渣滓。澄極清。裝入好玻璃瓶內。聽用。凡治各種痧症。不必再去搜尋別方。此方簡而且靈。真仙丹也。按此十滴藥酒方。專治時疫霍亂吐瀉。絞腸腹痛。抽筋吊脚。冷麻。癟螺。悶心各痧急症。用此酒半調羹。以開水少許冲服。小兒減半服下。立安。凡遇症重垂危者。或人事不省者。或六脈沉伏者。如服此酒。一次不愈。再服二三次。症重者不妨多服。如病人口渴身熱。將開水待溫與服。切勿服冷茶水。及水菓生冷等物。服則難救。服此酒後病勢平靜。命若救回。宜即延醫調治。外邪悉去。庶慶無礙。如惜醫藥。致遺後悔無及。倘服此酒過多而沉醉者。用白糖調冷水服之。即可解也。此酒雖然猛烈。然病勢亦是暴惡。不用猛藥。何能救急。倘病者服下即吐。再吐再服。又治各種腹痛及肝胃氣痛小兒急慢驚風一切水瀉痢疾。依法服之。立見奇效。惟症輕者不可多服。倘遇寒熱頭疼等症。服此亦能消散風寒。疏通臟腑。病即愈也。並

治疔瘡發背癰疽流注等症。初起者。用棉花蘸此藥。貼於患處。乾則再蘸再貼。必可消散。如已出膿者。亦以此法貼之。自可收功。凡遇中風中痰氣閉。不省人事。亦能挽回。孕婦忌服。此余屢用屢效。百發百中之神丹。望各界修合預備。救濟世人。功德不在施粟之下也。如遇抽筋吊腳急痧。外用木瓜切片一兩。伸筋草一兩。煎濃水。再將此酒和入一兩。以青布蘸濕擦筋抽之處。及肚腹膀灣足底。急急擦之。自可愈也。

■黑龍丹之功效

周吉人

治一切惡瘡怪毒。或生于横肉筋窠之間。因擠膿用力太過。以致胬肉突出。如梅如栗。翻花紅赤。久不縮入。此乃損傷氣脈使然。嘗見外科不明其義。輒以降蝕附化。但腐去其小者。復又突出大者。屢蝕屢突。經年累月終不全愈。用此方立可奏捷。

大熟地切片。烘乾。炒枯。烏梅肉炒炭。

右以枯熟地末一兩。配烏梅炭三錢。共研勻。碾極細。摻膏藥上貼之。不過三五日。其胬肉收進。用生肌散收口即愈。

凡陰虛腎氣不足之人。或患脫肛。諸藥不效。用此丹以防風。升麻。各壹錢。煎湯調搽。立即收上。再服補腎煎劑後。不再發。予親試神應。故并錄之。

■神醫華佗愈風散

吉人

治產後中風口噤。牙關緊急。手足瘈瘲。如角弓狀。或產後血暈。不省人事。四肢強直。或心頭倒築。吐瀉欲死。此藥清神氣。通血脈。其效如神。勿以平易而忽視之。

荆芥穗微炒研細末。每服三錢。黑豆兩合。炒微焦。淬無灰酒中。去豆取酒。調服。或童便調服亦可。口噤者。擀開灌之。若斷噤則不必研末。只將荆芥穗以童便煎。俟溫。灌入鼻中。其效如神。

■痴病鎮風補心丹

周吉人

生川烏去皮臍。一錢五分。五靈脂五錢。共研細末。猪心血和作為丸。如芡實大。每服二粒。食後以生姜湯送下。服至百粒。自然病愈。照方或加珠粉一錢。亦可。此方乃吉人屢試屢驗。屢用屢效之神丹。實有挽回造化之功。幸弗輕視。

■夾陰傷寒腹痛方

周吉人

凡男女交合之後。或外受風寒。內食生冷等物。以致肚腹疼痛。腎囊內縮。亦有不縮者。手足彎屈紫黑。重則牙緊氣絕。謂之陰症傷寒。凡婦女患此症而乳頭縮入。或手足彎屈。紫黑。牙關緊閉。氣絕。亦謂之陰症傷寒。又名夾色傷寒。急用磚頭燒紅。隔布數層。在肚腹上熨之。冷則再換。再熨。或用連鬚葱頭一大把。老生姜二大塊。生蘿蔔四五個。如無以蘿蔔子二兩代之。三味共打爛炒熱。加燒酒更好。用布分作兩包。輪換熨心胸脅下肚腹痛處。自能豁然開散。汗出而愈。乾則加酒再炒。不宜太熱。恐炮烙難受。若大便結於臍腹。多熨自可愈也。

（按）夾色用胡椒四十九粒。連鬚葱頭四十九個。共打成泥。加百草霜一撮。和入。再打。分二處。一貼臍上。一貼龜頭。用綫紥住。少頃卽愈。內服之藥。必須用附子肉桂炮姜等品。方爲有効。若誤用涼劑。則性命危於頃刻。

治黃疸病神應妙方

朱潤亭先生傳

黃疸者。目珠黃。漸及皮膚。皆見黃色也。此濕熱壅遏所致。如盦麵相似。濕蒸熱鬱而黃色成矣。然濕熱之黃。黃如橘子藥皮。因火氣而光彩。此名陽黃。又有寒濕之黃。黃如薰黃。色暗而不明。或手足厥冷。脈沉細。

此名陰黃。其間有傷食者。名穀疸。傷酒者名酒疸。出汗染衣名黃汗。皆陽黃之類也。其間有女勞疸。乃陰黃之類。復有久病之人。及老年人脾胃虧損。面目發黃。其色黑暗不明。此臟腑之真氣泄露于外。多為難治。

鮮鯽魚一尾。陽春砂仁一兩。洋糖一撮。

右三味。同搗爛如泥。去骨。入蚌殼內。合于臍眼上。用布一幅。捆好。一週時。臍中有黃水流出。其病鬆快即愈。病深者。未能全消。照前法再治。以愈為度。神妙異常。

■眼病無上光明丹 葉竹堂

無上光明丹。治諸般眼症。分別加減。取用清水洗搽。屢試神効。除瞳人反背內障不治。藥用鷹爪黃連一兩五錢。毛多者為上。連毛。洗去泥土。淨。先用鉄杵杵碎。借鉄氣。令細毛入水不浮上。磨。幷粗渣俱為細末。取淨末一兩。

玄明粉上白淨者一兩六錢。若倒毛流淚爛皮火赤風眼。外加五錢。

蘇薄荷。金錢者佳。春分至秋分用四分。秋分至春分用六分。

右三味。共研篩極細末。將大號銅鍋

。入好清水二碗半。要二人各持兩指闊薄竹箄一片。待藥一滾。卽以竹片不住手攪四圍及鍋底。如火沸起。藥水粘鍋兩旁。二人各盛清水半盞。忙用竹片挑水。將粘定藥水洗下。沸起又洗下。若火氣太盛。將鍋提起一旁。待洗藥水淨。再安火上緩緩煑成稠醬樣。取起。將大好細磁盤盛之。日中晒極乾。其色真黃者為上。重研。篩為細末。小口磁罐盛之。塞緊罐口。莫令透風。使潮久則成水矣。此藥最是難煑。若不細心洗鏟。倘藥粘定鍋底及兩旁。卽成焦黑。晒乾時便成綠色。藥定不靈。便無用矣。

上好真青胆礬。去下面粗脚。淨。一兩。硃砂。光明有牆壁者。一錢五分。黃丹。上好者用水飛過。

右三味。共為極細末。另收一罐。

(用藥法并諸忌)用時。前藥二股。後藥一股。調藥。用尖樣磁杯。洗淨放藥一分許。入井水幾點。以淨指調令稠。再加水調稀。然後多下水。浸過三四分。調勻。紙蓋少頃。藥水或綠色。將新羊毛小筆。或雞鵝翎輕輕取上面清水。洗搽。不論遍數。一乾又搽。洗藥時。最忌酒與豆腐。清晨餓肚不可搽。反令人目昏。有孕婦不可洗。洗之傷嬰兒眼目。切記切記。如爛皮流淚。火赤風眼。懸毛倒刺。止洗皮外。不必放藥水入眼內。洗半晝即愈。若懸毛倒刺。每日洗十數次。久之眼皮皺縮。其毛向外矣。若翳膜外障。努肉扳睛。重者後藥多加重些。洗眼時。將眼角少睜開些。令藥水入內。一覺痛。即將手巾放在熱水內浸透。薰洗之。藥氣乘熱而散。其痛自止。去膜去翳。去扳睛。時常搽看。倘去十分之七。前藥即住。不復洗。另用後藥緩緩洗之。翳膜漸去。自然復明。若一時求淨。用藥太急。定至傷目。切記。

疫病特效方

徐相任

世人咸有一種不良習慣。即無病之時。絕不注意身體之健康。而隨時加以愛護。及一朝染疫。急而求醫。欲望其藥到病除。不亦難哉。蓋疫癘傳染最速。毒性最烈。俄頃能絕人生命。於其臨急搜求治法。不如未雨綢繆。有備無患。惟疫病多端。治法不一。今徐先生水旱二疫方。係研究有素。成效卓著。故特公之於世焉。

（編者誌）

（一）大旱之後成疫主治方。（甘霖丹）

西牛黃五分。當門子五分。珍珠粉五分。老大梅五分。上辰砂一錢。老腰黃一錢。西瓜霜一錢。西硼砂一錢。生石膏八錢。生大黃三錢。藏紅花一錢。生射干二錢。千金霜二錢。毛慈菇二錢。漂中白四錢。加鮮石菖蒲。自然汁。鮮竹瀝。陳金汁。搗成錠子圓形。每錠乾透。重一分。

（三）大水之後成疫主治方。（麗日丹）當門子五分。老大梅五分。上辰砂一錢。老腰黃一錢。淨牙硝五分。杜蟾酥五分。明白礬一錢。麻黃茵一錢。川桂枝三錢。北細辛一錢。草果仁二錢。公丁香一錢。生茆朮三錢。姜半夏三錢。上川朴二錢。東檳榔三錢。川椒目一錢。新會紅二錢。加晚蠶矢老生姜湯。搗成錠子方形。每錠乾透一分。

大鼻如拳之自療

宋愛人

（原因）此肺中有蘊熱。大多由於喜吹麴蘗辛辣而來者。

（證狀）鼻居中央。爲五官之最重要者。古人云。鼻如懸膽。此言鼻之端好也。凡鼻孔掀起。鼻梁平塌。鼻準底陷者。皆屬面部之缺點。若鼻準過於高大。隆起而竟如拳者。則又望之可畏矣。此證鼻部日漸擴大。且痛不可按。得熱則益甚。不可不早爲圖治也。

（治法）條子芩三錢。麥門冬三錢。天花粉三錢。生甘艸一錢。桔梗八分。天門冬五錢。生紫菀三錢。生百部一錢。紫蘇葉錢半。清水煎服。四劑漸消。

丹方雜誌 第六期

價目表

零售	每冊實售大洋二角		
時期	冊數	連郵費 國內	國外
半年	六冊	一元	二元
全年	十二冊	二元	四元

廣告價目

等第	地位	全面	半面	四分之一
特別位	封面		四十元	
特等	底面之內外 封面之內	四十元		
優等	封面內面之對面	三十元	十六元	
普通	正文之前	二十元	十元	五元

彩色另議

◀中華民國二十四年八月一日出版▶

編輯者 朱振聲

撰述者 全國醫家

發行者 幸福書局 上海三馬路雲南路轉角

上海特約 上海雜誌公司 上海福州路

華南特約 上海雜誌公司支店 廣州永漢北路二三九號

印刷者 興羣印刷所 方針支路五號

朱振聲編
丹方雜誌
第七期

丹方雜誌第七期目錄

砂眼秘方

葉勁秋

▲胡蝶梅蘭芳一行出國前之一段小故事

歐西各國對砂眼一症。頗為注視。縱有些微小恙。亦必嚴重防範。吾華人之旅彼邦者。檢視尤嚴。此次胡蝶梅蘭芳等一行出國之前。有隨從十三人。皆稍有目患。因以略受留難。求醫又不易速痊。正在無法解決之際。中委李石曾先生。出一秘方。方為鯉魚胆汁。調東丹敷塗患處。頓獲痊可。事秘方之奇。誠有出人意料之外者。事關民衆健康。故誌之。豈徒以趣事目之者。

（按）此方由江蘇省主席陳果夫先生。在省立醫政學院所述。事實確然。非途聽道說者可比。

治喉風神效方

葉 瑗

不論何種危險喉症。任取大小白黑各種蜘蛛二三個。（隨便用一種足矣。小而白者為佳。）在潔淨瓦片上焙枯。研細成末。用斜口竹筒吹入病人口中。（吹時宜斜身站立以防傳染。）勿咽。（如誤咽亦無害。）少刻毒涎滿口。吐後再吹。約五六次。涎淨即愈。瑗按焙藥時以見黑為度。勿不及。勿太過。過則藥無力。用之不效。

治爛喉痧經驗方

葉 瑗

初起時畏寒發熱者。以辛涼疎散之劑

荊芥二錢 防風一錢五分 淡豆豉二錢五分 炒山梔二錢五分 蟬衣三錢 薄荷一錢五分 桔梗二錢五分 生甘草一錢五分 陳蘿卜英三錢

倘喉痧煩燥而不大便者。須加 牛蒡子三錢 馬勃三錢

熱重而煩燥甚者。加飛滑石四錢 細生地五錢

腹泄者。牛蒡馬勃滑石生地等均不可加。但加焦山查三錢于前方內可耳。此係風邪之病。必兩星期經許多危險。然能守定以上四法。必可轉危為安

(又方)竹瀝六錢 猴棗一分 珠粉一分 以上三味。均須選好藥料。共研細末。用開水和服。不及片刻立即見效。

(又漱喉法)食鹽三錢 硼砂五分 水一杯調和。用以漱喉。頗效。或用枝子花。或土牛膝。或魚腥草。泡水漱喉。

（又外治各法）用針刺少商穴見血　合谷穴不見血　曲池穴不見血　如喉閉者刺鼻。見血須多錫類散加蛛蜘一個（瓦上焙枯）吹之。此法極佳。如喉外再貼異功散尤妙。（按錫類散異功散二藥。藥肆均有售者。）

用遊蟲一條。剪斷包裹內含於口中。立能開關。

■治鼠疫神效方　鈍根

鼠疫即熱疫。昔年東山省極為流行。而哈爾濱瀋遼一帶。尤斃人無算。患者頭痛如破。昏憒如迷。甚至咽喉乾燥。眼白全赤。吐血數口。不逾二十四點鐘即斃。下所列預防法。及臨時救治法。均係東山省醫院研究所得。效驗極為神速。閱者幸勿輕視其方列後。

（預防方）生萊服（即蘿蔔）不拘多少。切碎。以食鹽拌浸。約二時許。再用真生麻油拌。每日早晚餐食。以解熱毒煤毒。化痰升氣。使熱不內伏。此法雖極貧者。亦易為力。

（又方）金銀花三錢　野菊花四錢　甘草二錢　薄荷一錢　生熟萊服子各一

錢五分　生白芍二錢

右藥七味。如在疫氣傳染地方。或自覺略有不適。即用清水煎服。

(臨時救治法)生石膏一兩至八兩　元參四錢至八錢　野菊花四錢至一兩　金銀花四錢至一兩　連翹四錢　甘草二錢　薄荷二錢　丹皮四錢　射干二錢　川貝母二錢

右藥十味。如已染疫。即用清水煎服。不拘劑數。全愈為止。再南方水土淺薄。石膏元參野菊花。似祇宜用少數。仍視病人體氣務宜詳細審慎。

治休息痢方

經常

用苦參子桂圓肉同食之。二三日使愈。且能斷根。亦無後患。

按休息痢為痢疾中最劇者。昔有人患此病二年餘。百藥罔效。羣醫束手。後以此法治之。不滿三日。病即全愈。永未復發。誠奇方也

戈似莊君來函云。休息痢不外二經。以肝藏血。脾統血。肝脾不和。失於系統。故有此症。經常君以桂圓肉補脾。苦參子瀉肝。一補一瀉。確是妙法。然此猶治標之法。欲愈後而永

不復發。當繼用　炒白朮二兩　煨木香六錢　炙柴胡三錢　赤白芍各一兩五錢　勻分七日服之。決無再發之虞。

治瘧痢奇驗方

編者

凡病痢疾者。須於初更後取糖橄欖九枚。鹽橄欖九枚。先用糖鹽橄欖各三枚。裝入尋常茶碗內。將開水冲滿一茶碗。用碗蓋蓋定。候稍涼。將湯服完。再用開水冲滿一茶碗。候稍涼。糖鹽橄欖食完。將湯送下。第二次再取糖鹽橄欖各三枚。如前法服。第三次亦取糖鹽橄欖各三枚。服仍同前。須一氣服之。服完卽睡。至次早痢已下而愈矣。

若患時瘧之症。只服糖鹽橄欖之湯。不必服其渣也。惟必須晚間服之。轉機較速。橄欖亦名青菓。閩產者良。糖橄欖閩省呼為橄欖餅。鹽橄欖閩省呼為橄欖鹹。兩廣呼糖者曰醬橄欖。又有一種曰蘇欖。亦糖製者。鹽者曰鹹欖。

按此法係熊采臣大令所傳。治痢係其實驗。治瘧係其子鍾清實驗。如有患痢瘧者如法服之。無不獲效。

治痄腮方

陳其采

紫花地丁二錢　薄荷八分　連翹二錢　牛蒡子三錢　竹柴胡八分　山茨菇二錢　象貝母三錢　漂昆布二錢　赤芍藥三錢　粉丹皮二錢　銀花二錢　夏枯草三錢　黛蛤散三錢

右方治痄腮頗效。或再加漂海藻亦可。如濕痰重者。加半夏二錢。新會皮一錢。發熱退後。加左牡蠣四錢。廣元參三錢。去牛蒡薄荷柴胡。

治頭風方

陳其采

杏仁　胡桃　蜜各等分（如杏仁四兩胡桃與蜜亦各四兩）先將杏仁去衣。胡桃炒燥。一同舂爛。然後和以蜜。置諸蓋盌中。不時取食。其患即愈。且味亦不惡。無病者亦可服。昔有人患此病。各藥無靈。後服此方而愈。永未再發。

治心胃氣痛神效方

飛腰黃四兩　上上肉桂五錢　廣木香四錢　結子紅花二兩　白胡椒四錢　枳殼二兩炒焦　五靈脂二兩　公丁香四錢　巴豆霜四錢

右藥共研細末。每服五釐。服法男人將藥放在左手心內。用舌舐咽下。女人將藥放在右手心內。用舌舐咽下。均是乾吃。不可用茶湯水過下。服藥之後。須停二點鐘。方可吃茶。不論遠送心胃氣痛。症發時輕者一服。重者加一服。服後如停刻再痛。再進一服如此四五次。無不神效。孕婦忌服。

■調經種子仙方

酒炒當歸身四錢　雲茯苓三錢　吳茱萸四錢滾水泡三次　川芎四錢　大熟地六錢　玄胡索三錢　粉丹皮三錢　製香附六錢打碎　廣陳皮三錢　酒炒白芍四錢

右方秤準分兩。作四帖。經至之日服起。一日一帖。每用水一碗半。煎至一碗。空心服。渣再煎。臨臥服。如經期月月上前。其色必赤。則加條芩三錢。如月月落後。其色必淡。則加乾薑三錢乾桂三錢。艾葉三錢。亦分作四帖。同煎服之。經當對期。自然受胎矣。倘不前後。照前方服之。神效。

■咳嗽靈方

老幼素有咳嗽喘急。無論寒熱。常發不已。晚間哮喘難睡者。用紫蘇錢半。麻黃。杏仁。桑皮。官桂。陳皮各一錢。甘草八分。腹皮八分。卜荷五分。烏梅肉五分。水二盅。煎八分。溫服。

(按)咳嗽之原因不一。絕非一方所能包治。本方紫蘇麻黃杏仁。皆為辛散發汗之品。官桂陳皮腹皮。悉屬溫通流氣之藥。雖有卜荷桑皮甘草之清涼。而力不勝多數之辛溫。究宜治寒嗽。而不宜治熱嗽。宜施於新咳。而不宜施於久咳也。再哮喘多實發於晚間。初起用之。取其宣散則可。若謂無論寒熱。常發不已之久咳。以之常服。必遭藥害。用者總以發熱。惡寒。頭痛。無汗之表症。咳痰稀白。胸悶上氣之裏症。方為適應。若黃淡。又須審用。又按本方除去桑皮官桂。治感冒風寒之咳嗽氣喘最為相合

勞症咳嗽

干姜汁。水蘿卜汁。蜂蜜各三斤。黑豆磨麵一斤。大麦臍二碗。亦不拘。以多為妙。

右二汁。同藥共熬。約有三四斤。方

入豆麥二味於內。和勻為丸。桐子大。每服四五十丸。空心開水送下。生姜蘿卜。有鎮咳祛痰。健胃消化之功。用汁。則効力更大。又以蜂蜜之長於滋潤者共熬之。所以減輕水分。則精液純粹也。復合豆麥之滋養食品。用治虛勞久咳。確有卓效。

如將豆麥二味打碎。化融。攪勻。為膏。每服二茶匙。因膏較丸。易吸收也。

□年老久患咳嗽不已

年老而患久咳。治宜溫潤滋養。與新感而在年壯者不同。杏仁。核桃仁去皮各等分。共研為膏。入蜜少許為丸。彈子大。每服細嚼姜湯下。核桃富有脂油肪。其性甘溫。專能溫補滋養。合杏仁之鎮咳祛嗽。誠為簡便之良方也。又服法亦佳。務須準此。否則少效。

□治上氣喘急不臥方

廣皮。桑皮。蘇葉。白茯苓各等分。生姜。約三片煎服。

此方平穩可從。但少祛痰藥加杏仁蘇子滑石赤苓等可也。

■老人上氣喘急不得臥方

生姜汁五兩。黑砂糖四兩。水煎廿沸。每含半匙。漸漸嚥之。此方辛潤滑痰。甘溫補肺。簡切可從。但近年令氣不正。穢濁之痧症。流行甚盛。二味皆痧忌藥。宜先用試痧法。取生黃豆嚼之。無生腥氣者。切忌漫用。

■甯嗽瓊玉散原方

本方治一切久咳嗽。諸藥不效者。訶子肉一兩煨去核。白桔梗一兩。百藥煎五錢。五倍子一兩。炒罌粟殼五錢。蜜水泡去節。生甘草五錢。烏梅肉五錢焙。

(按)久患咳嗽諸藥不效。治宜溫潤收斂。五培子含多量單甯酸。訶子肉。有沒食子酸。及沒食子鞣酸。粟殼有阿片之功。皆為長於收斂者。復合桔梗之開提肺氣。並作中和其收斂之用。準此主治。當可期效。惟百藥煎。係五倍子與茶葉酒糟拌和醱酵而成。二者共用固妙。單用亦可。要之。感冒新咳。萬勿輕投。

治肺癰方

俞天則

用綠菊葉洗淨。搗爛絞汁服二盅。吐出膿血即愈。

(按)肺癰有急性慢性兩種。其主要症候。胸內刺痛。咳則更甚。其痰稠粘。着物不易去。其色黃而淺紅。名曰綉色痰。治宜殺菌敗毒。清熱消炎。橘葉含烏華烏爾西之同樣成分。有消腎炎利尿之用。就余所驗。可消各部炎症。非僅腎也。服此汁後。膿成者則吐。腫盛者。可消。余屢用之以治各種腫瘍。良驗。

萬應丹

俞天則

治遠年近日咳嗽。肺氣喘急。晝夜不得睡者。服無不效。

人言一兩。菉豆二兩八錢。用水共煑。以豆爛為度取出人言。入雄黃末一兩。同豆研爛。將取出人言。研碎。放在菉豆。和勻。用紙包好。外在將泥厚厚封固。俟乾。火煆紅。取出涼冷。去泥。再入白麵四兩。水和丸。如粟米大。黃丹為衣每服二丸。涼水送下。忌食熱物。

(按)人言。即砒霜也。西醫用為變質

藥。謂可促進生體之同化及異化作用。而變其營養與物質代謝之常劑也。中醫稱其去袪痰截瘧之功。但因大熱大毒。故恆不用。此方與菉豆共用。古籍載有砒畏菉豆之說。畏者。畏其制我也。是菉豆可於制砒毒。水煑火煆。專為滅其毒性。黃丹雄黃。取其墜痰解毒。對於頑固性之喘嗽瘧疾。不患一用。惟毒性劇烈。製稍不精。遺害非淺。檢方者。以不試用為安。

◻治咽喉閉塞疼痛方

芒硝一兩。黃雄　大黃各一錢。上為細末吹鼻內。宜吹

（按）此宜內服有清降之功。若有取嚏必要時。以臥龍丹行軍散為宜。又此方可噙含口內。能消炎降熱分量以等分為宜。

◻治喉啞奇方

健民

硼砂一兩。元明粉二錢。胆星三錢。百藥煎二錢。訶子肉二錢。冰片三分。共研細末。再用大烏梅肉一兩搗如泥丸。如龍眼核大。每一丸噙化。

◻治赤鼻

健民

赤鼻有因於酒者。為酒槽鼻。忌酒之後。或可治愈。若無故而現赤鼻。乃該部組織。起特殊之變化。用硫磺取豆腐水煑三次淨二錢。輕粉一錢。陀僧一錢。白礬五分。為細末以唾津擦。晚擦日洗去。

（又方）硫磺五錢。製布袋內。用豆腐煑。元明粉五錢。明礬五錢。硃砂五分。冰片三分照前法擦用。

▣治鼻中息肉

用藕節有毛處一節。燒灰存性。為末。吹患處。

（按）王太僕謂息為死肉。蓋惡肉贅瘤之類也。而息之訓可謂生。又可謂滅。其物能不假擁腫而生。無藉潰膿而滅。潛滋暗長。如所謂息壤者。而又不礙起居。無妨飲食。巢氏云。冷搏於血氣。停結鼻內。故變生息肉，然既成息肉。莫若以手術刮去為捷。塗擦外治之法，古載雖夥。而効終不確

▣治鼻中流黃水不止

用絲瓜近根三五寸燒灰治存性酒調服。

（按）鼻流黃水。常泄不止。如有臭氣

。恐係鼻淵。當服消濕濁之品。酒性熱烈。非此所宜。

■治小兒痞塊膏藥

生草。甘遂各二錢。硇砂一錢。木鱉子肉四個。芥菜三錢鱉肉一兩。

■神仙化痞膏

劉寄奴草四兩。當歸。川芎。白芷。黃柏。胡連。蘇木。川烏各一兩。肉桂。丁香。巴豆肉。草烏各一兩。大黃。蜈蚣。川山甲。各三兩。白花蛇一條。

桃柳枝各三寸。香油二斤。浸五日。桑柴慢火熬黑。去渣。放冷。濾清。淨取一斤半。再入鍋內。熬至滴水成珠。下飛過黃丹三兩。陀僧一兩。仍慢火熬至沸止。再下黃丹八兩。熬至滴水成珠。方離火。續微冷。再下乳香沒藥各一兩。番硇砂錢半。射香輕粉各二錢。血竭阿魏各五錢。陸續攪去膏內。以冷為度。候貼。

（又方）阿魏三錢。蜈蚣三條。射香三分。另研。全蝎七個。雞子一個。蜂蜜二兩。葱白三根。皂角七錢。共為細末。用酒糟拳大一塊。將前藥搗和成膏。量痞大小以紅布攤貼在患處。三月如肉色發青即愈。

加葱白七根。入蜜少許搗成膏。攤貼之。

(按)痞積之治法。不外內服以消導。外貼以解凝。其外治之原理。因痞積之部。血液凝滯。循環障礙。故用辛溫竄透之品。以衝動該部之反射作用。使之排除其有害物質。上方皆可選用。惟該部之兼有炎症者忌貼。

■治小兒面黃肚大痞積

黃蠟和鷄肝煑良久。取起只吃肝。三立服即効。

各種動物之肝。皆含有不少之維他命。為吾人體中營養之要素。取服以補不足。極為合法。黃蠟外敷。能軟堅消炎。內服或亦同功。方甚平隱。足值一試。

■小兒痞疾方

水雞卜二兩。黃酒糟二兩。皮硝二兩。梔子五個。連皮生姜五錢。共搗如泥。用布包貼患處。乾則又換。三五次愈。

此民間相傳貼痞之驗方也。其功用為

溫散解凝。清涼消炎。皮硝梔子。可減局部之血壓。酒糟生姜。能代痞積之凝滯，貼三五次。則漸就佳境。須以健胃藥善調之。

脫肛秘方

脫肛者。肛門之括約筋弛緩也。有全身衰弱。及局部脫肛之別。全身衰弱之脫肛。即古所謂氣虛下陷。宜補氣升提之。局部的脫肛。不關全體之虛弱。只因濕熱侵犯大腸。致成瀉痢。積滯未淨。大便不爽。治宜外熨敷託諸法。若一見脫肛。便認為虛。補中十全。任意雜投。鮮有不憤事者。所當辨而明之。

余得一秘方。用人參。黃芪。白朮。當歸。生地。白芍、茯苓。升麻。桔梗。陳皮。甘草水二盅。姜三片。棗三枚。煎八分。食前服。另用熱水洗，再用烤熱鞋底揉進。此方用四君四物。加黃芪以補氣血。升麻。桔梗。陳皮以調氣升陷。用治脫肛之全體衰弱者可也。又熱尿薰洗。熱鞋底熨，其原理為藉熱氣。以興奮肛門括約筋之收縮。虛者有効。

■治老人脾泄之土露霜

土露霜三字。不知何何意。此藥為炒白朮二兩。陳皮一兩五錢。蓮肉四兩去心。炒苡仁四兩。糯米一升炒。(量宜減半)菉豆一升炒熟。糖霜量加。陳米鍋焦一升炒。為末收貯。治老人脾虛泄瀉。每用二三錢滾水調勻服之。甚驗。

■老人小兒健脾良方

小山查肉去核。大麥粉去皮。炒熟。白高粱米炒熟各一斤。和勻一處。每用一兩。入白糖少許。滾水調服。

(按)麥粉與高粱米。為日用食料之大宗。凡此等方。施之於平素則可。施於治病。則不足也。

■吞酸良方

吞酸者用。茅蒼朮。川黃連。廣陳皮。製半夏。炒神曲。雲茯苓各一錢。砂仁淡吳萸右五分。生甘草三分。水煎服。

■治諸般虫咬心疼腹內

有虫方

（太重）

梹榔。百部各一兩。水三盅。煎服。其虫或出或化。

（按）胃痛之屬於虫者。其痛必時劇時止。劇則切痛不堪。患者容貌。有恐懼之狀。可先用試法。以川椒一二粒。含口內。如確係虫。則痛立緩。此方亦可煎服。

□治孕婦心疼方

醋炒胡索二錢。當歸一錢。製乳香五分（研末）甘草一錢。水煎。調乳香末服。

（按）此為通血之方。治胃痛有效。已受孕者似不宜用。

□治脅痛方

川黃連一錢（姜炒）柴胡錢半。當歸錢半。醋青皮。桃仁各一錢（去皮尖）枳殼八分。川芎七分。酒芍一錢。紅花五分。甘草三分。水煎。食遠服。

此疏肝和胃之藥。治脅助疼痛。當必有效。

■治婦女腹疼昏暈欲死良方

佚名

酒白芍。五靈脂。木通。各等分。每服五錢。醋水各半盞。煎服

俗謂女人以血為主。其病多瘀。而腹痛昏暈。尤為瘀熱上攻之證。白芍有沉降性。能鎮神經之拂逆。五靈治瘀。木通通滯。洵簡便之良方也。

■腿浮脚腫良方

飯牛翁

吳諺。單方一味。氣死名醫。竟有不可思議之奇效。人身疾病。不能預定。脚腫腿浮。鄉村人入秋尤多此症。治不早而不得法。勢必延長時日而誤耕作。因憶得脚腫驗方。輕而易舉。且有奇驗。染此病者。盍不照法泡製。方用紫背浮萍草三兩。（藥店有賣價甚便宜）以水三斤煎萍草至爛熟。加紅棗十枚。香樟木二兩。（成佛處出賣。如無木片。木屑亦可。）葱白三個。沸煎一小時。水傾入瓦盆。盆上横木一根。兩脚踏在横木上。（切勿踏入沸水。注意注意。萬一不慎入水。脚必燙爛。）上面遮一布被單。冒於脚上取氣。俟稍溫和。然後以腫脚

入水。至水冷為止。如是三夜。共三次。洗後即睡。必愈。

◻吞針入腹治法之研究

王錫光

鋼針頭吞入兒腹。以蝦蟆眼珠吞下。針尖戳於珠上而下。

此方知者甚多。查其來原。不僅見於驗方新編。以可靠中國書籍所載。如瘍醫大全。毛達可經驗方。普濟良方等。亦皆載明。惟無名氏所著驗方急救編。有吞針入腹。用田雞眼珠治法。然亦並未言明惟田雞眼可用。是田

雞眼只可作為治鋼針入腹者一種治法。不能便謂代表此病一切治法也甚明。惟使鄙人不能無疑者。該方下註有冬天無田雞。在桑根下掘深三尺。自有。考田雞俗名水雞。即蛙也。居傍池塘水邊。無水不能生活。唐詩。青草池塘獨聽蛙是也。若匿居桑根至三尺始見。其為蟾蜍（即癩蝦蟆）無疑。惟鄙人幼時確曾見先父傳人。治吞針入腹。獲有效果。及因針誤落菜內。某婦食菜。誤吞鋼針。鄙人親授治法之兩種治案。則確用癩蝦蟆眼珠。服後皆驗。並未有流弊也。

本草綱目。為中國藥學之大成。（蟾蜍）。（蝦蟆）。（鼃）三種形態。皆有分別如下。（一）蟾蜍。辛涼微毒。（即癩蝦蟆。眼紅腹無八字紋者有毒。勿用。）多生人家古房下濕處。銳頭皤腹。背黃。促眉濁聲。形大。背上多痱磊。行極遲緩。不能跳躍。皮有毒。若去其皮而取其珠。何毒之有。（二）蝦蟆。亦名螢蟆。辛寒有毒。大明本草則謂溫無毒。多生陂澤中。背多黑斑點。形小。能跳接百蟲。舉動極急。（三）鼃。即蛙。俗名田雞。水雞。甘寒無毒。似蝦蟆而背青綠色。嘴尖腹細。又名青蛙。亦有背作黃路。俗名金線蛙。後足長。故善跳。又有溪狗。山蛤。田父等。皆形似蝦蟆。不多見也。

（按以上三種形狀分明。可為取擇時辨別之標準。）

中國古代文法簡略。況記方者未必盡出於通人之手筆。故取採藥物形態。多略而不詳。如治吞針入腹。只云蝦蟆眼睛一對。冷水吞服。或有用木通湯送下。並不將形態言明。致使後人誤會。考方書多數用蟆眼。而不用他物之眼。必有確切由來。如瘍醫大全。載有蟆眼治吞針外。又有針入咽喉。無藥可施一法。言明癩蝦蟆數個。將頭剁去。倒垂流血。以甌接之。一杯許。灌入喉中。移時連針吐出。針自軟曲。以此例彼。則惟有蟾蜍一法。尤為切實。

王孟英先生。為有清一代之醫傑。與葉天士等同垂不朽。其四科簡效方。皆經試驗。始行收入。治吞針入腹之法。既簡潔。尤近理。用磁石一錢。小兒減半。(要能引針的。方有效驗。)研極細末。黃臘和揉如針狀。(或為小丸亦可)。涼開水送下。針從大便出。又方。黑砂糖和黃泥。(掘地三尺深的黃土)為丸。冷開水送下。按開水用冷者。因物在腹得熱則行者。

按。鄙人非力主用蟾蜍眼珠。曲為之說。總之。孔子不遺葑菲。韓公俱收並蓄。況方要切實。始可救人。並無意氣存乎其間。讀者諒之。

◻治痧子後身癢方

嚴載

患痧子症者。於痧子發完。身體復元之際。每感口中乏味。欲思魚蟹等物為之下口。作父母者。往往愛子心切。不顧及此。隨其食慾。以歡其心。不知當時無甚大礙。而後害殊不淺矣。蓋魚蟹等物。均為鮮而且寒。患者食之暑天必發細小之瓣瘡。蔓延全身。癢而不痛。（俗名癢病）抓之成為癩皮。天涼始愈。以後年年如是。決不間斷。斯種苦楚。唯患者自悉。旁人殊不知也。故患者必茹素一月。勿食葷腥。可免意外痛苦。望為父母者。萬弗忽略之。

世上患此癢病者。亦頗不尠。治法先將池塘中之大浮瓢。（俗名水蜈蚣。因其形狀極像蜈蚣）取來晒乾後將水蜈蚣置於灶洞所用灰鏟上。以火焙成灰研末。和桐油調勻。擦於患處。即愈。

或用萵苣（亦名萵筍更名香筍）皮一斤。或甘蔗皮一斤。（病重者加多）煎水一大桶。洗澡二三次即愈。且不復發。此方經多人試用。莫不效驗非常。希刊出以告讀者。不勝感激。

▣治痰火方

菉竹

（有餘痰火方）神効主壯盛者服。

陳皮（四兩去白淨）一兩姜汁浸。一兩竹瀝浸。一兩牙皂水浸。一兩明礬水浸。大黃。紫菀茸。半夏各一兩。明礬牙皂水浸二七日。玄明粉一兩。黑丑一兩。半生半炒。白朮一兩。(天花粉擣汁浸同壁土炒)白芥子七錢。砂仁一兩。白石膏二兩。(一兩火煅一兩生用)馬兜鈴一兩。甘草一兩。白茯苓浸一兩。海石五錢。白硼砂一錢。南星一兩。製蒼朮二兩。

製蒼朮法　要茅山蒼朮為上。蒼朮不拘多少。去粗皮。咀片。用米泔水浸三晝夜。一日一換。取出晒乾。每一觔用桑椹四升。絞汁浸一宿。晒乾蒸。又晒乾。如此三次。又用好醋一碗。浸一宿。晒乾再蒸。又晒。再用甘草湯浸一宿。晒乾蒸。又晒。蜜水浸一宿。晒乾蒸。又晒。共前九次。畢。此藥不可見火。

右十七味。為細末。神曲打糊為丸。如梧桐子大。每服三四十丸。清晨白水送下。

(不足痰火方)諸痰神効

錦文大黃(淨好酒二碗。硼砂二兩二錢。同麦晒乾。)白朮三兩。(土炒去油。用砂仁青黛肉豆蔻各一錢為末炒)橘紅去白淨三兩。(用猪牙皂明礬各二錢。煎湯。浸晒。又用竹瀝姜汁浸晒。半夏二兩半。(用礬皂各三錢。泡浸一日。晒乾)茯神去皮木淨二兩。(用乳浸晒七日次磁器盛之)。南星二兩五錢。(用臘牛胆浸三次更好)酸棗仁去壳淨二兩。(微炒)。蒼朮三兩。(不可見火。如法製)黑牽牛二兩。(半生。半用姜汁炒)遠志(甘草湯浸去骨晒乾。)一兩。紫蘇子一兩五錢。炒、檳榔一兩。(乳浸)玄明粉二兩。人參一兩。(甘草八錢煎濃湯浸晒乾)蘿蔔子一兩五錢。炒。枳壳一兩。(麥麸炒)白芥子一兩炒。石膏白者一兩。半生半熟。

右十八味。共為細末。用神曲四兩。老米粉共打糊為丸。如梧桐子大。每服六七十丸。清晨淡姜湯下取痰。痰在上。上湧出。痰在下。下瀉出。

■少女時代之白帶治法

高橋氏

我今已養有二子矣。前時。因病苦而長久煩惱不能愉快。因我自幼時。即體質虛弱。及進高等女學校。乃勤於運動。因素體虛弱。而月經不調。時下如薄牛乳樣之白帶。雖初起輕微。後則腰部常覺痠痛。但當時仍漠然處之。十九歲嫁後年餘。尚無姙娠之徵象。甚且以前月經不調。與白帶之疾加劇。時見經血中帶有血塊。因之漸次焦急不甯。遂往訪婦人科醫生求診。而診察之結果。始悉為輕微之子宮內膜炎。於是暫時住院醫治。以後因吾夫轉移他處。所以停止醫治。一日吾嬸自遠方來訪。相對閒談之頃。彼即教我以乾萊菔葉與蓬草。（即艾）。置於浴桶中和水洗澡。『當地用萊菔作醬萊菔（日名澤醃漬）曝乾。藏至冬天。以為蔬菜。大概此葉均棄之不用』我立刻利用此種棄葉。加番紅花。毛人參。煎藥服用。從此逐漸能得今日之幸福。

藥之製法與用法

乾萊菔葉約五六株。蓬草約二握。（採集野生者陰乾）包在布袋內置於浴桶。洗澡。而使體溫增加。再用煮出之湯。沖洗下部甚有奇效。煎藥——可向藥店購番紅花。（約二分）與毛人參（約一兩）作一日量使用。水二合煎一合五勺。每飯後服五勺。藥中若加少量甘草則更為順口。茲再申述如下。後法即為前方所誌者。以前藥作成小枕樣一具。臨睡時挾於腰部（

陰部）就寢。我依此法繼續不斷應用。月經遂漸調順。至三年後卽產一康健男孩。再二年又產一女孩。以前不爽快之事。遂得一掃而盡。

「評」乾葉煎水洗澡。能使身溫增加。此法民間均好用之。大概單用蓬草亦可。番紅花。原產于西洋。漢方鮮用。民間常用為通經藥。兼鎮痙藥。在西洋民間用以治百日咳。與喘息。或鎮靜藥。漢方多用紅花為婦人病通經之要藥。毛人參卽集朝鮮人參之根鬚。亦可謂之人參鬚。其功效與普通人參無異。惟其價格較為使宜。人參為起死回生之妙藥。昔人均珍重之。凡人皆知其為強壯藥。使用于一般病弱者。現在藥理學的研究結果。謂能使人體之新陳代謝興奮。且于利尿之功用甚著。故意想對于婦人病直接效果之點。大概服用亦頗相宜也。

◻因子宮內炎而早產之祕治

林子

素來我甚健康。最初之姙娠。僅因勞動之故。而竟姙娠八月之中早產。因此身體衰弱。兼見白帶。第二回姙娠因腎盂炎之故。依然早產。此後益覺不爽快。素無患足冷之疾。從此以後始覺足冷。並且所下白帶惡臭甚劇。遂即往訪專門醫生診察。於是知有子宮内膜炎之可能性。故每日往院治療。連續不斷約有半年之久。現在已有第三回姙娠之徵候。想此次必有愛兒之望。故心中不勝喜慰。但終成夢想。不意又竟早產。從此續發内膜炎。因此種疾患。前後已有五回早產。所以立刻決心赴醫院求治。經十餘年其中所云各種良藥均有試過。然而病勢時增時減。遂致終日悶悶不樂。以度無聊之歲月。於兩年前。因回里掃墓之時。曾聞同伴閒話之間。談及蕺菜對婦人病頗有功效。然而當時尚在半信半疑之頃。不過勉強試服約一月之久。從此連綿之白帶。亦略漸減少。初則決心每日不斷服用。故素來腰痠足冷之病。亦于不知不覺中漸瘥。過有年餘之今日。亦無何種苦痛。以得今日之爽快。誠意外幸福也。

蕺菜之用法

蕺菜又名十藥。為鄉村各處所產之野生草。各處藥店均有出售。摘取生葉陰乾。研細一包。與車前草陰乾者三枚。甘草少許。研細。以水五合入于土瓶。煎至三合服之。我于忙中亦依一定之分量不斷服用。以蕺菜最多。車前草作半分。每日作數次代茶飲。至今亦如前每日服用。全無絲毫副作用之弊。因之日日增加精神爽快。

「評」『蕺菜——蔬類植物。通稱蕺菜。野生。莖細長。高七八寸。葉為卵形。初夏開淡黃色小花。有苞四片。色白如花瓣。莖葉皆有臭氣。亦稱魚腥草。可食。亦入藥』外用——可治疔瘍、毒、蟲刺傷。以生葉捻柔敷於患處甚效。療痔瘡或陰部浮腫。用葉莖煎濃汁。沖洗。內用。能療淋疾及其他瘡毒。亦可配合他藥煎用治病。

鼻淵的外治與內服方

玉蓮

鼻淵就是普通的所謂腦漏。因為在鼻孔裏不斷的有鼻涕流下來。甚則氣腥。好像腦子裏有了個洞孔。不停的流水。所以叫做腦漏內經上說的。胆移熱於腦。則為鼻淵。其實鼻淵一症。初起大半是由於風熱不解所致。風熱上沖爍腦。就成為這腦漏之症。鼻流濁涕。有的只有一只鼻孔流涕。有的二只鼻孔都流涕不止。所以這病初起的時候。以清解風熱為第一要著。內服藥以蒼耳子散（蒼耳子。辛夷。香白芷。薄荷葉）為最合宜。至於外用藥。方法也很多。可是十分靈驗的很少。這裏要介紹諸位二個法兒。就是用辛夷一味。約一二錢。研細末。時時聞在鼻子裏頭。另用玉蜀黍鬚若干晒乾研細末。放在旱煙筒裏。和旱煙一般的吸着。這樣外治內服。一同治療。見效很快的。

倘然用了上面所述的方法。還不見效。或是病得日子已很久了，那末腎陰也一定已經虛弱。因為腎主髓。而腦為髓海。腦漏日久。腎陰漸漸虧損。這時單袪風熱沒有用。可以要用刀豆子煅存性。每日開水調服三錢。會飲酒的用酒調服更佳。另外服煎劑。用六味地黃加參茸。（地黃。山萸。丹皮。山藥。茯苓。澤瀉。人參。鹿角膠。）這樣調治。不出一星期。定可痊癒的。

▣小產良方

鄭義初

主筆先生大鑒。敬啓者。鄙人有祖傳良方。專治婦人小產。百不失一。年來求該藥者接踵而至。無奈鄙人僻處一隅。此方不能普及。未免抱憾。素稔貴報慈善為懷。當仁不讓。伏冀代為登報。俾遇有斯疾者。知所問津焉。則不勝感激矣。耑肅敬懇並頌撰祺。鄙人鄭義初謹上。

（介紹良方）婦人小產極為險惡。輕則面黃肌瘦。日久不能復原。重則有性命之憂。每遇斯疾。倉猝之間。多為束手。鄙人有祖傳經驗良方。不敢自秘。願供諸世上。茲將該方列後。

（湖絲）五分重（湖絲即最好蠶絲以產於湖州者為最佳。若無湖絲。則普通蠶絲亦可惟功效稍緩）服法。凡孕婦因跌仆或攀高或如世人所說犯着胎神等。以致胎動不已。腹痛不止。愈痛愈緊。勢將小產之時。需將上述之藥五分。用香火或洋臘燭火燒成灰。研末。滾水冲服即愈。五分鐘後腹痛若仍不稍減。可再服二三分。必愈。服後嘔吐。此為佳兆。惟腹痛過久。以致下部見血。勢已危急。但亦不妨一試。間有能治愈者此方百不失一。切勿輕視。若有仁人君子。將此方傳送。或將此藥製成施送。功德無量。如患者愈後能來函示知鄙人。不勝感激。蓋欲知此方已達到該處也。

(通信處)廣東中山縣第五區雍陌鄉

虛火牙痛方

周鈞源

敝鄰朱君。身體羸弱。素患牙疼。於心胸煩燥之際。輒患牙痛。食眠不安。頗為所苦。余出此方以治。其痛立癒。此方經屢治屢効。誠不啻治虛火牙痛之神方也。茲錄其方于下。

米杏仁三錢半。南沙參三錢半。細蘇梗二錢。生谷芽三錢半。桑葉三錢半。象貝三錢半。

治火丹驗方

周鈞源

余友王君。于今春患纏腰火丹甚烈。其色赤。已染遍腰間。就診于中西醫。治之無効。余囑其以銹鉄帶水磨下。鉄銹水抹之。頗効。王君如法試之。果然不三次而色退。再抹而霍然全癒。但此方不但能治赤色。即白色治之亦有効也。

治瘧神效膏

周鈞源

夏秋之季。瘧疾盛行。治不得法。每為所苦。雖由于瘧蚊之染傳麻拉利亞菌侵入赤血球所致。但欲治之。祇有金雞納霜。頗具効能。惟金雞納霜治瘧。尚有一部之中醫及守舊之人民。認為有害身體。蓋以此藥含霸道故也。但以八角茴香炒焦研末。和細辣椒拌勻。攪入普通膏藥滋之中。或將兩末放入普通之小膏藥中貼于男左女右脈息處。或第三粒脊椎骨上。惟于離病發前半小時其病即癒。隔三四日可揭去。此膏屢試屢驗。讀者不妨一試便知。

■傷寒夾色驗方三則

曾道

傷寒夾色這種病症。常常發生於不知自愛的男子。患了這種病症的人。倘若諱疾妄醫。固屬自危其生。就是醫了而不能對症下藥。也有生命的危險。近世科學發達 西醫西藥。都利用科學方法以為根據。故其醫治各種病症。多有藥到病除之功。為中醫中藥所不能望其項背。然其對于傷寒夾色病。則多束手無策。至於中醫中藥。不但無科學之根據。並且近於迷信。然其在中醫有數千年悠久之歷史。對于傷寒夾色病之治療。又有藥到病除着手成春之妙境。以下三方。係中藥。藥味簡單。所費無多。雖然是極貧苦的人家。也可以購買得到。並且又為極容易獲得。茲特為介紹于下。俾患者得以獲救治焉。

（一）

葛根二錢。甘草二錢。滑石二錢。川破石（此藥不知。尚望曾君示以式樣。或將其形態詳以見告。）二錢五分。向市上藥材舖購取。用水一大碗。和藥煎服之。即愈。

（二）

茶麩三兩。向雜貨店購取。放在火中燒之。使成炭。盛於碗中。冲以冷水。即用此水使病人飲之。惟是要注意的。好茶麩燒時。勿使完全燒透。須僅燃燒約至十分之八九可也。若燒透便失作用。用者愼之。

（三）

鬼羽箭二錢。救必應二錢。川破石二錢。廣干葛二錢。甘草一錢。茶麩一兩。（煅）煎水一大碗。溫服之。神效。

查該症初起時。頭痛。發熱。畏寒。並遍身酸脹。骨節尤甚。若以中指近甲處。掐時不知疼。即是。忌服薑。葱、等發表寒凉之藥。

■瘋犬咬傷之靈藥

曾道

此症最毒。不必骨肉肌膚受毒。即衣

服鞋襪。一被咬破。雖毫無損傷。其毒之傳染亦甚速。慎勿以表面未着傷而即不服也。如被咬者。不明狗之瘋與否。亦不妨服藥以驗究竟。藥性和平。且價不昂。決無妨害。服者須忌房事。愈後一星期方可行房。此症既發。切不可食班毛等毒物。蓋既發之後。腹中惡塊。其大如斗。如不將淤血化去。而反以毒攻毒。必致悶亂而死。患發之期。普通皆四十九日。近則二三十日。或遠在六七十餘日百餘日不等。

藥方——生軍三錢。桃仁七粒。（去其尖皮）地鼈蟲七個。去足炒之。右三味。研末。並加白蜜三錢。及酒一碗。淘勻後連渣服下。其不能飲酒者。以冷開水代之。亦無不可。要在能對勻而已。此藥孕婦不忌。小兒減半。須空心服。約二小時後。另用便桶一隻。以驗大小便中。有無毒物或惡物。服後。大便如魚腸猪肝之類。小便如蘇木水。即係中毒無疑。數次之後。藥力已盡。大小便如常。再服則惡毒物又下。故宜不拘帖數及服次。以俟惡毒物出盡為止。方得無後患。

又方

辣椒一錢。生鹽一錢。擂爛。先敷傷口。此口出毒即愈。後用北杏二錢。白芷二錢。威靈仙二錢。山甲二錢。銀花二錢。煲水飲。每日一次。連食五日愈。忌食熱毒物。猪肉丶芝蔴丶韭菜丶及忌房事一百日。若咬過膝上。每日服三四次。

■小兒止痢良方

白

現在我介紹一個小兒止痢良方於下。道方子的妙處。非但異常靈驗。（因為筆者的小兒女偶患痢瀉不止的時候。服此方後。無不立愈。所以敢負責介紹於此。）並且小兒都願意吞服。一些不會有不肯服的困難。法以金銀花（在國藥店中購買數十文即夠）若干。在鍋中炒乾。然後研成細末。成為黑粉。和了白糖拌勻。味甜。小兒自然願服。服後就有意想不到止痢的功效了。

■小兒止痢良方解

楊彥和

頃讀白君『小兒止痢良方』。以金銀花一味。為止痢良方。此與以白槿花一味。治腹痛下痢者。同為有效之單方。未可厚非者也。惟是無積不成痢。故治痢之法。必以理氣導滯為先。所謂通因通用者也。白槿花性帶收濇。宜於邪已盡而久痢不止者。用之有效非可一概而施。至金銀花。則唐甄權藥性本草。謂『治腹脹滿能止氣下澼』。（按素問通評虛實論。所稱腸澼卽痢疾也）。又唐陳藏器本草拾遺。謂『治熱毒血痢水痢。濃煎服』云云。是金銀花可治熱痢。而初兼感表邪者不宜也。亦非可一概而施矣。今國藥鋪中備有銀花炭出售。治血痢尤佳。可無須自行炒乾之麻煩。但總煩對症。方可用之耳。王孟英云。『執一定之成方。治萬人之活病。厥弊大矣』。可不愼哉。

□腸癆之治法

尤學周

腸癆之發生。大都發於肺癆發生之後。患肺癆者。其咯出之痰。往往隨口嚥下。不知痰中有無數之癆菌。存在其間。隨痰入胃。轉入於腸。侵蝕肆恣。漸成腸癆。

或問曰。癆菌入胃。經胃力之消化。及其入腸。勢必由腸部消化液之包圍。而遭殲滅。何以能發揚肆威。不知患癆症者。癆菌發生一種毒素。阻碍消化作用。消化腺之機能。亦受障碍。不特無撲滅癆菌之能力。且消化亦因之不良。

腸癆之最初證狀。大便溏薄。每日一次或二次。大便之前。腹部微痛。右下腹部。時覺不適。蓋右下腹當盲腸部位。最易發生腸癆之處。乃在盲腸附近故也。稍久則症狀愈劇。大便之次數增加。痛亦加劇。此為腸癆之大略證狀。

其在常人。如見上述之證狀。亦不能遽認為腸癆。蓋無病之人。癆菌不易傳入腸部。其胃力健旺。不使癆菌存留。偶而入腸。亦為腸部所殺却。或驅之下趨。隨大便而排泄體外。腸癆無自發生也。

苟不幸而患腸癆。對於食物。最宜注意。宜多食富於滋養而易消化之物。多食滋養物。則營養佳良。抵抗力增加。易於消化者。不傷腸胃。防止癆菌之乘機侵入。食物宜細嚼。使如糜糊而後下嚥。

藥療之法。以健脾為主。補骨脂三錢。胡桃肉三錢。五味子一錢。吳茱萸二錢。煨肉菓七分。煎服甚效。如與肺癆併發者。則加入治癆各症之藥服之。

重舌之驗方

孫寄萍

(病因)由于心脾蘊結熱毒。循經上冲舌本。遂令舌下血脈脹起。而如舌狀。故名重舌。

(症狀)大舌之下。復生小舌。大舌反致粗短。小舌則且長痛。而外喉部腫大等狀。

(治療)先以針刺出惡血。用生白芥子二兩。研細末。用井底泥適宜。調敷患處。

黃連一錢。黃柏錢半。黃芩錢半。梔子炭三錢。錦紋大黃三錢。煎服。

(治療來歷與實驗)故鄉胡咸椿先生。名醫也。前月來舍。談及重舌治驗。謂有吳君。曾患斯症。百藥罔效。痛苦莫名。余檢得是方。以與之。果未數日。即告全愈。真神方也云爾。余得聞之下。不敢自秘。借雜誌一角。以惠患此病者取用。仁者君子。而廣傳也。

霍亂驗方

陳友賢

逕啓者。賢嘗檢先 高祖遺錄。有霍

亂單方一。『霍亂初起。不論屬陰屬陽。用鹹果炭三錢。至八錢。研末開水冲送下。可已吐利。其有發熱煩渴。乃毒流血絡。布及周身。取橄欖樹枝葉煎湯恣飲。（蒸露同效。）百發百中。誠經驗之良方也。』按鹽果即橄欖之經鹽製者。考橄欖一名青果。又號諫果。夏結實而秋熟。雖熟其色常青。故名青果。王禎云。『橄欖味苦澀。久之方回甘味。王作詩比之忠言逆耳。亂乃思之。故又名諫果。』劉洵嶺表錄異云。生橄欖咀嚼之。味雖苦澀。而芬香。時珍曰。『橄欖樹高。將熟時。納食鹽於皮內。其實一夕自落。亦物理之妙也。』本草主治條下。言『橄欖味澀而甘。醉飽宜之』『生食煑食。并消酒毒解河豚毒。』又云。『生啖煑汁。能解諸毒。』又云。『開胃下氣止瀉生津。已煩渴。能解一切魚鼈毒。』張九齡云。『相傳橄欖木作取魚棹篦。魚觸着即浮出。』賢按橄欖結實於夏秋。自有清暑敵燥之性。色青味苦澀。久而回甘。從知其能厚腸胃。略帶芬香。有醒脾之意。比忠言逆身。亂仍思之。豈真其有撥亂反正之功歟。又納鹽於樹皮。

而實自落。足見橄欖和鹽化合之特徵。其能開胃下氣止渴生津。亦由苦能降逆。澀可救脫。回甘有生津之兆。魚畏之。則其解魚類毒無疑。內經云『東南近海。其人多食魚而嗜鹹。魚者使人熱中。鹹勝血。』每見霍亂發生之處。多係魚麥江鄉。而裏山之人不生霍亂。或許魚類多含霍亂菌。吾人食入於胃。胃處中焦。取汁變化而赤為血中。中熱。則血流渾濁。霍亂所由生也。鹹勝血。使血流不清。精為榮。而悍為衛。周行有度耳。西人謂霍亂之人。其臟腑筋脈。鹽質突減。足見鹽質之於霍亂。亦具相當功能。用鹹果燒為炭。取其直入至陰。領諸濁下降也。湯下已。則其苦澀芬香而甘之性漸發。氣之清者與之俱升。而開胃下氣止渴之效。當不虛語也。茲值貴刊昌明之期。用敢摘錄其概。以公賢者。此致　朱振聲先生

■單方治牙疼功勝復方

胡慕梅

牙疼為一種最普遍之纏綿症。然用各種方。分風火蟲治。頗覺麻煩。故特將最簡便。最靈驗。的秘方錄來。貢

給諸君。以備一試。效則方知余言不謬也。

橄欖核。不拘多少。火煅存性。加冰片少許。研極細末。磁罐收貯俟用。用時挑二三分。置患處。祇需數分鐘。其疼卽止。

慕按橄欖核。本草綱目有治腸風下血。陰腎頹腫。手足痺瘡等効。並無治牙疼說。今敝鄉農。竟公認為牙疼要藥。尤其治熱疼。更有卓效。

又方

多年陳向日葵。桿內以棉花者。火燒存性。搽牙疼。亦有奇效。

證明戒煙良方

胡慕梅

敬啓者。茲閱本雜誌六期二二頁。載有公開一個戒毒丸方。令春吾泰縣亦曾風行。凡具煙丸癖者。購服無不靈效。「服後狀態。亦如所述。並無危險」。今特證明。願吾華煙丸客。早日服之。脫離苦海。但內有洋金花一味。鄙人先亦懼不敢用。後經詳加考究。知為曼陀羅之別名。莖高約三尺。花色黃白。結實如胡桃大。食之令人麻醉。並無大毒。後遂錄告烟友。王某。試用而得效。由此將該方普傳。得戒絕者頗衆。故特證明。

■急救小兒慢驚良方

怡怡愼軒

全蝎九只。殭蠶九條。麝香頂好者一分五厘。正真硃砂三分。大梅冰片三分。右藥五味。研成極細末。用糖蜜少許拌做成餅。再用鷄蛋一個（不用油）放在鑊內。煎成荷包蛋式。乘蛋溫熱。將藥餅放在小孩肚臍眼上。再將荷包蛋放在藥餅上面。用布條紮住。隔二小時解去。倘係小腹內有響聲。或有大便解下。卽是效驗之證。倘貼此藥餅依時解下時。不見動靜。可再用鷄蛋一個。照舊煎成荷包蛋式。將原藥餅仍照前法貼紮臍上。隔兩小時解下。無不立獲奇效。救活小孩。己難數計。甲子正月初八日。上海寶山路鴻興坊一百零八號俞姓之女孩。患慢驚症。諸藥無效。勢將氣絕。獲此良方。幸慶更生。今特刊登此方以濟世。患此症者。幸勿忽視。倘症過重。宜再買藥末一服。如法貼紮仍隔兩小時解下。無不起死回生。真至寶靈方也。

▣探治各種鼓脹神效奇方

休甯南陽氏

鼓症分氣鼓血鼓水鼓食鼓四種。此方專治各種鼓症。未過六個月勢甚危險者。一經仔細試探。如法醫治。往往起死回生。屢試屢驗。誠奇方也。願世人患此者。脫離苦海。咸登壽域。幷乞廣爲流傳。普救衆生。幸勿河漢視之。

探法　用食鹽四兩。於砂鍋內炒爆。候溫和。裝於或絹或薄綢袋內。搏於病人臍上一夜。次晨察看色味。卽知症屬何種。如氣味臭者是氣鼓。如色紅者是血鼓。如微濕者是水鼓如帶黃色者是食鼓此一定之理也。

治法　氣鼓用廣木香六錢。廣鬱金三錢。生檳榔三錢。生熟黑丑各一錢五分。血鼓用廣木香三錢。廣鬱金三錢。生檳榔六錢。生熟黑丑各一錢五分。水鼓用廣木香三錢。廣鬱金三錢。生檳榔三錢。生熟黑丑各一錢五分。食鼓用廣木香三錢。廣鬱金六錢。生檳榔三錢。生熟黑丑各一錢五分。

右藥共研細末。每夜於臨睡時服五分

。用好黄酒送下。各症服法皆同。病人菜宜淡。不宜鹹。能淡食更佳。忌魚腥油膩麥食。及不消化食物發物。并忌忿怒憂思勞力等情。愈後忌房事一百二十天。

▣又一治鼓脹經驗良方

休甯南陽氏傳

用黄牛糞一兩。陰乾炒燥。研末篩過。用好黄酒三碗煎至一碗澄清濾去滓脚。三次。即愈。不可以污物而忽之。男用雌牛糞。女用雄牛糞。勿令病人知。藜藿之人。更爲相宜。

▣急救時疫經驗良方

中國濟生分會傳

每屆夏令。有一種類似癟螺痧。初起時手尖發冷。不到一刻。冷至手背。其冷時指上螺紋即陷。若不速治。冷至手臂。即不救也。方用 明礬（一大塊如酒杯大。大蒜瓣（六七個）同搗爛。用開水一大碗。澄清渣滓。取水服一大半碗。即無妨矣）如已冷至手背。其勢已速。隨冲隨灌。不必再候澄清。此方雖覺平常。功效甚速。現已治愈多人。用特廣爲傳告。幸勿輕視。為要。

如遇轉筋肢冷。可用外治法。用高粱酒四兩。白胡椒五錢。葱頭七個。搗汁。生薑汁半酒杯。和勻。用新棉醮擦患處。得筋舒肢溫卽解。如腹痛四肢抽搐。立刻用麝香四厘。按肚臍眼內。外用薑一片蓋上。用艾絨一撮燃炙。數以愈為度。起泡無碍。挑破用清涼膏貼之。必須照三方並用。無不起死回生。神效立見。

■治各種腫毒神效散

慎軒

製蘆甘石一錢八分。冰片三分。寒水石一錢八分。漂東丹六分。鉛粉六分。熟石膏二錢四分。輕粉六分。白臘一錢八分。紅升丹漂淨陳而好者六分。龍骨煅研漂淨一錢。

右藥共研極細末。用磁瓶收藏。勿令洩氣。不拘有名無名大小腫毒。初起破爛。及日久不收口者。卽將此藥散敷於患口。外貼以膏藥。有膿拔膿。無膿收口。以患處收口生肌為度。靈效異常。(小孩熱癤敷此藥更易全愈)

上方自家先祖母合藥送人。迄今六十餘年。未曾而斷。每逢夏令。索藥者益多接踵而來。甚至一二百里之外。皆來索取。每日索藥者。竟達百餘入之多。蓋因此藥非常靈效有以致之也。

■除眼中生翳膜神散

慎軒

明淨琥珀五錢。掃盆整粉三錢。血東丹三錢。頂上四六冰片五分。真雲麝子一錢。

右藥揀道地者。共研極細末。用磁缾收藏。不可洩氣。左眼生翳。藥吹右耳。用棉花团塞耳內。以免藥氣走洩。神效之至。右眼生翳。則吹左耳。惟此藥料貴重。價目昂貴。用時可照方拆合若干。此方舍問合藥送人非常靈效。

■治痰厥秘方

悌雲

用橄欖煮熟去核熬膏。內加明礬少許同熬。耐心於每日早晚用開水沖服一大羹匙。以不復再發為度。服時不可間斷。愈後永遠斷根。至為靈效。鄙人。童年時。曾患此症。發時不省人事。後服此膏數月。迄今念餘年。未曾發過。誠奇方也。

即悌雲幼時患此病。親自試驗。係服此膏斷根迄今將近卅年。未曾復發。靈效異常。不過服此膏須要耐心長服。

▣治各種痢疾神效散 祖傳

怡怡軒

今年滬上痢疾流行甚廣。且有傳染性質。若不速治。深恐有險。每見報載常有因此疾致命者。蓋少良方治療有以致之。殊為嘆息。今特將家傳秘方錄後。治愈者不可以數計。幸勿等閒視之方用。

川羌活一兩。甜大杏仁四十九粒。川烏一兩。生軍一兩。茅山蒼朮米泔泡透炒用四兩。

右藥共研極細末。每服三分。孕婦忌服。服法列後。

水瀉米湯下。紅痢燈心七根泡湯下。白痢生薑一片泡湯下。紅白痢燈心七根。生薑一片泡湯下。噤口痢火腿骨煎湯下。

▣遺尿特效方

朱振聲

小兒睡中遺尿。大部由膀胱之氣不足。攝納無權所致。故俟其年長氣壯即愈。可不必治之。然往往有年已長大。而睡中仍有遺尿者。此乃病也。不可不治。本埠法租界霞飛路寶康里陳姓子。年已二十餘。睡中仍有遺尿。以致面黄肌瘦。精神不振。余用生黄芪一兩。桑螵蛸五錢。益智仁五錢補骨脂五錢。紅棗二十枚。囑服十劑。果不復發。後其親友中之小兒。有患遺尿症者。均以此方治之而愈云。

■咳嗽丹方

震華

家父發咳嗽症。將近一月。乾咳無痰。遍請中西醫診治。均無效果。後在鄉間得一丹方。用枇杷葉樹上之皮。燉湯服之。不數日即愈。據講問人云。此方專治咳嗽。服之莫不靈驗異常。誠不可多得之良方也。

■治寸白虫方

錫灰　檳榔各二錢　雷丸一錢

如小兒不能服丸者。將前藥三分。用雞子一個。燒半熟。待温。入內調勻。煮熟。令兒食之。大便下有膿血。即其驗也。忌腥冷等物。

寸白虫。即蟯虫也。專下卵於肛門之外。小兒肛門發癢。見有無數白虫叢集者。即此也。

(又方)酸石榴根皮 檳榔 打碎各五錢 水三盅。煎一盅。一日不可食茶飯。臨睡時服。用此藥在上半月服効。下半月不必服。

□治腹內一切虫症

烏梅一個 老姜二片 榧子十個。花椒十四個 黑糖少許。煎服。虫盡出矣。

此為治虫症之通方。無論絲虫蛔虫蟯虫。俱可試用。

□治牙疼方

小麥炒黃一大把 槐枝五七段 花椒三錢 煎湯嗽口。

(按)此治虫蝕牙疼者有効。加入細辛蓽撥等其效尤捷但不宜嚥下。切切。

(一方)菉豆十粒 胡椒七粒 共為末。錦囊包。如桐子大。咬牙疼處立愈。此通俗相傳之單方也。除牙床潮紅腫脹之牙疼外。皆可試用。但恐暫時有效。專恃此方。不能除根。

□治滿口齒縫中出血

枸杞子為末。水煎。連渣漱嚥。
(按)枸杞子根。即地骨皮。能清熱消炎。無論煎服。含漱。俱可治有熱之牙疼。牙縫出血。亦可推而用之。至枸杞子之止血。其理不詳。當以連根煎用為妥

■治水瀉痢疾之鐵門閂

原方

五棓子一兩。白礬三錢半。黃丹二錢。黃蠟一兩。三味研末。黃蠟為丸。如菉豆大。小兒用五六丸大人十丸。紅痢茶二錢。姜一錢煎湯服。白痢茶一錢姜二錢煎湯服。

(按)此收斂止澁之方。其治水瀉者。以能乾燥水分也。但於初起。及內滯不淨瀉痢不宜。

■治食蟹患冷痢

藕節洗淨搗爛。熱湯下數次即愈。

■治腹瀉初起神効方

細茶二錢。燒核桃仁五個。生姜三錢

。紅砂糖三錢水煎服。此方治清晨泄瀉者頗可。以有溫斂之性也。

噎膈靈方

噎膈反胃。每誤認為一症。不知食物難下。而終能下。為噎。食物不能入。為膈食物已下。良久復出。為反胃。噎膈由於七情鬱結。素嗜飲酒。痰涎阻塞。食道或賁門。生有癌性之。小結節。所謂食道癌賁門癌是也。反胃。係中陽式微。或幽門痙攣之故。

經云。三陽結謂之膈。又云。一陽發病。其傳為膈。仲景云。朝食暮吐。暮食朝吐。宿穀不化。名曰胃反。徐氏云。噎膈之症。必有瘀血。頑痰。逆氣。阻轉胃氣。宜用消瘀去痰。降氣之藥。或可望其通利。誠為見到之言。至胃反之治。應溫中調氣。又治噎。不宜過用香燥。因腸胃已結。律液枯槁。故滋陰液。亦為當要。余得一靈方。用白硼砂錢半。青黛一錢。好沉香一錢。

為細末。三味收貯。聽用。

白馬尿一斤。白蘿卜一斤取汁。生姜半斤取汁。

共入銅鍋內。熬成膏。每服膏三茶匙。加前藥末一分酒下。一日三服。可以開關。如反胃用黑驢尿一斤。換白馬尿。

方中硼砂軟堅化結。青黛苦寒泄火。沉香辛溫疏氣。氣不逆。則病可緩。三汁皆通滯化痰之品。尤以馬尿降濁甚妙。用以作噎膈之開關藥可也。

■治膨脹噎膈八寶丹

真番硇砂。硃砂。雄黃。胆礬。輕粉。硼砂各五錢。硫黃。水銀各三錢。

共為細末。入陽城罐內。下蓋。鐵燈盞用鉄系縛定。外用鹽泥封固。放炭火內煅五炷香。三文三武。冷定。取出。每服三丸。滾水送下。五六服即愈。

按噎膈。即食道癌。賁門癌。由漸而進。其所生之結節。不易消散。此方破血化結。軟堅解凝。或可消散癌性之結節。結節除則食下再用調中滋液。以善其後。在學理上推測。此方應當有效。惜編者尚未曾。試用耳。

◻治噎食病神効方

蟾酥一兩。同葱搗爛。白面包。内火煨熟。姜朴十五兩。江芽大戟二兩五錢。赤金二錢。放煎銀罐内。用硫黄末將金化碎。用虎肚一個。其肚内之物。不可倒出將各藥共為粗末。入虎肚内。放在鐵鍋内。用大火煅煉成灰。研成細末。年少者每日清晨用無灰熱酒冲服三分。十日共服三錢。年大者每日清晨用無灰熱酒冲服五分。十日共服五錢即愈。其飲食用京米煑飯。熟時將柿餅切如米粒大。止用半碗。下在飯内。又復蒸爛食之。以大好為度。忌湯水。并氣怒勞碌房事。如渴極時。湯水少用。

◻神援目露丹之來歷

一富人病噎。夢僧與之湯。因而往寺遇僧。果與湯飲。問之。乃乾糖精頭用六兩。生姜四兩。搗成餅或焙或晒。每兩入炙草二錢。研末。每服二錢。沸湯入鹽少許。不均時。代茶服。

至愈時。

流火良方

流火者血行速率不勻。而生不定性之局部充血或鬱血症也。故在內則為諸臟器之腫大。或生內癰。在外則為赤腫瘡瘍。關節腫痛。總為充血或鬱血之象。治宜整調血行。疏通經絡。當歸。川芎。生地。防風。防己。芍藥。杜仲。續斷。蒼朮。白朮。木瓜。牛夕。獨活。烏藥。沒藥。海桐皮。威靈仙。川草薢各一錢。甘草五分。水煎空心服。

胎動腹痛方 附插圖

孕婦胎動腹痛。有墮胎之虞。宜以安胎法。茲有一驗方。用桑上羊兒藤一兩五錢。炒阿膠五錢。炙蘄艾五錢。水並服。用之屢驗。

虛勞靈驗方

虛勞與癆瘵。原不相侔。然確有連帶之關係。蓋虛者無不癆。癆者無不虛也。古醫雖有傳尸癆之分。而與虛癆。以往往混淆不清。所當略為剖析。以別界限。虛勞之症候。雖極複雜。然其病理。實基於體質之慢性衰弱。因而發現種種之症象。不比癆瘵之有結核菌也。古人論虛癆。有上損下損之分。根據五臟。專尚補益。惟日日服藥。而病日增。蓋不知原理之過也。本病症候雖繁。陰虛陽虛。可以盡之。陰虛者。周身細胞之實質。及細胞中之水分不足也。陽虛者。細胞分裂動作之功用不足也。脈細。皮寒。食少。泄利前後。水漿不入。五虛迭現。非溫補無由。脈數。骨蒸。頭眩。顴紅。遺精盜汗。水分不足也。非滋補難愈。余得一靈方治虛勞飲食少進。頭目昏花。耳作鐘聲。腳力軟酸。肌膚黃瘦。身體疼痛。吐痰咳嗽。胃脘停積。夢遺盜汗。泄瀉。手足厥冷等症用人參。二冬。兔絲餅。牛夕。肉蓯蓉。山萸。杜仲。巴戟。小茴香。當歸。白茯苓。黃芪。五味子。川椒。木香。黃柏。

為細末。麥酒煉蜜為丸。桐子大。每五十丸。鹽湯下。

此方重用黄柏。滋陰清熱。苦味健味。又集參芪二冬之補益強壯。巴戟川椒之興奮氣機。治血液不足。神經衰弱。為病後體虛。及慢性衰弱培補之劑

◻仙傳草還丹

治虛弱勞心之人。能添精補髓。清氣化痰。常服神清氣爽。瘟疫不侵。視聽倍常。步驟輕健。鬚髮加添。返老還童。益壽延年。此方乃翊聖真君降授雷操宮張真人傳教

烏梅肉四兩。薄荷葉二兩研末。白糖八兩。片腦二分。四味先將烏梅搗爛。後加荷葉冰片合為丸含之。

(按)此方功用。在辛涼解表。酸甘生津。遇輕淺之冒風。可以宣散。熱邪之口喝。可以潤燥。夏令行路。備用口含。可免燥渴之苦。原註服法為含。實為正法。所云主治。皆屬浮妄。切勿迷信。反致憤事。

丹方雜誌 第七期

價目表

零售	每冊實售大洋二角	
時期	冊數	連郵費 國內	國外
半年	六冊	一元	二元
全年	十二冊	二元	四元

廣告價目

等第	地位	全面	半面	四分之一
特別位	封面		四十元	
特等	底面之內外 封面之內	四十元		
優等	封面內面之對面	三十元	十六元	
普通	正文之前	二十元	十元	五元

彩色另議

◀中華民國二十四年九月一日出版▶

編輯者 朱振聲

撰述者 全國醫家

發行者 幸福書局 上海三馬路雲南路轉角

上海特約 上海雜誌公司 上海福州路

華南特約 上海雜誌公司支店 廣州永漢北路二三九號

印刷者 興羣印刷所 方斜支路五號

痢疾救星

痢疾泄瀉特效藥

奧生大蒜精

藥性和順　適合國人體格

大蒜本為我國特產。醫家早知為良藥。然因施用不得其法。以致毫無效果。本品參照歐西秘法。抽出大蒜有效成份。製成片劑。對于治療痢疾。及一切泄瀉。功效獨偉。有藥到病除之能。本品並非收斂劑。服後無大便閉結之弊。服本品後。菌蟲立可消滅。大便次數減少。腹痛消失。大便即轉復原狀。同時胃口良好。不幾日即得痊愈。本品應連服三四日。俟服二三日。然後再服三四日。如此則可使潛伏菌蟲。完全消滅。不致遺有後患。痢疾病人。應絕對靜臥。攝食流動容易消化物質。忌食一切生冷油膩之物。

主治

菌痢蟲痢（紅白痢疾）　夏秋泄瀉　胃腸不和　腹漲多屁　胃口不振

用法

治痢疾最好先服瀉藥。如瀉鹽瀉油等。然後服本品三片。以後每小時服二片。日服十五片。

夏秋泄瀉及胃腸不和等。飯前或飯後。每次服三片。日服三次。

價目

每盒定價大洋二元。現為普及病家起見。每盒祇收大洋一元六角。外埠另加寄費大洋二角。

上海奧生製藥公司出品

上海三馬路雲南路轉角幸福書局經售

丹方雜誌
瞿麥圖
民國廿四年十月一日出版
第八期

丹方雜誌第八期目錄

■諸病作渴飲水不止方

五靈脂(研)生黑豆(去皮)各等分。為末。每服二錢。不拘時。冬瓜皮煎湯調下。如無瓜皮。瓜子仁均可。本方用黑大豆滋腎解毒。冬瓜清涼止渴。五靈脂消瘀去滯。治熱灼血凝。脈搏弦強硬大者。並可酌加桃仁紅花之通血藥。臨時制宜為要。

■氣血兩虛盜汗方　逸人

當歸。生熟地。白芍。白朮。茯苓。黃芩。各一錢。人參五分。黃柏。知母。陳皮各八分。甘草三分。浮小麥二錢。水兩盅。棗二枚。煎八分溫服。蓋汗之屬於氣血兩虛者。自汗盜汗。多兩兼之。並有怔忡不眠煩燥等症。本方用八診雙補氣血。又加黃柏知母滋陰清熱。陳皮。甘草。和胃調中。為氣血兩虛之通劑。此方有效。足資備用者。

■治夜多盜汗四肢作痛

夜多盜汗。四肢作痛。飲食少進。面黃肌瘦。白朮一斤。浮小麥四兩。水二斤。共煑水乾。去浮麥不用。將白朮焙干為末。每服二錢。另煎浮麥湯調下。

白朮止汗。載之本經。其所以然之理。有二。一因白朮為強壯藥。能促進腸胃之消化。吸收。增進組織之營養。一因白朮為利水藥。能促進腎臟排泄之機能。使水分從腎臟濾出。故可治肌腠虛鬆。汗腺不固之汗症。與腎臟排泄機能障碍。致皮膚起代償性之汗症。浮麥清心養營。潛斂浮火。用治汗症。每建奇功。二味共煑。氣味和透。另以浮麥。煎湯調服。所以求其力之全。方藥雖簡。意頗深切。用之當然有効。此方自汗盜汗皆宜。非僅盜汗也。

■臌脹驗方

陳其昌

臌脹者。肚腹脹大。其形如鼓也。世稱風勞臌脹為四大症。蓋其成於漸。發於微。一旦病家顯著。則已難為力矣。攷其原因。有氣、血、水、虫、食積之不同。腸胃失職。循環障碍。氣血橫溢。不能直達。此臌之所來也。治法。以原因療法為主。佐以理標之法。如放水。破血。攻利。皆宜酌量採用七轉丹。耑治水蠱臌脹。五隔噎食。心腹滿脹。五積下聚等症。廣木香。梹榔。大黃。使君子。錫灰。白豆蔻。雷丸各等分。水二盅。連鬚葱五根煎八分。春夏秋天露一宿。次日五更重湯煎熱。溫服。

專治水臟腫胖丹方

陳其昌

患水臟者。用輕粉二錢。巴豆四錢。去油。生硫磺一錢。右研成餅。先以新棉一片鋪臍上。次以藥餅當臍按之。外用帛縛。如人行五六里。自瀉下。候三五度。除去藥餅。以溫粥補之。久患者。隔日方取去藥餅。一餅可救念人。其効如神。愈後忌飲涼水。輕粉即體質疏鬆之甘汞。其功用亦與甘汞相同。本方取其瀉下之力。巴豆尤為熱下之猛藥。生硫磺純陽大熱。能解寒凝之結。縛於臍中。俾藥力由臍眼竄透腹內。而臻瀉下之功。

治氣臟方

陳其昌

大蝦蟆一個。破開。用砂仁塡滿黃泥。封固。炭火煅紅。取出候冷。研末。陳皮煎湯調服。放屁即愈。

(按)葉氏寬膨散。即將蝦蟆破開。砂

仁五靈脂各半。填入腹內。煅研。此不用五靈脂。當治中空如鼓。純為氣脹者。服後氣由屁泄。脹必可減。

■治水臌靈方

何雲連

水臌為難治之症。然有一靈方。用乾絲瓜一個。去皮。煎碎。入巴豆十四粒。同炒。以巴豆黃色為度。用絲瓜炒陳倉米。如絲瓜之多。炒米黃色。去絲瓜。研米為末和清水為丸。桐子大。每服百丸。滾水下。按絲瓜之用。普通作行經活絡藥。蓋取其筋膜骨串。如人體之經脈也。合巴豆炒。去巴豆不用。是欲微利。不欲峻下也。又炒陳倉米。和胃調中。遞相介達。巴豆雖猛。亦不為害。所謂寓瀉於補之中。洵為良方。

■黃疸渾身如金色方

余於民十六年。曾患黃疸。用苦丁香二錢。母丁香一錢。黍米四十九粒。赤小豆五分。為細末。臨臥時。先含涼水一口。卻於兩鼻孔嗃上半字便唾。覺此方頗有應驗。苦丁香即甜瓜蒂。功能涌吐痰涎。滲濕利水。母丁香有特異之芳香。用以升降氣機。並為由呼吸傳達藥力之響導品。赤豆利濕。黍米緩和。藥氣隨空氣而入肺動脈。於以循環全身。遂呈中和或制止胆汁之用。此為外治之良法。

□治黃疸貞元廣利方

黃疸皮膚暗黃。骨骱疼痛。口乾不欲飲。倦怠無力。此為陰黃。用秦艽三兩。牛乳兩碗。煎一碗。溫服。或加芒硝一錢亦可。

□霍亂靈藥黃金丹

夏月霍亂痧脹等症。黃金丹有神效。方用川連二兩四錢。乾姜一兩二錢。車前子六錢。公丁香三錢。(不見火)醋香附三錢。酒芩二兩一錢。芥穗三錢。砂仁三錢。畢撥三錢。鹽澤瀉三錢。川貝三錢。陳皮三錢。麥芽三錢。廣木香三錢。(不見火)梹榔六錢。共為細末。用荷葉煎打粬糊為丸。作百錠。

此方耑治夏月中暑霍亂等症。冷水調服。每服一錠。並治黃疸痢疾。

□眩暈秘方

張世良

眩暈多附見於他病。間有單純性者。

頭昏目眩。天搖地轉。張目站立。大有傾倒之勢。其外因。有風寒。暑熱。內因。有蓄痰停飲證。及神經衰弱證。診之屬於風寒者。疏散之。暑熱者。清蕩之。停痰蓄飲。則化痰飲。神經衰弱。則重補益。其有多年不愈者。尤宜攻補兼施。靜養腦力。整調二便。食戒肥膩。則庶乎近之。余有一蓄痰頭眩方。甚為靈驗。

南星（姜製）六分。姜半夏一錢五分。茯苓一錢五分。甘草三分。枳實六分。白芷七分。防風六分。細辛六分。黄芩。川芎各八分。橘紅錢半。羌活七分。水二盅。姜三片。煎八分溫服。以此作丸亦可。如氣虛加人參。白朮各七分。血虛加川芎。當歸各八分。有熱加黃連六分。

□神經衰弱頭暈方

張世良

神經衰弱。頭部貧血之眩暈。用芎藭。前胡。人參。炒白殭蠶各一兩。防風。天麻。（酒浸焙）蔓荊子各五錢。為細末。每服二錢。食後酒調溫下。

（按）人參。川芎。補腦血。壯神經。前胡。防風。疏風邪。化濕濁。所以治其本也。天麻。殭蠶。荊蔓。雖曰風藥。實為藉其上達之力。以助參芎之用。同時和緩神經。調達腦血。而眩暈自止。此為久患眩暈之主方（如邪少虛多之證。風葉倘嫌其太多。宜減去防風。殭蠶。加當歸。白芍。熟地。陳皮。法夏。磁石等較妥）。

▣健忘之良方

張世良

健忘大抵因過勞神思而起。腦神經衰弱。則記憶減少悟力遲鈍。不能勞精費神。其頭之前後。時發暈痛。心志常沉於悒鬱狀態。亦有語無倫次。而現發揚狀態者。治宜使患者絕對安靜。毋思索。毋過勞。內服補血強壯藥。俾腦受血液之養。則神經強健。而病自愈矣。

余常用歸脾湯以治脾經失血少寐。或思慮傷脾。不能攝血。或健忘怔忡。驚悸不寐。或心脾傷痛。嗜臥少食。或憂思傷脾。血虛發熱。極為靈驗。方用人參。白茯苓。白朮。黃芪。當歸。遠志。酸棗仁。龍眼肉各一錢。木通。炙草各五分。生姜三片。棗三枚。

（按）近來巴克露德。發見脾臟之一重要機能。即脾臟營張縮作用。收縮時。將其內存之血液。輸於體循環。當身體需要血液時。收縮作用。即行開始。如無需要。則伸張其體。將多量之血液。尤其是紅血素。貯於脾內。然則古之所謂脾統血者。證之近理。信無疑義。歸脾湯。古籍謂治思慮傷脾。脾不攝血。以致血液妄行。或健忘怔忡。驚悸盜汗。發熱倦怠。嗜臥少食等症。茲就健忘而論。健忘。腦神經衰弱也。然腦神經之所司職。亦不能脫離血液之營養。觀巴氏之說。反究古醫學說。足徵脾臟腦髓及血液。互有特別之關係。學者根據主治症狀。參合形色脈象。確為虛證。投之定獲佳果。

(又方)人參。柏子仁。(去油)各二錢。當歸(酒洗)酸棗仁。麥冬。龍眼肉。酒生地。遠志。玄參。硃砂。石菖蒲。(去毛)各二錢。茯神三錢。為細末。豶猪心血為丸。菉豆大。金箔為衣。每服二三十丸。米飲下。

◻治失眠之安枕無憂散

穆序

不寐之原因非一。有血熱燻擾者。有痰飲停聚者。有思慮過多而致神經衰弱者。有大驚大恐。神經因之不安者。要在辨明症候之原因。體質之虛實。而與以適應之方法而已。中醫之催眠劑。重在原因的療法。與西醫之專恃麻醉者不同。

安枕無憂散。治心胆虛怯。晝夜不眠。廣陳皮。製半夏。白茯苓。炒枳實。嫩竹茹。大麥冬。生石羔。圓眼肉各錢半。人參五錢。生甘草一錢。水二盅。煎八分溫服。

■治血厥方

逸人

因一時心理之觸感。頭目暈眩。口噤失神。移時卽醒者。蓋因腦筋血液循環。一時流行反常之故。一般名為血厥。用東白薇。當歸各一兩。人參五錢。甘草一錢半。每服五錢。煎水服。白薇苦寒。滋陰清熱。當歸補血。人參強心。分之各有專長。合之能整調循環。余曾經試用有效。故錄之。

■血痺皮膚不仁靈方

倪友仁

麻木者。非痛非癢。皮內如千萬虫之亂行為麻。毫無觸覺。不知痛癢者為木。治宜排除其障碍。衝動其血行。

用防風二錢。桂心。左秦艽。炒赤芍。杏仁。黃芩。炙甘草。赤苓。川獨活各一錢。全歸錢半。生姜引煎服。是方頗得其旨。或加殭蠶以治其神經疾患。尤覺相宜。

治頭風鼻流涕方 存

甘草。人參。明天麻。白芍藥。荆芥。薄荷葉。製乳香。製沒藥。白芷。甘松。甘菊。藁本。白茯苓。防風。北細辛。以上各三錢。共為細末。貯瓶內。用少嗅之。

此方彙集散風活血。普通醫治頭風之藥。嗅其辛香之氣。使之由鼻竅而達於腦。必能感此傳達之影響。足補內服治療之不足。惟證勢之輕淺者有效。如重者須佐以內服之劑方妥。

治瘧疾後成痞塊奇方

瘧後之成痞塊。證屬瘧母。治療方法。重在活血消瘀。以消化脾臟之積血。炒小茴。蕪荑。白芷。肉桂。白蔻仁。甘草各一兩。青皮。陳皮。莪朮。(煨)各二兩。砂仁五錢。阿魏四錢。共研末為丸。硃砂水飛五錢為衣。每二錢清茶下。

久瘧全消方

倪友仁

威靈仙一兩。醋炙蓬朮一兩。炒麥芽一兩。金毛狗脊八錢。青蒿子五錢。山甲珠五錢。黄丹五錢。鱉甲五錢。(酒炙脆)研細。如小兒加雞肶黄皮五錢。炙末。外用山藥粉一兩。飴糖一兩。為細末。

右藥加水一小碗。為丸。如菉豆大。每半飢時姜湯送二三錢。凡處暑後冬至前。或間日或非時纏綿日久。必有瘧母。當酌定此方法。不半料遂全愈。

除瘟救苦丹

此藥專治瘟疫口渴。咽腫發熱。無汗頭痛。清解瘟疫之要藥也。

明天麻一兩一錢。麻黄(去節)乾姜。真菉豆粉。芽茶各一兩二錢。硃砂水飛。生草各八錢。明雄黄八錢。生川大黄二兩。共為細末。蜜丸。彈子大。重二錢。每服一丸。涼水化開。送下出汗即愈。重者連服二丸。

(按)方中乾姜。對於上述諸症。大非所宜。應減去方妥。又麻黄分量亦當減半用之。

實熱發狂靈方

何其采

陽毒發斑。狂亂妄言。大渴喊叫。目赤。大便燥實。上氣喘急。舌卷囊縮難治者。以下湯劫之。

生石羔二錢。芒硝五分。川黃連。川黃柏。川黃芩。山梔子各一錢。川大黃一錢五分。水二盅。煎服。

腰痛秘方

何其采

腰痛有三。(一)「腰神經痛」。為間歇性。稍勞則痛。休息則輕。即古所謂腎虛腰痛是也。治宜滋補腎精。(二)「寒濕腰痛」。腰重如帶五千錢。沉墜溢痛。轉身不利。治宜溫寒利濕。(三)「血滯腰痛」腰部刺痛。如以花針急刺。治宜行血活絡。余治慢性虛弱之腰疼。用川杜仲。破故紙(二味。俱青鹽水炒)各八兩。童便製香附。夏枯草各四兩。核桃肉一斤。搗如泥。共為細末。煉蜜丸。如桐子大。空心鹽湯或黃酒下二錢。此為秘方。用之良效。

補腎壯元之元武豆方

羊腰子五十個。枸杞子三斤。故紙一

斤。（鹽水炒）大茴六兩。（鹽水炒）青鹽半斤。（洗去泥）肉蓯蓉十二兩。（酒洗去鱗甲）陽虛加製附子一兩。用大黑豆五升。（不要扁破的）淘洗濾乾候用。

右用甜水廿碗。以鍋煑前藥。至半乾。去藥渣。入黑豆拌勻。煑乾為度。取出晒乾。磨為細麵。酒打蒸餅為丸。桐子大。空心白水下五錢。

（按）腎陽衰弱。腰痠無力。身常怯寒。治宜溫補兼施。羊腰子。以腰治腰。為近今盛倡之臟器療法。附子刺戟副腎。使產生相當之內分泌。治慢性虛疼。當必有効。惟少疏利之藥。恐補而有膩滯之害。應加茯苓絲瓜絡較妥。

■治腰疼筋骨疼痛方

疼痛病證。始由風寒之外襲。繼以血行之遲緩。治當促進血行之速率。疏利關節之瘀滯。當歸。生地。秦艽。川牛夕。（酒洗）肉桂。川杜仲。（鹽炒）防風各一錢。白茯苓錢半。川芎五分。甘草三分。水二盅。煎七分。黃酒三分熱服。

此方於活血補血中。加秦艽。防風。

之風藥。蓋風藥具有興奮性。能鼓動機關之麻痺。用治疼痛。尤稱合拍。

治筋骨疼痛不拘何處

王惟心

五加皮（為末）三錢。胡椒（打碎）七粒。鼠糞。頭尖者三粒。頭圓者四粒。生姜三片。好燒酒一斤。共裝缾內。煑三炷香。食飽少時。盡量取飲。出汗。輕者一次。重者三次。以愈為度。

（按）筋骨疼痛。果屬寒濕浸淫。神經鬱滯過久。方可以椒姜酒等之興奮祛寒。

治閃腰疼之過街笑

過街笑者。意為施治之後。過街即覺舒暢。心意歡樂無限。言其功效之神也。方用廣木香一錢。麝香三厘。為末。如左疼吹右鼻孔。如右疼吹左鼻孔。令病人手上下和之。

治咯血不止

戴虹蒲

咯血多由上部鄰近血管。及肺臟血管而出。或因血管菲薄之滲漏。或由血管破裂之沖流。松花二錢。生熟地各四錢。天麥冬。阿膠各三錢。紫苑二錢。知母。黃柏各三錢。方中用二地。阿膠。以凝固血液。二冬。知柏。以清熱養陰。紫苑潤肺。專理咳逆。並有止血之效。

□小便淋瀝疼痛良方

逸人

淋者。小便溢痛。不能通利之證。瀝者。小便灼熱。淋瀝點滴而下。不能暢通之證。古醫分淋有五。氣血膏砂熱是也。論其原因。多以濕熱賅之。瀝則明係膀胱之火。清火利便。則尿自通。以近日實質之攷察。據西歷一千八百七十九年奈蘇兒氏。始發見為一種球菌。稱曰淋毒球菌。Gono-coccus其傳染。概由交媾而直接感受。間亦有因接觸附有病毒之服物器皿等。而間接染及者。特甚罕耳。故其治法。宜採用洗尿道法。以直接滅其病原菌。內服適應湯藥。以直搗其巢穴。如熱淋則清熱。血淋則和血。砂淋膏淋。則化濕濁。淋濁初起。在急性期間。小便淋瀝。灼熱疼痛。用陳枳殼。海金砂各七錢。川黃連一兩。生甘草五錢。瞿麥一兩。飛滑石七錢。冬青子一兩。王不留行一兩。右分作七劑。燈心引煎服。

小便下濃血方

逸人

小便下濃血。非膀胱炎即尿道炎。可用觸診法、觸其小腹。以兩手指。搗其腎莖。痛在何部。即可知其炎症之所在。用琥珀。海金砂。沒藥。蒲黃(炒)等分為末。每服三分。食前通草湯下。

遺精靈丹

陳舜耕

遺精一症。古人以有夢為心病。無夢為腎病。濕熱為小腸病。其治法。大都以塡補心腎為主。有濕熱者。則利濕清熱。火浮動者。則滋陰潛陽。此症之成因。或以病後衰弱。精囊不固。或為情竇初開。妄為手淫。或因勞傷神經之衰弱。或因縱慾房事之過傷。皆足以成本症。療法。要在去其原因而善養之。古人云千滴之血。乃能成一滴之精。可知精液之最為可貴。頻頻遺洩。殊為剝削身體之最大利器。近今有為青年。幾無不苦於此者。凡欲預防並望根治者。必須(一)愼起居。節飲食。免致全體生理起變化。(二)節思慮。謹勞腦。免致神經被困而衰弱。（三）情竇初開。要明白手淫的危險。極力壓制慾火。（四）房事不可多。以免精囊不固。最終有句不時髦之語。即少談戀愛。實為減却預防本症之惟一方法。治遺之最靈者。酒白芍。煅龍骨。煅牡蠣。桂枝各三錢。炙甘草三錢。水二盅。煎八分。棗二枚，溫服。

失精暫睡即泄

陳舜耕

遺精而至一睡即泄。虛勞末期。往往見之。此乃體質大衰之證。雖施培補。亦難復元。急則治標。先以止泄。白龍骨四分。韭菜子二兩。（炒）為末。每服二錢。空心黃酒調下。

陽痿驗方

林翁傳

古稱男子以八為數。八八則陽盡而無子。其逾八八而能生育者。乃稟賦之強厚。若少壯及中年患陽痿者。多由縱慾過度。傷及肝腎。或由曲運神思。神經衰弱。大怒大恐。神經震亂。皆足以致陽痿。治法。於培補之中。佐以興奮之品。其大怒大恐者。則安撫神經。用鎮靜之法。而於慾念。須絕對禁忌。俗以陽痿為陽氣大衰之證。純用辛熱溫燥之藥。刼爍津液。終至全體被傷。反致無益有害。可不愼哉。

齡延丹。治陽痿最驗。方用烏龍（即丈骨也。玉腦骨至尾一條。全用好醋浸一宿。炙。醋乾。再用酥炙聽用）鹿茸（酥炙）八錢。巴戟（酒浸）一兩。沉香一兩。石蓮子（去殼心）一兩。遠志肉（炒）五錢。大茴香五錢。石燕子。雄雌各三對。（燒紅投姜汁內淬七次）破故紙（炒）五錢。以上為末。聽用。何首烏（黑豆蒸九次）四兩。熟地（酒洗）一兩。床子（炒）二兩。芡實肉

二兩。當歸身（酒洗）一兩。川芎一兩。酒白芍。酒生地。天門冬。麥門冬。馬蘭花。冬青子。楮實子（酒洗）各一兩。母丁香廿個。枸杞子四兩。金櫻子一斤。（去核）以上各味。用水一斗。煎至一升。去渣。取起。涼冷聽用。和入藥內。又用黃雀四十九個。酒煑爛。搗勻。用藥末。烏龍骨為丸。桐子大。每服三錢。

陽痿無子方

陽痿不起。精少無子者。服下方。保養一月。自効。

魚鰾四兩。(炒珠)真桑螵蛸四兩。韭子二兩。蓮鬚二兩。九熟地二兩。川杜仲二兩。川牛夕(酒浸)枸杞子(培)沙蒺莉(炒)肉蓯蓉(酒洗去鱗甲)兔絲子(酒洗)天門冬。炙龜板。炙鹿茸。破故紙(酒浸炒)白茯神。遠志肉(去骨甘草水泡)酒當歸。人參。各二兩。青鹽五錢。(一包)蜜丸。桐子大。空心服二三錢。如覺胸膈痞塞。服枳壳湯以疏之。

■腎虛暖臍膏

逸人

韭子。蛇床子。附子。肉桂各一兩。獨頭蒜一斤。川椒三兩。六味。用真香油二斤。浸十日。加丹熬膏。硫黃。母丁香各六錢。麝香三錢。為末。蒜搗為丸。如豆大。安臍內。用紅緞攤前膏貼之。

■治湯火傷丹方

河南開封段靈環

凡被火湯等傷。只用地榆。大黃二藥。即可治愈(但須先急用蜂蜜調熱水飲之。以免其毒內攻)二藥之分量。乃三與一之比。即如地榆三錢。則大黃用一錢。地榆用三兩。大黃得一兩。多配則類推可也。

用時將二藥研為細末。如傷處不流水。用小麻油與二藥調和抹傷處。若流水。用乾末敷傷處即可。如傷處起水泡。大如拳。小如豆。須用物刺破。再用乾藥數敷傷處。

若重傷有坑。將伏龍肝（即地鍋內燒紅之泥。）取出。再燒一日後。研末。用新從井汲出之涼水拌之。將飛浮水上之一部分傾出於物上晒乾。（沉澱於下之一部分之渣滓棄之。）研為極細末。用奶汁和之。敷坑傷處。坑即平矣。

以上二方。乃睢縣曹莊醫生孫鳳瑞所言。彼為余言此時。甚稱此二方之效。每逢夏季時。彼配製多量。施捨鄉鄰。余以其藥賤而功大。具出自醫生之口。其有效也必矣。故敢誌之。以投本刊。敬請閱者之試驗焉。

二十四年八月十八號

通訊處　開封琉璃廟街八號段靈環收

◻南瓜可出子彈

段靈環

南瓜是吃的東西。明人李時珍說牠能。補中益氣。但牠又有治病功效。有個中醫對我說。『子彈中了。能爛肉損骨。很是厲害。今有一簡易丹方可治。就是取鮮南瓜一個。錘碎成泥。上傷口上。等一會。毒水外流。子彈也隨着出來了。再換瓜泥。就長肉合口了。』

我看過王孟英的飲食譜。上面說。『鎗子入肉。南瓜瓤敷之即出。』『某中醫所說的。或是出於這書。不過看這書的人不多。所以特別寫出。投給本刊。使這丹方廣傳。不致埋沒。又可使中彈的人。減免災苦。那是我最盼望不過的了。

■巳戌丹治驗之報告

楊平

本刊第五期所刊治瘋犬咬之巳戌丹。余曾以此治愈多人。且製丹廣送。活人甚多。茲報告其治療成績如下。

民國二十年。初冬。南宅鎮左近。有瘋犬嚙傷五人。其中四人至余處求治。即為之點藥。且留之宿。毒盡而去。另一人不願醫治。且語人曰。吾年將花甲。死亦何害。遠道求醫。效否不可知。聽之可耳。不謂被嚙後二十七天。毒遽發。時神思尚清。囑其家人曰。速閉置我一室。毋相近。家人不忍。則獨臥一室。自鍵其門。俄而疾大作。嚙咻柱。碎木片片下。慘呼一日夜而死。其四人則完全無恙。（按此四人茍索藥少許。攜歸。為其人點目。當可不死。惜哉。）

民國二十一年。春間。有一少婦。懷孕四月餘。中瘋犬毒。求治。語以此丹雖有奇效。孕婦點之。恐有墮胎之虞。此婦謂但得救我一命。於願已足。不暇顧及胎兒矣。乃為點目一次。復給藥少許。囑其攜歸點之。毒盡而胎墮。婦體壯健如常。又一婦人。懷孕已七月。亦中瘋犬毒。為點此藥。幸未動胎。點藥三次。病毒悉除。足

月後。產兒。母子均健全無恙。

鄉人某。為瘋犬所嚙。受毒頗深。為點藥三次。目中無淚。腹痛頻作。乃取此丹半瓶。用溫開水化服之。某服藥後即睡。夜中時起小便。約八九次。天明後。視溺桶中。血筋縷縷。粗如絨頭繩。而尿色渾似血水。復與點藥。則淚珠滾滾下。而胸腹中亦舒適如常人矣。其人感謝不止。

陳某。為毒蛇所螫。腿部腫大。倩人抬來求治。其人目已昏花。視物不明。急以已戌丹一瓶。和溫開水使服。並用淘米泔水為之洗濯創口。復以薄

皮紙七層。剪成圓形。貼於傷處。未幾。毒水從創口流出。皮紙盡濕。目光即回復原狀。乃更為點藥三次。翌日。又服藥半瓶。腿腫全消。竟能步行而去。

孫某。為蛇所螫。毒牙斷入創口中。神思昏迷。勢極危險。乃急用溫開水和已戌丹一瓶使服之。又為之點目。然後洗濯其創口。徐徐取出毒牙。用膏藥一張。置此丹少許。貼於創上。適數小時。腿腫漸消。乃復服此丹半瓶。點目兩次。翌晨。其人自謂病已全愈。不肯再服此丹。亦不肯點目。告別而去。嗣聞其鄰居云。孫某歸後。咽喉腫痛。不能進食。因另求醫診治。一醫謂中毒太深。無可解救。又一醫生則勉開一方。囑其試服。孫某懷疑之際。未即服藥。喉腫亦漸愈。使其人肯再服藥半瓶。或再點目數次。喉腫當早愈也。

壬申冬至節。余回里掃墓。留宿鄉間。住壩頭村族弟德生處。有二人各挈其子來求治。一約五六歲。一約七八歲。謂兩兒同日為瘋犬所嚙。其傷一輕一重。傷重者曾挈往狼山醫治。據醫生云。受毒太深。難望治愈。然所耗資川及醫藥費。已三十餘元矣。云云。余為一一點藥。傷重者目眶無淚。且係噛傷面頰。血痂猶存。余即贈丹一瓶。囑二人攜歸。傷重者化服半瓶。並為點目。傷輕者但點目。不必服藥。後兩兒皆全愈。至今無恙。

今歲初夏。(民國二十二年)開封南關外三十里許。有農人之家犬。忽患瘋。連噛數人。幷傷其主。余聞之。欲贈以此丹。適攜藥已罄。乃急以原方向開封藥肆松鶴齡接洽。詢問此項藥料。是否完備。肆中人審視一過。並為核算。答稱藥料悉備。惟價值甚昂。配製全料。需洋八十餘元。(余在滬常一帶藥肆配製此丹全料僅需洋五十餘元)余謂藥料茍佳。貴亦無妨。肆人云。藥之良否。關人生命。本號斷不敢輕視人命而用劣藥。余乃託製半料之半。(二十五小瓶)丹既製妥。遣人先送一瓶於受傷者。囑其用藥點目。有三人點此丹。數日即愈。餘二人雖被犬噛。僅有微傷。遂不介意。乃兩星期後。感覺腹中滿飽。不思飲食。形寒體疲。無力耕作。即復來城索藥。余為點目。完全無淚。知受毒頗深。各贈藥一瓶。囑攜去。且點且服。半月後詢之。已能下田耕作矣。

■巳戌丹施治須知

楊平

(一)治病時。用針或用紙撚挑藥少許。分男左女右。點入眼潭內。(即近鼻處之眼角內)令病人閉目仰首。使藥性下行。約五六分鐘。然後啓目。

(二)點藥時若眼淚頗多。則中毒尚輕。點三次即愈。苟點藥而無眼淚。其毒必重。應日點二三次。連點三日。以求毒盡。或逕用溫開水過服此丹半瓶。則奏效自速。毒極重者。可服一瓶。

(三)孕婦點服此丹或內服。每有墮胎之虞。惟受胎已滿七個月者。尚可保全母子無恙。若受胎僅三四個月。則祇能保全母命。難顧胎兒。(此就余施藥後之經驗言之)倘孕婦被瘋犬所噬。或被蛇螫。最好勿用此丹。速檢本刊中所載瘋犬咬傷神方。及蛇螫驗方。任擇其一。如法治療。定能奏效。且可不動胎氣。

(四)蛇螫者往往有毒牙斷入創口內。可用硼酸水或淘米泔水將創口洗淨。(硼酸水或不易得。可臨時以米一掬置水中淘洗。取水應用。北地無大米處。即用溫開水洗亦可。洗時勿以手觸創口。以防染毒。）並徐徐將毒牙取出。則點藥後更易速愈。

（五）蛇螫者毒發甚速。最好將此丹點服兩用。（即一面點目。一面內服）

（六）余戚王君世民。用此藥治蛇螫者時。係先將創口洗淨。用薄皮紙剪成直徑二寸許之圓形。粘貼傷處。共貼七層。再行點藥。俄而毒水即從創口流出。皮紙盡濕。毒自易盡云。

（七）蛇螫毒重者。病初愈時。喉頭或發腫。飲食不便。可再點藥一二次。喉腫自消。切勿以飲食不便而驚疑。或再求他醫治療。轉於病人無益。

（八）毒輕者。此丹一小瓶可治愈三人至六人。毒極重者。連點與服。或須用藥兩瓶至三瓶。（就余所經驗。用藥兩瓶半必愈。未有用至三瓶者。）總以小便或大便內解出血絲。解盡為度。

（九）不論犬嚙蛇螫。倘兩目昏花。視物模糊。即為毒重之症。最好即內服此丹半瓶。或一瓶。

（十）毒已發作。或目赤聲嘶。甚至咬人嚙物。切勿視為不可救。速灌服此丹一瓶。視其病減輕後。再服一瓶。一面點藥。必可治愈。

治癲狗咬傷毒發欲死

救急神效方 三則 楊平

此方載增廣驗方新編第十四卷末篇蛇犬咬傷補遺中。為有清光緒中葉合肥張紹棠先生重印驗方新編時增入者。據張君所著重梓凡例。則原方似係邵陽魏伯獳大令所傳。以稿到時書已印就。故補輯於後云。

每年驚蟄後。桃花正開。蟲蛇出洞。霜降後梅花正開。蟲蛇入洞。其出也必呼氣。其入也必吸氣。吐納之毒氣。常留於洞口。犬性喜嗅。適感觸其毒。從口鼻吸入。遂病癲。名猘犬。春夏曰桃花癲。秋冬曰梅花癲。犬性義而善守。癲則不識人。不守家。頸硬頭低。耳落尾嚲。直向前行。不能返身顧後。闖入人家。不拘生熟。遇人見犬。無不亂咬。好犬被咬。即觸毒而癲。若人不善避。或被咬。或啣衣。即觸毒氣。設自昧不覺。未經早治。或治之又未中肯。急則七日發作。緩則七七日至百日。定當發作。卒病心腹絞痛。如刀割裂。神識不清。痛劇。中心無賴。自抓其胸膺。嚼其舌。齧其指。咬其膚肉。至甚嚼衣服磁瓦。不過三時即死。（平按毒發後亦有越一日或二日死者）慘狀難言。欲辨別病症是否。須以葵扇（江蘇人呼為芭蕉扇。向病人重扇。見風身縮戰慄。畏甚。又急鳴鑼。聞聲即驚惕不安。確是中癲犬毒無疑。即驗犬是否病癲。亦以葵扇風試。見風即戰慄。又以鑼聲試。聞聲即亂竄。確是癲犬無疑。當其觸毒。尚未發作。一聞鑼聲。其癲即激發矣。人與犬皆然。

僕（傳方者自稱）曾見數人患此。在旁觀者皆不忍入目。束手無策。徧考方書。並無起死回生良方。聞有先用斑蝥及草藥攻打。追逐惡血。從溺撤出。痛割難禁。雖不即死。亦於死中求活。似此。非良法也。道光二十六年。冬。僕在湘潭。經過沙灣。目擊一米船。有帮夥卒病心腹絞痛。心無依賴。亂抓亂咬。百藥罔效。醫亦不識為何疾。萬分危急。會鄰船醴陵人以葵扇向病人一扇。大呼曰。殆哉。此中癲犬毒發作。死證也。能謝六十錢。我有秘方。立可治愈。船主哀告謂當帮夥者身工無多。允謝四千。帮人咸若勸。謂救人急難。是大善行。醴人以不遂所索。竟袖手不救。由是衆怒甚。僉惡其心忍。執醴人。縛其手足。置病者側。醴人畏抓咬及身。甚自悔。願治不索謝。請解縛。毋與病者臥。衆不允。謂此忍人也。得縛解。定食言。必傳出真方。能包不死乃可。醴人亦無如衆何。始報用大劑人參拔毒散。加生地榆一兩。紫竹根一大握。濃煎。如病人牙關已緊閉。須用鎚擊去門牙。急灌之。一劑盡而神識清醒。兩劑盡。其病若失。此僕親目所擊經驗者。據醴人云。凡癲犬來家。或遇諸途。不及趨避。或被咬。或啣衣。感觸毒氣。自覺有恙。畏扇風。畏鑼聲。或在七日進藥一劑。至二七日嚼黃豆試驗。有無留毒。如嚼豆時口中作生氣。令心噁欲嘔。是毒已盡除。不必再服。若嚼豆時口中不作生氣。如食熟豆。不令心噁欲嘔。急再進一劑。至三七日。仍用黃豆照前嚼試。服至三劑。留毒必盡。永保無患。即好犬被咬。於未發癲之先。亦用此方再加烏藥一兩。濃煎。拌飯與食。斷不致癲。僕返後。照此方施治。應手取效。即孕婦都可服愈。不惟保其無虞。且無他患。屢奏神效。方之靈驗。不可思議。每有途遠奔赴寒舍求方。迨得方。購藥還家。遲遲莫及。病者已斃。僕聞之。殊為慘悼不置。茲特述得方緣由。與效驗如響斯應。刊刻印送。冀知方者多。隨遇即可施治。更祈善士仁人。廣為傳播。俾病此者救急於萬死一生。則幸甚。方臚於後。

真紋黨三錢。前胡三錢。生薑三錢。桔梗二錢。羌活三錢。茯苓三錢。紅柴胡三錢。撫芎二錢。獨活三錢。甘草三錢。炒枳殼二錢。生地榆一兩。紫竹根一大握。右藥十三味。濃煎溫服。

又方　此方係謝君作霖錄寄秉銓家兄。復由家兄抄示。囑即發刊者。聞亦確奏奇效之驗方。

生大黃一兩。銀花一兩。生甘草一兩。飛滑石一兩。陳米屑四兩。右藥合研細末。（切須生曬弗用火烘）每服四錢。松毛濃湯送下。（即馬尾松針必須用布包煎）日服兩次。輕者半料。重者一料。並飲松毛湯（用布包煎）一百二十天。諸無所忌。

蛇螫驗方 三則

楊平

凡為毒蛇咬傷。惡毒攻心。往往半日即死。後刊三方。皆增廣驗方新編中所載。曾有人如法施治。確著神效者。

煙油膏　取竹木旱煙筒內煙油。（一名煙屎其色如醬）用冷水洗出。飲一二碗。受毒重者。其味必甜而不辣。以多飲為佳。傷口痛甚者。內有蛇牙。多用煙油搽擦必出。此為蛇螫第一奇方。不可疑而自誤。（按現在捲菸流行。用長煙竿吸食旱煙者。城市中已不經見。恐須向鄉村間覓取矣。）

又方　白鳳仙花連莖根葉搗爛。取汁飲之。能飲酒者。可用溫酒和服。即用其渣敷傷處甚效。惟須將創口用甘草煎湯洗淨。然後敷之。如無白鳳仙花。即用紅鳳仙亦可。但藥力較薄耳。

（按）白鳳仙功能解毒消腫。倘患無名腫毒。在初起時。即取白鳳仙花連根洗淨風乾搗取自然汁入銅鍋內。（忌鐵器）不用加水。儘原汁熬稠。敷患處。一日一換。三數日即腫毒盡消。惟已破者不可用。至要。

又方　香白芷五錢（研末）和黃酒調服。不能飲酒者。用新汲水調服。另用溫開水或甘草湯洗淨傷口。再以白芷末加膽礬麝香少許摻之。自有毒水從創口流出。毒盡卽愈。

■萬應如意痢疾丸

楊平

余自得此方。卽製藥施送患痢者服之。輒奏奇效。倘一服不愈。可進第二服。就余經驗。痢疾重者進藥三服。無不痊愈。此所以有萬應如意之稱乎。惟孕婦及痧脹忌服。

紫蘇四兩。桔梗四兩。前胡四兩。陳皮四兩。枳壳四兩。神麯四兩。羌活四兩。山查肉四兩。防風三兩。藿香三兩。白芷三兩。厚朴三兩（薑汁炒）川芎三兩。薄荷三兩。茅朮三兩。麥芽二兩。蘿蔔子二兩。當歸二兩。（酒拌）甘草二兩。薑半夏二兩。茯苓二兩。廣木香一兩（另研）砂仁一兩六錢（去衣另研）右藥二十三味。照法製妥。除木香砂仁已分別另研外。餘藥二十一味炒微脆。共研細末。然後將已研碎之廣木香與砂仁和入。用薑汁糊為丸。如菜豆大。曬乾收貯。不可洩氣。患痢者每服三錢。輕者二錢。白痢淡薑湯送下。赤痢白滚湯送下。霍亂吐瀉。陰陽水送下。

倪涵初痢疾奇效驗方

楊平

痢為險惡之症。生死所關。治之不可不慎。後列三方為倪涵初先生以數十年之心思及經驗所肯定者。善化鮑氏採入驗方新編。（驗方新編最初為善化鮑相璈氏所輯。刋以傳世者。鮑為清道光時人。）而合肥張紹棠氏重刋增廣驗方新編時。曾自註謂棠嘗按倪方配藥數百劑施送。服者皆如鼓應桴。誠良方也云云。足見方此奏效之奇矣。

川黃連一錢二分（去蘆）·條黃芩一錢二分。生白芍一錢二分。山查肉一錢二分。陳枳壳八分（去瓤）紫厚朴八分（去皮薑汁炒）小青皮八分（去瓤）堅梹榔八分。當歸五分。甘草五分。地榆五分。紅花三分（酒炒）桃仁一錢（去皮尖研如粉）南木香三分（用藥汁磨臨服時冲入）右藥用水二碗。煎一碗空心服。渣再煎服。

患痢者或紅或白。裏急後重。身熱腹痛。俱可服。如單白者去地榆桃仁加橘紅四分。木香三分。如滯澀甚者。或加大黃二錢。用酒拌勻炒煎服。如服一劑。滯澀已去。即宜將大黃除去再服。

右方用之三五日神效。用之旬日亦效。惟十日半月外。則當加減矣。另詳於左。

加減煎方　川黃連生四分酒炒六分。條黃芩生四分酒炒六分。大白芍生四分酒炒六分。山查肉一錢。當歸五分。廣橘紅四分。川厚朴四分（薑汁炒）堅檳榔四分。小青皮四分。地榆四分（醋炒）紅花三分。桃仁霜六分。甘草生二分炙三分。南木香二分。（磨汁冲）右藥用水二碗。煎一碗空心服。渣再煎服。如延至月餘。覺脾胃弱而虛滑者。法當補理。俱方於後。

補理煎方　潞黨參三錢。白朮一錢（土炒）當歸五分。白芍四分（酒炒）川連六分（酒炒）條芩六分（酒炒）橘紅六分。炙草五分。右藥用水煎。空心服。渣再煎服。

以上三方。隨用輒效。其有不效者。必初時投參朮等補劑太早。補塞邪氣在內。久而正氣已虛。邪氣益盛。纏綿不已。欲補而澀之。則助邪。欲清而疏之。則愈清愈滑。遂至於不可救藥。雖有奇方。無如之何。則初投溫補之藥殺之也。如婦女有胎者。去桃仁紅花梹榔等味。

微理妙論　古今治痢者。皆曰熱則清之。寒則溫之。初起熱盛則下之。有表症則汗之。小便赤澀則分利之。此五者。舉世信用如規矩準繩之不可易。予謂五者惟清熱一法無忌。餘皆大忌。不可用也。今詳於後。

一忌溫補　痢之為病。由於濕熱蘊積。膠滯於腸胃中而發。宜清邪熱。導滯氣。行瘀血。其病即去。若用參朮等溫補之藥。則熱愈盛。氣愈滯。而血亦凝。久之正氣虛。邪氣盛。不可療矣。此投溫補之為禍也。

一忌大下　痢因邪熱膠滯腸胃而成。與溝渠壅塞相似。惟用藥磨刮疏通則愈。若用承氣湯大下之。譬如欲清壅塞之渠。而注狂瀾之水。壅塞必不可去。而岸崩隄塌矣。治痢而大下之。膠滯必不去。徒傷胃氣。損元氣而已。正氣傷損而邪氣不除。壯者猶可。弱者危矣。

一忌發汗　痢有頭痛目眩身發寒熱者

。此非外感。乃內毒薰蒸。自內達外。雖有表症。實非表邪也。若發汗則耗其正氣。而邪氣益肆。且風劑燥熱。愈助熱邪。虛表於外。邪熾於內。鮮不斃矣。

一忌分利　利小便者。治水瀉之良法也。以之治痢。則大乖矣。痢因邪熱膠滯。津液枯澀而成。若用五苓等劑分利其水。則津液愈枯。滯澀愈甚。遂至纏綿不已。則分利之為害也。若清熱導滯。則痢自止。而小便自清。又安用分利為哉。

余於此一症。素畏其險惡。用心調治。經二十餘年。百試百驗。頗有妙悟。既而身自患之。試驗益精。然後能破諸家之迷障。而為奇妙之方論。用是述其顛末。以拯斯人之疾苦。而悉登諸仁壽之域也。（以上摘錄倪涵初集中話）

按痢疾之起。半由飲食不潔所致。或恣食油膩後。忽受寒涼。亦易發生此病。凡痢疾初起。即宜速治。治愈後。於飲食起居。尤須格外注意。余曾見患痢日久。經治愈後。以胃口不佳。早食雞魚之類而病卒者。又有暫時治愈。而腸中餘滯未盡。半載後舊病復發而死者。此倪氏所以謂其症險惡也。又倪氏所云邪熱膠滯腸胃。實即一種微生蟲。此蟲繁殖於腸中。能使腸壁潰爛而下惡物。患者所下或紅或白之物。類似魚凍者是也。西醫治痢。一面令病者服藥。一面以肥皂水灌腸。使瀉去膠滯。確是根本治療之法。然患痢者又焉得人人延西醫而治之。前刊萬應痢疾丸。倪氏三方。功效卓著。絕無流弊。願閱此者廣為流傳。救人疾苦。勿謂執古方以治今病也。

治臌脹奇效方

楊平

用極大黑皮西瓜。於蒂部切去一蓋。大如五寸碟。挖去瓜瓤。留皮約四分厚。每瓜內加入蒜頭（去梗連皮切片）十二兩。陽春砂仁（去殼搗碎）四兩。仍將切下之蓋。用篾籤扦上。外塗酒罈泥約寸許厚。再敷以礱糠。用木柴青炭炙存性研極細末。裝入瓶中密藏。不令洩氣。每服一錢。清晨或臨睡時用開水送下。輕者五六服。重者十餘服即愈。切忌葷腥鹽及麵食。並須永不再食西瓜。倘食之復發。則不可治矣。（此方見聶雲台先生人生指津後頁。茲並將聶先生附註。轉載於後。）

西瓜灰治臌脹方附註　錄聶氏家言選刊第三輯

此方見前年申報常識欄。蓋蘇州豐備義倉製以行方便者。有某君患此病。服此而愈。因函登申報。於是同病者紛紛向該義倉索藥。轉瞬藥罄。義倉執事乃將原方登報傳布。家慈生平好製藥施人。凡聞驗方。必鈔存配製。今秋試照該方製瓜數枚。施治輒效。表姪曾寶菡女士學西醫於杭州。持以試驗醫院中患水臌者。服藥數劑後。小便暢通。而臌脹消。據云。此症為腎臟發炎。驗其小便。皆含蛋白質。西醫但以手術放水及服通利小便之劑。然旋消旋腫。不能全效也。服此藥者蛋白質大減。故其效為可恃也。又按西瓜治腎炎。日本人知之。曩年在日。見有售西瓜糖膏者。謂能治腎臟炎也。又大蒜利水。西醫亦知之。昔年亡室亦患腎臟炎。故予研究此症治法甚悉。此方則西瓜大蒜兼用。故其效殊勝也。

又方（專治水臌）陳蠶豆（須陳至數

年者）四兩。紅糖三兩。用水熬服。（蠶豆不必去殼並須多熬）新患者一服即愈。重則二三服必愈。（此方載申報家庭常識中。為傅梓祥君送登。亦云非常靈驗。）

■治肺癰驗方

楊平

青白果（即銀杏）連柄採下。不拘多少。浸入菜油中。愈陳愈妙。患肺癰者。取此項油浸白果一枚。和硃砂少許。搗之極爛。用溫開水吞服。服後如不見效。可再進一枚。三服必愈。按近日吾鄉有人患肺癰甚危。醫生云已不可治。適里有製就此藥者。贈與服之。一粒而病減。服三粒而病竟愈。

■治哮喘良方三方

楊平

夏日取白鳳仙花連根帶葉。熬出濃汁。乘熱蘸汁。在背心上用力擦洗。冷則隨換。以擦至極熱為度。再用白芥子三兩。白芷。輕粉各三錢。共研為末。蜂蜜調勻作餅。火上烘熱。貼背心第三骨節。貼過熱痛難受。正是拔動病根。務必極力忍耐。切勿輕易揭去。冷則將藥餅揭下。烘熱再貼。一餅可貼二三日。無論病愈未愈。多備藥餅換貼。不可間斷。輕則貼一二日。重則貼三四日或五六日。永不再發。無論寒熱虛實鹽醬醋酒哮吼皆治。神效無比。藥味不可加減。並治痰氣結胸及痰喘欬嗽。

又方　麥芽糖（即飴糖）入高粱酒內浸化。（斤酒斤糖）冬至日起。每日隨量飲之。不可間斷。亦不可取醉。盡九乃止。痊後每年九九飲之。匪特不發舊恙。且能益人。不能飲酒者。可用大磨麻油半斤。入麥芽糖半斤。置飯鍋上燉融。挑三四錢開水冲服。早晚三數次。甚有效。久服亦能斷根。

又方　夏秋間清晨。向池中荷葉上收取露水。和飴糖（即麥牙糖）常食。亦可斷根。

吐血奇方

楊平

鮮梨一個（去核連皮）鮮藕一斤（去節）鮮荷葉一張（去蒂）（無鮮荷葉時即用乾者亦可）鮮白茅根一兩（去心）柿餅一個（去蒂）大紅棗十枚（去核）患吐血症者。以此方煎代茶飲。數日自見功效。以後每逢四立二至二分。先一日即煎服之。神效無比。忌飲酒。尤宜保身節慾。

■治兩足流火驗方

楊平

用蘄艾煎濃湯。先薰後洗。（薰時上面罩以舊衣。勿走熱氣。儘薰。待湯稍冷。即用洗患處。）薰洗二三次。可以全稍。無論新艾陳艾皆可用。分量以多為佳。

■湯泡火傷急救效方 兩則

楊平

凡湯泡火傷。無論輕重。急用蜂蜜調熱水飲之。（傷重者灌之）以免火毒攻心。如一時不及購蜂蜜。即用白糖和熱水飲之。一面用真麻油徧塗傷處。再用糯米淘水去米取汁。加真麻油一茶杯。多加更妙。用筷子順攪一二千下。（切莫少攪）可以挑起成絲。即以舊筆蘸油搽上。立刻止痛。愈後並無疤痕。神效無比。

又方　先以真桐油敷之。敷後上食鹽少許。再用生大黃研細末摻上。立刻清涼止痛。愈後亦無疤痕。至神至驗。

（治湯泡火傷必效油）此油余家製以送人。已歷三十餘年。功效甚著。數年前有油條店中一兒。年約十歲左右。以取油條與顧客。誤將油鍋攀動。致滾油澆滿頭面。傷勢極重。慘痛之狀。目不忍睹。其家急送醫院求治。院中未肯收留。適為余家人所見。急回家取此油贈之。囑以新棉花蘸油輕塗傷處。以愈為度。並囑速灌以白蜜所調溫開水灌之。以免火毒攻心。此兒傷處塗油後。即覺清涼止痛。乃時時塗之。不久即獲全愈。惟滾油燙傷過重面上不能無疤痕耳。此外治愈之人甚多。其方列後。

秋葵花開過將落時。取其花朵。（蒂與子房不用）浸入香麻油或菜子油中封藏之。聽其腐爛。隔年後即可應用。愈陳愈妙。凡遇湯泡火傷。用新棉花或洗淨之舊筆。蘸此油徧塗傷處。即能止痛消毒。靈驗無比。

秋葵一名黃蜀葵。為一年生之草本植物。其苗頗似棉秧。長大後葉形似雞爪。花大如盤。作淡黃色。心作紫色。秋日着花朝開暮收。越宿已捲成筒形。旋即脫落。乘其將落未落之際。用筋將花朵夾下。浸入油中。最妥。勿傷其蒂。可留之結實也。此花植之庭院中。既可玩賞。又得妙用。余旅食於外。每易一地。自揣苟有一載之勾留。必攜此花之子種之。並以浸油。惟土性不同。榮萎各異。昔在皖南。植之幹高花茂。逾於尋常。近在開封種之。則播種後十不生一。連種兩次。僅生株。加意栽培。祇有兩株成長。且幹低花少。得未曾有。誠以汴垣土含滷質。於此花殊不相宜也。

■治小兒螳螂子方

楊平

（一名七朝驚　一名臍風）

麝香五釐。梅片五釐。辰砂二分。月石二分。枯礬二分。右藥共研細末。用膏藥兩張。置藥膏上。一張貼天靈蓋。一張貼肚臍。男人左手貼之（不可經女人手）永不起驚。惟須小兒初生即貼。方效。過時不驗。藥力過猛。祇須用半材。

按小兒生螳螂子。初生時。乳中必有小塊。其內必有白乳汁。此是病根。宜輕輕將兒乳擠去白汁。一次不盡。擠數次。一日不盡。擠數日。擠至乳汁盡。乳中塊無。則兒口能吮乳。螳螂子愈矣。有但用擠乳法即效者。終不如貼膏擠乳兩法兼用之砂也。

催小兒月內平安出痘方

楊平

金銀花一錢。紅花一錢。荊芥穗一錢。桃仁一錢。當歸二錢。赤芍二錢。生地二錢。生甘草五分。右藥八味。用水一茶杯。煎成一酒杯。另用本兒臍帶三寸。置新瓦上炭火焙乾。（須用木炭切忌用煤）焙至烟盡。取置冷瓦上。以碗蓋之。冷透。研成細末。和入藥內。作數次與小兒服之。服盡為止。小兒服此藥後一二日。即全身出紅點之痘。三日全退。並不灌漿。亦不結痂。可終身免除痘疹驚風等危症。惟須小兒初生十日內服之方有效。過時不驗。

此方係胡肇栖君錄寄弘化社請刊印流傳者。原註云。此乃存德堂金原刻。齊魯一帶。百餘年來有照此方配藥與初生小兒服之者。確甚獲益。數世不患痘疹驚風等危症云。

種子奇方

滙東

吾友之戚。陳卓生者。少年精幹。在某海味店充司櫃職。店主人黃某。年適五十無嗣。連畜二妾。均無誕育。一日清明佳節。卓生擬請假回鄉掃墓。黃某嘆曰。汝父誠有子。年年歸掃故墓。九泉之下。當亦無恨。余他日撒手塵寰。不知憑誰拜掃。卓生笑曰。翁欲生子有何難。但請槍手可耳。黃某曰。余久有此意。惜無好槍手。余當飭二妾掃榻相迎也。卓生曰。真乎。是則吾當預備作入幕賓矣。言畢相視大笑。

至晚。黃某邀卓生至密室向曰。日間所談之事。君其有意乎。卓生愕然曰。翁殆有神經病耶。吾不過偶然取笑。何遂認真。況世間求子之方極多。斷無請槍之理。黃某赧然嘆曰。此事深滋慚愧。但余感覺人事痛苦。莫甚於年老無子。余屆花甲。去死不遠。若不及早綢繆。黃氏之嗣。將由我而絕。余平日求所以種子之方者。已如水銀瀉地。無孔不入。無奈千方萬計。卒無朕兆。迫不得已出此下策。靦顏求君耳。君其憫余。而允其請。他日倘得播種藍田。則有造余家者厚矣。說畢。向卓生深深一揖。卓生暗想此老求子心切。不惜犧牲名譽。情實可憐。吾當佯為允許。然後再行設法助彼成功。有何不可。於是慨然答曰。吾允翁請。但他日鵲巢鳩佔。得無慊於心耶。黃某曰。余所求者惟子耳。妻妾乃身外之物也。余何吝乎。卓生曰。然則當與翁約法三章。而後可行。黃某曰。君請言之。但有所求。無不允。卓生曰。吾到尊府住宿。以百日為限。俟限期滿。始回店服務。吾在尊府一日。則翁不得回家住宿。至吾日有所需。亦須一一供應。以上所說。翁能允我否。黃某曰。誠易事。余悉遵命。是日黃某回家。將己意告知二妾。於明日迎卓生至家。掃除書舍為卓生下榻之所。又叮囑二妾小心服侍。然後自己回店。臨行顧卓生而笑曰。此間主人翁暫屬諸君。君其好自為之。勿負余意。卓生唯唯應諾。

自此以後。卓生便宿於黃某家。每日無事。或覽報紙。或閱小說。以為消遣。夜則緊閉房門。足不出戶。二妾每有所詢。必正容相答。絕不稍假辭色。惟每日囑僕婦購大鯉魚一尾。紅豆四兩。燉濃汁一碗。着人送與黃某使其服食。謂為其妾燉與者。日日如常。風雨不改。二妾見卓生為人正大。絕無輕佻之氣。有時以言挑之。亦必嚴詞拒絕。一日。二妾謂卓生曰。君至吾家。主人有何囑咐。卓生曰。主人以連年賬目不清。又因店中煩雜。故請吾來家清理。別無所囑。二妾默然而退。

時光荏苒。轉瞬已屆百日之期。卓生仍舊回店服務。黃某問曰。君來何速。豈姬人侍奉不週耶。卓生曰。非也。百日期滿。吾故回店。翁今夜可回府。床第之樂。當勝前百倍也。黃某是夜回家。二妾將卓生每日情形相告。黃某心甚疑惑。但離家日久。一旦歸來。不禁情興勃發。遂與二妾次第敦倫。不意春風一度。已暗結珠胎。轉瞬十月滿足。二妾各誕一雄。黃某大喜過望。湯餅筵開。遂延卓生上坐謝曰。今日之樂。實拜君所賜。此恩此德。感何可言。君以磊落青年。不爲色惑。全友名節。雖古之柳下惠。不是過也。惟余不敏。何以一碗鯉魚湯。竟能收此奇効。此理可得聞乎。卓生曰。此易明耳。寡慾多男。古有明訓。翁平日因求子心切。旦旦而伐。以致精血損耗。故求之愈急。得之愈艱。吾故使翁離家百日。培精養髓。一方以赤鯉湯滋補其血。精血充盛。然後及鋒而試。鮮有不收效者矣。黄某深服其論焉。

治呃逆驗方

劉　輩

鄰居鄭君邁庵。病胸中滿悶。常作呃逆。連連不止。調治年餘。病轉加劇。其脈洪滑有力。關前尤甚。知其以火熾盛。熱痰凝鬱三焦者。遂用朴硝一兩。白礬二錢。炒熟麥麵一兩。煉蜜為丸。每丸重三錢。每服一丸。日兩次服盡一料痊愈。

救服生鴉片驗方

劉　輩

輕者—心中發躁用。活鴨血。或金汁水。或冷水。或明礬雄黄各五分。研末灌之。

重者—身冷氣絕。速將患者安放於陰冷無太陽之地。如暑天其四周須用冰塊。約離尺餘。用筷撐開牙關。以金汁水或冷水頻頻灌下。再將冷水在胸前摩擦。頭髮解散。浸在冷水盆內。即可得活矣。

各種頑癬驗方

劉　輩

無論全身手足頭面等處。均可發生。或蔓延成片。癢極抓破則痛。或出水。或出血者是。方用銀硃一味放癬上。用手重重擦之。一日數次。不論何種新舊頑癬。均效。

■厥逆急救法

劉　輩

暴厥脈伏。不省人事。脈陰陽莫辨。急用鷄子蛋三枚。煑熟。乘熱。開豆孔大。襯粗紙一層。用蛋孔當臍處。令熱氣透出。發於內即蘇。以後看脈症換用。若鷄蛋三枚不應者。勿再用也。

■治腿生橫核驗方

劉　輩

患者右腿有橫核。推之不動。日見苦痛。可用生吳茱萸葉。和蜜搗爛。貼於患處。一日換兩次。共貼三日痊愈。

劉輩通訊處　福州倉前山跑馬場德莊

■胸痛靈方

馮克明

疾病固苦。胸病尤甚。吾友家藏此方。歷試奇効。倘能配合濟人。所費少而患實大。原方如下。延胡索六錢。薑黃一兩。乳香四錢。砂仁二錢。五靈脂一兩二錢。蒲黃四錢。沒藥四錢。共研細末。每服一錢。重者二三服可愈。用鹽湯送下。

(按)胸痛之原因甚多。有由於蟲者。有由於氣者。有由於血者。有由於冷熱者。原因不同。治法亦不一。此方內用行血順氣之延胡。薑黃。和營活血之乳香沒藥。佐以砂仁。溫中快氣。與破血消積治一切癥瘕血滯之失笑散。(五靈脂蒲黃)同用。則治血滯之胸痛無疑。

▣水腫神方

沈仲圭

香薷一斤。水一斗。熬極爛。去滓。再熬成膏。加白朮末七兩。和丸。如梧桐子大。全身水腫。靈効無匹。每服十丸。日五夜一。(言日間服五次夜間服一次)至小便通利為效。蓋香薷發汗利尿。白朮燥濕健脾。脾健水去。病自霍然。

▣感冒便藥

沈仲圭

感冒風寒。無須延醫。只買蘇葉二錢。葱頭三個。熱服取汗。病可立愈。

(按)蘇葉葱白。皆能發表驅寒。惟須乘熱服之。覆被取汗。則風寒自原路而出矣。（外感之邪。多由皮毛侵入。故須服辛溫發表之品。俾自原路而出。

腰痛毋憂丹

沈仲圭

補骨脂十兩。酒浸蒸。胡桃肉廿兩。去皮爛研。蜜調如飴。每晨酒服一大匙。治腎虛腰痛如神。老年久服。能壯筋骨。活血脈。烏髭鬚。益顏色。

（按）補骨脂。補命火。斂神明。胡桃肉。潤肝燥。養血液。二味合用。有木火相生之妙。其主腰痛者。以腰屬腎。腎虛則痛。補腎即所以止痛也。久服能烏鬚悅顏壯筋者。皆培補肝腎之力耳。

淋濁斷根療法（附插圖）

李健頤

濁病輕於淋。淋病重於濁。淋即濁之甚者。古人謂為濕熱下注。熱毒延及輸精管。蒸釀以成粘膠纖膩之物。時時流下者。為濁。年久月深。濁膩淤塞於竅。小便癃閉者。為淋。治法統宜用利水清濕之藥。余於少年時。曾患此症。服利水藥而罔效。以是苦心研究。揣度病之根原。推求症之發生。大抵由於思想無窮。淫慾過度。及與不潔婦女交媾傳染而成。以致生殖器內部發炎。尿管腫脹。輸精管潰爛。釀成濃液。淋漓不絕。腥臭難堪。溺管紐痛。小便癃閉。諸症蜂起。當此病症猖獗火毒煥發。若不亟戒除酒色。必至轉為成淋。素問痿論曰。「思想無窮。入房太甚。發為白淫」。中國醫學大辭典云。「童子精未盛而御女。老人陰已痿而思色。則精不出而內敗。致莖中濇痛成淋」。誠矣。色慾過度。為淋病之原因。欲療此病。先當戒除酒色。服藥方能有效。不然。徒服利水之藥。猶惡醉而飲狂酒。匪特無益。而反有害。鄙人因患此症之關係。多方採問。得一驗方。謹錄於下。

(一)藥方　牛膝三錢。鬱金二錢。對節草二錢。萆薢三錢。車前子二錢。原滑石六錢。黃柏。知母各二錢。蒲黃錢半。木通三錢。甘草梢二錢。清水二甌。煎八分。空心溫服。連服數劑。即可奏功。宜戒除酒色。否則無靈驗矣。

(二)方義　此方用知母黃柏。瀉下焦之火。兼退尿管之炎腫。佐滑石直入尿管。以助知柏之力。鬱金蒲黃。除敗精之塞。兼療溺管之刺痛。加牛膝直達精管。以助鬱金黃柏之功。再增對節草車前木通。利水通淋。萆薢瀉火分清。甘草解毒止痛。

(三)加減法　如身熱尿赤者。加藕節生地。以涼血清熱。溺管刺痛。小便癃閉者。加乳香桃仁。去瘀血窒塞。以通尿道。心煩口燥。大便秘結者。加大黃石膏。以清熱瀉火。小腹脹滿。小便點滴者。加杜牛膝一兩。麝香二分。通淋疎竅。兼除敗精。更宜臨症細察。權衡加減。庶用力小。而成功倍矣。

■治白濁之奇效方

沈仲圭

白濁之病。大都由花柳而得。然腎虛溼熱下注。亦為本病之一因。友人沈子濟英。束身自好。花街柳巷。素未涉足。嘗得是疾。蓋因事奔程。濕火下注耳。時方同硯於杭垣老醫王師香岩之門。師令服將軍蛋。數日而瘳。按將軍蛋係用鷄卵一枚。稍出其黃。以生軍末一錢灌入。置飯鍋中。蒸熟食。此方用意。以大黃瀉下焦之濕火。以鷄卵滋腎陰之不足。大黃得鷄卵。則瀉不病其峻。鷄卵伍大黃。則補不嫌其滯。所謂攻補兼施也。

良方侯鯖錄

諶養方

（便血久痢脫肛）用罌粟殼三錢。烏梅五枚。大棗十枚。紅白砂糖各一兩煎服。凡便血無論新起久病。此方應效如響。久痢滑脫。治宜止澀者。及年久脫肛者。亦奏捷效。

（痢疾初起）敝舍於每年清明節日。必折取楊柳枝葉。成束掛檐際通風處。陰乾。值夏秋痢疾初起時。凡求治者。不問赤白。即摘子一二握。令煎作茶飲。如腹痛甚者。加甘草數錢。或白砂糖一撮調服。連服數日。無不差痊。方穩而靈。洵不愧王道之治也。

（少乳無乳）黃耆、黨參、通草、留行子、甘草、各二錢。冰糖、蓮子、大棗、各四兩。殺老母雞一隻。去內臟洗淨。先將各藥納入。冰糖蓮子大棗等。亦幷入容滿。（如不能盡容。可同煑）線縫煑爛。臨睡時。儘量食飽。自後乳即如泉湧矣。但須月內配服。適期鮮效。

（溼腳氣）用生落花生米、紅棗、赤

小豆丶各等分。水煑如糜。不加鹽油。飢作飯食。渴則以其汁代茶。於一週內。嚴禁其他飲食。歷試屢驗。

（小兒蛔蟲病）小兒最易患蛔病。治法雖多。然因不肯服藥為難。易簡之法。於每月初旬（他時無效。俗謂初旬蟲頭向上故也。）浸晨。空腹食煨熟使君子十數粒。蛔卽瀉出。屢試不爽。按使君子為蛔疾特效藥。且味甘而香。小兒恆喜食之。勝於他種治蛔藥多多矣。

（蛔蟲病內外兼治法） 蛔病甚時。腹常作痛。手足發厥。面色乍赤乍青。得食而嘔。或常吐清水。可行內外兼治法。用雞卵數枚。茶葉丶食鹽丶亂髮。各少許。加水同煑。俟卵熟。微敲其殼。成碎紋。更煑二三沸。剝去其殼。乘熱在病者腹上隨滾隨熨。冷則更換。約完四五卵。諸證可以平復。熨後剝去卵白。黃面卽現許多黑粒。乃蛔疾確證也。再掘楝根白皮煎汁。冲服煨熟使君子末三錢。蛔立攻下。

（水臌） 二丑末四兩。肉桂末一錢。和勻。分作八包。稍加紅糖拌和。早晚各服一包。乾食或沸水呷服均宜。重者三料。輕者一料。必瘳。服藥期間禁鹽。此方鄙人肄業漢口醫藥學社時。為謝匯東先生所授。係祕傳也。

(火眼) 黃連二兩。桑葉、赤芍、菊花、丹皮。各五錢。濃煎去渣。白蜜收膏。外用冰片一錢。研末攪勻。磁瓶收貯。方名火眼清涼膏。點火眼神效。此亦匯東先生所傳。

(跌打損傷) 跌打損傷未破皮祇青腫者。內服童便一二碗。外搽醋調七釐散可消。或熱酒冲服三七末亦效。

(傷食) 傷食停滯胃中。或乾噫食臭。或惡心嘔吐。不必求醫。祇用米、麥、鹽、糖、麵條、茶葉、骨炭、艾葉等。各少許。炒成炭。紅糖加入煎服。立時可解。

(肉積) 食肉積滯。燒陳久鹹豬肉骨為炭。研末。沸水呷服十餘匙。極效。傷食吐瀉亦頗驗。但須多服。

(小兒疳眼) 小兒因疳積致瞎眼生翳者。治用雞肝散一錢。以不落水雞肝(須母雞)一副。竹刀劃破。摻藥於內。蒸熟食之。每日兩次。至多六七副。必能消淨。十可差十。年久者。多服久服。亦能徐徐奏功。誠妙方也。方為煆牡蠣。煆滑石各一兩八錢。海螵蛸八錢。赤石脂一兩二錢。飛硃砂三錢。分研極細。然後和勻。貯瓶聽用。按是散之名。求之方書弗可得。聞敝邑藥肆。僅一二家能配製。但祕而不肯傳人。此係費盡許多周轉得來。因不忍緘默。故特公開之。

■痔疾脫肛　惠蒼

患痔疾之人。肛門每易脫出。痛苦非常。服藥無效時。可與下方薰洗。效驗異常。此係吾錫已故名醫闞子倫先生所傳。

川連。元明粉。生軍。當歸。右藥四味。等分煎湯。作薰洗料。五六次後自愈。

■解決噎膈之良法　鮑濟民

黃章端曰。噎膈之症。屬於陽虛氣閉者。十中一二。屬於津枯熱蘊者。十中八九。推其因。或外感風寒。膚表充實。失于疎散。邪陷化燥而成者。或內傷七情。五志火炎灼爍津液。醞釀成痰而成者。或由過食厚味。偏助陽氣。積成膈熱而成者。以此津凝不行。清濁相干。上下格拒。而氣為之病也。其見症或水飲可下。食物難入。脈形沉濇。由熱灼津液。痰氣之阻於上而為噎也。或胃脘窄隘。食下拒痛。嘔涎嘈雜。糞如栗狀。脈形弦濇。由津液枯燥。腸胃不潤。失其滋化潤下之能而為膈也。謬者不察。概認為脾陽不振。濕阻氣機。投以辛香燥熱之劑。膈間凝聚之濁氣。非不暫開。偶取一時之效。於是醫此病者。每遇噎膈之症。一若以為一投辛香燥熱之品。莫不能溫脾壯胃消積行氣也。孰知投之既久。胃液尤枯。脾氣耗散。肝木漸橫。上失容受。下失傳送。症勢遂危。至於無可救藥。無不委諸天命。以為噎膈重症。歷代名醫。視為難治。不思返本推源。遂至畢命。良可慨也。余以治是症。甚有效驗。

得一奇方。

北沙參。覓麥冬。川石斛。炒蔞皮。鹽水炒陳皮。冬瓜仁。枳實。丹參。雲茯神。川貝母。焦穀芽。

附加減法

如胃燥脾濕而挾飲者。加 青鹽半夏。白朮。茯苓。薏仁等味。

如氣鬱痰阻食入即嘔者。加 姜川連。蘇梗。光杏仁。姜竹茹等。

如累及血分。胸脘刺痛。有瘀血之見症者。加 鬱金。歸尾。赤芍。紅花等。

如糞燥不下者。加 松子仁。火麻仁。白蜜等。

如肝氣犯胃。乾嘔有聲者。加 白芍。枳殼。合歡花。綠萼梅花等味。

丹方雜誌 第八期

價目表

零售	每冊實售大洋二角		
時期	冊數	連郵費 國內	連郵費 國外
半年	六冊	一元	二元
全年	十二冊	二元	四元

廣告價目

等第	地位	全面	半面	四分之一
特別位	封面		四十元	
特等	底面之內外 封面之內面	四十元		
優等	封面內面之對面	三十元	十六元	
普通	正文之前	二十元	十元	五元
彩色另議				

中華民國二十四年十月一日出版

編輯者 朱振聲

撰述者 全國醫家

發行者 幸福書局 上海三馬路雲南路轉角

上海特約 上海雜誌公司 上海福州路

華南特約 上海雜誌公司支店 廣州永漢北路二三九號

印刷者 興羣印刷所 方斜支路五號

丹方雜誌
國醫朱振聲編
第九期
民國二十四年十一月出版
上海幸福書局發行
血見愁圖

丹方雜誌第九期目錄

奉送 神靈丹方秘藥

醫以識病。藥以建功。使醫無藥。則不得施其技。近世科學昌盛。藥物之發明益多。而我國民間流傳習用之丹方秘藥。更有神妙莫測之奇功。能起沉疴宿疾于俄頃之間。有非意計所及料者。獲其一方一藥。亦足以名世而有餘。彼西藥之享盛名。多人之信賴者。何莫非特手數種所謂特效而已。我國醫藥兩界。素鮮聯絡。醫縱深造。而不得靈驗之藥物。是亦徒然。而況藥界之作假。層出不窮。古已有之。於今為烈。中醫藥之日漸消沉。亦宜矣。同人等究心丹方秘藥有年。繁徵博試。功效卓然。茲先配就若干種。用備國醫界之採用。預置案頭。在之足收指臂之助。且處此經濟衰落之時。病者得以早復健康。省節醫藥上無謂之靡費。醫者奏功神速。藉博豐收。於心亦安。西醫界無不備藥。我中醫之缺改善者。更宜彷行之可也。來函請投上海雲南路老會樂里四號中國丹方秘藥社收可也。空函不覆。

吐血藥(不論新久或痰紅)每服附郵二角

胃病藥(呑酸噫噯噁心嘔吐胃膨脹痛)。每服附郵二角

喉病藥(紅腫焮痛碍嚥)每服附郵三角

癬疥皮膚病藥　每料附郵六角　　遺精藥　每服附郵八角

白帶藥　每料附郵五角　　盜汗藥　每科附郵二角

須需多量者。另有優待辦法。病者如有治療上之詢問每函附郵四角。當有迅速滿意之答覆。

中國丹方秘藥社啓

實驗五淋秘方

胡慕梅

本方來源——敝友李鍈。客商他鄉。已逾數載。日前歸語余曰。「去春我（友自稱）曾患淋病甚劇。隨延中醫診療。服萆薢分清飲。五苓散。及琥珀海金沙等。均不效。繼更請西醫醫治。兩月亦無效。時正束手。以待天命。忽有同業之劉君至。授以此方。並促速服。且云已試十餘次。皆效若桴鼓。余聞後。隨即依方。服約十日遂痊。今我此次回來。順將此方告訴你。請你保留。不可輕視。等言。」鄙受後試驗果靈不敢自私。故錄之。以備諸同志採用焉耳。

方用　鮮車前草。陳秫秫根。二味煎湯。當茶飲兩星期自愈。否則可再繼服一週。不可間斷。定然獲效。

爛腿奇治

胡慕梅

維揚鹽商李某。苦患爛腿。每乘主人。差往藥號配藥時。輒商於諸大執事。請賜靈丹。以治之。誰知已逾半載。患仍未瘳。而該店諸執事。可算皆已求遍。後聞切藥之莊先生。有靈方。更乞之。莊某言。合藥需時。可於明日午後來取。次日李往索。莊某因未得暇。修合其方。故使出滑稽手段。暗令小管。將己切之荊芥。上附之泥篩下。研細末與之。並囑淌水乾撲。無水蘇油調搽。李某欣受而去。越約二週。李某喜至。並備厚筵。以謝莊君曰。承賜妙藥。愈我腿患。無以為報。今姑擬粗餚兩碟。聊盡謝忱。言後哂別。

「慕按」爛腿一症。本由風濕血熱下注所致。今莊君偶以荊芥泥來治此患。內亦具有相當藥理。泥即荊芥下土。因土能收濕。而又得荊芥氣。更可散血中之風。治愈該症。可云巧矣。

◻小兒疳積特效方

胡慕梅

兒病雖多。最難治者。惟疳積一症。其原因。皆由乳母不善衛生。瓜果生冷任食。脾胃大傷。更兼夏秋。坐臥濕地。致成疳積。然疳有各臟不同。所治迴異。惟有食乳二積。更難療治。其病發之形。不外頭大項細。目露青筋。腹大便瀉。日夜啼哭。真令人不忍睹聞。及服藥針灸。俱難見効。按病在皮裏膜外。捉摸不住。只有坐以待斃。今有特効驗方二則。藥價又賧。貧富皆可施治。實為救世靈丹。祈勿忽之為幸。

方用　生山梔仁卅粒。桃仁七粒。皮硝三錢。葱頭七個。飛羅麵一匙。真蜂蜜一匙。鷄蛋清一個。去淨黃。上藥共研細末。用蜂蜜蛋清調勻。作軟餅舖荷葉上。粘貼肚上。用布扎緊。一週時便拔出青黃色。其病自退。

又方　生梔子仁卅粒。杏仁三錢。白胡椒二錢。丁香卅粒。麵粉一匙。葱頭（連鬚）七個。鷄蛋清一個。前藥研成細末。用高粱酒蛋清調。亦作餅。於荷葉上。貼左右足心。過一週時。拔出青黑色。其病卽退。

上二方。視兒之大小或沉重。均可加用一倍。及倍半之分兩。其效當日見之。百發百中。所費不過百十文。而起死囘生。爭於頃刻。妙難盡述。但用此藥效後。忌食生冷。魚腥。麥粉。點心。半年切切。

■新發明之疥瘡特效藥

陳益浦

南方地土卑溼。患疥瘡者極多。不重衛生者。尤易患此。患之者。若不急為治愈。每有纏綿數月或數年。終至疥蟲侵蝕血脈。以致皮膚枯槁。此即吾中醫所謂久疥變為頑風者是也。疥瘡初起者。原可用防風通聖散。或荊防敗毒散等劑。透發皮膚之風濕。且可殺滅隱伏之疥癬蟲。而於經久不愈。血分缺乏要素之人。此等方則非所宜。

予常診治經久之疥瘡者。不問其癢痛交作。膿水津淫。即命服補中益氣湯數劑。（或作丸服此說余於數年前聞之於余師黃翁筱堂即現任上海滬甯水工業醫院醫務主任）不數日而癢痛減。而且膿水亦乾。不半月而全愈。夫

疥瘡一名肥前瘡。一名濕瘡。又名癩疾。其原因於疥癬蟲之傳染。此疥癬蟲歷時經久。勢必繁殖。斷非一味殺蟲所能奏效。而血分要素弱者。不能勝激烈之藥。用之反增其劇。徒傷其氣血耳。

補中益氣湯乃內傷勞倦之良方。以內傷勞倦方。治此頑固性之疥瘡。其效驗實有出人意料之外者。觀方中之藥。有護皮毛而固腠理之黃耆。有培中宮。補元氣之人參。健脾之白朮。行血之當歸。通之以陳皮。和之以甘草。升柴以升清氣。補中參以發表。則

補不滯。益氣參以清氣。則氣益培。故凡脾胃不足。喜甘惡苦。喜補惡攻。喜溫惡寒。喜通惡滯。喜升惡降。喜燥惡濕者。不論內外各症。均得以此方概治。今患疥瘡歷久不愈者。必因過服敗毒藥。以致脾胃受傷。中氣不足。而在膚之疥菌。仍得繁殖如故。此不得不借重於氣血之抵抗力矣。故遵內經勞者溫之。損者益之之義。摒苦寒而用甘溫。以甘溫而補中氣。中氣旺所以能殺繁殖之疥菌。是間接殺菌法也。且補中益氣湯效用至廣。不僅疥瘡一症為然。余之所以發表一得之見者。以證中藥治菌之功效耳。

□金氏家傳秘方

黃勞逸

△專治裙邊瘡與爛腳瘡

余友家有僕金氏者。紹產也。久傭於其家。性豪爽。好行善。每遇貧乏者。恆以己之衣服及工資濟之。且有口傳單方一。靈效莫比。據伊云。「係久代家傳秘方。向不示人。余因關懷貧病。如有患是疾來詢余者。余無不樂告之。」在此十餘年中。親戚鄰里。患斯疾而治效者。不下數百輩。其適應症僅二種。一曰。裙邊瘡。(俗名皮蛀）一曰。脚瘍（俗名爛脚瘡）不論新久重輕。咸能治愈。甚且有患斯疾二十餘年之施太太。化金近萬元。中外名醫。新舊良藥。皆莫能效。曾出重資赴北京就醫用錠治療一月。仍不效。家人咸謂終身之癥。病者亦自知為不治之患。孰料一旦試用此藥。一服而瘥。三服而瘳。尤可奇者。不論輕重新舊之患。三服內定可全愈。今乞得是方。錄之以告諸醫及患家之試用焉。法將七十子。冰片。樟腦。龍骨。輕粉。爐甘石。各等分研末。大磨麻油調和。搽于患處。一日一換。三日換後卽癒。是方欲配製久藏。亦無不可。惟須與空氣隔離。否則卽失靈效。

房勞吐血驗方

薛初復

軍官李如松新婚之餘。患吐血廿日罔效。經學友介余就診。且願寄院療養。其症色淡脈澀微。氣促。鼻孔少煽。形衰。身有小熱。時而虛陽上戴。似已危狀畢具。天職人情。良難坐視。姑允之。初試以阿膠。白芨。三七。沒藥。遼沙參。桔梗。元參及諸種藥炭類。出入加減。殊無效。繼以棗之特驗方童便沖百草霜頓服一法。病仍如前。偶或傾盆大吐。病者醫者相覷束手。後来忽憶前人一方。（生黄芪一分。浮萍草倍之。研細末。生姜蜂蜜調湯酌服）無何。始予一錢。小效。繼而朝夕遞進。甚至日三服。其血頓止。是以連進三貼。遞至第十一日中夜間服活血湯剩二貼。病已釋然。惟覺肺氣大餒。余乃依法脱化。以生芪五錢。蛤蚧二錢五分。研末服如法。漸得安痊。余按芪萍一方。雖偶獲奇効。實亦孤注之一擲耳。而昔人制方之妙。於此可知矣。

▣酒齄鼻妙治法

尤學周

原因　飲酒過度。寒冷。血行障礙。及婦人生殖器病者多患之。

症狀　鼻之脈管擴張。紅絲瀰漫。患部感覺溫熱。若發膿疱則覺疼痛。

療法　用枇杷葉（去毛）一兩。梔子仁五錢。共為末。每服三錢。每日早晚各服一次。溫酒下。外用木鱉子（去殼）一錢。大楓子（去殼）二錢。輕粉一錢。硫黄一錢。共研末。調搽。

▣婦人乳頭內縮

孫效成

謝空田。謝姓媳。年二十餘。素來乳頭內縮。聯生三兒。皆不能吮乳。曾經中西醫醫治。且用手術。終不得出。一日就診於予。問有治法否。予曰有治。隨開方與之。囑服三劑。不意甫服一帖。乳頭即顯示。疊進三帖。竟完全外露。該婦驚喜異常。予後用此方。連治數人。皆驗。因思大道無私。方不宜秘。謹將原方。抄錄於後。以供醫界參考。並將上海第十八期中醫雜誌。第四十次討論會記事中第四條。關於斯症之研究。附錄於后。

問某婦年二十歲。兩乳頭凹陷不實。致小兒不能吮乳。請問有何治法。

答。此局部不能發達。有似天閹者然。實無治法。無已。令其夫吻之。（附此為有斯疾者告）

原方列後

生黃芪一兩。上肉桂一錢。炙升麻錢半。大當歸三錢。上白芷一錢。炒知母錢半。細木通五分。淨柴胡錢半。苦桔梗錢半。皂角刺三錢。生乾姜一錢。水煎溫服不須蓋被出汗。

■纏喉風秘方

黃阿仁

常熟趙氏。祖傳纏喉風藥甚效。而方

極祕惜。一日。趙氏子與友章君飲。詢其方。不答。酒次。趙喉間痛不可忍。乃大聲曰。為求猪牙皂角來。來則細搥以醋調入喉四五匙。嗽痰大吐。痛立止。餘藥塗外頸上。乾則易之。其乳蛾卽破而愈。後章君傳人頗衆。

考猪牙皂角。功能開關利竅。破積。逐痰。散腫。消毒。及中風昏醉。口角流涎之稀涎散。肺癰吐腥。痰迷顛妄之皂莢丸。求甦膏。皆為聖藥。惟中病宜止。切忌用之太過。激動其痰。鎖住不能吐出。致生不測之變。所謂用藥貴知其弊也。

■流注症治法

聶其杰

鄉人徐子慶者三十歲。耕種為業。忽腰腿生無數流注。如塊如核。皮色不變。或痛或不痛。已兩載矣。余赴鄉掃墓。見其形容憔悴。據稱所患之流注塊核愈大。潰出膿漿。因之痛苦難忍耳。適船人在旁。云。伊親魏某。數年前曾患斯症。後得良方。始獲痊愈。余歸後。卽囑船人至伊親處。抄來原方。托人帶與徐子慶。照服其方用久陳奶奶草(又名乳草洗淨二三莖)

與針刺七孔鷄蛋一個。和水煑之去渣與湯。只吃蛋。二三次即愈。再用露鋒房一個愈大愈好。和水煑之。至濃厚時。去蜂巢取蛋。和湯飲之。半年後徐子慶來城納租。過余廬。見其身體強壯。已無病容。彼云自將此兩方連服四五次。不及一月。即塊核漸消。潰漿漸減。收口止痛。極為神效。今已平復如舊。飲食倍增矣。

■鼻血不止

（佚名）

用燈火（以燈心一莖點清油燒之）在少商穴燒一下立止。穴在兩手的大指內

外甲縫的中間。不上不下就是。左流燒左手。右流燒右手。雙流雙燒。倘病在劇烈。一燒不能止的。更在原處燃燒。倘起泡刺破。更燒之。使之止而後停。欲使永不復發。服艾柏湯。三次。可以斷根。

艾葉錢半。柏子仁（去淨油）錢半。山萸肉一錢五分。丹皮錢半。大生地三錢。白蓮肉（去心）二錢。真山藥二錢。澤瀉一錢。生荷葉一張乾無効。

■指振顫動靈方

尤學周

原因　氣血虛弱。影響於指頭之末梢

神經而生。其他如癇癲。重症精神病及癱瘓者。亦有此現象。

症狀　手指有一種無意識之牽動。如有一定希望。而強力行之者然。

療法　兩手時常磨擦。並用黃耆。黨參等分。加陳皮（分量較參耆減半）煎湯常服。

■治癩頭之特效藥　曹伯衡

癩頭方極多。特效者未見。鄙人歷代家傳治癩頭方。用生菉豆衣一斤。硫磺四兩。吳萸二兩。硼砂半斤。共研極細末。用時以凡士林調敷。歷試有效。比方並可治一切皮膚溼瘡。用之亦驗。閱者宜寶重視之。

■治鵝掌風祕方　（德）

鵝掌風一症。在手掌之上。肌膚作癢。發生水泡。甚則發生膿窠。舊皮脫落。新皮上又生水泡。如是之層出不窮。非但有損瞻觀。亦且不合衛生方法。因手指之接觸食物衣服器用等易於傳染生病。鄙人患此十年。多方療治。未能獲效。後用此方。一劑全愈。

方用　荊芥二錢。細辛錢半。白菊花

五錢。花椒二錢。防風二錢。土荆皮三錢。銀花二錢。生甘草五錢。蛇脫二錢。浮萍五錢。白芷二錢。地膚子三錢。蟬衣二錢。白蘚皮二錢。苦參三錢。白花蛇二錢。再加天茄一株。芙蓉花葉七斤。白鳳仙花一株。明礬一撮。皂莢一根。臨用時。共裝入罐內。加元醋十六兩。浸藥二日。然後用猪尿胞一具。將醋藥統共裝入。患者之手。浸入此藥醋內。廿四小時後。取出。七天不用水洗。其病自愈。永不復發。最重者。泡過兩次。亦能斷根。但浸手時期以大小暑時。方能有效。泡後皮上有無數黑點。即此病源細菌。死滅之現象也。百試百靈。望勿輕視。

□解砒毒之驗方

燮抄

萊郡劉某遇僧授海上方多効。其解砒毒。尤為神驗。戚某屢求不與。銜之。乃置酒延劉。及畢。扃其戶謂曰。爾已中砒毒矣。速與我方。為爾療。劉不信。頃覺腹中潰動。乃曰。何惡作劇如是。可疾取白礬三錢來。戚如言取至。調水飲之立解。因惡其吝也。榜其方於通衢。

產後痢疾之治法

燮

產後下痢。腹痛難堪。食入則嘔。舌心黃邊紅而燥。其脈浮滑而數。發熱汗出口渴者。用全當歸三錢。大生地四錢。生白芍二錢。花粉三錢。生軍二錢。炒山梔二錢。元參二錢。淡豆豉二錢。

（方解）產後病症。最為難治。首宜注重去其瘀血。次宜辨別有無表症。瘀血內積。以惡露不下。腹脹刺痛為斷。外感表邪。以惡寒頭痛。脈緊身困為斷。此症既非瘀血之停積。又非外邪之感冒。惟因血熱壅遏。腸胃糟粕停滯。故治宜清其熱。蕩其積。積滯除。則腹痛嘔吐之痢自止。血熱清。則發熱口渴之症自蠲。世俗固執產後宜溫之謬說。凡治產後諸症。無不以溫補從事。則津液消灼。肌膚枯燥。釀成熱邪傷陰之重症。本方。力求避免香燥苦澀。為治產後熱痢之良法也。若下痢已久。加白頭翁。秦皮。阿膠。乃甘之固之之法。

危急之牙痛

逸

牙痛之病原甚多。難於縷述。大抵因

風則腫。因寒則瘦。因虫則痛有定處。因熱則唇焦便燥。惟其痛處。必齒齦部及齒根周圍紅腫。則血液凝滯之現象。血液凝滯。壓迫神經。焉有不痛。用大蒜輕粉二物。敷於手脈之上。即能止痛者。因此二物。善能吊炎。引血外散。減清齒部之鬱血。不特此二藥為然。凡敷以吊炎之藥。皆有效果。至其用法。左痛敷右。右痛敷左者。以腦部神經出發。皆左右互相繞轉也。但此法。若齒部無腫脹等症。用之多無效。因齒齦未曾鬱血之故耳。

■頭部各病驗方

羅漢

(一)頭部忽腫。此為風氣熱毒內攻。或連手足赤腫。觸着痛楚者。用牛蒡子根刺。洒淨研爛。酒煎成膏。絹攤貼腫處。

(二)火邪上亢。頭痛欲死。硝石末吹鼻內。立止。

(三)風氣頭痛不可忍者。乳香。草麻仁等分。抖餅貼頭部兩太陽穴。解髮出氣。甚驗。

又方　草麻仁五錢。紅棗肉十五枚。抖塗紙上。捲筒插入鼻中。下清涕即止。

(四)婦人血風頭痛症。用草烏。梔子等分。為末。調葱汁。塗太陽及額上。勿近目。避風。

(五)頭風眩暈。以及胎前產後傷風頭痛。血風頭痛亦同。頭痛挾熱。項生磊塊者。亦宜用香白芷一味。洗淨為末。煉蜜為丸。彈子大。每嚼一丸。以清茶或芥穗湯化下。連服。其病如失。名都梁丸。

(六)偏正頭風不可忍者。元胡索七枚。青黛二錢。牙皂一錢。為末。水合丸。如彈丸大。以水化一丸。灌病者鼻內。隨左右口咬銅錢一個。當有痰涎流出。成盆而愈。

(七)雷頭風腫。不省人事。地膚子同生姜研爛。熱酒冲服取汁卽愈。

(八)女人頭常痛。甚者分開。頂上頭髮。尋有紅髮二三莖拔出。頃刻而安。

(九)頭風摩散。大附子(泡)一枚。食鹽等分為末。摩之令藥力行。

(十)止痛太陽丹。天南星。川芎。細辛。葱白同抖爛。作餅。貼太陽痛處。

(十一)面部生瘡。或鼻赤風刺。粉刺

。用硫黃。白芷。花粉。水粉各五錢。全蝎一枚。蠶退四只。芫青七個。研細末。麻油。黃蠟約多如合面。油熬勻。離火。方入前末藥。和勻。每於臨臥時。洗淨面。以藥油塗面。切勿近目。數日間。腫處自平。赤鼻亦消。如追風刺。一夕見效。

(十二)頭腦鳴響。狀如蠶蛀。名天白蟻。以家茶子為末。吹入鼻中。取效。

(十三)偏頭風痛。係風毒傍于腦海。以淡婆婆方為最効。

淡婆婆即大青根三錢。天麻錢半。蔓京子二錢。川芎一錢。白芷二錢。菊花二錢。當歸二錢。木賊錢半。黑豆百粒。

(十四)血虛頭痛。緣肝脈上頭貫髓。肝血太虛。不能養經所致。當歸五錢。天麻錢半。大棗五枚。煎湯溫服。

(十五)氣虛頭痛。時發暈疼。上午更劇。因頭部陽氣式微。不能接觸天氣。固然。用黃耆八錢。天麻三錢。香附錢半。清水煎濃。溫服。

(十六)痰厥頭痛。係痰氣上逆所致。用半夏。天麻。白朮湯甚效。外用南星。蔥白搗和。敷之。

（十七）胃火上炎。亦與頭痛。緣胃絡上通腦髓。症見鼻乾。面熱。便閉。較諸頭痛。更爲脹痛。宜用涼膈散治之。梔仁錢半。石膏三錢。酒芩一錢。薄荷一錢。大黃錢半。芒硝一錢。竹葉八分。

一個治疔的驗方

高潛

凡人生疔。最利害不過。弄的不好。往往有性命之憂。是不能大意的。現在有一個簡便的方兒。最有效驗。是把指甲煆成炭。潑入適量的煤炭白洋糖裏面。擣勻。乘疔初起。把他敷在疔的四圍。只露出尖頂在外面。不要一兩天。疔就消散了。那敷的地方。都褪了一層皮。

這個法子。是我們鄉裏一個老嫗專利的。後來被我探出。試驗多次。都是隨敷隨愈。後以爲他很有效驗。所以就公佈出來。俾衆周知。大家試驗試驗看。便能知道此方的功用了。

治癧子頸方

汪隱仙

癧子頸。甚屬纏綿。此方甚驗。紅升一兩。黃升一兩。箬竭一兩。上好冰片五分。

右藥共研細末。藏於磁瓶內不可洩氣。用法凡患是症者。必須潰破之後。未破者治之。無效。取諸藥少許置拔藥膏上。貼於最大之瘡口。俟滿一日夜。換膏藥一次。用溫茶水將膿洗淨。勿使蔓延。膏藥每日按而更即潰破數處。但貼此膏藥。亦祇須擇最劇之一處貼之。其毒貫一而出。則膿水日少。內毒自清。再用生肌等膏。俾可收功全愈云云。以上諸說。患斯症者。盍一試之。諒無害也。

生髮奇方

夢梅

髮脫頂禿。殊損美觀。方用斑蝥末一錢。浸于火酒一兩中。時常搖動。隔兩星期。濾淨。和入猪油一兩。酌加香料。用法先將頭皮以清水洗清。取乾毛巾擦。使紅而發熱。然後用此油抹之。如是約二三月恆見奇效。市上之生髮藥。其效驗遠不如也。

止血藥

前人

刀傷跌破。出血不止。可用白礬一錢。五倍子末一錢。研和敷之患處。其血立止。因五倍子及白礬有收縮血管。滅菌防腐之功能。恐見流俗習慣。

凡小兒跌破刀傷出血。輒用香灰及門角之塵埃敷之。極為危險。若含有微生物時。傷口即腫痛潰爛。習俗害人。一至於此。

▣謙吉堂治潮濕瘡膏奇效方

葉存真錄

昔有善士。王君添鈺。嘗獨力施送各種膏藥。尤為奇效。鄙人曾與交識。因得其方。依法製備施送。凡有索者。一貼之後。未有不效。誠奇方也。爰特錄投貴刊。以公讀者。如有好善人士。照方施送。所費無多。而其功德莫大。試思腿足。疼痛難忍。竟致不能行動。苦何堪言。若遇有窮苦小本營生者。害尤甚也。鄙人行持已三十年矣。僅此一隅之地。未能普及。深以為憾。今既登諸貴刊。可期推廣。惟是患斯疾者。大概下部居多。竟亦間有患於上部者。却不過百分之一二。鄙人曾見腿部染患臁瘡多年者。破爛流水。醫治不效。及貼此膏。漸次見功。竟獲全愈。是誠可謂神效莫與比倫者矣。錄原方於左。

大紫草四兩。細生地七兩。花椒七錢

。大葱連根葉八兩。象皮一錢。右藥五味。用真坊麻油三斤。一併下鍋。文武炭火熬滾。生長竹板翻藥。熬至油黑渣枯。過籠去渣。再將油傾入鍋內。然後將收膏之藥放下。徐徐再熬。加收膏藥用明礬末五錢。石膏末七錢。桃丹八兩。鉛粉三兩。銅綠一錢。黃白臘各一錢五分。放藥之後。即須用竹板攪。不住手。再用蕉扇煽去油煙。待至藥色變黑。即以竹板將藥滴在水碗之中。如已成珠。即是火候已到。此時不用烈火。即用仿西草紙。(每鍋放十張上下)頻頻下鍋。浸透取起。過一二日。待火氣盡。貼之者無不效驗。以上各藥分兩數目。本指一料而言。如欲多辦。每樣照加。

□治濕痰流注方

前人

白鳳仙花連根帶葉。愈多愈妙。先熬濃汁。用缸盛之。攤膏時。用一茶杯鳳仙花汁。加老葱汁一大酒杯。水膠四兩。三味一齊下鍋。徐徐熬之。以膠化為度。然後加以礬末四錢。收膏以厚紙攤膏貼在患處。無不效驗。

走馬牙疳治法

王正泉

無錫煤場街口。有一茶食肆。肆主鄧某。有一子。年八歲。今年忽患痧症。愈後。以調理不善。又患走馬牙疳。遍請中西醫醫治。無効。抬往普仁醫院。亦被該院拒絕。奄奄一息。鄧某痛子心切。竟於客堂內設一亡父神位。跪伏禱告多時。神經錯亂。竟舉一菜刀。猛然砍下左手食指。以痛極。亦投醫院醫治。是時其妻撫兒痛哭。聞人麕集。內一鄉人忽言曰。我子昔亦患走馬牙疳。以黃牛糞炙灰。拌冰片敷患處。黃水流盡而愈。並言此方業經治愈多人。茶食店主婦。依言配合調敷。是兒竟能食薄粥一碗。後仍不幸而死。是故此方尚未能確切證明其効力。先生學問淹博。見多識廣。盍一研究及之。更望收走馬牙疳之確切治方。公之於貴刊。以惠世之患此者。

(按)牙疳用金棗丹。頗有神效。即用紅棗一枚。去核。納紅砒石。如黃石大一粒。煅存性。研細末加冰片少許擦之。雖穿腮落齒者。亦可平復。

嬰兒急症二種

林蔭祥

(一)走遊丹
(二)猴子丹

「走遊丹」　嬰兒初生。胎毒過甚。迫走肌膚。即現一塊。熱腫成片。色若丹砂。漸次游走散大。即名走遊丹。若紅暈起上部。至心不救。起下部。至臍亦不救。延過七日。遍體通紅。亦不救。誤服寒涼藥者。亦不救。當於七日內速治為妥。

方用　升麻三錢。雄黃三錢。生大黃三錢。葱白三錢。胭脂二錢。

右藥用清水煎濃湯。即將藥內胭脂取起。頻坑患處。日夜數十次。即當漸退。不過三日即愈。極其靈驗如神。

「猴子丹」　是症從肛門。或陰囊邊。紅暈爛起。漸至皮膚不結靨。或口傍眼稍亦紅。若不早治。亦必爛死。凡見此症。切忌洗浴。只宜用軟帛。蘸甘草揩淨。雖蔓延遍身。可保全愈。

方用　菉豆粉一兩。冰片二分。硃砂一兩。輕粉一分。

右藥研末。用金汁調勻。鵝毛蘸敷。

腿面廉瘡靈膏

劉丙生

（釋名）小腿前面有刀口骨。此骨稜上皮薄肉薄。如有破爛。極難治愈。此骨上至足三里穴。下至廉條口穴。俗又名此骨為廉骨。

（原因）成瘡之原因不一。有生小顆粒抓破成瘡者。有因生紫泡而成者。有因生紫泡。長一寸寬如割韭菜之刀鐮。潰後而成者。此種極重難治。有不因生瘡而被物劃破而成者。亦有因撞碰跌打而成。此二種初起。無濕熱之毒。較為易愈。惟瘡處有熱血瘀滯凝結。切忌用清涼敗毒之藥。以致凝結不散。難於醫治。亦有因內症而成者。如胃病當下不下。實熱壅甚。移生於小腿者。間亦有之。

（治法）由內症而起者。不可求其速愈。愈則內病加重。此當求其本而治之。如胃病當下不下者。用瀉藥以下之。聽其自然收功。不可勉強。其因瘀血者。但用溫和活血散瘀之膏藥貼之。不必用藥。因藥多不合故也。其被物劃破者。始則無毒。繼則濕熱乘之下注。亦纏綿難愈。若誤用提毒升丹。此處肉薄。易於翻花起肛。色變紅紫。有用丹石散者。愈後皮色有黑斑。用桐油敷者。亦有黑斑。難退。故以不用為宜。

（用藥）▲白油膏　專治數十年廉瘡。幷坐板瘡。及一切諸瘡久不愈者。皆效。

桐油二兩。防風。白芷各一錢五分。放生油內。泡一夜。入鍋內。慢火熬枯。去渣。將油再入鍋內。熬至欲沸時。用熟鷄蛋一個。去殼。放油內。炸至深黃色。去蛋用油。再慢火熬煉待油極明時。能照見人鬚眉。入白蠟六分。黃蠟四分。溶化。趕緊用竹紙十餘張。乘熱浸油內。拖過。提起一張一晾。晾乾。於冷風處令火毒吹盡

。然後貼之。貼上頃刻。膿黏滿紙。再換再貼。如此十餘次。數日膿盡生肌。如膿多者。再合一料。則改用黃蠟六分。白蠟五分。不得稍有增減。增減則不効。

▲黃香膏　治廉瘡如神。幷治一切癬疽皆効。久不收口。亦能成功。

松香二斤。白水煑透。取出。放冷水內。接洗數十下。再煑再洗。九次。傾於石上。待冷。取起。每用一兩。加輕粉三錢。銀硃一錢。研細白蜜少許。煉老成珠。加菜油少許其上。乘熱攪勻。看瘡之大小。捏作餅子。貼

瘡上。用綢條縛之。一週時取下。用滚水泡之。搓洗極淨再翻轉貼之。再洗再貼。只須一餅。直貼至瘡愈不必更換。瘡好之後。此餅洗淨收存。遇別人患瘡。仍可與貼。

夾紙膏

樟腦三錢。銅綠一錢。用板猪油和藥搗爛如泥。以油紙夾之。貼患處一三日。翻轉點之。三四日。膿盡而愈。如四日後。膿尚未盡。再換一貼。無不愈者。

(洗方)治臁瘡浸淫多孔。

鳳仙草全株煎水洗之。

(禁忌)患臁瘡者。切忌久立久行。犯之則濕隨熱氣血下注。更加難愈。切忌手抓水燙。宜忍耐痒。方易收功。酒色二項。愈宜禁忌。犯者加倍痛苦不可不慎。

梅毒驗方

程次明

近有一友。偶涉花柳。沾染梅毒。初起隱祕不宣。欲圖速愈。服倒提藥。升毒從牙縫中出臭水。無如毒根不除。臟腑受戕而反增劇。嗣後屢經中西治療。雖獲小效。未能剗鋤毒根。變幻百出。怨甚。來述所患於余。淹纏費月。精神疲憊。不特靡費金錢。抑且工作不利。自知不慎。懊悔嫌遲。余察其有悔心。教伊服一丹方。瀉去毒菌。果數劑而全愈。至今不復發。亦焦頭爛額之客矣。丹方列後。

治法　蚯蚓泥即地上屈曲之泥二錢。生大黃一錢。生甘草五錢。萱草根五錢。上腰黃六分。黃土一升。入水三升。攪勻澄清。代水煎藥。此方服後即瀉。隔一日再服。身體羸弱者。大黃減半服之。不過數服。瀉淨毒菌。大約三星期全愈。

◻小兒臍風病

馬壽民

病因　我國每年初生之嬰兒。死於是症者。幾不能以數計。推其原因。多因我國人民缺少醫樂普通學識有以致之。因一般婦女將近臨產之時期。則全數皆持賴於一般穩婆。大多數為毫無學識者。皆不知清潔為何物。一任己意之所欲為。以致產婦身體受傷。至使產婦受種種疾病之痛苦。甚者或至致命。更有無辜受累。即嬰兒初產後於一星期中要發生一種危險瘈瘲症。即臍風是。此症之原因。多由於接生時器具及各種用物不清潔所致。因本症由於不潔之物入臍帶。由臍帶入血至腦。而腦中其毒。而顯此病。

病狀　其病狀則瘈瘲。面紅鼻常噴嚏。允乳口鬆。口舌紅赤。臍帶大。或不潔。乳內生核。眼珠朝上。頭向上仰。雙手握緊。兩腿朝上拳起。手面之肌常形抽搐。

治法　其治法宜用黑丑三錢。胆星三錢。巴豆三錢。(去油)共研細末煉蜜為丸菉豆大。硃砂為衣每服四丸。服後抽搐流涎。用布拭去。此布宜棄去(用脫脂棉亦可)過三四點鐘。可服下方。川連四分。鈎藤七分。車前五分。檳榔三分。天竺黃四分。木通四分。姜蠶三條。全蝎一個洗。燈心十節。面過紅者。加真羚羊一分。水五分煎二分服數劑。至病復原。面色轉白為度。

結論　臍風一病。患者多為難治之症。惟有自呼負負。覷其死而已。但幸而得愈。亦極少數。誠可惜也。但今患是病。用上方功效頗大。已治好之人亦甚多。凡我醫界中人無妨一試。因方法簡而易。功效又大也。

喉症萬應丹

葉勁秋

▲靈驗如神

象牙屑。(水飛七次。飛淨用)。一錢五分。水飛滑石一錢二分。煅石膏一錢二分。水飛人中白八分。上上梅片五分。人中黃八分。濂珠粉二分。以上七味。共為極細末。每瓶裝一分。用蠟封口聽用。用法。每日吹數次。不可間斷。至好為度。

急救時疫痧氣十滴藥水方

葉勁秋

樟冰三兩。(用樟腦如升藥法。升過。取精入藥。)大茴香二兩。(打粗末)廣木香三兩。(打粗塊)廣陳皮二兩。(切細絲)丁香三兩。(打粗末)上上川土二兩。(剪成小塊)

以上六味。用真正原高粱。或真正滴燒酒十斤。浸七日或十日。取出藥渣。澄去稠汁。將清者再過外國濾器。用濾紙濾清。再加廣東真正薄荷油五錢。老姜汁二兩。攪和。裝瓶聽用。不可洩氣。神驗無比。

治無名腫毒單方二則

朱鄉榮

(其一)大黃三錢。黃芩三錢。黃柏三錢。陳小粉二錢(炒黑)上藥共研細末。醋調敷腫處。

(其二)生草烏。生半夏。生南星。生川烏各等分。上藥同置一器。搗爛如泥。敷於腫處。二三日卽愈。

■種子方

陳煦

北細辛一錢。草豆蔻一錢。海沉香一錢。川烏一錢。枳實一錢。生大黃一錢。天南星一錢。白桂花一錢。(務須求正確者。切不可將黃桂花代之。以致無効。)以上各藥。共研細末。煉蜜為丸。分做卅粒。每早晨吞服一粒。自月經前一日服起。到三十日為止。服完有孕卽止服。

■白濁方二則

陳煦

(其一)用猪肚一個。擦淨油膩。將蓮子半觔。在心留肉。入猪肚內。蒸爛。食兩三個。卽愈。

(其二)將鷄蛋一枚。於一端打碎少許。納入木鱉子(切碎)一粒。放飯鍋上蒸熟。熟後。將木鱉子除去。但食鷄蛋。極效。輕者一枚。重者二三枚必愈。

■陰症（夾陰傷寒）方五則

王禮門

（其一）輕粉一錢。銀硃一錢。端午日獨蒜一個。搗和爲餅。貼於手心中。男左女右。兩手合定。放於陰襠內。汗出卽解。

（其二）飛丹與乾薑。等分。研爲末。和連鬚葱搗入臍中。用熱磚烙之冋生。

（其三）兩頭尖（卽鼠屎）（國藥店有）。買五十文。或一百文。布包濃煎。熱服汗出卽解。「按余此方得自木作主人。據云四代家傳祕驗如神。因於夏月。有一木工。名席阿三者。適患陰症。腹痛如絞。該作主見而憐之。因教服此藥。一服卽効」

（其四）陰毒腹痛。法以露蜂房三錢（藥店有）。燒灰存性。加葱白五寸。同研。男左女右。着手握陰。汗出乃愈。

（其五）鄉有木匠朱阿大。偶因交後受寒。得患斯症。病勢甚凶。醫者束手。家人焦急萬狀。爰有過路之人。云患陰症者。只須以鷄蛋或鴨蛋數十個。放在水中燒熟。（须烫）敲開大頭。以蛋貼對臍中。一冷即換。取蛋觀看。時蛋內盡變為黑色矣。時冷時換。以蛋不變色為度。病即愈矣。

■痢疾方

朱亮峯

一、製法　在冬至前。將萊菔帶葉拔起。放置朝北屋瓦上。任受冰霜。

二、用法　將上製萊菔。去葉洗淨四五個。切開。水煎成湯。加入冰糖半兩。每服一盞。日三服。

三、主治　赤白痢疾。

四、功效　服後膿血即減。腹痛裏急後重諸恙。迅速消失。有發熱者。熱度亦即降低。不數日霍然治愈。屢驗。

■經痛方

朱亮峯

一、方劑　大熟地六錢。當歸三錢。玄胡索三錢。台烏藥一錢。製香附三錢。青皮一錢。赤芍三錢。川芎一錢。五靈脂二錢。廣木香一錢。炙甘草二錢。水煎。臨經時熱服一盞。日三服。

二丶主治　婦科經期錯亂。腰腿酸痛。小腹內急疼痛。或臨經惡寒發熱。四肢拘急。嘔吐噁心。子宮排洩機能衰弱等症。

三丶功效　行經準期。諸症消退。卽能有孕。治驗神效無比。

■治痔瘡腫痛立愈方

徐耀明

用葱白頭數個。搗爛。略加研細之大梅片少許。混和。塗於患處。立卽腫痛消退。此方應用多人。無不靈驗。又用於一切外科症未化膿之紅腫。亦頗有效。

■治骨梗

王少勤

春砂仁五分。威靈仙錢半。赤砂糖三文。河水煎湯。此方專治魚鷄鴨等骨之梗於咽喉。用水煎服。可立愈。

■治毒瘡方

王少勤

大楓子三錢。蛇床子三錢。巴豆子一錢。研末。將生猪油調和。用夏布包擦。但用藥之前。須洗浴。

■脚氣病方

章春永

藥名及出處　米糠。即米之外皮。故又稱糠皮。或稱米皮糠。

功用　能治脚氣病。（其病狀為兩足腫脹麻木。行路艱難。（足軟弱無力。故又稱軟脚病）心跳氣急。甚或晨起面部亦腫。手指尖亦麻木。）

製法與服法　取人力舂出之米糠。（因機器碾者皆和粉質有害）須純潔者。磨細。炒香。（不可焦）以磁瓶或玻瓶收藏。（若用紙盒一星期後。即發生走油。則效力亦減。如未炒過。則無此現象。）食時。和以少許白糖。或用開水冲服。或燥吃。如炒米粉吃法一樣。隨人所喜。（余喜燥吃。因其香甜可口。有如蘇酥糖一樣。）日服三次。每星期服半磅。

治效例　余於民十四初居滬上。時患脚氣病。初以無所痛苦。不甚注意。以致增劇。始就醫。未見效。有云水土不服。須返鄉可愈。乃回浙醫治。服藥祇三五劑。居半月而愈。仍來滬。自後每年初夏必發。深受其累。民十八又發。回鄉時。有父執任浙江反省院院醫。囑余每晨以糠和粥食。或煎湯飲。據云在該院受反省多客鄉人。患脚氣病者甚衆。皆以此治之。無有不效者。余依其言。果有效。惟覺難於下咽耳。自此後。每發時。無須返鄉之勞矣。祇須初起時。即吃糠三五日。腫即退。一星期即可痊愈。（如服之較遲。則服食之期間亦須延長。）但因難服故。愈後即輟。致每年仍復發。至二十一年。始將糠之製法及服法改善。（見前）隨於愈後。再繼續服一二星期。二十二年。更進而求預防之法。於初夏即服至五六星期之久。迄今未曾復發。

又例　同時徐君浙人十八年。來申亦患此病。初亦返家始愈。翌年又發。與余爲服糠之同志。乃獲痊愈。

此外有患斯疾者。余均囑其服用。能遵行者固多。河漢斯言者亦復不少。雖同能獲愈。然不若糠之經濟妥善。（服之毫無副作用。且滋養料豐富。雖無病之人服之。亦能預防脚氣病。且對於身體上亦大有裨益。其成分見後）

綜上例觀之。則糠之治脚氣病。有效可以明矣。雖然。以他法亦能獲愈。（如注射阿利攀則不經濟。返鄉仍須借重藥物。且金錢時間兩不經濟。）不若糠之簡便也。

原因　晚近維太命學說盛行。皆謂斯病因缺之維他命B所致。然竊有疑焉。因同余飲食起居生活同樣者多人。彼等皆未患此病。則必有其他原因。至今始知此症之起因。對於心臟腸胃以及神經等均有關係。平時須注意營養運動。病時則須少勞動。最好靜臥。

附米與糠成分比較表以供參考

品類／成分	米	糠	對於人身的滋養力
蛋白質	百分之六	百分之十二	卽維他命A含淡硫而素能生精肉及骨髓
脂肪質	二	一三	卽維他命B亦卽油質能生肥肉及滋潤皮膚
澱粉質	七四	一四	卽維他命C又稱小粉質糖質能生血活血
木質纖維	四	二〇	卽維他命D又稱含水炭素能強筋力

再糠除表中所列外。尚含有多量有機性鐵質。及燐酸鹽等。並含有Oryganin之成分。皆為治療脚氣病之有效成分。及滋養身體之要品。基於此種原

因。故糙米較白米為有益。茲再摘錄十九年上海市社會局化驗米質結果二條。以供參考。

品質	水分	蛋白質	脂肪	粗纖維	炭化水合物	每格蘭姆所生熱量(卡路里)
常州白米頭號	一四•八六	六•五四	〇•三二	〇•二七	七七•七六	三三九七•二
安徽糙秈米	一三•二八	七•九五	三•〇七	一•二二	七二•四一	三四九〇•七

■吐血不止(附插圖)

陳冷

凡吐血不止者。諸藥無效者。用血見愁根一兩。搗末。每服二錢。水煎冷服。每見奇效。

■補腎專陽丹

逸人

此藥最能添精補髓。保固真精不洩。善助元陽。滋潤皮膚。壯筋骨。理腰膝。其効如神。

蒺莉一斤(酒洗炒黃)蓮鬚八兩(炒)山萸肉(酒浸一夜。蒸。焙乾)川續斷(酒洗。蒸)覆盆子(去蒂。酒蒸)枸杞子(酒蒸)金櫻子膏各四兩。菟絲餅。

芡實米(炒)各八兩。五花龍骨(醋煅三五次)一兩。為末。金櫻子膏。量加白蜜為丸。桐子大。每服三錢。空心滾水下。此方於滋補之中。加入收澀之品。治遺精甚有効。

疝氣靈方

秦未先

中醫所稱之疝氣。卽西醫所謂之赫爾尼亞。Hernio之一部。赫爾尼亞者。任何內臟之一部。由其原處之囊壁凸出。皆稱為赫爾尼亞。故赫爾尼亞。不僅限於腹內各臟。腦肺等臟。亦能有之。而疝字之意。實指一切少腹急痛。及偏墜陰囊腫脹而言。此症多現於腹股溝。卽腹之極下部兩旁。股之上部。及臍等處。所凸出之臟腑。則因其地位而異。然不外網膜。小腸。大腸。闌尾。胃。及膀胱等。雖然。此猶廣義之疝氣也。若今之所謂疝氣者。大半卽指腎囊一部而言。

疝氣之病因。約可分為二。(一)先天性。(二)後天性。但此二種。皆與睪丸下降時有關。蓋胎兒時期。睪丸原生於腹內。至六七月始漸漸下降。大概於胎兒九月時期。乃脫出腹部。而入於陰囊中。當睪丸下降時。有一部份之腹膜。隨之落下。而成囊形。此腹膜囊口。在常人於產時。已經封閉。或不久亦可封閉。如尚未封閉以前。或腸或網膜之擠入。即先天性之疝氣成矣。然先天性之疝氣。其原因雖伏於胎兒時期。但兒生後。不必即顯病狀。甚有遲至成年者。若該囊雖已封閉。然於封閉之處。欠缺健全之組合。則必成一弱點。不堪受腹內壓之增高。故於咳嗽震盪。及大小便之失調。與夫過胖等因。皆可使腹內壓之增高。此增高。即可使腹內臟之由弱點而突出。此後天性之疝氣也。中醫向有七疝之名。準此病理。當亦知所自矣。再究其治法。中醫視為寒症。多用溫煖流氣。實則興奮該部器管。使之上升耳。其最慣用者。小茴香是也。然小茴香。家種者無毒。野生者有毒。三二錢即可致命。用時務宜詳慎。余家傳治疝氣神方。用山查肉。炒只實。炒小茴。炒桃仁。柴胡。粉丹皮。八角茴香（炒）各二兩。為末。麵丸。桐子大。每服五十丸空心服。

◻治疝氣腫痛

逸人

大茴。小茴。川楝肉。廣木香各三分

。

右共打碎。砂鍋內炒香。再入連鬚葱五根。水二盅。用碗蓋定。滾五七沸。入酒二盞。再滾三沸。去渣。放食鹽二分。熱服。出汗愈。

（按）疝氣腫痛。是否紅赤高脹。若果紅赤。應加丹梔胆草之清涼。如不紅赤。而腫脹。應以此方為準則。

■治小腸氣疼欲死者

杏仁（去皮尖）小茴香各一兩。葱白（燒乾）五錢為末。每服五錢。嚼核桃肉嚥下。

■兩耳腫痛

逸人

耳病之大要。有耳疼。即耳神經疼也。按其原因。大都由於齲齒。咽喉潰瘍波及而來。又耳漏。一名聤耳。又稱耳道炎。為耳孔之慢性膿症。大抵由鼻及咽喉炎間接而來。其餘耳鳴。耳聾。多屬虛陽上泛。火邪燻炙。治宜滋陰潛陽。若久病不聞雷聲。為腎臟敗絕之家。病已不治。古稱腎開竅於耳。故耳病治法當以腎經為主。若因風熱而兩耳腫痛。用荊芥。連翹。口防風。全當歸。川芎片。香白芷。

柴胡。川黃芩。苦桔梗。生甘草。白芍藥。炒只殼。山梔各一錢。水三盅。煎一盅。食後服。神效。

滋腎明目方

逸人

凡勞傷腎虛。血少眼痛者。用全當歸。川芎片。白芍藥。生地黃。香白芷。甘菊花各一錢。熟地黃二錢。白桔梗。山梔子各八分。人參酌用。川黃連七分。甘草三分。蔓荊子一錢五分。

右加細茶一撮。燈心一團。水三盅。煎一盅。食後服。可以滋腎明目。熱甚加龍胆草。柴胡。腎虛加黃柏。知母。風熱壅甚。加防風。荊芥。風熱紅腫。加連翹。黃芩。

點瞎眼方

逸人

秘得真古銅一兩。用火燒紅。淬在醋內七次。初伏頭一日。用南學齋三個。同古銅研細。入陳醋一兩五錢。放太陽地晒之。每日攪晒。至二伏頭一日。又入學齋醋攪同前。至三伏頭一日。同前亦如之。共一月三十日。如此三次。磁器收之。骨簪蘸冷水。遇症點此藥。點後其瘥非常。須令病者忍之。勿擦壞眼目。

治眼皮生瘤　逸人

眼皮生瘤。有內外之分。在裏者。眼開合時。擦磨甚痛。在外者。自覺微有不適。俗名曰。裏角眼。外角眼。如體氣充足者。由紅而高突。而化膿。膿潰而愈。反之。初覺微痛。漸則不痛。惟覺澀而不適。不高突。不化膿。不消削。當用引赤法。使之從速高突化膿。或用手指擠淨黑血。則毒洩而愈。余曾患是症。櫻桃核磨水擦之。漸漸日消。

治旋毛倒睫神方　逸人

石燕一對。一雌一雄。用炭火內燒紅。童便淬七次。再用煎銀罐內燒紅。乳汁淬七次。為細末。入射三四厘。研細。再用羊毛筆蘸乳汁點眼弦上。每日點十餘次。

治雀目日落不見　逸人

石決明二兩。夜明砂二兩。猪肝一兩(生用)白鷄肝一具。將肝二片。中間盛藥。麻紮定。淘米泔水一碗。砂鍋煑少半小時。一並食之。

（按）此方頗驗。但肝須用新鮮潔淨者。又肝內所含維生素。不耐高熱。煑時愼勿過火。

染黑髮方

逸人

白鉛五錢。銅鍋內溶化。用水銀一兩。入溶化鍋內。又以大黃一兩。打碎。亦放在鉛與水銀一處。炒黑。研成細末。聽用。即為染本。

五倍子（炒黑研細末）銅花（研細末）枯礬（研細末）沒石子（要八母成對。打碎。炒黑。研細末）榆麵（研細末）白麵。俱製成。再配分兩。

染本三分。五倍子二錢。銅花三分。沒石子二分。枯礬一分。榆麵一分。白麵一分。食鹽一分。用老茶滷調勻如飴。重湯煑。（放在磁器內）一頓飯時。乘熱塗髮上。用菜葉炙軟。貼于藥上。各藥俱為細末。照等分或十倍量。或三二十倍。拌的極勻。磁罐收貯。封嚴。隨便取用。

（按）銅花即銅屑。為赤銅落下之細屑。

治虫積牛郎散

逸人

二丑。頭末各五錢。尖檳榔一兩。研

末。二味合勻。聽用。逢有虫症。於上半月空心。先飲沙糖水一碗。再用藥三錢。沙糖水調服。三次。其虫盡出。小兒減半。孕婦勿服。

(按)此方治虫積頗驗。二丑檳榔俱有殺虫之用。且具通下之功。先服沙糖水者。虫喜甜。與之所喜。是誘導法。虫積之診斷法。首須問其既往症。發現虫否。次須觸該部有無波動遊走之象。再察痛發之驟然。患者之恐怖。以及口唇之白點。並平素是否多食肥甘。合此數種。詳加審核。則庶乎近矣

□一切積聚不論遠年近日神效方

逸　人

京三稜四兩(醋麦切片)川芎二兩(醋麦)大黃八兩(醋浸濕紙包好灰火煨熟)研為細末。醋和為丸。桐子大。每三十丸。溫水下。

(按)此方治積聚頗佳。蓋非猛攻急剃之方也。但體虛者。應夾以相當培補之劑。庶無傷正虛虛之弊。

□陰虛大補方

逸　人

凡五勞七傷。咳嗽吐血等症。用白蒺莉二斤（炒去刺）為細末。甘枸杞一斤（火炒不可焦）南黑芝蘇二斤（炒極熟。研成芝蘇鹽樣）牛骨髓二斤（化開去渣）熟白蜜二斤。將三味藥末。拌入髓蜜內拌勻。盛磁盆內。放在水鍋中。鍋上蓋蒸籠。下用微火。蒸熟為度。丸如指頭大。隨意食之。白滾湯下。

□壯陽棉花子丸　逸人

腎虛子嗣之者。用棉花子十數斤。用滾水泡過。盛入蒲包。悶一炷香時。取出。晒裂口。取仁。并去外皮。用淨仁三斤。壓去油。用火酒三斤。泡一夜。取起晒乾（製法不明）故紙一斤（鹽水泡一夜炒乾）枸杞子一斤（黃酒浸蒸晒乾）兔絲子一斤（酒炒）川杜仲一斤（去外粗皮。黃酒泡一夜。晒乾。姜汁炒斷系為末。）蜜丸。桐子大。每服三錢。

□彭祖秘服接命丹　逸人

此藥能添精補髓。保真固精。善助元陽。滋潤皮膚壯筋骨。理腰膝。下元虛損。五勞七傷。半身不遂。或下部虛冷。膀胱病症。脚膝酸麻。陽事不舉。男子服之。行走康健。氣力倍加。女人服之。能除赤白帶下。沙淋血崩。下生瘡癬。能通二十四道血脈。堅固身體。

何首烏。白茯苓。川牛夕。覆盆子。兔絲子。赤茯苓。破故紙。全當歸各十兩。共合一處。不犯鐵器。用石四杵。為細末。蜜調黃酒為丸。如桐子大。每服二錢。空心黃酒下。日進三服。

■補精膏原方

逸人

牛脊髓二兩。核桃肉四兩。山藥。杏仁四兩。人參三兩。當歸二兩。棗肉四兩(去皮核)將核桃肉。山藥。杏仁。棗肉四味。搗為膏。用蜜一斤。與人參。牛髓。山藥。當歸細末。和勻。入磁罐內。隔湯煑一日。空心酒調下一二匙。或做成重三錢的丸子亦可。

■大力丸

逸人

白茯苓。蒺藜(酒洗。炒去刺)覆盆子。杜仲(醋炒)兔絲子(酒煑)白芍。威靈仙。川續斷。故紙。蓯蓉。薏苡仁。當歸。無名異（即油匠煎油用的土子）牛夕（酒洗）自然銅（醋煆七次者用）各一兩。跳百丈十個（去足）乳沒。血竭。青鹽。硃砂（飛）各五錢。天雄（童便浸五日）二兩。虎骨二兩（醋炙）象鱉十個。（去頭足翅。如用土鱉）共為細末。煉蜜為丸。二錢重。早晚鹽湯或黃酒送下時用力行功。散於四肢。

■小兒吐瀉如神丹　扶白

黃丹（水浸）枯礬。硃砂各等分。用小棗肉。生搗為丸。如櫻桃大。每服一丸。戳於針尖。放燈上燒燃。研爛。冷。米泔水送下。吐嘔食後服。泄瀉食前服。一歲至三歲一丸。三歲至五歲二丸。

（按）吐瀉為胃粘膜受刺戟。分泌多量液體之故。本品有抑止收澀之效。故能治上列所主治之症候。以余之經驗。本品治水瀉尤佳。

■熱瘤　葉勁秋

以三黃湯煆蘆甘石。梅花瘡及熱瘤搽之妙。眼科亦用。或服亦可。

咯血絲

葉勁秋

咯血絲者。用鴨血未入鹽者。炒絲瓜絡。用橘絡更好。

水哮病

葉勁秋

水哮病。用黨參。炒芫花。茯苓。葶藶。貫衆。擇香。

哮喘

葉勁秋

老薑三錢。麻黃錢半。贅膏攤在狗皮上。貼背部膏肓穴。（第三推骨）奇效。

腦漏

葉勁秋

萊萁柴之顆頭。中間刺開。多有如米粒大者。黑色。俗名糞金子。以治腦漏頗驗。有人謂此物甚補。大有人參之功。

治油灰指甲方

（東）

世人有患油灰指甲者。雖無大碍。然頗不雅觀。余有一法。治之頗效。方用白鳳仙花連根葉搗爛。敷之。換二三次。即愈。

下疳驗方

佩君

亂頭鬆一團。鹽水洗去油。再洗。晒乾瓦上㷶枯。棗核七個。火煨紅。存性。共研末。勻分。先將熟米泔水洗患處。後用藥敷之。即效。忌生水洗。

治楊梅瘡方

佩君

羊角。核桃殼。燒灰存性。等分。研細末。每用一錢半。好酒調。早晚各一服。四日後。毒盡從大便出。如血如膿。漸減作每日一服。半月毒盡。如體虛者。接服八寶湯。

治湯火傷二方

段啓連

(一)急用洋油澆上。即可免痛全愈。不愈再澆。無不靈效。

(二)老黃瓜不拘多少。藏貯瓶內。爛成水。治一切湯火傷神效。

治惡狗咬傷方

段啓連

蠶豆嚼爛塗之。或棉絮燒灰敷上即愈。

治乾脚氣方

段啓連

凡男女患乾脚氣。疼不可忍者。用乾木瓜一個。明礬一兩。熬水。乘熱薰洗二三次。即可愈矣。

◻治受煙火薰至死良方

段啓漣

白蘿蔔搗汁。灌之立醒。無蘿蔔。使葉乾者水泡搗汁。亦可立效。

◻治瘰癧潰爛方

段啓漣

用荆芥梗煎濃湯。待溫時洗。良久看爛處紫黑。以針刺出血。再洗三四次。用樟腦雄黃等分為末。麻油調掃。出毒水。次日再掃。以愈為度。即延至胸前腋下。及兩肩四五年不愈者。俱治奇效如神。愈後切永不可食羊肉以免再發。

◻治各種疔毒瘡方

段啓漣

用鮮白菊花。帶枝葉一株。搗爛取汁一中。用陳酒煎滾服。即時消散。如果無菊花時。土中根取出。搗汁亦可。

◻疥瘡的療法

李遇春

疥瘡一名癩疥瘡。通常社會中人。害

這種病的很多。雖不是一種重要的症候。可是互相傳染是很容易。現在我們可做個譬喻。好像一個人家。有一個人患了疥瘡。不到半個月。能使全家的人。沒有一個人可以不會傳染到。一家人還是少數。如果在學校裏邊。人數衆多。朝晚又接觸在一處。那麼他的傳播機會繁多。沾染這病更加多了。

疥瘡既然這樣利害。我們非考察他的原因不可。考他的原因。是由一種疥瘡蟲。這種蟲也分雌雄兩性。不過雌虫雄蟲稍微大些如過把顯微鏡來觀察他。可見這種蟲背部高凸而肚腹平坦。恰與甲魚的形相同。蟲的表面上。有很銳利的刺有脚四對。前後各兩對。有的人不明白這種緣故。以為疥瘡由濕氣而發。不免誤會了

這種疥瘡蟲。是喜寄生在人體上。等到寄生以後。那蟲就穿孔在皮膚層下。棲息皮膚裏面。挖起洞來。於是皮膚上生出劇烈的瘙癢。因為劇癢而爬搔。皮膚上生出粒粒小疱來。把手指壓他。就有水傾瀉出來。這是指輕的疥瘡而說的。

至於重篤的疥瘡。皮膚上生出顆粒膿

疱。裏面釀有黃而帶綠色的膿汁。和傳染病中的天花差不多。講到疥瘡的症狀怎樣泥。病人每於薄暮時。發輕微的熱症。精神不舒服。夜裏睡在床上。搔癢難堪。雖然搔到血肉淋漓而不惜。這是害疥瘡症的。最顯而易見的症狀。

疥瘡頂容易發生的部位。多般先是手上兩指間的孔隙中。和脘關節的屈曲面。此外腋窩陰囊。臀部。臍腹周圍等。至頭髮部內及顏足蹠等處。雖不容易發生。但是皮膚軟弱的人。也有

。疥瘡的預防法。第一不可和患疥瘡的人接觸。病人的衣服。切不可穿着。生疥瘡人的牀褥和客店的被褥。更是不可以賃用。因為這種物品。都是傳染疥瘡的利器。

已經害疥瘡症的。應刻趕緊用藥療治。又當每天換衣服。換下來的衣服。應刻把極沸的水煑燒。經過這一番手續。然後可著上。患疥瘡的衣服。萬萬不可和尋常人的衣服。置在一處洗濯。不然又要把疥瘡蟲傳染他人的衣服上。將生同樣的毛病了。既患疥瘡的人。須要十分注意自己的手巾和被褥。天天用熱水洗滌。陽光的曝曬。

此外對於治療上根本的辦法。就是用硫黄。川椒。各五錢。吳茱萸二錢（研末）大楓子仁四錢。研極細末。和勻。用豬油八錢。同調。搽在瘡上蟲一齊樂死。不到幾天。已可完告痊。也不要用別藥。浪費金錢和光陰。可以能拔除牠的病根了。總之疥瘡是最易傳染最普遍的皮膚病。這種醫法是最好的方法。害疥瘡的須要十分的注意才是。

▣小兒鸕鷀咳之特效藥

曹初禪

（一）（病因）小兒鸕鷀咳嗽。連聲咳嗽。嗆血音啞馴至面目浮腫。嘔吐痰涎。其初皆因感冒風寒。或冷熱不調。為之侵襲使然耳。迨至常咳不已。不使治療。於是轉入鸕鷀咳嗽一途。進焉者或為馬脾風痰厥等病。危險殊甚。為父母者。未患之前。必須早為之預防。既患之後。更宜早為之治療。庶能咳止痰化。肺竇寒祛也。

（二）（治方）現覓一方。對於上述之病。極有功效。爰公諸於世。俾保赤者可以一試焉。杏仁六錢。細辛一錢。甘草四錢。桔梗二錢。射干一錢。天

花粉三錢。麻黃一錢六分。熟牛蒡一錢。蛤殼一錢。青黛一錢。煅石膏四錢。鷓鴣涎半小杯。（倘無作罷）

（三）（製法）共研細末。以白蘿蔔打汁。為丸。如菉豆大。白蠟固封。

（四）（服法）每日早晚各服三丸。溫開水送下。以愈為度。

（五）（經過）此方極合醫學原理。藥品純正。且服用已久。素著功效。

鵝口瘡治療法

顧文耀

鵝口瘡者。係由白屑生滿口舌。如鵝之口也。中醫病理云。由在胎中受母飲食熱毒之氣。蘊於心脾二經。生後遂發於口舌之間。其治法以清熱導赤散主之。外用髮醮井水拭口。搽以保命散。日敷二三次。白退自安。此中醫治法大略也。

近代學說。亦謂本病患者。乳兒居多數。由口內不潔而起。如大人患此。則係因傷寒。結核病。產褥熱。白血病等而來。其證狀為哺乳時發疼痛。或屢瀉綠色之糞。最實者。則口腸及咽頭之粘膜。生米粒大小之斑文點點。其治法每日用百倍之炭酸溶液清拭患部。或因情狀。而節減哺乳。或暫時休止。此西醫治法之大略也。

余有一秘方。係得之於鄉農者。試之良驗。不敢自秘。特介紹如下。藥品冰片樟腦十(製法)用銀皮紙一張。覆於此碗上。碗下四圍之紙。以麵糊貼之。以前藥平鋪紙上。再以烙鉄於藥上。其藥粉即蔚於碗內。後去紙。將藥密貯於有塞瓶內。用時以此藥粉。搽於患處。

吐血不止良方

▲治胃血

血由咳嗽。或帶痰而出者。大部分皆為肺病。血不嗽不由痰出。而吐不止。為量甚多。往往盈碗盈鉢者。大部分皆屬胃病。如遇連吐不止。危在頃刻者。急取柏樹之子搗融。絞汁一樽。灌下立止。

(按)柏樹子宜用新鮮而連青色之外皮。非藥房中出售之柏子仁。吐血。由於胃中微血管破裂。柏子青者味澀。能收斂。若用陳舊者或柏子仁。則誤解方意矣。

有小孩兒者不可不看

尤學周著

兒科常識

再版出書

本書內容目錄如下

定價大洋伍角
實售大洋四角

上海三馬路雲南路轉角幸福書局發行

尤學周著

腎虧與血虧

定價大洋伍角
實售大洋四角

腎虧與血虧者速看此書各種治法一一說明茲將本書目錄披露如下

▲自序

上篇　腎虧之證治

（一）何謂腎
（二）腎何由而虧　（甲）手淫　手淫之發生　手淫之危害　手淫之戒除及預防法　（乙）遺精　遺精之發生　遺精者之攝養法　遺精之治療　（先後天衰弱之遺精……性慾過度之遺精……性慾不遂之遺精……勞心過度之遺精……溼熱之遺精……遺精久而不止）　（丙）房事過度　早婚與房事過度　情愛與房事過度　房事之適當次數　避免房事過度法　妻子之責任
（三）腎虧之種種現象及其治療
（子）陽萎之原理及治療　（丑）生殖器發育不全者治法之討論　（寅）早泄與性慾問題及生育上之關係並調治法　（卯）見色流精之理由及調治　（辰）陰頭寒冷之原因及治法　（乙）青年神經衰弱之主因及調治　（午）腎虧頭眩之證治　（未）腎虧耳鳴之證治　（申）腎虧目疾之證治　（酉）腎虧腰痛之證治　（戌）腎虧於生育上之影響及其補救
（四）敬告患遺精之青年以作結論

下篇　血虧之證治

（一）小引
（二）血虧之種種原因　（甲）失血之後血液驟然減少者　（乙）受疾病之影響而虧耗其血液者　（丙）營養缺乏而血液不足者
（三）血虧之種種現象　（甲）皮膚蒼白　（乙）頭目暈眩　（丙）精神不振　（丁）心悸怔忡　（戊）氣急噓喘　（己）腰脊痠痛　（庚）四肢無力　（辛）面浮脚腫　（壬）失眠　（癸）煩躁易怒　（子）胃納不化　（丑）大便不調　（寅）遺精陽萎　（卯）月經不調
（四）血虧之調治各法　（上）一般之療法　（甲）自然療法　（乙）飲食之調養　（丙）藥物之治療
（中）原因上之療法　（甲）血虧之因於吐血而之治法　（乙）血虧之因於便血者之治法　（丙）血虧之因於崩漏者之治法　（丁）血虧之因於產後者之治法　（戊）血虧之因於白帶者之治法　（己）血虧之因於失精者之治法　（庚）血虧之因於久瘧者之治法　（辛）血虧之因於桑葉黃之治法
（下）對證之療法　（子）血虧頭眩之調治　（丑）血虧心悸之調治　（寅）血虧失眠之調治　（卯）血虧神疲之調治　（辰）血虧煩躁之調治　（巳）血虧治腫之調治　（午）血虧便祕之調治　（未）血虧月經不調之調治　（申）血虧毛髮脫落之調治

上海三馬路雲南路轉角幸福書局發行

丹方雜誌 第九期

價目表

零售	每冊實售大洋二角	
時期	半年	全年
冊數	六冊	十二冊
連郵費 國內	一元	二元
連郵費 國外	二元	四元

廣告價目

等第	特別位	特等	優等	普通
地位	封面	底面之內外 封面之內	封面內面之對面	正文之前
全面		四十元	三十元	二十元
半面	四十元		十六元	十元
四分之一				五元

彩色另議

中華民國二十四年十一月一日出版

編輯者 朱振聲

撰述者 全國醫家

發行者 幸福書局 上海三馬路雲南路轉角

上海特約 上海雜誌公司 上海福州路

華南特約 上海雜誌公司支店 廣州永漢北路二三九號

印刷者 興羣印刷所 方斜支路五號

治病之捷；莫捷於鍼灸術
治病之廣；莫廣於鍼灸術
治病之穩；莫穩於鍼灸術
學習之易；莫易於鍼灸術

足下乎；欲習治病之術乎!?欲習能統治內外婦幼眼耳咽喉皮膚花柳之術乎!?請速加入中國鍼灸學研究社通函研究科，保證在最短期內，修習成功，或購本社出版書籍自修，亦可成功，無論任何各科病症，皆得治療。

足下如不信，請觀本社通函研究社員之成績報告；當知本社之指導為不虛也，本社之不惜以秘術公開，義務指導者，以此古術，行將湮沒，且社會經濟日促，民生日艱，亟宜提倡不藥療法，減輕病者負担，闡揚捷效治療，使患者立復健康，斯本社之宗旨，亦足下所樂為者也，針灸學術，經本社整理而暢明其學理之後(學理與方法詳於增訂中國針灸治療學中)治療穩安，絕無危險，學習甚易，一覽即明，足下其有志乎?請來加入!!!!

本社有全鍼療病奇書一厚冊奉送函索附郵五分，向江蘇無錫西水關，中國鍼灸學研究社索取，當日即寄，

無錫西水關 中國鍼灸學研究社啓

增訂中國鍼灸治療學 實價貳元八角，郵費兩角

本書較原書增多四萬餘言，更換異常清晰之銅版照片五十四幅，并有古今名醫驗案數百條，可作參考，有最新學理說明；可知針灸原理，有政學各界聞人題字序文二十餘篇幅，更為名貴，其精彩與價值較原書不可以道里計矣。凡讀者購得此書，即能無師自通，用功一月，保證能依法針病，屢試屢效，絕無危險，

經售處，上海三馬路雲南路口幸福書局

重繪人體經穴縮小圖 實價貳元郵費貳角

此圖比原圖縮小一半，用八十磅厚道林紙彩色八種印行，共用八套彩版，圖形像真如活，比月份牌更為精美，路穴亦異常準確，凡學習鍼灸者：得之進步更速，對於鍼灸之穴，可以一目了然，不要思想矣

經售處，上海三馬路雲南路口幸福書局

國醫朱振聲編
丹方雜誌
第十期
地梔圖
民國二十四年十二月出版
上海幸福書局發行

家庭醫藥寶庫

楊志一編

全書兩厚冊定價兩元

上海國醫出版社發行

本書集全國數百位名醫著作之結晶。內容豐富。得未曾有。無論大小百病。以及一切急救自療方法。莫不應有盡有。切實指導。共分初續兩集。茲將初集要目列下。（續集目錄從略）

▲內科自療學

咳嗽，痰飲，吐血，肺癆，肺癰，中風，癲瘋，癲狂，失眠，便祕，單腹脹，腫脹，痛風，風濕，胃病，心悸，腰痛，盜汗，遺尿，小溲不通。

▲外科自療學

疔瘡，疥瘡，痔瘡，腦疽，發背，凍瘡，流注，風疹塊，乳疽，吹乳，痰核，燙傷，

▲婦科自療學

痛經，經閉，肝氣病，乾血癆，白帶，不孕，難產，兒枕痛，子懸，經漏，血崩，血暈，胃氣痛，陰瘡。

▲兒科自療學

急慢驚風，疳積，痘痧症，蟑螂子，小兒鼻衄，育兒法，哺乳法，斷乳法，種牛痘法。

▲時病自療學

霍亂，暑濕，濕溫，蛀夏，霉濕，中暑，洞泄，痧症，瘧疾，痢症，春溫，冬溫，秋燥，防疫法，夏令卻病法，清暑妙品，

▲花柳病自療學

楊梅毒，楊梅瘋，橫痃，下疳，五淋，白濁，梅毒預防法

▲性病自療學

青年生殖器病，脫陽，陽痿，遺精病與非病之研究，產後行房之危險，包莖與割治，陽強不倒，女子陰痿，陰挺，夾陰傷寒。

▲喉耳目口鼻科

喉痛，喉娥，喉瘋，耳聾，耳鳴，耳閉，紅眼睛，眼翳，口疳，口唇裂血，舌痛，牙痛，鼻淵。

▲胎產學

胎教與人生，孕婦攝生，產婦須知，孕婦十誡，辨別胎孕術，診斷胎兒男女法，孕婦為什麼要嘔吐，安胎，臨產預知法，產後大小便血，產後忌用白芍辨，

▲小藥囊

腋臭治法，陰囊奇癢治法，治疝氣良方，簡易治心痛方，痛風祕方，牙痛奇方，止血藥，落花生可治黃腫，三陰瘧特效方，瀉痢簡易治法，不痲驗方，戒煙靈方，解中蟹毒方，臭蟲藥粉方，治雞眼法，簡便應用急救法，誤吞碎玻璃方。

▲醫藥常識

家庭醫藥常識，吃藥的方法，補品究以何者為合宜，延年益壽之秘訣，日光可以強身治病，西藥中大半含有嗎啡，癮疾丸之害，傷風之簡易治法，煎藥漸法，食參足以盲目，忌口問題，防疫藥水之自製法。

尚有生理學心理學衛生學藥物學美容術等科不克詳載

家庭醫藥寶庫

半價券

（一）此券贈與本刊讀者。

（二）憑此券得以半價購買「家庭醫藥寶庫」一部。該書定價大洋兩元。半價一元。外埠另加寄費一角五分。

（三）此券有效期。自本年十月一日起至本年十二月底止。外埠寬限一月。

（四）本券只限用一次。

上海白克路西祥康里九十號國醫出版社謹訂

廿四年十月一日

丹方雜誌第十期目錄

■秘驗血崩丸

大竹山人

真阿膠二兩。（炒成珠）愼火草二兩。（炙焦碾）棕毛。（燒灰存性）龍骨。（煅）牡礪。（煅醋淬）真蒲黃。（炒黑色）烏梅肉各一兩。（烙焦碾末）右酒半盞。將阿膠化開。和前末藥。丸。梧桐子大。空心酒下六十丸。

■治婦人崩漏血不止

大竹山人

阿膠五錢。（炒成珠）乾姜五錢。（炒黑）香附米（醋浸黑）五錢。蘄艾五錢。將後三味。用好臘酒二碗。煎至一碗。調前烏膠末。空心熱服。至臍即止。崩一年者二貼全愈。崩二三年者四貼全愈。再服後末藥除根。

白雞冠花（炒）五錢。甘草（炙 二錢。百藥煎二錢。木耳二錢。白芷一錢。共為細末。每空心用當歸煎湯。調服二錢。藥盡永不發。真仙方也。

■治急心痛神方

李濟良

甘草一錢。神砂一錢。

右共為末。用雄猪心一箇。將銅竹刀剖開猪心。取心竅中之血。和前藥為二丸。復裝心內。外護濕紙多層。用線縛好。入灰火內煨熱為度。取出。收藥。將心切片。煎湯。食後每服一丸。忌用甘草。此方百治百效。妙不可言。

□治大人水蠱腫脹

于秀蘭

（百發百中可除患根）

大戟一兩。甘遂（好連珠者）一兩。芫花（醋炒）一兩。葶藶（炒）五錢。（另研）澤瀉一兩五錢。

右先將四味為末。後加葶藶末。和勻。酒麪糊為丸。如梧桐子大。每服二十丸。隨人虛實加減。其藥引俱先夜煎成。次日五更服。頭一日商陸湯下。二日燈心湯下。俱取黃水。三日麥門冬湯下。取白水。四日用田螺四個。煎酒下。取腹水。五日大鯽魚二個。煎酒下。取五臟六腑水。皆盡。六日木通湯下。七日梔子湯下。腫消蠱散。忌鹽醬房事。再服後藥七日畢。方服鹽。

（開鹽服藥方）澤瀉。赤芍。白朮。茯苓。

右各等分為末。用鯽魚一個。去腸。入鹽麝少許。藥入魚肚內。焙乾為末。每服二三錢。姜蠶煎湯。

■治口疳方

仰堯

五梧子。（火炙存性）銅綠。枯礬。兒茶各五分。紅褐子（燒灰存性）一錢。冰牙一分。黃栢五分。先將各藥研極細。後加冰片礬。遇患處。先將甘草湯噀口。再吹藥即愈。

■內消瘰癧秘傳經驗方

俞大鵬

瘰癧未潰者。用此藥內消。已潰者亦佳。外貼太乙膏。收口而愈。夏枯草八兩。玄參五兩。青鹽五兩。火煅過。海藻一兩。天花粉。生地（酒洗）貝母。海粉。白斂。川大黃。（酒蒸）連翹。薄荷葉。桔梗。當歸。（酒洗）枳殼。（麥麩炒）焰硝。甘草各一兩。右為細末。酒糊跌為丸。菉荳大。食後臨臥低枕用白湯呑百餘丸。就臥一時妙。

■傷寒點眼方

俞大鵬

白犀角一兩。（切黃豆大塊）血竭一兩。山慈姑一兩。（生姜搗汁。浸一宿。）麻黃去節一兩。用烏金紙四十張。將前藥分作二十四包。外用紅棗肉再包封。安小砂鍋內。上以紅棗肉泥封之。留一孔出烟。半炷香。待白烟出。泥其孔。上火下火。共煅三炷香。取出。安在地上。以烏盆蓋住。一時為退火。方去紅棗肉。存內藥。碾極細末。加片腦五分。射香五分。共碾極細末。任點。兩感傷寒。若用點。將香油蘸簪頭。點藥入眼內。或痘疹毒等疾。皆可點。如不出汗。少許吹入鼻內。立汗。奇妙。其藥點眼。出汗。要縮脚。用手拿陰囊。待汗頭出上。至湧泉為妙。

◻小腸氣偏墜神効方

俞大鵬

猪苓。赤茯苓。澤瀉。白朮。橘核。小茴香。木通。枳壳。木香。川楝子。沉香。烏藥(鹽水炒)右等分。酒一鍾。水一鍾。煎八分。有食積加酒麯二錢。空心服。取微汗。一貼立愈。大者即消。愈後用後酒方。斷根不發。

烏藥(鹽水炒)小茴香。木通。滑石。右等分。布袋盛入無灰酒二三觔。煑透。另用小瓦罐盛。用口早晚隨意服之。

（又方）大茴香一兩。枳實一兩。將二味共炒。好酒一壺。煎服。取微汗愈。

王府秘傳治楊梅瘡方

陸仙槎

用癩蝦蟆一個。大者為佳。紅眼者有毒。不可用。取時。不可拿重。恐走蟾酥。宜用圓口小缾一箇。置於地上。緩緩趕其自進。量能飲酒半觔者。下酒一觔。須折半觔可服。其缾口用木針針固。仍以紙條封緊。不可出氣。慢火煨煎。先將瓦缾與酒共蝦蟆稱過觔兩若干。煎折半。可住火。除去蝦蟆。止取清酒溫服。服後。即將綿被覆煖取汗。乾。方可起動。更勿坐立當風處。恐風氣。若上部瘡多。略吃些粥服若下部瘡多。空心服。如一服未全愈。停三四日再服一箇。決全安矣。且終身不發。屢用屢效。不可輕忽。

楊梅瘡毒方

陸仙槎

不論遠年楊梅風漏。筋骨疼痛。輕粉毒。土茯苓二觔（忌鐵）荊芥一兩五錢。防風一兩五錢。五加皮一兩五錢。白鮮皮一兩五錢。木瓜一兩五錢。威靈仙一兩五錢。生地黃(酒洗)一兩。當歸(酒洗)一兩。白芍藥一兩炒。白茯苓一兩。川芎一兩。牛膝一兩。(酒洗)杜仲(炒去絲)一兩。白芷一兩。地骨皮一兩。青風藤一兩。槐花一兩。黃連一兩。

共十九味。咀片。作十貼。每一貼用水一鍾半。白酒一鍾。煎熟。瘡在上。食後服。瘡在下。食前服。渣再煎。每一日服一貼。煎二次。合為一處。使濃淡得均。分作二次溫服。其藥渣逐日晒乾。至三貼。共煎湯洗浴。初服五貼之內。瘡勢覺盛。乃毒氣攻外。勿懼。輕者至十日內。可見效。重者雖二三十貼無妨。此藥亦補元氣。但要切忌房事。茶。生冷。煎炒。鵝鵪牛羊血蝦猪蹄首。各發物動風之物味。只用雄猪肉而已。

■大人小兒腹中寸白蟲

瞿味純

製半夏三錢。生白礬三錢。細麵粉三錢。共為細末。水滴成丸。分三日服空心白湯送下蟲化為水。若大人患此症者。用藥十倍。

□嘔吐清水

瞿味純

凡嘔吐清水。此胆經吐也。生姜一塊。切開。中挖一孔。以甘草末五分。入姜內合住。線紮。外用濕紙包裹。煨熱。取姜內甘草。加姜一片煎湯服之。外用蠟樹根皮去粗皮。瓦上霜。路旁草鞋。燒灰。皂角灰。共打和。茶水炒。貼心窩自愈。

□朝食暮吐下喉即吐

瞿味純

凡朝食暮吐。朝吐暮食。此腎虛症也。用熟地二兩。山萸肉三兩。水五碗。煎至一碗。加肉桂一錢。研入藥中。空心服之。一日一劑。十日必愈。愈後服六味地黃丸一二料。方可斷根。有用丁香十五枚。研末。以甘蔗汁姜汁和丸。如蓮子大。噙嚥之亦愈。下喉即吐者。照熟地方。去肉桂。加麥冬三錢服之。

□心中饡雜得食暫止

瞿味純

凡心中饡雜。似辣非辣。似餓似非餓

。似痛非痛。得飲暫止。或兼噯氣。或兼嘔心。乃火動其痰也。用焦朮四兩。橘紅一兩。炒川連五錢。共研為末。神曲煑汁為丸。如菉荳大。每服五丸。食遠姜湯送下。立效。或用猪護心油。蒸糯米食之亦愈。

■牙縫出血不止

瞿味純

凡牙縫出血不止。或滿口牙縫出血。或一二牙縫出血。或時有時無用枸杞為末。煎湯漱口。然後吞下。立愈。如仍不止。即用黄荳渣塗之。可愈。或用馬糞燒灰存性搽之亦愈。

■接骨神方三則

石蘊華

(一)巴豆一粒。(用竹紙包打。去油極淨)半夏一個。土鱉一個。右共搗為小丸子。好生酒送下。重者全服。輕者半服。

(二)用白雄雞一隻。如傷手取翅上毛。傷足取腳上毛。將稻草細扎。燒灰。毛管上再加火燒。存性。先用綿將患手包住。用頭生酒調毛灰七分服。一二箇時辰。其痛即止。如仍痛不止。再服三分。切不可多服。

(三)取接骨藤。去葉并粗硬者。搗爛

○和生酒糟炒熟○敷上○痛即止○斷即續○

■好生丹原方及其加減法

費知四

大戟○石榴皮○芫花○甘遂○巴豆○(去殼)豆豉○大黃○五靈脂○三稜○莪朮○杏仁○黃連○海藻○猪苓○澤瀉○烏梅○葶藶○

右十七味○各等分○製法○如常○共為末○將好醋拌濕○入鍋○微火炒成老茶褐色○帶焦取起○研極細末○醋打糊為丸○如蘿蔔子大○治一切男婦諸症○各湯引送下○每服七丸○心氣熱痛○梔子仁湯下○冷痛酒下○脹滿○檳榔湯下○赤痢○解毒湯下○白痢酒下○禁口痢○石蓮子湯下○久痢定痛後○服補中益氣湯○傷穀食○麥芽湯下○傷肉食○山查湯下○小腸氣○荔枝核湯下○傷冷○酒下○水瀉傷熱○滑石湯下○諸般積滯○木香湯下○瘧疾○醋炙常山湯下○滾腸沙○生酒下○婦人血崩○黃栢破故紙湯下○婦人血氣疼痛○紅花蘇木湯下○壯健加二丸○幼童減半○多服反傷人○有姙

婦及久病者。或衰老人。斷不可服。如陳過一年。藥氣不峻厲。可服三四十丸。

■遇寒咳嗽氣急氣喘

費知四

凡欬嗽氣喘。遇寒卽發者用泡乾姜一錢。泡皂角一錢（去皮子弦。有虫蛀者忌用。）紫色肉桂去皮一錢。共研細末。白蜜和勻。杵三千下。為丸。如梧子大。每服三十丸。開水送下。嗽發卽服。日服數次。忌食葱麵油膩。

■秘驗止久瀉痢丸

陸鍾毓

黄丹一兩。（飛過）明礬一兩。黄蠟一兩。

將蠟鎔化於小銅杓內。次以丹礬末和入。乘熱急手為丸。如豆大。每服二丸。空心米湯下。小兒用一丸。

■泄瀉五腎丸

周吉人

比丸專治五更腎泄。久不愈者。此丸能補命門相火。卽所以補脾也。破故紙（酒浸蒸）四兩。胡桃肉（去皮）四兩。五味子(炒)二兩。吳茱萸(鹽水炒)一兩。生姜煑棗為丸。如梧子大。每服三錢。臨臥鹽湯下。

■老人五更泄瀉

周吉人

用老黃米三合。蓮肉去心三兩。猪苓。澤瀉。(炒)白朮(土炒)各五錢。木香一錢五分。白砂糖一兩。乾姜二錢。用濕紙包煨熟。共研為末。每服三錢。空心白湯下此方簡而費省。有老親者。切宜留心。

■脾泄不止

周吉人

凡脾泄不止。泄出食物完全五穀不化。乃胃無火也。用生白朮。雲茯苓各二錢。姜川朴。炒砂仁。炒陳皮各一錢。生益智仁一錢五分。水煎數服即愈。或用柿餅燒灰存性。放地上。用碗蓋住(不蓋則成灰。無性)候冷研末。米湯調服三錢。即愈。有一小兒由六歲至十二歲。泄瀉不止。食物完全不化。百藥不效。服此三服而愈。

■神效退雲至寶眼藥水

周吉人

胆礬二錢五分。(研)明礬二錢五分。

(研)川椒二錢五分。(研)烏梅(打碎)九個。冰片四分。(研)綉花針九只。用井水河水各十四兩。將藥並水放磁器缸內。用皮紙封固三五層。再以蓋壓之。不令出氣。放於夫妻雙全之床下四十九天。其針自化而丹成矣。或驗針尚未化盡。再浸十四天。自然全化也。然後將藥水用細絹瀝去渣滓。裝於好玻璃瓶中。澄極清。瓶底有穢垢藥脚。輕輕將浮面清藥倒出另裝淨瓶內。候用。勿令洩氣。凡治目疾。不論新久翳障。用此藥水頻頻點之。能使翳障全消。目明如初。或治風火眼痛。或治迎風流淚。用此頻點。皆能愈也。

神効眼藥方

陸鍾毓

珍珠(洗去皮塵)琥珀(生用)瑪瑙(火煅。用香油炙二次)青鹽(用水熬化取出。淀去渣泥。再熬成鹽)石蟹(研細。水飛)乳香。血竭。沒藥。(箬包熨)各五分。辰砂二錢。(飛過)銅青(揀淨)二分。硇砂(用滾水化開。去渣泥。再盛銅罐內。熬乾。如不用。以白丁香代之)海螵蛸取白粉一分。(稍研)白粉一分。爐甘石。(火煆通赤。以童便淬之。如此七度。再研極細。用水飛過。去粗者不用。）胆礬。（水洗）熊膽。（用磁器盞盛收。放在飯甑內蒸去油）射香（揀淨）二分。

右藥俱研細末。用白紙篩之。取極細。聽用。每煎藥一兩。加甘石一兩。對均。用磁罐盛貯。蠟封固。臨時加冰片少許。以銀簪蘸藥點入眼中。

■熱眼暴起洗方

陸鍾毓

黃連。山梔仁。川當歸。川芎。羌活各五分。明礬一錢。

右用水七八分。煎五分。酒鍾倒下半鍾。乘溫洗。冷。再用滾水浸酒鍾。水溫。又洗。自愈。

■治偏正頭風

張于飛

當歸三錢。（酒洗）川芎三錢。人參七分。龍膽草三錢。（酒洗）黃芪三錢。（蜜炙）藁本三錢。甘草五分。柴胡五分。山梔仁二錢。枸杞子（甘洲者）三錢。升麻八分。黃芩一錢五分。枳實一錢五分。薄荷一錢。甘菊一錢。防風五分。生地三錢。（酒洗）

右十七味。用水五鍾。麥酒一鍾。煎

二鍾半。飽服。第二次水二鍾半。酒不用。煎一鍾半。第三次水二鍾。煎一鍾。俱飽服。只吃一劑全好。

■頭瘡。（治癬亦神効）

張于飛

水銀二錢。雄黃末二錢。雄猪油二錢。

右先將油一半。入雄黃同研。為膏。後入水銀研。仍用油一半。入磁碗煎。飛滾。投入。同研。水銀即死。次用艾煎湯。洗去瘡殼。於赤肉上。將前藥薄薄搽上。次日即如湯泡樣。自然結痂而愈。痂落皮赤。用生姜擦之。髮即生矣。

■追蟲打積諸痞塊血鱉經驗方

諸中光

雄黃末一錢。班毛末五分。蕲艾三錢。

右藥用綿紙包如筆管大。寬緊適中。太寬則火力大難當。太緊則烟微而散。先用草箍住患處。俯伏下。以藥燃薰腹上。起泡多者為佳。薰畢。先以射香搽患處。再用後膏藥貼之。

■耳聾鼠胆丹

諸中光

凡耳久聾不愈。取活鼠一只。破腹。取膽真紅色者是也。用川烏頭一個。水泡去皮。北細辛二錢。膽礬一錢五分。共研極細末。以鼠膽和勻。焙乾。研細。入射香一分。口含茶水。滿口。吹入耳中。日吹二次。十日見功。雖久聾亦能愈也。

□耳聾開竅神效丹

諸中光

真靈磁石小荳大一粒。川山甲(燒研)二分。用棉裹塞入耳中。口含生鐵一塊。耳中如風雨聲即通。

□治燙傷良方

邢知永

閱某報識小錄。有燙傷妙藥一則。因憶及曾經實驗之方。特錄之以供讀者。(一)陳白蛤殼。(置放露天。日灑夜露。至少經閱數年。能愈久則愈妙)置瓦上煆燥。研成細末。封置磁瓶內。用時將蔴油或陳菜油調勻。敷之患處。數日即愈。不論炭傷燙傷。屢試屢驗。(二)當歸三兩。蔴油四兩。置鍋內同煎。俟沸透。移鍋離火(以當歸焦黑為度。)將當歸渣撩去。然後用黃臘四兩。乘熱拌入。攪勻待冷。

即凝成油膏。用時將油膏。塗在患處。必有奇效。用菜油代蔴油亦可。（三）備潔淨之甏一只。將爛福橘投入貯之。任使熟爛成糊。逐年投入。愈陳愈佳。敷治燙火傷。最為有效。

（按）治燙傷藥。涼血活血為主。不使熱鬱生變。三方即宗此法。

哮喘良方

錢雙呆

法用鮮鮮小絲瓜一二根。（若同時患此者多人可多採備用）不可去蒂。不可剝皮。不可切斷。投有蓋砂鍋內煨之。（鍋內宜盛清水三分之一）煨至爛熟。撫之中如敗絮柔者為度。乘熱摘去蒂。以碗承之。即水汁自蒂孔中源源流出。以此流出之汁。使患者頓飲之立能見效。惟此為暫時的。不可據以常服。而常服亦轉恐無甚特效也。

（按）喘哮者。肺有痰熱。絲瓜湯寒涼解熱。老年哮喘者宜服。少年宜忌。以性太寒涼。有礙生育。

去溼解毒良方

張銘紳

人居潮濕之地。或逢淫雨連綿。濕化為毒。觸之最易致病。宜用此方代茶。時時服之。可以免濕毒之害。而患於未然。方用炙甘草一錢二。茅蒼朮三錢。川厚朴二錢。新扁豆薄荷葉各一錢。赤茯苓陳皮香薷各一錢五分加陳茶一撮。黃豆（綠心者良）數粒同煎。

（按）此方燥溼清熱。溼毒初起。亦可採用。若蘊釀久者。化而為火。甘草宜生用。銀花黃連等酌加。

■治老鼠奶方

張鶴齡

老鼠奶子十餘年前嘗患之。頭面纍纍。初起極微。形如粹米。以手抓擦之則漸大如豆。每盥偶觸之。即出血而覺痛楚。有理髮匠教用苦參子咬去殼。用指爪研如泥。擇患處最大者。微剔以刃使出血。急以藥黏之。不數日偶觸之。即能連根拔起而愈。其他纍纍者皆不治自枯矣。苦參子即鴉膽子仁。其價甚廉。向藥肆中買銅元一枚。可治數人。

（按）老鼠奶。一名豎頭肉。為一種頑固之外症。雖無大碍。如生於面上。頗不雅觀。最好用頭髮。將奶樣之肉。齊根扣住。漸漸收緊。數日。可以自落。

□眼胞凸起之療方

宋愛人

風熱痰飲。積於臟腑。蘊積生熱。熱衝於目。故令目胞凸起。方書所謂睄眼。(見類聚)亦謂之熱眼(見直指)也。余按此説。確為經驗之論。嘗見腸肥腦滿之輩。日惟香膏美酒。煎炒膾炙。以貪此口腹。卒致胃濁日甚。胃濁甚。則胃氣不清。而痰熱内風。蘊釀不解。失臟腑之精華。皆上往於目。故能畢燭萬物。今藏腑之中。積熱日甚。故亦隨之而亦上蒸於目。日不能制其亢勝之熱。所以凸起而異於常人矣。

此證眼胞凸起。大知龍眼。(龍眼即桂圓)不但痰不清。轉生他病。(事實見下)卽性雖慈善。亦覺夫其慈善之態度。常作虎視眈眈。令人不寒而慄。誠宜急謀之以早也。(附錄事實一則於下。以證余去不謬)。

顧師允若家。聘有西席耿侯先生者。肥碩健啖。髭鬚如蝟。而一雙肉眼。又如核桃之凸起。向人作虎視狀。雖厥可畏。而亦未嘗自慮有他變也。至乙丑夏月。胡獨睡館舍。某日之晨。

闖者叩門而入。大駭卻走。蓋胡已橫臥床下。斜眼喎口。昏不知人。已成中風危候。疏方進藥半月雖愈。而自此神經呆鈍。語解滯澁。恐為痼疾。可見蘊於內。必有發於外。但禍患伏於隱微。人惟不知覺耳。豈僅眼胞凸起。而為中風之初兆也哉。願世之謀康健者。善為防微杜漸也。

治法用酒炒防風一錢。酒炒川連一錢。青子芩一錢。荊芥穗一錢。龍膽草一錢。鮮生地五錢。炙黃蘗三錢。羚羊角二分。磨冲。鮮竹瀝一兩。冲。水煎溫服。或加十倍合丸竹瀝泛丸。如桐子大。鹽湯送下更佳。若眼珠驟然突出者。此為危候。當急就醫治之。

▣黃疸驗方

抱琴

戚沈景鎬。就學於滬。數月。飲食無味。飯量漸減。面色漸黃。骨亦轉白。奔馳則頭目暈眩。心跳不止。就診於西醫。曰。此鉤蟲為患也。服殺蟲補血藥。不愈。換中醫治之。服茵蔯蒿茯苓等藥數十劑。胃口愈退，自知不能久持。輟學回家。有告以炒白朮煎湯代茶。服之可愈乃如法試驗。一月。胃口增。四五月黃色亦減。近已全愈矣。

（按）脾主溼。脾運不健。則溼為所滯。充於皮膚。溢於四肢。而黃疸作矣。炒白朮。燥溼健脾治本之法也。

治風濕痠痛良方

姚逢原

風濕初起。恆覺臂或腿痠痛異常。歷久不治。必致臂不能舉。腿不能動。故初起時。宜即醫治。切勿觀望。茲有一方。屢試屢驗。其方即用十大功勞三兩。八稜麻根（即臭綠麻根）五錢。千年健三錢。淫羊藿三錢。紅花三錢。全當歸三錢。五茄皮三錢。廣陳皮三錢。加水煎濃。另備一器。盛燒酒一斤。白酒二斤半。將煎濃之藥。連渣傾入酒器中。每日隨量飲之。其效如神。

治水腫靈驗方

費志清

水腫一症。由脾肺虛弱不通調水道。或因心火尅肺金。不能生水。以致小便不利。水即停於三焦。溢於皮膚。遍體腫大。致成為腫。其治法用紅棗四兩。郁李（即水棠李樹）不據多少。

煎湯服下。不數時。腫水皆由小便而出。惟欲愼忌鹹味一百天。以防反復。太師母近花甲。患水腫。更數醫症勢益甚。人皆以謂不治。後得此方服之。不數日而水腫盡消。余目覩其實。急錄之以餉讀丹方雜誌諸君。

治瘧方

費志清

燕窩冰糖各三錢。先一日燉起。至次日瘧作之前一個時辰。加生姜三片。滚三次。將姜取出服下。倘胃不能納。即止。啜其湯亦可。如一劑不愈再服。至三劑。無不愈矣。此方尤適於老人及久瘧不痊者。

吐血症之民間治療法

郭受天

吐血一症。學理甚多。分類亦廣。蓋平人之血暢行脈絡。充達肌膚。流通無滯。是謂循經。謂循其經常之道也。一旦不循其常。溢出於腸胃之間。隨氣上逆。於是吐出。是謂之病。此病在醫學治療上。古今以來。固有歷經實驗之藥劑。而民間之習用者。亦不乏合理有效之單方。茲特錄其較為合理之二三單方於左。以資同人之參考。

（一方）蘿蔔一兩。榨汁。食鹽少許。用法。將食鹽泥和蘿蔔汁內。而服之。

（二方）頭髮洗淨油氣。煅灰存性。醋少許。開水適宜。和勻服之

（三方）陳棕洗淨。煅灰存性。白糖少許。用法。加開水和勻服之。

按以上三方。俱平淡無奇。何以能收奇效。請分析說明之。

第一方之主藥蘿蔔汁。本草謂有寬中化痰。散瘀消食之功。故能治吐血。衄血。咳嗽吞酸等症。況又加以食鹽。能平血熱。使不妄行。近世新醫學家。謂食鹽有凝固。血液之作用。與蘿蔔配合。宜其有效也。

第二方中之頭髮。本為血之餘。煅灰存性。則無異於新流之血炭。近世西洋各大藥廠。即用動物血液燒成炭質。磨成極細之炭粉。此種炭粉。在胃腸中化開後。所佔之面積極大。能將全胃腸中之涎膜。密密蓋滿而保護之。髮灰既與血炭性質相同。功用勢必無異。更佐以酸醋。則收斂之功尤大。故能奏止血之效。

第三方以陳棕為植物體。因植物體莖

部枝部之組成。皆含有鐵之有機酸鹽類。燒之則與新生炭酸相作用。成炭酸鐵之鹽類。鐵鹽在醫學上有強血之能。西藥中鐵酒。亦即鐵鹽溶於酒者。鐵又有斂澀之性。所以古方中有以生鐵煮水。洗滌患部。可以療治脫肛者是也。棕炭係以棕之皮部燒成。其中富含鐵鹽。陳者取其枯燥之故。此由於含有收斂作用。而常獲奇效者也。

▣痰塊初起之特效藥

錢雙槑

痰塊初起。皮色不變。捫之不痛。以發於頸項者為多。此時即至藥肆中購生南星半夏白芥子皮硝各等分。另研合治。再用猪膽汁和調使勻。以鷄羽厚敷患處。隨乾隨敷。數日後即可退消無蹤。若皮色紅腫而疼痛者非痰毒。即不得妄援此例。以誅伐無過。(按)南星半夏芥子皮硝。消腫散結。著有奇效。惟此秖能收效一時。難使斷根。蓋痰塊為頑症之一。東消西塊。不一而足。非普通之外症。可以一消而永除也。

臘梨頭治法

胡啓藩

患臘梨者。速取生雞蛋一個。覓活蜈蚣一條。蛋頂開一小孔。蜈蚣貯於蛋內。封固。約半日。蛋中盡化水。傾出塗瘡上。連塗數次。即愈。

(按)蜈蚣走竄之力甚速。性有微毒而善解毒。具殺蟲力。故能治臘梨頭。

解救蜂刺妙藥

瞿仙

予伯曾祖。伯生公。少時聰穎過人。精岐黃。一日午後將出診時。偶見對屋檐下。有蜘蛛網。忽有一蜂。誤觸其上。百計莫脫。為蜘蛛所覺。蠕蠕而來。見蜂將食之。蜂乃伸其鋒利之錐。直刺蛛。蛛痛甚。遂逃至屋頂。適脊有瓦松兩顆。蛛乃以腹擦花。須臾痛止精神矍然如初。又行至網上。仍施其謀食主義。蜂又刺之。蜘復以松擦腹。如是者屢。每擦後。則精神愈健。其結果卒被蛛食盡而後已。公因悟瓦松能蜂毒。姑默誌之。次日晨有鄰婦攜其幼子來診。問其病。一無所苦。祇見手指。紅若珊瑚。腫如桃櫻。知為蜂所刺。詢之果然。因悟昨日所見。令以瓦松搗爛敷之。不一時能紅消腫退竟獲痊可。

消骨之奇方

蔣右良

武昌小南門。獻花寺。老僧慈究者。病噎食。臨終謂其徒曰。我不幸。羅斯疾。胸臆間必有物為祟。歿後剖視乃可入殮。其徒如教。得一骨如簪形。取置經案。久之有兵帥借寺。一日。從者殺鵝。其喉未斷。偶見此骨。取以挑刺。鵝血濺骨立消。後其徒亦病噎。因前事悟鵝血可療。數飲之。遂愈。因廣其傳。以方授人。無弗愈者（見香祖筆記）

（良按）本草陶宏景。鵝血氣味鹹平。微毒。主治中射工毒者。飲之幷塗其身即愈。又附方中有白鵝尾毛燒灰。米湯服下。能治噎食病。皆無消骨之説。此節所記。實由經驗得來。頗有研究之價值。茲特錄此。以待吾中醫同志參考可也。

大便血靈方

蘭坪

大便血有風淫腸胃。濕熱傷脾。始則臟腑受傷。久則陰絡亦損。治原不一。若大腸受熱而發者下方最靈。

大生地六錢。黃柏炭七分。槐花一錢

半赤小豆四錢。地榆炭七分。銀花一錢半。加木賊一錢。烏梅二個同煎。熱甚再加黃芩。蓮葉。或桑葉。丹皮。如服二三貼。血仍見。必須用黑芝蘇。(洗淨打)生首烏各四錢。加入同煎。(去木賊烏梅,因濕。加防風。白朮。(去生地)因風。加荊芥。當歸。防風。(去銀花槐花)。若血下色淡者。另用四物湯加龜版。生首烏。製首烏煎服使合。倘使血流連止而復發。用生首烏末。米糊丸。每服三四錢甚效。(麻京柿黑豆煎湯送下。更佳)。金匱分別糞前下血為近血。用赤小豆散。糞後下血為遠血。用黃土湯。果於脈症有相合。則於古法自堪師。余嘗治戴姻兄便血。或糞前或糞後無定。用生首烏。大生地。各四錢。白朮。防風。木瓜。白芍各一錢。當歸陳皮各七分。一劑血減。三劑全愈。凡便血者。京柿。黑豆。綠豆。赤小豆。黑芝蘇。蓮米可常服。或(糖作羹。或先入同猪精肉或猪大腸煎湯俱佳)。

小便血靈方

蘭坪

小便血卽尿血。溺竅病也。其源由腎

虛。非若血淋由於濕熱。其分辨處。以痛不痛為斷。痛屬血淋。不痛屬尿血。余有一方。施治頗效。因錄存之。且此方不但治尿血。方中烏梅炭。當歸。兔絲子。皆倍用。生地改用熟地。其當歸。蓮米二味同用。黑醋麦透炒乾。婦女崩漏久不愈。亦曾迭效。

龜腹版一兩。(水煎)兔絲子四錢大生地五錢。鹿角霜三錢。(先煎)白當歸一錢半。建蓮米五錢。連心用。打破煎。加烏梅炭二個。(米醋泡洗)為引。

如陰虛火炎。加知母黃柏一二錢。(此配入大補陰丸法)用猪腰子湯·京柿。黑豆湯。(方書有獨重用旱蓮治此症者)。代水煎藥俱佳。此等開藥。少用則無功。多用則礙方藥煎。故酌用煎湯代水一法。

◻水腫神方

沈仲圭

芍藥錢半。米三四錢。木瓜三錢。茯苓三錢。橘皮一錢。赤小豆五錢桑皮二錢五加皮三錢水煎服。

(按)桑皮赤豆皆善行水。(赤小豆同鯉魚麦食。為消水腫之便方)橘皮利氣。芍藥行血。循環暢利。小便之排泄自增。木瓜五加。去濕以消脹。米仁茯苓。益脾以利濕。水濕既去。浮腫自退。惟此為行水平劑。虛人或病未甚者宜之。

寒濕脚氣方

沈仲圭

五加皮四錢酒浸。遠志去心四錢酒浸。春秋浸三日。夏二日。冬四日。灑乾為末。以所浸酒糊丸梧子大。每服二三十丸。空心溫酒下。

(按)脚氣古稱壅疾。又謂軟脚病。昌黎祭十二郎文云。是疾也。江南之人多有之。蓋大江之南。地卑濕重。寒濕下受。脛當其衝。陰邪固結。氣血凝滯。乃紅腫痠痛。寒熱頭痛。舉步維艱。而疾作矣。五加皮辛以散血。溫以逐寒。苦以燥濕。遠志芳香辛燥。無微不達。且為五加皮之使。蓋藉其善達之性。佐主藥以奏功也。惟遠志之治脚氣。本草既無明文。醫家向不施用。而本方竟用四兩之多。未免喧賓奪主矣。

尿血不止

李健頤

尿血一症。西醫名尿管出血。為最急

之症。迂延時刻。必致損生。急用生地一兩。小薊五錢。白茅根三錢。車前子二錢。益智仁二錢。綠升麻二錢。煎湯溫服。外用手巾二條。醮溫鹽湯熨于臍下。互相更換。其血自止。真驗妙方。

(按)此方用生地。小薊。白茅根涼血退熱。車前升麻。一提一開。升清而降濁。更以益智補腎。腎氣充足。則幹旋有力。立方之妙。無過於此。

■治小兒風痰

李健頤

幼稚小兒。體質柔弱。偶感風寒。便成風痰之症。喉中漉漉有聲。口不哺乳。甚至痰湧氣喘。危在旦夕。可用九轉竹瀝丸五分。(研末)薄荷葉甘菊花僵蠶各一錢。煎湯沖服。最有神效。

■救食鴉片毒

李健頤

硃砂二錢。膽礬三錢。硼砂錢半。滚水冲化。用盌二塊。互相揚換。至冷為度。頻頻灌下。二三分鐘後。其鴉片盡可吐出。乃愈。若服砒霜。亦宜急投此藥最靈。

(按)凡一切毒藥。多有熱性。一入腹

中。即發熱起炎。腐蝕腸胃。硃砂膽礬等。其性寒涼。有退熱。解毒之效。

齒痛治療經驗

費澤堯遺著

家母素有齒痛之患。時發時止。八年秋。發作更甚。頤頰均腫。寢食不安。是時余適在家。疏方煎服。竟不效。擦西瓜霜之類。亦無效。不得已遍考方書。後於沈達三所輯之經驗良方中得一方。即照配敷治。藥初擦上。覺痛愈烈。竟號呼不能忍。余知性使然。匪誤施也。堅持慰無恐。經時十分。藥性過。用水漱去。再擦上。痛漸緩。如是四次。痛頓除。次日腫亦消。迄今三載未發。又鄰居張某曾亦患齒痛來訪求治。余即以餘存之藥粒與之。後亦痊瘳。足見該方之神效也。茲特錄之以供研究。

北細辛。草烏。蓽撥。香白芷。高良薑。各等分研勻每用少許擦之。

按此方不知何人發明。而究其組合之妙。頗非易易。茲據鄙見妄為詮解。夫齒屬少陰。齦屬陽明。細辛為少陽之引經藥。白芷為陽明引經藥。用以為君。草烏辛苦大熱。發散力雄。用以為臣。然草烏有毒。必須制品佐之。薑能制其毒。故佐以良薑。又有止痛之能也。蓽撥亦辛熱之品。能散陽明浮熱。用以為使。創製之神妙。謂非高明曷克臻此。且總五味而論。皆為辛散溫熱之品。蓋痛則不通。治之非通不可。通則不痛矣。嘗考西醫謂齒痛。頤神經痛也。故西藥須用麻醉神經劑。此方初施之反應。頗與西藥麻醉劑同。謂為麻醉劑亦無不可。

■脫肛治法

尤學周

原因　多由患痔而起。產婦用力過多。及虛弱之小兒。皆易患此。

症狀　肛門脫出。坐立不安。

療法　五倍子半兩。水三碗。煎至一半。入焰硝。荊芥各一錢。乘熱薰洗。再用五倍子末摻之。即能上收。或用油類醮於手上。撮住肛門。徐徐托上。隨用軟布墊住肛門。安坐片時。患者最忌勞動。多事操作。或奔走。或努力掙扎。愈後不慎犯之。皆能再發。

■紅白痢噤口痢祕製膏

藥

華祥祉

(一)紅白痢用巴豆（新者不拘多少。研成泥）雄黃（明淨者研極細）右將雄黃末。少許。入巴豆研成膏。先將病者眉心中穴。用水洗淨。將膏攤油紙上。每用黃豆大一塊。貼穴上。壯年一炷香。老幼半炷香。或三四寸。視人大小用之。香盡。即將藥輕輕揭去。拭盡。神效。

(二)禁口痢極危急。心胸微有熱氣。亦能治之。大草蔴子。(去殼)四十九粒。牛黃一錢五分。射香五分。雄黃五分。(用透明者)硃砂五分。(用明透者。陰砂不用)冰片一分。

右共為極細末。和前蔴子巴豆。研如泥。加葱汁少許。白蜜少許。為丸。如棒子大。先將紙貼患者眉心。紙上安藥。藥再用膏藥帖之。眉心皮膚腫起即愈。如不腫者不治。

◻月經前作痛不可忍者

馮先橘

吳茱萸一斤。黃芩一斤。

右二藥。將銅鍋炒老黃色。將茱萸篩出。加當歸四兩。酒浸。共為末。將茱萸煎湯為丸。如梧桐子大。每服空心好酒下七十九。

□舌脹滿口驗方

李炳沅

凡舌脹歸滿口症。由經火盛。以致舌大腫硬。咽喉卽閉。登時氣絕。名曰翣舌。至危之症也。用皂礬。不拘多少。放新瓦上。火煆紅色。放土泥上。退盡火氣。待冷研細。以磁調羹撬開牙關。切不可用金銀銅鐵錫五金之物撬開。因牙關閉。最忌五金物。如用此物撬。非但撬不開。反而更為緊閉。而牙齒撬壞。反為不美。是以只可用竹器骨器磁器撬之。或用鹽梅擦之。或生半夏擦之。牙關可以自開。將皂礬末搨於舌上。主時可效。再用百草霜三錢。陳酒冲服。若舌腫而喉內有痰者卽是喉風。卽用生地一兩。元參八錢。白芍四錢。象貝母四錢。丹皮四錢。麥冬六錢。生甘草二錢。薄荷二錢五分。連翹三錢。枯芩（酒炒）二錢。龍膽草二錢。射干一錢。生梔子三錢。生大黃（後入）三錢。元明粉（冲）二錢。連服二三劑自愈。若咽喉緊閉。不開。以小刀刺之。使出惡血。而可出氣。方可咽藥。或用吹喉珠黃散接喉吹之。使痰漸消漸吐而可愈也。

如中木瓜毒者。舌亦腫脹滿口。以好醋調黃糖。或調紅糖。含口中。吐出涎水數次。即愈此余素驗之法也或舌脹滿口而諸藥不效者。以刺舌下兩傍。血出即消。若誤刺中央。則出血不止。若已誤刺。即用百草霜塗之。立止。舌上出血者。亦用百草霜塗之立止。

婦人血風頭暈

李炳沅

凡婦人血風頭暈欲死。倒地不知人事。用生蒼耳之嫩心。預備陰乾為末。每用一錢陳酒調服。可以立愈。此物能通頂門。故易奏效也。

搖頭下血

李炳沅

搖頭下血者。乃肝風甚也。用防風三錢。天花粉五錢。蜜炙黃芪五錢。羌活五錢。白芍五錢。犀角(剉末)二錢。甘草二錢五分。蛇蜕(炙紅)一錢。鈎藤一錢。麻黃一錢。共研細末。棗肉為丸。如梧子大。薄荷湯送下。五十丸應驗如神。

小兒頭面胎毒並治久年不愈之瘡毒

李炳沅

凡小兒頭面瘡毒。及年久不愈之瘡毒。皆治如神。用浮水石煆存性。研為極細末。以細綳篩篩極淨。放碗內。童便調勻。用艾紋燒烟薰透。以裹面均帶黃色為止。俟冷退去火氣。麻油調敷。雖數年不愈者。敷三五日必愈。

治肚角癧方

何家坤

方用黃牙大牙一對。（可向牛淘。即宰牛場中購之。）用烈炭火煨之存性。（煨時須看守。以出青烟者為度。不可過焦）。即取起。待涼研末。另用全蝎兩對。川牛膝四五錢。共置於瓦爿。上。仍用烈炭火焙焦存性研末。然後與牛牙末和在一起。即成一料。須晚飯前用陳紹酒送服。（不飲酒者開水亦可。無不靈驗如神。倘此癧已釀膿。服後必出膿結痂而愈。否則亦能立時發散。決無後患矣。

鶴膝瘋治法

張佩春

有患鶴膝瘋。徵求治法。敝人昨於無意間閱讀大生要旨經驗各種秘方輯要雜治門。見載有『炙鶴膝風。漏肩風。草鞋風。秘方』一則。故特將原方全文照錄如后。

麝香一分研末。硃砂一分研末。硫黃三分。先將硫黃在火化開。再將二味藥末入內攪勻。傾出做爲薄餅。在瘋痛處用如米粒大小一塊。將線香火點燒藥粒。燒完。用萬應膏藥貼火瘡上自愈。此方乃桑林嚴先生所傳。生平以此治病。無不立效。真秘方也。

■民間傳流之肺癆單方

陳存仁

（一）人乳一斤半。秋梨汁一斤半。糯米一斤半。牛乳一斤半。調和。用錫器隔水蒸。每日空心服一匙。（頗爲滋養）

（二）每日清晨。用荳腐漿冲服白芨粉三錢。（屢次吐血者頗宜）

（三）採生白菓。浸於上等菜油內。愈陳愈佳。服時。剝去殼。搗爛。用芥菜露冲服。每日早晚服二枚。（有肺癰者可服此）

（四）黃瓜子數十粒。先埋土中。待萌芽。放出嫩葉。卽取出洗淨晒乾。用

瓦片一張。置芽瓦上。下熾炭火。煆至成灰。研細。每早開水冲服五分。（肺熱重者。服此頗宜。亦肺病患者極佳之滋養品）

（五）收藏十年以上之陳年苡仁。（新出苡仁無效）煎為苡仁湯。未病者服之。確能預防。已病者服之。亦可治愈。（陳苡仁治肺。有不可思議之滋養力。為近今最新發明。日本醫界已詳言。新出苡仁較次）。

（六）紫草四兩。大生地四兩。雲苓三兩。麥冬三兩。白菓肉一百粒。清水濃煎。絞汁。用蜂蜜六兩收膏。每日早晚冲服二次。每次用膏兩調羹。

（七）獨頭大蒜四十九枚。每日煎服一枚。又備大蒜若干。每日煮數枚於鍋。煮時。俯首張口。吸入蒸氣。約半小時。如不耐其味。為時可略短。（以上二則。以肺病初起用最佳。均有去腐補肺之功。惟患肺病一年以上者。勿用之）。

（八）雄精一錢。硃砂一錢。硫磺一錢。去沙泥。麝香一分。共研細末。用好燒酒和藥。以獨頭蒜去蒂蘸藥。由尾閭脊骨徐徐往上擦之。（有潮熱骨蒸及咳嗽者可以用此）。

(九)黑嘴白鴨一頭。大京棗二升。參苓平胃散一升。(即人參。茯苓。白朮。厚朴。陳皮。炙甘草同研末)先將鴨頸割開。量病人飲酒多少。隨量以酒燙溫。滴鴨血入酒。調勻飲之。又將鴨乾淨去毛。於脊邊開一孔。取去腸雜拭乾。次將棗子去核。每個中實參苓平胃散藥末。填滿鴨肚。中用麻紮定。以砂鍋一個。置鴨在內。四圍用火慢煨。將陳酒煮。作三次添入。煮乾為度。然後取棗子陰乾。隨意用參湯化下。其鴨血亦可隨意食之。(此方亦有相當效驗。惟須視症象而定。不宜妄試。當詢諸醫生而定奪)。

■疥瘡驗方

香圃

疥癩瘡蔓延全身。雖不致命。有礙美觀。且易受他人之反感與厭惡。傷害人之血液與肌肉。寖至傳染及於全身時。服藥無效力。現有一方外治極效。用活水銀五錢。川椒一錢。楓子肉四錢。白樟木二錢。蛇床子四錢。生明礬七錢。紅子肉五錢。硃血竭三錢。合桃肉五枚。上方先研細末。加臘燭油四錢。猪油一兩。共和勻。分作七塊、每日貼一塊。貼於心窩下。吸收瘡毒。發出紅點。至皮膚作痛。全身之瘡疥愈。

花柳病初起

香圃

尋花問柳。青年血氣未定者。不能獲免。於是毒蘊尿道。溺時管痛。馬口粘糊。甚者下疳腫爛。痛苦難於言喻。可用生大黃切片晒乾一兩。西琥珀一錢。研勻。用鷄蛋白三枚。搗丸如桐子大。每服三錢。開水送下。使小溲如金黃色。服三日。即可濁減痛止矣。

小兒鸕鷀咳

香圃

小兒連聲咳嗽。俗名鸕鷀欬。欬時連續不已。面紅筋暴露氣喘不平。嘔吐奶痰。此症由於風痰逗留肺臟。小兒肺葉嬌嫩最易受損。久延每成肺炎馬脾風等症。用熟牛蒡三錢。青蒿子三錢。旋覆花三錢。山查肉三錢。葶藶子二錢。炙蘇子二錢。上藥用清水煎。輕者一服見效重四五服。忌一切油膩腥冷鹹辣等物。而起居寒暖之間。更須注意。此方化痰降氣。極有效力。

吐血靈驗各方

沈仲圭

余鑑於中醫之特長在治療。治療之優良在方劑。故於讀書臨床之際。遇有驗方。隨手摘錄。日久成帙顏曰非非室驗方選。除一部分發表昔年王一仁主編之中醫雜誌外。其餘尚待整理。茲將吐血單方略錄數條。以告世之患此證者。

(癆症吐血)仙鶴草六錢。大棗十六枚。水六盃。同熬五六點鐘之久。俟水已收成一盃服之。(此方肺結核欬血最宜)。

(吐血、衂血、下血)白芨三錢。藕節二節。研末。開水冲服。(此係淺田宗伯方)。

(辛暴吐血)海螵蛸研末。米飲下一錢。(此治胃出血之方也)。

(吐血初起)生牡蠣、生龍骨、各七錢。白芨三錢。參三七八分。(研末調服)鮮藕半斤。(搗汁冲入)酒炒大黃錢半。鮮節根六錢。溫飲。(張騰蛟曰。吐血急則治標。以龍牡白芨三七為主。緩則治本。以鮮藕、大黃、茅根為要。更隨症加減。治無不效。圭按此方分量。余已略加損益。)

(吐血)龜肉炙炭。研末水下。功能止血。

(失血)赤芍、丹皮各錢半。藕節五個。鮮生地一兩。茆根一兩。十灰丸三錢。(分吞。)黃芩一錢。黑山梔三錢。(陸九芝原注。血症多矣。初起必有所因。凡理氣達鬱。清氣降火之法。俱不可廢。)

(吐血)丹參飯鍋蒸熟。泡湯代茶。日日飲之。(此方用於吐血愈後。以資調理。甚佳。)

(虛火吐血)甘蔗根汁、藕汁、蘆根汁、各一酒盃。白果汁貳匙。白蘿蔔汁半酒盃。梨汁一酒盃。鮮荷葉汁三匙。七汁和勻。燉熱。冲入西瓜汁一酒盃。緩緩呷盡。

(陰虛欬嗽吐血)米仁玉竹各四錢。白芍枸杞麥冬沙參各三錢。川斷二錢。建蓮百合各三錢。(陸定圃原按。此方治陰虛欬嗽吐血最良。然必收效於數十劑後。謂非王道無近功乎。圭按原方無分量。今為酌定如上。)

(肺病吐血)童雌鷄一隻。治淨。麥冬二錢。童便一盅。用河水瓦鍋煮爛。於天未明時連鷄肉服下。連服二三鷄。無不見效。(栩園按方曾刊昔年申報常識。有多人來函報告確效。圭按童鷄為未產卵之鷄。胃弱之人。但飲其汁。肉不吃亦可。)

(吐血)鮮梨一個。去核連皮。鮮藕一斤。去節。荷葉一張。去蒂。鮮白節根一兩。去心。柿餅一個。去蒂。大紅棗十枚。去核。煎湯代茶。數日見效。以後蓮節前一日煎服。(圭按藕取汁冲入。尤妥。)

(痰血)白茅根(去心)馬蘭頭(連根)湘蓮子(去心)紅棗各四兩。先煎茆根馬蘭。濾去渣。再入湘蓮紅棗。入罐文火燉。隨時取食。二旬卽愈。(以上三方。載家庭常識。以其俱屬食品。自然有益無損。誠虛症吐血之良方也。)

□蜈蚣入腹

定圃

明張冲虛吳縣人。善醫。有道人以竹筒就竈吹火。誤吸蜈蚣入腹。痛不可忍。張碎鷄子數枚。令啜其白。良久痛少定。索生油與嚥。遂大吐。鷄子與蜈蚣纏束而出。蓋二物氣類相制。入腹則合為一也。事見吳縣志。按明江氏繼名醫類案。亦有一方云。取小猪兒一箇。切斷喉取血。令其人頓飲之。須臾。灌以生油一口。其蜈蚣滾在血中吐出。繼與雄黃細研水調服愈。南方多蜈蚣。且家家用筒吹火。嘗有是患。錄之。

目疾秘方

石室秘錄治目中初起星。用白蒺藜三錢。水煎洗之。日四五次。星即退。此方亦神效。

巴鯽膏

定圃

外伯祖周悠亭先生向潮。兄弟三入。次春波先生踴潛。余外祖也。三葵圃先生以清。俱好喜樂施。賈人某。負逋五百金。貧不得償。焚其券。某感恩次骨。以家傳癰疽秘方相贈。按方製送。獲效甚神。錄之以廣其傳。

仙傳巴鯽膏奇方。治發背癰疽疔毒。一切無名腫毒。未成即消。已成即潰。力能箍膿。不至大患。

巴豆五錢去殼。鯽魚兩箇。重十二兩以上者。商陸十兩切片。漏蘆二兩。鬧楊花二兩。白及五錢切。番木鱉五錢切。蓖麻子三兩去殼。棉紋大黃三兩切。烏羊角二隻。全當歸二兩切。兩頭尖三兩。即雄鼠糞。白歛三兩切。穿山甲二兩。黃牛腳爪一兩。敲研。猪脚爪一兩敲研。蝦蟆皮乾二兩。川烏五錢切。草烏五錢切。蒼耳子四兩，元參二兩切。鼠糞雌多雄少。雌者兩頭圓而無毛。雄者兩頭尖而有毛。不可混用。蝦蟆皮。宜乾宜新。取其力猛也。右藥入大廣鍋內。用真麻油三斛半。浸三日。熬至各藥焦黑。濾渣再熬沸。乃入後藥。

飛淨血丹廿四兩。

用槐柳條不住手攪。熬至滴水成珠。熄火。待稍冷。再入後藥。

上肉桂五錢。乳香四錢去油。沒藥四錢去油。上輕粉四錢。好芸香四錢去油。

此五味俱研極細。徐徐摻入。用銅箸攪勻。待凝冷覆地上。十餘日，火毒送盡。乃可用。

■疳積

孔伯毅

作幼年多病。曾患疳積。精神疲困。面黃肌瘦。不思飲食。頸小腹脹。青筋網布。且時常咬衣挖鼻。動輒號哭。延醫診治。略無少效。侶藥鑪而友茶鼎者。亘三年有奇。母氏憂之。會外太祖母八十壽辰。母氏攜余偕外祖母及舅父等前往祝嘏。外太祖母見余尩瘠善啼。姿勢惡劣。（如挖鼻之等）。舉動呆滯。而少天真之趣。顧謂母氏曰。此疳積也。少華三叔（外太祖母之族叔）有一驗方。治愈者衆矣。吾嘗鈔錄珍藏。用資方便。因出方命母氏鈔之。次日。母氏挈余返家。如法調治。服藥七次。精神漸振。胃納漸佳。腹部漸次復原。青筋漸次隱沒。咬衣等惡劣姿勢。亦不復作。而號哭等之討厭態度。竟一變而呈活潑潑地之觀。異哉。三年痼疾。一旦消除。其為慶幸。豈非天賜。若此方者。可謂神矣。亟錄之。

膽礬　枯礬　文蛤（各二錢五分）　硃砂（七錢飛淨）　海螵蛸（二兩五錢浸淡）

右藥五味。共研細末。服法知下。

一歲　每服五厘　二歲至三歲　每服一分

四歲至六歲　每服二分　七歲至十歲　每服三分

宜用羊肝（或蟹肉、蝦肉、田雞肉均可）拌蒸。或用建蓮煲粥開服。如疳積上眼。黑睛起翳。用雞肝拌蒸食之。數次即效。既食此散。戒食無鱗魚生雞（公雞）赤鯉及油鹽糖生冷膩滯煎炒熱毒等物。宜食羊肝丶羊腸丶羊血丶蝦丶蟹丶田雞丶（蛙屬）鯿魚丶生魚丶猪肝丶及瘦猪肉等物。全愈之後。宜用猪肝五錢。韭菜五錢。同炒。空心食之。永無復發。但痳痘後。不宜用羊肝羊腸。是為至要。

□毒蛇咬傷

廣東最毒之蛇有三謂之三蛇。一曰飯匙頭。二曰金腳帶。三曰過樹龍。（一均為方言）三者之中。以飯匙頭為最毒。金腳帶次之過樹龍又次之。蛇毒在頭。其身絕對無毒。故廣東人將毒蛇去其頭。揭其皮。除其內藏。燉其肉而食之。可以袪風去濕。（捕蛇者取其膽汁製蛇薑蛇陳皮蛇胡椒等）與貓同燉。謂之龍虎會。與雞同燉。謂之龍鳳會。味殊甘腴。余亦嗜之。（如朱兆莘等食蛇中毒死。乃係例外之例外。不足為據）。屬稿至此。不禁食指大動。蓋上海虹口一帶之廣東酒店。際此金風送爽之時。龍虎會龍鳳會又將上市矣。

所謂其毒在頭者。蓋毒蛇之牙齦。有多數小腺體。能分泌黃色毒液。蛇齒小而銳。人若被咬。其毒液由齒尖注入創口•須臾丶創口局部。立現青瘀色。轉瞬間創口有青氣一條直沖心房。不旋踵其其人已神識昏迷。殆毒氣攻心。則已不可救藥矣。故毒蛇咬傷。同一嚴重。而毒蛇致命。比癲狗尤速焉。

余客欽州時。有同事陳景民者。任庶務職。其人孔武有力。精技擊。公餘之暇。余從之學焉。陳壯年時。從其祖以捕蛇為業。（其手足等處。被毒蛇咬傷之創痕。纍纍無慮數十。）其所恃以為護身符者。端賴祖傳之蛇藥耳。其藥無論任何毒蛇咬傷。均能治愈。萬無一失。否則此種危險工作。失敗一次。生命隨之。非兒戲也。余與景民感情融洽。蒙傳其方。景民雖有非其人勿授之囑。然余感於山居之民。每年死於蛇者。實繁有徒。終不忍以特效秘方深自珍惜也。爰錄如下。

青木香　吳茱萸　川黃連　五靈脂
雄黃精　枇杷葉　八角　法半夏
白芷　川芎
各五錢另加生草藥四味
蛇總管　蛇退步　半邊蓮　秋苦瓜（生者各一兩五錢。乾者各五錢）

右藥十四味。共研細末。煉蜜為丸。每個重一錢五分。硃砂為衣。蠟殼封固。如遇毒蛇咬傷。速將一丸分為兩半。用酒開服一半。餘一半以酒調敷創口。（如在路上。一時無酒。可將丸入口嚼爛吞一半。以一半敷創口。急回家飲酒一小盅。以助藥力。）敷藥之法，須四周離開創口些少。待其毒易於流出。黃水流至淨盡。（以藥棉揩之。勿沾手）便是全愈。又敷服藥丸。愈速愈佳。遲則不救。

□良方醇

諶養方

婦人白崩　摘鮮松葉不拘多少。濃煎去渣。約二碗許。盛之器中。絹篩蓋露一夜。明晨。酌加白砂糖調和。空心冷服。一服即止。

寒疝　敝處民間有流傳寒疝一方。治寒疝復痛。奏效如神。方為南茴香二湛廣木香一錢。炒吳萸、川楝子。各三錢。桂枝尖二錢。橘核二錢五分。白朮、茯苓、澤瀉、豬苓。各三錢五分。水三碗。煎碗半熱服。

痱子　痱子即夏日汗疹。用絲瓜葉搗爛絞汁。調爽身粉塗搽可沒。無爽身粉可用桃葉研粉。少加冰片。

癰腫熱毒　用芙蓉花葉。曬乾研末。遇一切癰腫熱毒。即以醋調或水調塗搽。良效。初起者即消腫。已成者易穿頭。已潰者能收功。而用於小兒火瘡。尤為奇妙。敝舍蒔有數本。曾研粉送人。故知其治效之宏特審。

雞盲服　此病一至傍晚。即昏矇不能視物。治法。多食豬肝可明。羊肝雞肝亦可。

風濕骨痛　風濕骨痛之為病。大抵患在股際、臂膊、肩隅為多。法用下等小麥麵粉。二三斤。花椒末兩餘。同炒。同炒。另用醋一碗。時時灑入。炒至極熱。鋪榻上。將患處蒙被薰之。冷則更炒。輕者不過三四度即差。重者必須另服湯液。

預防小兒食積　小兒消化力薄弱。最易積食。須防之法。在每餐飯後。用茶數匙。冲消積散（此敝邑藥肆之名、即醫方集解中之健脾丸製成散劑者。）少許。加砂糖予服。果持之以恆。能保永無食積之患。

刀傷斷指　真正白胡椒研極細末。愈細愈妙。密貯小口瓶中。火漆封口。免致洩氣。遇刀傷斷指。亟將兩斷面粘上細末。速為連接。布條裹好。月餘自合。

乳蛾擒拏法　乳蛾生喉間。狀似乳頭。一邊生者名單蛾。兩邊生者名雙蛾。擒拏法。將頸後及頸兩側對喉之肌膚。用指力撚。各數十次。俟至充血發赤。一似出血時。喉部卽已寬舒許多。復備銅錢一枚。按頸後撚處。以銳利碎瓷。針刺一二孔。（餘二處。不必施針。）再用大口小玻璃瓶一只。中燃以火。亟封刺處。瓶口四圍。勿令洩氣。瓶則緊吸不墜。血因被吸。源源流出。視所出約半匙時。卽行撤去。（此法敝鄉謂之拔火罐。）此時病人之喉都充血腫塞不開者。因被誘導消退。已可吞嚥飲食矣。復以艾尖搓圜如豌豆大數枚。蔴油緩緩嚥下。並含漱喉。以消餘毒。此法靈驗異常。百無一失。

齒痛　沒食子一顆。嚼破。分半含於痛齒齦肉處。立能流涎止痛。輕則半顆。可愈。蟲痛火痛俱治。

對口瘡　葱白一握。石搗極爛。（忌銅鐵）榨去液汁。蜜調如糊。敷於患處四圍。中間留頭。日換一次。無論已潰未潰。皆能奏效。旬日必可收功。

月信痛　婦人經來腹痛。以紅糖一撮。胡椒末少許。沸水沖服。特效。此鄉村女界通知之方也。又據鄉婦言。經行時不可食冷物及飲涼水。犯則阻滯經行而發腹痛。常多須數日始能行淨。

■返老還童神方

陳蔚雲

天門冬三斤（擇明淨油心者去皮。長流水洗淨晒乾）。

熟地黃一斤（酒洗晒乾。忌鐵）。紅花二兩。姜蠶二兩。當歸二兩（去尾。酒浸洗一宿。晒乾）。真川椒二兩（閉目者不用）。石燕二對。海馬一對（用油炙透。慢火焙乾）。

共為細末。煉蜜為丸桐子大。每次空心服一錢。鹽水送下。忌大怒大醉。方內天門冬補虛。熟地黃和血生津液。紅花能生顏。姜蠶能補容。當歸能生血氣。川椒寬脾去風邪。石燕溫血補益丹田。海馬助髓興陽。此方能安五臟。久服能返老還童。益壽延年。誠不可輕視也。

■千金秘方

陳蔚雲

旱蓮蓬。頭粉。蓮花蕊。蓮子心。各

等分。煉蜜成丸如雞頭子大。每服一二丸。可澀精止遺。

■強精益腎方

陳蔚雲

沉香。乳香。沒藥。菟絲各五錢。大茴香一錢。破故紙(酒浸)五兩。核桃(去殼)四十個

共為細末。煉蜜成丸梧子大。每次空心服三十丸。能令精液充足。腎氣旺盛。

■史國公廣嗣方

陳蔚雲

蛇床子。木別子(去殼)。良薑。各等分為末。煉蜜為丸梧子大。服之三次即受孕。

■真人保命丹方

陳蔚雲

酸棗仁。人參。白茯苓。天門冬(酒浸新瓦焙乾。各三錢。研為細末每服三錢。大能保腎延年也。

■腎虛腰疼神效方

陳蔚雲 南京鼓樓陰陽營四十九號之四

破故紙(炒)一兩。杜仲(炒黃)五錢。核桃仁半斤研末為丸梧子大。每服三十丸。空心炒米湯送下。

■延壽固精丸原方 陳蔚雲

菟絲子。肉蓯蓉。熟地黃（俱酒浸一宿）桂心（去骨）柏子仁。北五味。遠志（去心）。青鹽。蛇床子（酒浸一宿）川牛膝（去心酒浸一宿）各一兩。為末。煉蜜為丸梧子大。每服三十丸。空心溫酒送下。此藥能添精髓。常服延年益壽。

■眼科特效萬明丹

慈北沈師橋高店街 孫寄萍 泰山堂轉

（一）緒言

萬明丹。為眼科醫士。千金不易之眼病秘方。今鄙人之所以刊登公開者。蓋念醫者以秘方居奇自利。不肯廣為博施。此大失醫為仁術之本旨。鄙人之所不敢自秘者一也前人經驗之成蹟。後人不使之傳播。流之久遠。一旦失傳。不特泯前人創造之功。而絕賡進。豈非為人類進化之罪人。此亦不敢自秘二也。外藥之充斥市場。侵奪權利。國計民生。悉遭侵略。凡欲挽救漏巵。而濟危亡。此又不敢自秘者三也。以及種種。綜而言之。秘方者不可秘也。此鄙人之所敢向具秘方家誠懇告一言也。今將萬明丹方。刋登於後。願閱者見之而廣為傳播。慈善家修之廣濟博施。醫藥家得之而有以改良。庶幾不致使人民於疾苦。良方之失傳。國粹之不振。此鄙人之所厚望也。

(二)方劑及製法

黄連(瀉心火)。當歸(活血明火)。夜明砂去(去昏花而明目)。天麻(治羞明怕日)。防風(去風氣)。赤石脂(有理胃之功亦能止痛)青葙子(治內瘴氣)。赤芍藥(養血止痛)。楮實子(治攀睛補虛)。荊芥(去風熱)。胆草(清肝火)。白蒺藜(破瘀血退翳明目)錦紋(瀉胃火)。蟬蛻(袪風去翳)。甘菊花 治內障明目)。枸杞子(去風明目)。草决明(治雲翳)。白芍藥(生血去熱而理肝經)。蜜蒙花(退翳除昏)。知母(益腎水而明目)。苦葶藶(潤肺經消腫痛明目)。防己(治風邪而去熱)。茯苓(和中養心血)。麥門冬(去翳而除心肺之熱)。桑白皮(瀉肺火)。牛蒡子(明目去翳)。旋覆花(能降膀胱之邪)。青鹽(滋腎水而明目)。薏仁(去赤火而退翳)。五味子(滋腎補虛主瘴明目)。槐花(消腫毒而去熱）。艾葉（去風氣）。連翹（除心火消諸經熱消腫）。貝母（理肺經而消痰）。白芷（去面風）。石菖蒲（開心竅而明目）。木賊草（治拳毛倒睫而去障）。羌活（治攣睛而發散）。車前子（明目退翳）。以上各壹兩。川芎（治障風頭痛）。梔子（去白膜消熱）。生地黃（清熱涼血）。熟地黃（補陰養血）藁本（去濕除目中生瘡）。遠志（明目退昏）。細辛（去風明目）。柴胡（發散而治目內諸疾）。胡黃連（降火去熱）。薄荷（去邪清風消毒）。白附子（治迎風冷淚）。桔梗（下氣理肺經）。黃芩（治白睛紅痛而清火）。石羔（去風熱清胃火）。杏仁（通腸潤肺）。朴硝（除火而開鬱）。谷精草（去雲翳益精）。元參（去胃火）。百部（去肺火）。天門冬、生血而補虛）。大楓子（去諸風）。蒼朮（平胃去風濕）。枳殼（消滯氣而理腸胃）。青藤（去熱）。黃芪（益元氣理肺經）。黃柏（去火清熱）。以上各五錢。蔓荊子（治弦爛赤紅）。石決明（瀉肝火亦去肺經風）苦參（去大腸風）。以上各七錢。獨活（治眼黑花）五錢。梹榔（殺虫去翳）七錢。木通（瀉小腸之邪火）。六錢。甘草（解諸藥之毒）

壹兩。

右藥七十二味。俱切細片。用清水煎貳次。濾淨聽用。零用童便一桶。將水澄。盛磁盆中。入頂好龍腦甘石三斤。浸之一日夜。澄清晒燥。再浸一日夜取出。入鍋內煆紅。以前藥水浸再煆。如此十數次。冷定取出。甘石入陽城罐內。封固打火。每罐打三炷香。昇盞輕清者。入後藥修合。可治瞎眼。墜底重凝者。入後藥修合。可治風火時眼。（如不入罐打火。將甘石研細。用水飛過。分清濁兩用。亦可配合。）配合分量。數目開后。

製甘石十兩。琥珀五錢。珍珠八錢（煆）。月石三兩。（海螵蛸六錢。胆凡貳兩（煆）。鷹糞三錢（竹葉上焙過）。白翠二兩。（即磁青。煆紅入童便內不拘遍數以成粉為止）。真熊胆三錢。（瓦上煆存性為末）。人指甲一兩（洗淨炒黃色存性用）。枯凡五錢。（飛）。輕粉叁錢。辰砂三錢。朴硝三錢。冰片三錢。麝香三錢。

右藥均擇精良。各研細末。秤準和匀。密藏磁罐。勿令泄氣。至要至要。

（三）主治各證

凡風火時眼。爛弦風痒。迎風流淚。怕日羞明。拳毛倒睫。努肉攀睛。血灌瞳神。視物昏花。癍瘡抱住黑睛。以及多年老眼。雲翳遮睛。紅筋白障等症。臨疾施治。無不獲效矣。

■血痢驗方（附插圖）朱祈仙

血痢者。大多為腸炎。用白頭翁湯而不效者。可用地槐炒焦為末。水丸。梧子大。每服十五丸。米飲下。屢試屢驗。

■小兒初生火毒 思儉

小兒初生。火毒甚者。往往股間紅腫破爛。方書所載雞蛋油等。都無大效。惟取鮮紫背浮萍。煎水洗之。應手輒愈。

■疔瘡初起消散方 思儉

疔瘡初起時。即用生甘草及鮮野菊根。煎湯代茶飲之。最能消毒。外用醋蜜調赤小豆芙蓉葉之末。敷上。頗有奇驗。

■治嘔逆方（病由胃熱者宜之） 沈仲圭

通草三錢。橘皮錢半。粳米一合。生蘆根汁五勺。清水煎熱服。不瘥再服圭按蘆根通草。涼胃降火。使熱邪自小便而出。粳米甘平和胃。橘皮順氣止嘔。不但胃熱嘔吐。依為要劑。即胃火上沖。呃逆頻頻。亦可借治。

■惡心方（病由胃寒者宜之） 沈仲圭

豆蔻二枚。搗細。好酒一盞。溫服。圭按豆蔻功能煖胃行氣。凡脾胃感寒。以致腹痛吐逆者。服之立效。

價目表

時期	冊數	連郵費 國內	連郵費 國外
全年	十二冊	二元	四元
半年	六冊	一元	二元

零售：每冊實售大洋二角

丹方雜誌 第十期

廣告價目

等第	地位	全面	半面	四分之一
特別位	封面		四十元	
特等	底面之內外 封面之內	四十元		
優等	封面內面之對面	三十元	十六元	
普通	正文之前	二十元	十元	五元

彩色另議

◀中華民國二十四年十二月一日出版▶

編輯者 朱振聲
撰述者 全國醫家
發行者 幸福書局 上海三馬路雲南路轉角
上海特約 上海雜誌公司 上海福州路
華南特約 上海雜誌公司支店 廣州永漢北路二三九號
印刷者 興羣印刷所 方斜支路五號

痢疾救星

痢疾泄瀉特效藥

奧生大蒜精

藥性和順　適合國人體格

大蒜本為我國特產。醫家早知為良藥。然因施用不得其法。以致毫無效果。本品參照歐西祕法。抽出大蒜有效成份。製成片劑。對于治療痢疾。及一切泄瀉。功效獨偉。有藥到病除之能。本品並非收斂劑。服後無大便閉結之弊。

服本品後。菌蟲立可消滅。大便次數減少。腹痛消失。大便即轉復原狀。同時胃口良好。不幾日即得痊愈。本品應連服三四日。俟服二三日。然後再服三四日。如此則可使潛伏菌蟲。完全消滅。不致遺有後患。痢疾病人。應絕對靜臥。攝食流動容易消化物質。忌食一切生冷油膩之物。

主治

菌痢蟲痢（紅白痢疾）夏秋泄瀉　胃腸不和　腹漲多屁　胃口不振

用法

治痢疾最好先服瀉藥。如瀉鹽瀉油等。然後服本品三片。以後每小時服二片。日服十五片。

夏秋泄瀉及胃腸不和等。飯前或飯後。每次服三片。日服三次。

價目

每盒定價大洋二元。現為普及病家起見。每盒祇收大洋一元六角。外埠另加寄費大洋二角。

上海奧生製藥公司出品

上海三馬路雲南路轉角幸福書局經售

丹方雜誌
國醫朱振聲編 第十一期
民國二十五年一月出版
上海幸福書局發行
東風菜圖

丹方雜誌第二年起改名『幸福雜誌』緊要啓事

本雜誌自出版以來。倏已十一期。蒙讀者不棄。銷數日增。仝人等不敢自滿。故自第二年第一期起。擴充內容。增加篇幅。改名『幸福雜誌』。除原有丹方之外。對於內外婦幼咽喉花柳時症各科。莫不應有盡有。更添百病問答欄。以便定戶詢問一切疑難雜症。最後附有醫林餘興欄。文字淺顯。雅俗共賞。全年仍出十二冊。凡屬丹方定戶。自即日起至民國廿五年二月底止。預先定閱者。祇收半價。連郵計洋一元。並得贈送幸福書局一元代價券一張。(憑券可購本版書一元)通函問症券一張。(價值二元)以示優待。期滿之後。實收二元。贈品取消。(第二年第一期目錄。在十二期丹方雜誌中。預先披露。請讀者注意。)機會難得。幸勿交臂失之。

丹方雜誌第十一期目錄

解胎毒方

李濟良

小兒落地。呱地一聲。口中血塊下腹。便成胎毒。約半日。用藥二味。煎水。將舊細青布。洗淨。纏食指。展藥水。輕輕洗口內舌與唇。藥水任嚥下。能令毒氣從胎糞出。可免肚痛之症。

黃連。(夏多用)甘草。(冬多用)約各一錢為准。

鼻中生痔方

龔奇逢

甜瓜蒂四錢。甘遂一錢。枯礬五分。螺殼灰五分。草烏灰五分。共研為末。麻油調作丸。如鼻孔大每日以藥塞入一次。其痔即化為水。痔皆爛下即愈。或服苡仁冬瓜湯代茶更妙。

(鼻中生痔又方)輕粉二錢。杏仁七粒去油。白礬五錢。共為細末。吹入鼻中。即化為水。

鼻中肉塊脫落方

吉人

鼻中肉塊。名曰息肉。用鵝兒不食草一團。塞患鼻數次。即愈。或用生藕節。連鬚。瓦上焙枯。研末。吹入鼻中。其肉漸漸自落。並治鼻中生瘡。

吉人屢驗。

鼻流臭水

王飛霄

凡鼻流黃臭水者。名曰鼻淵。此症從腦頂一股酸氣。由鼻孔而下。臭不堪聞。用真松花粉。時時嗆入鼻中。半月可以斷根。或用乾葫蘆。瓦上焙枯。研末時時臭入鼻中。再將此末冲酒飲之。更效。

瘋氣膏藥方（每年端午日。採百草入內熬。其効如神）

何誰非

亂頭髮（洗淨晒乾）半斤。地骨皮一兩。尋風藤一兩。當歸一兩。黃蠟二兩。五加皮四兩。防風一兩。黃柏（去皮）四兩。獨活一兩。木鱉子（去殼）一兩。姜汁半觔。葱汁半觔。

先將松香二觔下鍋熬化。將棕二片。濾去渣。將清水浸之。然後將蘇油二觔下鍋熬。就下前粗藥葱姜汁入內。武火熬。各藥將枯。再加端午採百草入內。共熬枯。將棕濾去藥渣。再將鍋抹淨。復下藥油。入鍋內慢火熬。再下松香。黃蠟。滴水成珠。然後下百草霜半觔。細下。入鍋收水氣。將百草霜預先碾極細。篩去粗者。然後下。入藥油内。候膏成。住火。慢下細藥。

孩兒茶五錢。樟腦一錢。乳香（箬去油碾。）一兩。沒藥（箬去油。碾）一兩。龍骨三錢。輕粉三錢。血竭一兩。射香五分。

右八味。共碾極細。俟住火。將冷。方漸下。不住手攪勻。將冷水浸之。聽用。

（又方）專治三十六種風邪等症。蛇床子。黃柏。荆芥。全蝎。白芷。川山甲。川椒。剪草。犀角。川槿皮。風子肉。枯礬各三錢。（熬黑）雄黃。雌黃。硫黃。輕粉。人言以上各三錢。黃蠟四兩。麻油一斤。

右將前十二味藥。入蔴油内。浸一月。煎熬前藥・滓焦黑色。濾去滓。下後六味。細末。幷黃蠟在内。攪勻。待冷。成膏收用。

■諸般疼痛膏藥方 陳鶴鳴

風濕手足腫痛。半身不遂。諸般疼痛。用元參二兩。苦參四兩。黃柏三兩。荆芥穗二錢五分。鬱金二錢。防己三錢。川烏。草烏各四錢。大黃三錢。生姜五錢。商陸多用。

用香油三觔。將前藥浸一二日。用鐵鍋煑。內入鱉殼一個。以驗火候。取殼黑色為度。濾去渣。加鉛粉一觔八兩。文武火熬。滴水成珠。取起。磁器盛之。聽用。

■瘋氣內服靈驗方

陳克光

當歸（全身用。）重的一兩一根者。作一兩。木通三錢。生地一兩。防風五錢。蒼朮七錢。砂仁五錢。五加皮七錢。木香三錢。羌活七錢。黃連二錢。牛膝五錢。好白生酒十五觔。絹袋盛藥。共入罎內。煑二炷香。取起。罎埋一半土中。退火性。三日。不拘時。隨意飲數鍾。量大者。多飲亦可。如風氣作發。未及煑酒。則將前藥分作十貼。後藥酒煎服。

薏苡一錢。秦艽六分。防已六分。獨活五分。桑寄生六分。白酒鍾半。煎八分。痛在上身。食後服。痛在下身。食前服。走風各處疼痛者。隨宜服之。服藥須在和暖處。坐半時。或無風有日色處。行動頃刻。忌牛肉生冷海味猪首肉。飲不得酒者。水煎熟後。加酒一小杯服之。若煑藥酒不必加後藥也。此方老幼男婦幷皆治之。惟少年女人。或有胎孕者。除去牛膝。百發百中。屢經驗。

治手腳瘋氣如神方

陳克光

當歸。威靈仙。海風藤(要真者)生地黃。牛膝。杜仲(炒去絲)各五錢。枸杞子。漢防己各四錢。蒼朮。芍藥。川芎各三錢。五加皮六錢。人參五錢。木瓜五錢。(瘋則木瓜不用)用臘酒十五觔。將前藥用絹袋盛之。煑三炷香。將泥封固。埋土三日後服之。

換骨丹(治癱瘓中風。口眼歪斜。半身不遂。一切癘風)

趙元一

麻黃。(熬膏)威靈仙。何首烏。丹參。苦參、防風。槐角子。木香。桑白皮。白朮,蔓荊子。白芷。五味子。硃砂。川芎各等分。片腦。麝香各少許。右共為末。麻黃膏為丸。如彈子大。每服一丸。酒送下。

治瘋氣不能動或作痛

李炳沅

闢陽花。防風。槀本。車前子。槐樹

皮。白芷。川芎。木通。獨活。。右各等分。上焦加桔梗。下截加牛膝。龍胆草為末。水作餅。用蘄艾炙骨節動處。若渾身不動處所。止隨痛處灸之。一餅已乾。另易一餅。灸令起泡方休。外用火瘡膏藥貼。加綿絮包令煖。半月餘全愈。

■治鵝掌瘋方　周小舫

硃砂一錢。雄黃一錢。輕粉真者五分。

右三味。研極細。和勻。入生桐油少許。調勻。搽患處。搽畢。將患處於微火上焙。一炷香時為度。擦去。次日依法又焙。如此數日卽愈。

■治瘋癱不能起止　周小舫

土茯苓四兩（不見鉄器。用木搥碎）牛膝肉六分。皂角刺六分。五加皮八分。

右為一服。水三碗。煎至二碗。食遠服。渣幷水一碗半。煎至七分。忌牛肉。茶。醋。燒酒。蘇油。不可食。

■痰疾癲狂化狂丹　馬文華

凡痴癲發狂。有因傷寒而得之者。此

一時之狂也。照張仲景先生傷寒門治之。用白虎湯以瀉火矣。更有癲狂終年而不愈者。或持刀殺人。罵官。不認父母妻子。見水則喜。見食則怒。此心氣之虛。而熱邪乘之。痰氣侵之。遂成狂矣。此等病欲瀉火而火在心。不可瀉也。欲消痰而痰在心之中。不易消也。惟有補心脾胃之氣。則心自養。不必去痰痰自化。不必瀉火火自無矣。用高麗參三錢。白朮土炒一兩。茯苓一兩。製半夏三錢。兔絲子三錢。菖蒲一錢。附子一分。生甘草一錢。河水煎服。一劑狂定。二劑病全。此方妙在補心脾胃之三經。而化其痰。不用瀉火則心氣愈傷。而痰延愈盛。狂將何止乎。尤妙在附子一分。引補心消痰之劑。直入心中。氣又易補。而痰又易消。又何用瀉火之多事乎。此所以奏功如神也。

牙痛三驗方

畢霞天

(一)清胃合涼膈散治牙疼効方　升麻一錢。生地七分。當歸七分。牡丹皮七分。黃連七分。梔子。黃芩。連翹各八分。薄荷三分。甘草二分。桔梗八分。石膏一錢。白水煎服。

(二)治牙齒痛擦牙神効方　杏仁不拘多寡。用針刺向燈火上燒黑。存性。碾細。擦患處。愈。

(三)治齒痛神効驗方　寒水石。蘇薄荷。真青黛各一錢。細辛五分。香白芷五分。片腦二分。

右為細末。用指蘸藥。搽擦患處。

◻瘧疾奇驗方

羅浮山人

發過三四次者用截瘧丹。水銀一兩。硫黃五錢。為末。微火炒死。加人言五錢。同置爐罐內。用泥封固。升打三炷香。待冷取出。又黑豆四十二粒。水浸爛。研碎為丸。如赤豆大。硃砂為衣。該發日五更。用井花水向東服二丸。熟睡一時即愈。過五更。雖服不効。

初發一二日者。用柴胡一錢五分。黃芩一錢。猪苓五分。澤瀉五分。白茯苓八分。白朮一錢五分。厚朴八分。甘草三分。人參五分。(量用)香薷(一暑天用)二錢。

三四日後服柴胡八分。黃芩。半夏。青皮。草果各一錢。蒼朮五分。檳榔五分。川芎三分。

右用水一碗。酒一碗。姜三片。葱三

根。煎一碗。溫服。取微汗。

感寒瘧。用青皮五分。半夏七分。柴胡八分。乾葛。烏梅。紫蘇。藿香。當歸。人參。黃芪。白朮各五分。川芎。姜三片。水一鍾半。煎八分。食遠服。渣再煎。

(傷食瘧方)青皮四分陳皮五分。甘草二分。人參五分。乾葛五分。白朮五分藥皆王道。但君臣配合佐使之妙耳。

■血痢治療法

李健頤

血痢是由熱毒伏於大腸。腸管發炎。腸之粘膜破爛。血液溢入肛門。而出於大便。又因肺氣不固。無力收縮。以致屢欲登圊。而下無多。腹中刺痛。口渴舌燥。身體倦怠。此症為痢之最重而最惡者。苟治不得法。變症叢生。豈可不慎哉。

血痢既屬血分有毒。肺氣不收。故宜涼血鮮毒。兼固肺氣。若血熱已退。肺氣清肅。則諸症皆可立愈矣。鄙人得一方。用生地。赤白芍。檳榔。藕片。知母。桃仁。涼血退熱。佐大黃山查肉。直入大腸。滌除腸垢。加杏仁桔梗。升提肺氣。氣升則清陽上升。濁陰下降。其大便卽可通順矣。又增木香川楝。行氣止痛。此方歷治多人。皆著奇效。謹將原方列後。并附加減等法。

治血痢方。生地五錢。赤白芍各三錢。桃仁二錢。藕肉三錢。檳榔二錢。知母二錢。山查肉二錢。大黃四錢。杏仁三錢。桔梗三錢。木香一錢。川楝三錢。蜜水各一碗。煎八分。食前溫服。如無裏急後重者。去大黃。加秦皮白頭翁各二錢。熱甚口渴者。加石膏一兩。川連二錢。口渴液枯者。加阿膠女貞子各三錢。身熱氣喘者。去桔梗。加石膏一兩。更宜臨證權衡加減。切不可板方誤事。至為叮嚀。

■產後腹痛

鄭芸書

婦女產後。或有腹痛。如臨盆然。每日數發。或間日數發。發時。痛不可認者。方用朱色血竭一錢。明沒藥一錢。兩味共研細末。開水冲服。連藥末服下。如前次產後有是疾者。臨盆前先服一帖。可免後發。若產後新發。可臨時服之。此方至多不過三四帖卽愈。其效力甚大。不可輕視。

小兒梅毒身無完肉 鄭芸書

芸之小兒。產後四五月。僱乳婦不愼。乳婦之毒。傳染於小兒。致身無完肉。此好彼起。瘡水不乾而奇癢。中西名醫。視之。初時頗好。即見效。至月餘。依然如故。如此者足有三年餘矣。今夏得一土方。照方調治。不一月已完好。而身無一疵。後王姓友人之弟。亦患是症。年餘。芸告是方。亦照法治之。二星期亦全愈。可知是方之妙。妙不可言喻耳。

方用

紅三仙丹。及中國蠟燭油。煬而和之。搽於患處。一日兩次。早晚各一。再另服金銀花露。用以代茶。能如法照行。定能見奇效。

噎症特效藥 李健頤

鹿肚草二錢。蓮葉一張。（先放在甑飯上炊過數次。）杵頭糠一兩。（纏布包）清水煎滾。冲白蜜一兩。空心溫服。服至一日後。自可漸漸納穀。

（按）此藥功能補助腸胃中津液。運化穀質。蓋津液充跡。則腸胃之收縮力不疲之。腸管擴張。穀質易於受納。

是噎病不幾然而自然中而愈者。真特效之良藥也。

▣走馬喉痺之救命金丹

沈仲圭

大皂莢四十梃。切。水三斗。浸一夜。煎至一斗半。入人參末半兩。甘草末一兩。煎至五升。去渣。入黃酒一升。釜煤二匕。煎如餳。入瓶。封埋地中一夜。每溫酒化下一匙。或掃入喉內。取惡涎盡為度。後含甘草末。

(按)龐安時傷寒總病論云。元佑五年。自春至秋。蘄黃二郡人。患急喉痺。十死八九。速者半日一日而死。黃州推官潘昌言。得是方。救活數千人。考喉痺有二。一為虛火。喉間微腫而色淡。脈細食減。溺清便利。是為慢喉風。一為實火。咽喉腫大疼痛。痰涎壅塞。聲如曳鋸。湯水不入。聲音不出。是為緊喉風。其腫處有紅絲纏繞。或腫勢蔓延頸項。並毛細管充血外露者。是為纏喉風。古謂「喉風不吐痰。非其治也。」故本方以皂角之開竅吐痰。甘草之清火解毒。惟皂角雖能開痺。而氣味辛溫。不免助火傷陰。故稍佐人參之甘寒生津也。

子宮下墮自療法

李健頤

婦人產後。經後。因勞動過甚。以致子宮墮下。陰戶內如一物窒塞。尿意頻多。欲溲却無。或尿道紐痛。小便點滴如淋。若投與利水之藥。病必增劇。蓋子宮懸於骨盤裏。子宮口如布袋口之紐結。當產後經後。其口大開。瘀血盡溢。故子宮極虛。稍一不愼。或行動過甚。或坐立過久。每易使子宮墮下。所以產後及經後時。宜靜臥以防此患。誠爲上法。倘不知愼防。以致墮下者。宜與西洋參二錢。升麻二錢。黃耆一兩。五倍子錢半。小茴香一錢。烏梅四枚。清水一碗。煎半碗。空心溫服。連服數次。效驗如神。按子宮虛弱。氣不上升。故用參耆升麻。補氣以升提之。則墮下之子宮。得補氣以上升矣。佐五倍烏梅。收斂其氣。再加茴香。薰香化氣。兼以止痛。然此症由於氣虛不能升攝。故專藉補氣升提之功。氣固則不至再墮矣。

膈噎神效方

李健頤

膈噎一症。多因胃中液枯。二腸窒塞

。食物不能流入腸中。膈於胃口以致朝食暮吐。諸藥罔效。古人用啓膈飲。（茯苓丹參沙參川貝砂殼鬱金荷蒂菖蒲杵頭糠甘瀾水煎。）余歷治頗多。當將此方。再加火麻仁郁李仁。以潤二腸。鷄內金鹿肚草炒麥芽。開胃運脾。服者無不迎機奏效。誠有勝啓膈飲萬倍矣。

■治眼暈花不明

李健頤

老人兩眼暈花不明。是因讀書勞神。以致眼球之光線疲倦。視物朦朧。宜用生猪板油一斤。烏棗四兩。白糖一斤。共搗練成膏。以甕貯之。每用一匙。冲滾水服之。可使瞙者復明。真真妙方。

■胎毒神方

李健頤

小兒發生胎毒。膿瀋漬漬。痛苦萬狀。呱呱啼哭。日夜難安。為父母者。每為軫憂。然世之治胎毒藥雖多。於實效者甚少。余發明一方。最有靈效。法用煆石膏三仙丹腦片朴硝白芷末各等分。研末。調桕油。時時塗擦。再用明銀綠豆甘草白蘚皮煎湯服之。半月後即可收功。

(按)胎毒得自先天。以患花柳病者所生之子女為最多。一時雖能治愈。病根實不能永斷。世之青年。幸勿失足花柳。傳染惡疾。害己而又害及其後也。

中風閉症之急救良方

沈仲圭

大皂莢肥實不蛀者四挺。去黑皮。白礬光明者一兩。為末。每用半錢。重者三字。溫水調灌。吐出稀涎一二升。當甦。

(按)中風一症。西人謂之腦出血。腦中血管破裂。壓迫知覺神經。則卒然昏倒。人事不省。壓迫運動神經。則四支不遂。言語蹇塞。種種見症。無非神經為病。神經之所以病。由於血管裂。血管之所以裂。由於血充腦。血之所以充腦。由於氣火上升。血液隨之。是以本病治法。以潛陽滋陰為第一義。陽潛則血可復返。陰滋則陽不致上潛。然當牙關緊閉。兩手固握。一髮千鈞之際。亟進良方。猶嫌不及。此則有賴於開關通竅。搜風吐涎之皂角矣。且本方以辛溫而鹹之皂角。伍以酸寒而鹹之明礬。有濟急之功令人拜倒。無增熱之弊。古人配合之妙。洵足也。

聤耳膿耳之療法 宋愛人

（原因）耳之內部。有脂肪體以潤澤鼓膜。故有結硬成片者。謂之耳垢。此卽脂肪體之流出於外者也。顧脂肪體之結成耳垢者。少則尚無大礙。多則耳將爲之不聽矣。若風熱太甚。脂肪體結成硬核。耳孔塞滿。則耳膜不能鼓扇體外之音而成聲。故耳聾不聽也。若風熱入於少陽膽經。循經上行至耳。壅而爲膿。膿汁常流者。爲膿耳結閉塞。而亦爲聾耳也。

（證狀）聤耳證狀。有時不聞外聲。有時則耳內轟轟如雷鳴。且耳內常覺脹痛不快。膿耳。則時出膿液。甚則氣發腥臭。若有時而膿不流出者。卽內

（治法）聤耳。膿耳。總是風熱鬱火。或挾濕毒而成。故治法大概可合用清散之品。余有一方。治之甚效。用生地黃三錢。炒赤芍錢半。炒歸身錢半。生梔子三錢。青柴胡五分。片子芩錢半。塊滑石五錢。白茯苓三錢。生甘草五分。煎湯溫服。內火重者。加

飛青黛一錢。後下。若外治法。當分別治之。

(一)聤耳外治丹方　地龍糞三錢。釜底墨五錢。生猪脂一兩。三物共搗勻。再取葱汁拌之。研成如棗核大。綿裹塞耳。潤則換之。使耳垢不能燥結。則耳自聰明。

(二)膿耳外治丹方　海螵蛸五錢。枯礬末五錢。乾胭脂三錢。真麝香一分。各研細末。貯密無令洩氣。用時。少許吹入。或摻敷爛處。方出外科證治全書。頗為穩妥而有特效。(按：近時有所謂耳疳。(出黑色臭水)震耳。(出青色膿水)纏耳。(出白色膿水)聤耳。(出黃色膿水)風耳。(出紅色膿水)等。然總不越乎風濕熱三者而已。若以膿色分種類。則膿色多有挾雜不清者。將何以為別耶。此種巧立異名。毫無實際。徒令謠惑觀聽耳。

■治紅白痢

汪仞千

用雞蛋兩枚。打開。以箸攪和。紅痢加砂糖一兩。白痢加白糖一兩。紅白痢則各用五錢。以小磨油炒食。輕者一次即愈。重者二三次即愈。

(按：雞蛋醋煑。本治久痢。取其補中

帶斂。此方以麻油炒食。寓有通因通用之意。立法甚妙。

瘧至腹痛

鮑東藩

顧校拖兄之第五郎君。秋時患瘧。間一日至。至則腹劇痛。瘧過則痛緩。數歲小兒不便用藥。詢其瘧已發過三次。俱得暢汗。外邪已去。可行截法。令用巴豆仁一粒。搥扁不去油。先瘧前二時。置椎骨第一節。外以小膏藥蓋之。過瘧發之期則揭去。此法用之小兒。並無所苦。且有奇效。

瘧疾驗方

沈仲圭

砒霜一錢。菉荳粉一兩。以麵糊和丸。如菉豆大。每服五丸至七丸。一次即愈。重者再服。無不瘳者。惟愈後宜忌米飲。

（按）砒石燥痰（丹溪云無溼不成痰。無痰不成瘧。故治瘧首當袪痰。）截瘧諸家本草。原有明文。惟性熱而毒。故佐以十倍之菉豆。甘寒解毒。每服又祇五至七丸。自無中毒之虞。考瘧之病源。以麻拉利亞原虫。侵入血液。孳乳為害。惟砒能殄滅之。此丸以砒為主。猶西醫注射六零六也。揆諸病理。既無扞格。施之臨牀。自顯殊功。

▣瘧疾良方

李耀庭

此方得自友傳。屢著效驗。且價極廉。所費僅幾十文今特錄出。公諸愛讀本報諸君。其方用常山三錢。烏梅鱉甲（分量約略）紅棗三枚。生姜三片。甜茶廿文。未發前一時飲服。三服見痊。身弱者忌，勿妄服之。

▣三陰瘧極効方

郭志道

患三陰瘧者。頗難治愈。此方治驗多人。舍弟患此症年餘。亦用此方治効。

明白凡一錢。金生一錢。腰黃一錢。白信三厘。共研細末。爛飯為丸。如梧桐子大。每服六丸。濃茶湯送下。濕重者吐去濃痰。即愈。

▣預防小兒馬牙鵝口

抱琴

灶雞糞一錢。研細末。濃茶調。於小兒下地後。以淨布指栻兒口。每日揩拭數次。謂之洗口。可以防馬牙鵝口。

（按）灶雞灶馬。全體紅色。後肢頗長。而有長刺。頭部有二鬚甚長。狀如蜂。有翼能飛。其糞黑色甚臭。人家灶隙內碗櫃中多有之。一名虫珠。性苦涼解熱。故佳。然小兒洗口。不若以鹹菜葉洗淨。包指蘸茶頻擦為妙。蓋鹹可軟堅。而茶亦有去毒之妙也。

■崩中漏下

錢少楠

內經謂陰絡傷。則血內溢。又云。陰虛陽搏謂之崩。此古人所謂崩漏之原因也。亦有暴怒傷肝。肝不藏血而血妄行者。肝橫乘脾。脾不統血而血下溢者。重則忽然大下而為崩。輕則淋瀝不斷而為漏。丹溪翁曰。崩漏有虛有熱。虛則下崩。熱則下流。

方古庵曰。崩漏治法。初用止血以塞其流。中用清熱涼血以澄其源。末用補血以復其舊。若止塞其流而不澄其源。則滔天之勢不能遏。若止澄其源而不復其舊。則孤立之陽無以存。雖為治崩漏之正法眼藏。然就予所經驗。其法猶不止此。予治崩漏。用黑神丹此丹甯絡止血法專治胎前產後。崩中漏下。及經後淋漓不止。或腸風下血。

黑神丹

黨參炭五錢。於朮炭五錢。蓮房炭三錢。貫仲炭四錢。藕節炭三錢。陳京墨四錢。百草霜四錢。陳石榴炭三錢。醋炒條芩炭四錢。醋炒香附炭五錢。右藥十味。各研極細。和勻。再研千遍。用鮮生地一斤。棉花根半斤。熬膏。搗和為丸。每丸約重一錢。金箔為衣。曬乾。蠟殼封固。臨服。每用一粒。囑病人緩緩細嚼。用陳紹酒一小匙。清童便一杯。和勻送下。

上藥多用炭藥者。以血見黑即止也。方用參朮蓮房等升補炭者。為氣虛下

陷者而設。用貫仲藕節石榴等清斂炭者。為血熱妄行者而設。若醋炒條芩炭。尤能酸苦泄肝以甯絡。用此七炭為君藥者。以其氣虛血熱者最多也。臣以陳京墨百草霜。不但取其色黑以止血。且取其氣清芬其味收澀。澀以固其滑脫。而有凝結血絡之功耳。使以醋炒香附行氣。用炭者。預防提斂太過而氣滯也。要在佐以生地棉花根煎膏煉丹。一則清補其血液之虛。一則收攝其子宮之絡。同一用藥。而縷析條分。細心配合。所以臨症時屢奏殊功焉。

腹脅疼痛良方

畢雲娥

腹脅疼痛。急不堪耐。此由榮血不足。感受寒氣所致。用當歸三錢。生姜五錢。羊肉二兩。煮湯服之。可以藥到病除真神方也。

（按）當歸行血分之滯而定痛。生姜宣氣分之滯而定痛。理所共知。此方妙在羊肉之多。羊肉有情之物。氣味腥羶濃厚。入咽之後。即與濁陰混為一家。旋而得當歸之活血。而血中之滯通。生姜之利氣。而氣中之滯通、通則不痛。而寒無有潛藏之地。所謂先誘之而後攻之者也。

子癇方

錢少楠

孕婦子癇之為病。外因多由於風熱伏熱。內因多由於猝驚鬱怒。而其為肝風內動。氣升痰湧。及血衝巔頂。則大致相同。故內經謂血之與氣。併走於上。則為大厥。厥則暴死。氣復返則生。不返則死。又謂血菀於上。使人薄厥。此妊娠癇厥之總因原理也。宋明前哲。如嚴濟生王肯堂輩。每用羚羊角散為主方。然尋繹其方藥。恆多不切病情。茲有一方。以羚麻鈎藤熄風鎮痙爲君。龍齒決明白薇金銀器等爲臣。潛鎮衡氣。以定癇厥。佐以竺黃川貝菖蒲燈芯。豁痰宣竅。以清神識。使以桑寄生茄南香。一則強筋以固胎。一則疎肝以納氣。合而爲劑。爲治孕婦子癇之驗方。若夾他因別症。當隨因症加減。

羚角片一錢至錢半。雙鈎藤四錢至五錢。明天麻錢半至二錢。青龍齒三錢至四錢。石決明八錢至一兩。東白薇三錢至四錢。天竺黃錢半至二錢。京川貝二錢至三錢。茄南香三分。分冲。桑寄生三錢至四錢。鮮石菖蒲八分至一錢冲。

用金銀器各一兩。燈芯五分。三味先煎代水。外用蘇合丸擦牙。以開口噤

如因盛怒氣逆。火升痰湧。致昏厥不語者。本方去龍齒鈎藤金銀器。加龍膽草六分至八分。上青黛五分至七分包煎。竹瀝兩瓢分冲。如因血虛生風。頭暈發痙。致昏悶不醒者。本方去鈎藤竺黃龍齒。加陳阿膠錢半至二錢。生白芍二錢至四錢。鷄子黃一枚至三枚。如因伏熱爍胎。胎腐毒衝。致痙厥不醒。面青舌赤者。本方去天麻竺黃川貝茄南香桑寄生金銀器。加犀角

八分至一錢。鮮生地一兩至二兩。光桃仁二錢至三錢。雄杜牛膝一兩至兩半。元明粉三錢至四錢冲（外用前哲徐嗣伯針法墮胎為最效）如因猝驚傷膽。膽怯風動。致癇厥不語。面青口噤者。本方去竺黃川貝茹南香東白薇。加豬膽汁拌炒棗仁三錢至四錢。淡竹茹二錢至三錢。辰茯神三錢至四錢。青子芩一錢至錢半。如因外感風熱。引動內風。氣升痰湧而癇厥者。本方去龍齒茹南香金錢器。加冬桑葉錢半至三錢。青防風八分至一錢。獨活七分至八分。茯神木三錢至四錢。如因猝中暑穢。熱極生風。氣逆胸悶而痙厥者。本方去龍齒決明竺黃茹南香金銀器。加蘇薄荷八分至一錢。青連翹二錢至三錢。青蒿腦一錢至錢半。藿香露一兩分冲。

■子暈驗方

錢少楠

子眩俗稱兒暈。皆由肝風挾痰。上升巔頂。氣逆腦轉。腦轉則頭為之暈。目為之眩。甚則轉痙發厥。以下方施治之。青龍齒三錢至四錢。石決明六錢至八錢。滁菊花錢半至二錢。明天麻一錢至錢半。陳阿膠錢半至二錢。雞子黃一枚或二枚。生白芍二錢至三錢。東白薇二錢至四錢。鹽水炒春砂仁四分至六分。嫩桑芽一枚或二枚。龍齒決明膠黃。潛鎮熄風爲君。臣以白芍白薇。斂肝定厥。佐以春砂仁。納氣安胎。使以嫩桑芽。清熱定風。合而爲濟。爲治孕婦子眩之驗方。若夾他因別症。仍當隨症加減。如因痰涎阻氣。氣逆上湧。致眩暈欲嘔者。本方去膠芍雞黃。加旋覆花二錢拌左金丸八分至一錢包煎。青鹽陳皮錢半至二錢。淡竹瀝二瓢。生姜汁二滴。和勻同冲。如因肝火上升。內風大動。致眩暈欲厥者。本方去阿膠雞子黃。加羚角片一錢至錢半。鈎藤勾四錢至五錢。如因猝受驚恐。煩悶欲仆。致腹痛胎動者。本方去阿膠雞子黃。加桑寄生三錢至四錢。加南香二分至三分冲。葱白二枚至三枚。如因陡然惱怒。火風上升。致氣喘瘲厥者。本方去阿膠雞子黃滁菊。加羚角片一錢至錢半。雙鈎藤四錢至五錢。用金銀器各一兩。先煎代水。

■延壽丹方

蕭文瑞

陳遜齋先生曰。延壽丹方。係雲間大

宗伯。董香先生久服方也。家先孟受業於門。余得聆先生教。蒙先生授余書法。深得運腕之秘。待久乃獲此方。先生年至耄耋。服之鬚髮白而復黑。精神衰而復旺。信為卻病延年之品。何首烏。大者有效。取赤白二種黑豆。汁浸一宿。竹刀刮去皮。切薄片曬乾。又用黑豆汁浸一宿。次早柳本甑。桑柴火。蒸三炷香。如是九次。曬乾。聽用。後藥共若干兩。首烏亦有若干兩。此品生精益血。黑髮烏鬚。久服。令人有子。卻病延年。鮮首烏。十八觔。九製。成細末有七十二兩。切片不宜過薄。亦不可厚。用料豆二觔。粗磨兩塊半。熬汁易濃。若整粒熬。則汁薄矣。豆以洲產。野者為上。六製後。將方內杜仲。刮淨皮。切成一寸長。半寸寬。青鹽同姜汁。曬乾。牛膝拌亦切成一寸長。曬乾並首烏拌。蒸三次曬拌。揀出各藥。各磨細末。

兔絲子。先淘去浮空者。再用清水淘擠沙泥五六次。取沈者曬乾。逐粒掣去雜子。取堅實腰樣有絲者。用無灰酒。浸七日。方入甑。蒸七炷香。曬乾。再另酒浸一宿。蒸六炷香。曬乾。如是九次。磨細末一觔。此品養肌強陰。補衛氣。助筋脈。更治莖中寒精自出。溺有餘瀝。腰膝軟痿。益髓添精。悅顏色。增飲食。久服。益氣力。黑鬚髮。

兔絲子頂淨者。再加淘揀。曬乾十六兩。九製成細末。亦有十六兩。九次用酒七觔。製六次曬乾後。則不浸而用濾出之酒拌極潮。一宿如是到九次。則濾出之。酒亦拌完矣。

稀簽草。出如皋狀元墩者良。五六月採葉。長流水洗淨曬乾。蜂蜜同無灰酒和勻拌潮。一宿。次早蒸三炷香。如是九次。曬乾為細末一觔。此品祛肝腎風氣。四肢麻痺。骨痿膝冷。治口眼喎斜。免半身不遂。安五藏。生毛髮。唐張詠進表云。服稀簽。百服。眼目清明。筋力輕健。千服。髮烏黑。久服。長生不老。

稀簽草淨葉一百三十五兩。曬乾。有十四兩。九製成末。有十六兩。九次用酒五觔。

嫩桑葉。四月採杭州湖州家園者入藥。處處野地皆生。不可用。取葉。長流水洗淨曬乾。照製稀簽法。九製為細末八兩。此品能治五劳六極。羸瘦水腫虛損。經云。蠶食生絲織綿。人食生脂延年。

桑葉去淨筋。乾者六兩。九製成末。有八兩矣。九次用酒二觔。

女貞實。冬至日鄉村園林中。摘腰子樣。黑色者是。如墳墓上圓粒。青色者為冬青子。不入藥。取裝布袋。挼去粗皮。酒浸一宿。蒸三炷香。曬乾為細末八兩。此藥黑髮。烏鬚。強筋力。安五臟。補中氣。除百病。養精神。多服補血去風。久服返老還童。

女貞子。鮮者三十兩。製末有八兩。先蒸一次。則易曬乾。然後。酒浸。方得入。

忍冬花。一名金銀花。湖南產者佳。夜合日開。有陰陽之義。四五月處處生。摘取陰乾。照稀簽法九製。曬乾為細末四兩。此品壯筋骨。生精血。除脹逐尸。健生延年。

金銀花。鮮者揀淨五十兩。陰乾有三兩二錢。九製末有四兩矣。九次用酒二觔。此品最易上蜜酒滋時。宜少。勿使藥酒多之弊。且易磨。

川杜仲。厚者去粗皮。青鹽同姜汁拌潮。炒斷絲八兩。此品益精氣。堅筋骨。治腳中酸痛。不能踐地。色慾過勞。腰臂攣痛強直。久服輕身耐老。

南厚杜仲。刮淨皮十兩三製成。改切極小塊。炒斷絲。磨細末有八兩矣。

雄牛膝。懷慶府產者佳。去根蘆淨肉。屈而不斷。粗而肥大為雄。細斷硬脆。屈曲易斷為母。不用酒拌。曬乾八兩。此品治寒濕痿痺。四肢拘攣。膝痛不可忍。男子陰消。老人失溺續絕。益精利陰。填髓黑髮烏鬚。以上杜仲牛膝製就。且莫為末。待何首烏蒸過六次。不用黑豆汁拌。單用仲膝二種。同何首烏拌蒸三次。曬三次。以足九蒸之數。懷牛膝十二兩。三製成磨末有八兩。但稍沾磨。宜同首烏合磨。先各秤名分兩。磨成細末。約九七折。

懷慶生地。取釘頭鼠尾。或原梗。未入水。曲成大枝者有效。掐如米粒曬乾為細末四兩。此品補精填髓。涼血滋陰。生地雖掐如米粒。即曬極乾。總稍沾磨。以原枝六兩。可抵乾末四兩之分兩。銅刀切薄片。開水煮爛。帶水放石臼內。搗極細。可和入羣藥矣。

自兔絲子至生地八味。共七十二兩。何首烏赤白亦七十二兩。用四膏子（

見後）同前藥末一百四十四兩。搗數千槌為丸。如膏不足白蜂蜜增補。搗潤方足。

四膏子法

旱蓮草。須夏至前未開花時採取。搗有黑汁者方佳。如肆中所售者。牙皁草不可用。採鮮者五百兩。可熬膏十六兩。成膏後。攤大盆碟內。頻頻曬之。膏方不霉。則分兩又減八折矣。金櫻子。九月採鮮者一百十兩。可熬膏十六兩。金櫻內有毛。不可搗碎。倘肆中所售陳者。熬膏難成。黑芝麻。用五十兩淘淨。帶水磨出。熬透。將芝麻並水灌入麻袋內。濾出。汁復熬。濾出二汁。文武火熬。去面蔴油。可得淨膏十六兩。拌和各藥時。仍將蔴油加入。但易變。不宜早熬。桑椹。採紫黑者一百六十兩。熬膏有十六兩。熬須極老。方不霉。以上四膏子。如旱蓮。桑椹。汁厚稠。金櫻。脂麻。較為稀薄。

諸藥按時採取。泡製已成。須在秋冬之交配合一料。可服年餘。為丸後。曬透。用磁缾收貯封固。不可受潮。稀簽。桑葉。忍冬。三味。計用蜜二十兩。藥經酒蜜。須夏日方能曬燥。倘平日痛略略火焙。火宜小。藩方無損。藥經蜜酒製。加以四膏為丸時。則無庸蜜矣。四膏並生地磨汁合丸時。歸入銅鍋內。量加開水熬稀。和入藥末方勻。

▣花柳病之治療

米煥章

花柳一症近時盛行。普通治法有用藥薰者。有用藥洗者。有服湯劑者。有服丸藥者。治法雖多。見效者少。即或僥倖而愈。亦不免再生枝節。查近日專門治此症者。此方雖秘而不傳。多以輕粉為主藥。蓋此病雖係毒極之症。以毒攻毒。固是正治之法。然如輕粉一物。服之僅一時見效。藥毒反藏於筋骨。或因食發物。或偶有感觸。其病往往復發。婦人服之又多不受孕。殊屬憾事。愚揀得一方。方中亦有毒品。不若輕粉之甚。七八年來治愈者已十餘人。且於婦人孕育毫不障礙。今特公之於世。以供採用。方中藥味如有不適宜若尚祈教之。

川大黃四錢。朴硝三錢。甲珠一錢。全蠍一錢。銀花三錢。連翹四錢。防風二錢。斑蝥二個。去頭足翅。蜈蚣一條全用。甘草二錢。僵蠶二錢。蟬脫一錢五分。巴豆霜二錢。生薑二大片。水煎。空心服。服後。如覺口乾舌燥。用嫩桑枝浸涼水嗽之。切忌多睡。以免毒氣上攻。輕者一二劑。重者三四劑。孕婦忌服。愈後。忌房事百日。至要至要。

(附下疳敷藥方)

烏金紙。眼藥。珍珠。冰片各等分。香油調敷。潰爛者乾敷。

■治天疱瘡

胡啓藩

患天泡瘡者。速將蠶豆莢殼炙灰。菜油調塗。無不立愈。或將蓮蓬殼灰。井水調塗亦效。

(按)天泡瘡。由溼熱釀成。豆莢蓮蓬。均有清熱解毒之效。故治之。

■生眉良方

護蓀

余友周若敏君。身長而肥。懈於行走。喜作坐業。平日頗嗜好杯中物。客春面與頸部。忽患癬症。延及眉髮。經西醫治療半月。癬雖癒。而眉不能生。復經西醫用電氣治療一星期。效未見。後由隣某傳以單方。試驗結果。功效確著。邇來眉長過目矣。余怪而詢之。彼以是方告。然余不願自秘。敢錄於后。聊作諸同志之參考。法以天麻白芷防風荊芥各一錢。共研末。用麻油調敷。每日二三次。候其自乾。不可抹去。臨睡時。尤宜濃濃塗敷一次。待翌晨洗去。如是者半月。不可間斷。眉毛自生。效可立見。

■催乳方

抱琴

生著一兩。當歸五錢。白芷一錢。通草二錢。用豬蹄一對。煎湯。吹去浮油。代水煎藥。一大碗服。服後須以被面而睡。使藥力通運身體。見效尤效速。一服未效。再服。無不通矣。(按)新產無乳者。不宜用豬蹄。宜用水酒各半煎服。體壯者。加紅花三五分。可以消惡露。

■火和沸水燙傷方

朱文明

炎夏之季。單衣薄裳。火和沸水。易於着身。小則灼手足。大則灼身幹。一經灼之。必至腐爛。痛不堪忍。黃水淋漓。甚為討厭。當燙時。急用地榆炭。陳菜油。(無除菜油麻油亦可。)調塗患處。一日三次。三日即愈。

(按)地榆菜油。清熱止痛。并能解火毒。

爛耳朵

朱文明

凡患此者。小兒居多。因其時而言笑晏晏。又時而泣聲喤喤。日日如是。泣時鼻涕。唾涎。注流於耳。勢必作癢。以指爪爪之。父母不察。久之。耳中膿流出。臭味難忍。若不早治。非但污穢。且有耳聾之虞。可不慎乎。治宜。以海螵蛸。梅片。(久年者加枯礬少許)共研末。摻於耳中。復濾菜油數點。以潤其燥。一日三次。一星期無有不愈者。且不復發云。

子懸妙方

抱琴

子懸者。胎氣不和。湊上心腹。腹滿悶悶。氣塞欲死。此因下焦氣實。大氣舉胎而致。用紫蘇飲。蘇梗。人參。陳皮各一錢。大腹皮。(豆汁浸水洗四次淨)當歸各二錢。川芎八分。甘草五分。白芍(酒炒)一錢五分。

(按)蘇梗。腹皮。陳皮。川芎。流氣。當歸。芍藥。利血。氣流血利。則胎自安矣。邪之所湊。其氣必虛。用人參甘草。可以補其氣。流氣之藥推

其陳。補氣之藥。能致其新也

▣去眼中翳膜

李健頤

先嚴實烈公遺傳治翳膜一方用之神效。分將各味製成藥水。儲於料瓶。以備分送。療治多人。口碑載道。今特錄出。公諸於世。不敢自私。方用川花椒二分。甘菊花三分。砂仁三粒。杏仁三枚。生鹽一分。明礬五分。共為粗末。烏梅四枚。(搥破去核)再加新針三支。插在烏梅下。浸水一鐘。俟針化後。即可取用。如患膜翳遮蓋瞳人。或生赤肉者。先用朴硝桑葉冲湯薰洗。洗後即點此藥水。一日三四次。半月後。自可獲愈。

▣小兒痘疹內陷

沈奎伯

近日小兒。感觸時疫。發生痘疹。往往半出不出。或已出而又內陷。其症率多不治。良用惻然。頃得一簡便驗方。試已神效。用亟拔露。願關懷保赤者。廣為宣傳。全活嬰孩。功德莫大焉。

。生黃豆一碗。水泡透。擣爛。入鍋內。煎濃汁。如豆腐漿一樣。再青竹根一段。約半尺長。煎滚水。冲入豆糊內。時時以湯勺。調與兒服。有起死回生之功。黃豆係人家。常有之物。青竹根。亦容易覓取。方之簡便。無過於此。余已用之數十次皆效。應驗如神。幸勿視為通常驗方也可。

■子癲方

錢少楠

孕婦子癲症。係胎熱火炎。一名臟燥。胎前氣血壅養胎元津液不能充潤也。下方甚效。

淡竹茹三錢至五錢。淮小麥五錢至六錢。紫石英四錢至五錢。生白芍三錢至五錢。大紅棗三枚至五枚。生藕肉二兩至三兩。粉甘草八分至一錢。萬氏牛黃丸。一粒研細藥湯調下。

（按）此方以甘麥棗為君。濡潤臟燥以清神。以紫石英竹茹白芍為臣。一則溫潤子宮。一則清抑肝陽。然此種病狀。每多挾痰火以擾亂神智。故佐以萬氏牛黃丸。豁痰清火以定神。使以藕肉。既能和營養血。又能悅性怡情也。方從金匱甘麥大棗湯加味。臨症時輒多應手。為治孕婦子癲之驗方。若夾他因別症。仍嘗別症加減。如頭胎兒肥盛。腦系受逼。因而神昏發癲者。本方加炒枳殼一錢至錢半。

帶殼春砂八分至一錢。如因子宮液乾。腦系失養。因而神迷成癲者。本方加青蔗漿瑩白童便各二鍾。和勻同冲。如因體肥痰盛。上迷清竅。因而似癡似癲者。本方去紫石英。加老竺黃錢半至二錢。淡竹瀝二瓢。鮮石菖蒲汁兩小匙。和勻同冲。如因肝鬱多怒。上冲心神。因而成狂或癲者。本方去紫石英生藕肉。加龍膽草六分至八分。青龍齒三錢至四錢。石決明八錢至一兩。辰砂染燈芯三十支。

■糞痱毒驗方

錢志遠

吾邑農家。都依命於蠶桑。是故培植桑樹。為唯一要務。其肥料最充足者。莫如糞鐵。故多用之。殊不知糞鐵溥地。日曬雨淋。蘊釀成毒。凡跣足入田者。輒染斯毒。始起。足癢起泡。俗謂之脚氣。實糞痱毒也。繼之咳嗽氣喘。不治自愈。越數月。面黃足腫。（按俗所謂桑葉黃者即此。）因此而斃命者。十有五六。噫。糞痱毒之酷也甚矣。近數年來。農家男女。患此者愈夥。而醫者亦無相當成方處治。故抱病者咸惴惴自憂。鄙人再三研究。得一神效驗方。揭述於次。凡病初起。足癢。或喘欬時。用白桃花瓣煎湯頓服。大瀉數次。繼用犀黃三分。大青葉搗葉調服。春夏經余診治。用此方得愈者。百數十人。至於已經發黃。則根深蒂固。難期速效。須謹愼口食。兼常服利溼化毒劑。或有生者。

（按）農人之患糞𤺋毒者。年有增加。養夏蠶時。得病最多。以正當黃梅天氣。溼毒薰蒸時也。預防之法。入田時。穿雨鞋。不赤足。回家。即用冷水洗濯。如此。可以免除。

火燙傷妙藥

聶雲台

葉伯皋先生傳。地榆研末撒敷湯火傷最善。近日舍弟之幼子為滾水傷腿足甚劇。初用西醫藥頗痛楚。旋用地榆研末撒之。則痛止。十餘日。而肌膚生長完善矣。按此方王鴻緒證治全生中亦載之。凡湯火傷最忌冷水。宜速浸油中。或浸小便中。洋油亦極佳。地榆末則或用麻油菜油調敷。或撒或水調均可。

多行足腫之治法

胡啓藩

摯友王君。投筆從戎今告假旋里。述及當行軍時。越山過嶺。跋涉長途。時被石塊砂粒。軋腫足底。疼痛不堪。行走艱難。同行者告我一治法。即將舊草鞋浸尿桶內一夜。晨起。用磚一方。投火燒紅。隨即取出。以浸濕之草鞋。置於磚上。脚踏在草鞋上。足得尿氣。腫痛自消。余如法行之。果驗。余聞王君言。即記之投諸本刊。以告同病者。

（按）行路過多。足底生繭。疼痛不堪。不良於行。此於足底初起水泡時。宜挑破之。不則腫起之泡。受行動時之磨擦。影響於足底該處之肌肉。該處為保護計。自然生出獨立之新組織。即為足繭。愈走則繭愈厚。而痛愈甚。扦去其繭。稍覺痛快。久後又起。受累無已。

■體壯耳聾之自療

宋愛人

（原因）人有年小體壯耳聾者。此皆由於醇酒厚味。醉飽閒逸。濕火內蘊。而清陽之氣不能上布也。夫耳為腎竅。人盡所知。然足少陽膽脈。手少陽三焦。二脈皆循入耳中。又肺經之結穴在耳中。名曰籠葱。專主乎聽。故耳之統主不一。是以聾之病因亦不一也。頭為清靜之府。五竅尤為精明之機。目之於視。鼻之於嗅。舌之於味。耳之於聞。皆精明之用也。今濕火內蘊。濕能生濁。火性上炎。挾濁上蒸。耳安得不為之聾哉。顧名醫朱丹溪先生。按其一生經驗所得。大概謂耳聾屬於左者。足少陽膽經之火也。縱情多怒者多有之。耳聾屬於右者。足太陽膀胱經之火也。嗜酒好色者多有之。若兩耳俱聾者。足陽明胃經之火。醇酒厚味多有之也。倘年老及體虛而聾者。當為別論。

(證狀)語有之曰。明目達聰。所以言目視之明。耳聽之聰也。人之一生智慧。其運用有互相為輔之妙。目明耳聰。其神經系之種種運用。亦因之而增加其敏銳之力。反是。則目不明於視。耳不聰於聽。勢必神經系亦因之而失其果有之敏銳。以致於遲鈍。非其天生之不若人。蓋其體外之接觸機能不若人也。故耳聾者。往往呆若木鷄。人有愚弄之。而亦有置若罔聞矣。

(治法)治法當根據上說而分別治之如左。

(一)左耳聾用。小川連五分。淡黃芩錢半。生山梔錢半。酒炒當歸一錢。鹽製陳皮七分。陳胆星五分。龍胆草一錢。製香附五分。京玄參一錢。飛青黛五分。廣木香三分。生薑汁三滴冲水煎溫服。戒暴怒。暢心志。三劑可愈。

(二)右耳聾用。生乾地黃各三錢。懷慶山藥錢半。鹽水炒山萸肉錢半。當歸一錢。川芎五分。白芍一錢。牡丹皮錢半。福澤瀉錢半。白茯苓錢半。石菖蒲一錢。遠志肉一錢。知母。黃蘗。各一錢。煎服。戒除酒色。此方亦可合丸。

(三)左右兩耳皆聾用。鹽橘紅一兩。赤茯苓一兩。蔓荊子一兩。酒炒子芩八錢。酒炒川連五錢。酒炒山梔一兩。生地黃酒洗一兩五錢。酒炒柴胡一錢五分。姜製半夏二兩。酒炒青皮一兩。各研細末。水泛為丸。每日飯後服。每次白湯送下一錢。須薄滋味。自有奇效。

(四)壯年兩耳聾閉丹方。購活鯉魚一尾。愈大愈佳。只將其腦髓取出。在飯鍋上蒸出油來。待冷。取魚腦油滴入耳中。自然開竅而復聰。此法治暴聾者甚有奇效。姑述之以備待用。(附濕聾方)濕聾者。每逢天雨陰溼。則猝然暴聾。或聾較平時尤甚者是也。可用宋半夏廣陳皮常服代茶自愈。

■癩頭瘡治驗

單大年

同學余君。有癩頭瘡恙。得一方。用紅棗十箇。去核入白砒一小粒。在黃瓦上焙存性。研細末。另以全蝎十隻。去足。亦在瓦上焙研為末。二藥和勻。麻油調搽多次。其瘡竟愈。(單按　癩瘡藥方極。多惟良方甚難得

。此方妙在理風袪寒。而殺虫。實對症之藥也。

■治痛風

李建中

痛風。古謂之痛痺。一名歷節風。症狀。短氣。自汗。頭汗欲吐。手指攣曲。身體瘣癗。其腫如脫漸至摧落。如有所掣。不能屈伸。用生地黃黃耆各五錢。海風藤錢半。黑穭荳四錢。羌活一錢。北秦艽錢半。生杜仲二錢。另以猪腳蹄半斤。同前藥蒸食。連食四五次。其痛立止。(按)痛風之症。是由於血液枯涸。筋

失涵養。絡脈受風濕之刺戟。影響於神經而作痛也。用生地黄耆櫓荳。生液養筋。風藤羌活秦艽。疎風去濕。加杜仲補筋骨之韌帶。猪腳潤骨骼之枯澀。使其流利而無阻滯之患。此方配製玄妙。功効最著。

▣產後瘀血作痛方

李建中

用山查炭。五靈脂。蒲黄。香附。元胡索。杜牛膝。炒荊芥穗。各各等分。清水杯半煎八分。冲米酒一匙。溫服最有效驗。

（按）山查炭。五靈脂。蒲黄。香附。元胡索。杜牛膝。炒荊芥穗。均為行血破瘀之藥。以治瘀血。功效自彰。

▣產後尿袋落下

管理平

敝鎮江北人楊某。今春其妻產後。尿袋（卽膀胱）忽脫落下墜。異常不適。乃至藥肆購魚腥草薰洗。無效。後有強氏婦。告以一方。至肉店內買猪臀頭一個。（連腸一尺餘）洗淨。儲糯米十餘粒。不可太多。置罐中煨爛。食之可以獲效。後試之果驗。

◻玻璃碎片刺入肉中

護蓀

玻璃為用途最廣之物。但為害亦匪淺。偶一不愼。刺入肉中。碎末斷片。甚難取出。必至腐爛成患。今得秘法。錄之以告諸君。法以清水溶化赤土。(即鄉間草木不生之赤色泥土)再三塗之。不可懈怠。碎末自出。

◻拔疔神效膏

鄭梓材

疔瘡若走黃。能致人之命。可用芭蕉根搗自然汁服之。有效。若初起未走黃之前。用拔疔神效膏藥貼上。可保無礙。膏用九製松香五兩。銅綠五兩。百草霜五兩。乳香三兩。沒藥三兩。黃白蠟各三兩。麻油一斤。

(材按)此膏係祖傳秘方。常年製就贈送。虞山一地多知此膏之神效。患者不妨照製。

◻痰迷心竅良方

葉英佩

氣鬱成火。凝結痰涎。阻鬱心宮。昏迷嗜臥。人事不省。癲癇疾痴狂。及狂痰迷竅。變幻諸般等症。急宜用九製膽星。黃連。半夏。黃芩。橘紅。

白礬。共末。竹姜瀝為丸。服之。則心間如有物脫去。而病愈矣。每服三錢。金箔湯化下。

(按)痰鬱心包　膻中之氣不化。而堵塞神明。故變生諸般怪奇之證。膽星化熱痰以清肝膽。半夏化濕痰以醒脾胃。黃連清熱燥濕。橘紅利膈除痰。黃芩清熱於上。白礬消痰於中。丸以姜汁竹瀝。善搜經絡之痰。衣以辰砂。乃為鎮心安神之助。金箔湯下。俾金能平木。則肝火自平。而痰鬱自解。魂魄俱安。又何怪症之不痊乎。

乾咳嗽痰血

何祖禮

▲用潤肺雪梨膏

乾咳痰血。用雪梨。生地。鮮茅根。藕汁。麥冬。蘿蔔汁。飴糖。白蜜。冰糖。姜汁少許。共熬。去渣。煎成原膏。名潤肺雪梨膏。每服輕用五錢。重用一兩。一日三次。開水沖服。較之純用雪梨冰糖煎成者。功用懸殊。

(按)痰之患。由於液不化。液之結。由於氣不化。氣之為病不一。故痰之為病亦不一。必求其所因之氣而後治其所結之痰。如陰虛火動之痰。其症必咳嗽痰血。喘急喉癢。甚則骨蒸潮熱。故以雪梨之甘寒。潤肺生津。生地之涼潤。滋營益血。蘿蔔清肺化痰。茅根止血養陰。麥冬清心潤肺。藕汁和血行瘀。飴糖和中益脾。白蜜澤枯潤燥。和以姜汁。運行諸藥。熬以冰糖。極潤肺燥。俾液內充。虛火自斂。

■急救誤食蛇跌鼈

鄭梓材

蛇跌鼈形與甲魚無異。係毒蛇化成者。食之有大毒。能致命。急用淡豆豉五錢。搗爛。以冰水冲入。調和飲。即可解毒。

（按）淡豆豉。能解六畜之毒。及一切惡毒。

■宋會之之治水腫秘方

抱琴

元鮮于伯機記杭醫宋會之者。善治水腫。以乾絲瓜一枚。去皮。剪碎。入巴豆十四粒。同炒。以巴豆黃色為度。去巴豆。用絲瓜炒陳倉米。如絲瓜之多少。候米黃色。去絲瓜。研之為末。和清水為丸。如桐子大。每服百

丸。皆愈。（香祖筆記）

（按）巴豆逐水。絲瓜象人脈絡。去而不用。藉其氣以引之也。米。投胃氣也。

■反西醫之糖尿症治法

聶雲台

黃君伯樵。患糖尿症。德醫診治多年不愈。聞德國有專門治此症者。遂赴德就診。又二年。亦無効。時黃君英伯亦在德。告之曰。此病非西醫所能愈。須服中藥香連丸。及多食西瓜乃可愈。伯樵旋歸國。如其言食西瓜百數十斤。兼服香連丸。果全愈。糖尿症亦腎臟炎也。西醫治此症惟有一法。即禁食糖質粉質。米飯能變糖。故禁食米。西瓜含糖質甚富。西醫亦所禁食者。而不知其竟能愈此病也。又消渴症。亦糖尿症之最劇者。中國驗方多食梨能治消渴。而西醫以製含糖亦在禁食之列者也。西人凡事專從物質研究。斥氣化為荒唐。而事實上氣化之功用。有成效大驗如此。足徵近世科學之偏而不全也。又瞿止庵太親弱晚年患糖尿症。德醫克利言晚年患此最危險。投以藥爿餘無效。又照例禁其食米。命多食雞蛋魚肉。而公自幼不食肉。勉強多食雞蛋。遂致痢。適胸際氣痛。家慈以定製之五香丸勸之服。三日後痛已而糖尿亦全愈。食飯如常。亦不復有糖尿。五香丸見驗方新編。方為五靈脂香附黑丑白丑也。是否全為此丸所愈。雖不可必。但其病愈。適以是時耳。特附誌於此。以備研究。

■疥癬良藥

李耀庭

是方效驗如神。屢試屢效。故採錄以投本刊。公諸同好。其方以硫黄一錢。鐵銹二分。紅砒一分。共研極細末。取葱汁調和。塗入碗內。勿使厚薄。以碗覆於瓦上。取艾置碗下薰之。薰乾。敲碗聲同空碗無異。為度。取藥再研細末。用時以手指。粘油粘藥。塗入掌心。合掌數磨。遍擦瘡處。每日二次。三四日即可告痊矣。（按）硫黄鐵銹紅砒三種。同有殺蟲之效。故治疥癬良驗。惟此方有毒。宜慎之。

■風熱頭痛

萬玉慈

凡患風熱頭痛。可用川芎一錢。茶叶二錢。水煎服一二劑即愈。

（按）川芎通經疏風。佐以芳香之茶葉。觸除鬱熱。風熱頭痛。可以去矣。

■戒煙方彙

許半龍

一、

惟一的戒煙驗方——決心十毅力十補助藥劑

■何謂決心

吸煙者之本意。非不欲早脫煙刼也。非不知因吸煙之故。備受身體上。精神上。經濟上。種種之苦痛也。其所以遷延不戒者。無決心也。而所以無決心者。約有三因。

（一）官紳富賈。擁資巨萬。慮戒時。或於身體有損也。預屯煙土。深藏窖穴。或接濟土販。源源不絕。明戒而暗吸。此無戒煙之決心者一。

（二）普通工商。間亦有創深痛鉅悔之甚。而仍不戒者。或言癮深未易即除。或慮舊病之復發。或緣年邁而難戒。或防工作之無力。或恐藥品之貽害。言之非不沈痛。此無戒煙之決心者二。

（三）苦力勞工。往往有戒後復吸者。間有因終日奔波。吸之以振精神。甚或恃市售丸膏以抵癮。或打嗎啡針。或吞煙渣水。弊害非不知之。不能顧也。欲就醫求戒。既不能停工。而使一家之啼號。又無長物可以典質。而充醫藥之費用。此無戒煙之決心者三。

無決心者。雖有相當之良藥。烏足以言戒。苟偶因特殊之刺激。而無毅力者。雖有決心。亦不足以言戒。

■何謂毅力

半龍就四明醫院診務以來。時有平民。涕泣相告。欲戒求方。雖非專長。卻不忍揮之不顧。錄方令服。初無不驗。間有欣欣然來叩頭稱謝者。或途中相見。趨前招呼者。應用成方。非我之功。益令人惶愧無地。或戒後復吸如故。仍不能脫苦海者。或發生淋濁而復吸者。不知世界之上。無論何種工作。皆當持之以決心。行之以毅力。且煙之為癮。並非一日而成。而煙之為用。多為一時之奮興。再而衰。三而竭。心灰矣。意懶矣。癮遂未絕矣。全功盡棄矣。否則。戒絕之心既切。鍥而不舍。忍之又忍。然後選方服藥。既無強制之苦。自有克己之樂。如是而猶不驗。我不信也。

或謂「戒煙之後。身益孱弱。難任操作。」此不足慮也。蓋補身之物多矣。如牛肉汁。牛乳。雞蛋。人乳。皆有強筋。健骨。却病。延年之效。值此煙禁末日之時。豈容因循不決。將來我中華之黨國大事。正賴吸煙諸君。自新者任之。成敗利鈍。在此一舉。是則半龍纂輯本書。所希望者焉。

市售藥品之宜辨

市售之藥品。良者固多。而藉以謀利。不顧遺害者。亦屬不少。因述二則。

(一)戒煙藥之和平無弊。莫過於林氏之忌酸丸。惟配合既非容易。而價值又復昂貴。決非貧寒之人。所能製配。且其中有補藥。於戒烟期中。若有感冒。即須停服。其他市井所售。無慮千百。非失之太霸。即雜以毒質。無論有效無效。不過搪癮而已。

(二)市上所售搪癮之膏丹丸散。名目不一。大都攙雜嗎啡。膏砒。等等之質料。初服甚驗。後則非此不可。其實於戒烟二字。全不關涉。奸商貪利。無微不至。其有服久而遺害無窮。因而戕身命於不知不覺中者。幾千人矣。且市售戒烟藥品。含有嗎啡為多。其害甚於鴉片。爰錄化驗之法於下。

化驗法——(一)用淡硫酸少許。將藥

研碎。化入。去渣。(二)用燒酒滴入。——若其反應為鮮明紅色者。即為含嗎啡之確證。

二、

國人之體質不同。烟癮之成因斯異。戒烟之方。於是乎多矣。驗於甲者。未必宜於乙。合於丙者。未必驗於甲。大抵生理發育時期。斷癮為速。生理衰退時期。斷癮較遲。苟有決心戒除。更藉藥力。半月以後。體質復原。再三四月。烟不思吸。是在人之自取耳。醫家之量病以施耳。玆所錄者。藥材既盡國產。費用並不昂貴。置辦又極簡便。各方有各方之妙用。均經戒純多人。慎勿視為等閑。而忽之也可。

子、林毛四物飲

(藥品及用量)。生甘草一斤。赤沙糖一斤。川貝母八錢。烟灰三錢(癮重四錢)。

(製法及儲藏法)上藥四物。以清水十餘碗。入鍋。煑成三四碗。愈濃愈妙。去渣。(保存候用。)取汁。貯瓶內。置靜室行步不震動處。

(服法及效驗)每早起及夜臥之前。各以開水燉。溫服一杯。日久服之。癮即斷。如癮重者。即取已煎之渣。重煎之。十杯煎取一杯。照前法服。必效。

(注意)近人有加大棗一斤。紹酒斤半者。斷癮較速。

丑、東風菜肉

(藥品及服法)東風菜。(見封面插圖)同瘦肉。煑食之。

(效驗)服後必瀉。瀉後困倦。就寢而睡。醒後即使無事。癮亦不復發萬。

(注意)(一)東風菜。生者。最佳。(二)此劑強壯之人。見效較遠。

寅。食鹽斷癮

(一)(藥品及服法)每遇吸烟時。預合風鹽少許。

(效驗)日久自能斷癮。雖數十年者。亦有效驗。

(二)(藥品)。烟灰。食鹽。甘草。白米飯。(製法及服法)四物等分。打丸。每日吞服。由漸減少。以盡為度。

(效驗)此方過癮。制烟。解毒。養胃。於孱弱之人。最宜。

卯、丁氏八一一

(藥品用量及製法)。炒米粉八錢。烟膏一錢生鹽一錢。以上為每兩之配合故名八一一。

(服法)初時有三錢癮者。服此藥三錢。一月後。可將將膏。逐漸減少。

(效用)米鹽。隨處可得。既無體質不合之弊。又為通常易製之藥。久久服之。癮卽斷絕。尤宜於老弱之人。

辰、鵝囊草

(藥品及法製)鵝囊草。(俗稱穀穀丁)取汁。癮重者。至多不得過六兩。癮輕者。三四兩不等。

(服法)分三日服。如用三兩。法以第一日服一兩五錢。第二日一兩。第三日一兩。

(效驗)服後卽瀉。三日中。將腹內漬膏瀉盡。卽不復思吸矣。

己、五味丸

(藥品及製法)。雷丸三十粒。使君子七十粒生黃芪三兩。生甘草一兩。以上藥。共為末。用罌花十朵。(無鮮用乾。無花用葉。惟粟殼無用。)煎水。為丸。如豌豆大。

(服法)每日癮前呑服三粒。烟。仍照舊可吸。自後。日減煙稍許。

(效驗)(一)丸中不用烟灰。土皮。及他種有礙衛生毒質。(二)價廉效速。毫無流弊。(三)呑丸之際。不禁吸煙。久自生厭。(四)癮除之後。不生疾病。不損氣力。(五)不吐。不瀉。且能益人之精神。(六)腰肢不痛。飲食勝常。

午、紅棗扁豆丸

(藥品及用量)天津紅皮棗四兩。白扁豆四兩焦飯滯四兩(即人家飯鍋上焦飯)生甘草一兩(製法)以上四物。焙焦。存性。研極細。加入黃柏末五錢。烟灰一兩。用河水井水調和。用木杵。於石臼中擣勻。為丸。

(服法及效驗)烟癮一錢。服丸一錢。須早一時服。五日一減。輕則一月。重則二月。必可斷根。

(注意)戒後。身體如常。惟起初一二日。須加倍吞丸。似有醉意。則一二日後。必覺身體爽健。即可減少吞丸數量。半月後。飲食增加。而烟癖斷矣。

未、忌色水

(藥品及用量)黃芪二錢五分。雷丸一錢五分。大砂仁二錢。川朴一錢五分。鶴虱一錢五分。罌粟花二錢。花椒一錢五分。烏梅一錢五分。金銀花二錢。細木通一錢半。粉甘草一錢半牛膝一錢半。破故紙一錢半。青陳皮一錢半青防風錢半。加——赤砂糖二三十文。

（製法及服法）如烟吸幾何。加烟灰幾何。同煎。用水一大碗。煎至半碗許。再加一大碗水。煎第二次。亦煎至半服。以頭二次。併成一大碗。分十天吃完。第二帖。卽減輕烟癮。藥水須在吸烟時早一刻服。每日吸烟幾次。卽服藥幾次。

（禁忌）在一百二十天內。切忌房事。故名忌色藥水。

（效驗）多則三服。少則二服。一月之內。可以戒除淨盡。

申、減膏新方

（一）（藥品及服法）烟膏之內。加入遠志膏。或甘草膏。照常吸食。將烟膏漸減遠志膏漸加。至煙膏愈減愈少爲度。

（效驗）遠志膏。能通氣開鬱。甘草膏。戒毒生精。皆有益無害。

（二）（藥品製法及效驗）用粉甘草一味。不拘兩數。熬膏如烟。初這以烟九分。入甘草膏一分。照常吸之。繼則烟遞減。而膏漸增。至藥膏有八九分。則癮必斷矣。功雖緩。而其效甚著。

（三）（藥品及用量）川貝母二兩。甘草二兩潞黨參二兩。（熱體用西洋參）糯米粉二兩淡竹鹽(製法見下)二兩。(製法)將上藥，共研細末。加入青膏二兩。(此惟有資產人可以製配。)與糯米粉合製為丸。

(附)(淡竹鹽製法)用青竹一枝。為斷數節。一端須存一節。將鹽實竹管中。一端塞以堅固之物。不使稍鬆。乃置火中。至竹焦。劈開。將原鹽取出。又換一竹管。如法燒之。如是者。凡七次。

(服法及效驗)視烟癮之大小。定吞之多少。以後製丸。逐漸將膏減少。自能取健全之效力。

(四)(藥品及製法)虛體用十全大補湯。實體用蘇合香丸。以烟膏為丸。如菉豆大。

(服法及效驗)如每次吸烟一錢者。在丸藥中。加烟膏一分。即可過癮第一次吞丸。須先數明者干粒。逐次遞減一丸。減完癮斷。其效如神。

(五)(藥品及製法)虛人用一味棗肉。和烟膏。共杵。為丸。實人用製半夏。陳皮。二味，研末。和烟膏杵。為丸。

(服法及效驗)服法如上。甚效。

(六)(藥品)。甘草八兩。川貝母四兩

。杜仲四兩。

（製法）上藥三味。用清水六斤。熬至一半。將藥用布。去渣。加入紅糖一斤。收膏。

（服法）每日服三錢。溫水冲下。或三四次亦可。（一）起初三天。每藥膏一兩。加入烟一錢。（二）第四五六天。一兩藥。加烟八分。（三）第七八九天。一兩藥。加烟六分。（四）第十天至十二天。一兩藥。加烟四分。（五）第十三十四十五天。一兩藥。加烟二分。（六）第十六十七十八天。一兩藥。加烟一分。（七）十八日後。每兩藥。加烟一分。連服七天以後。不須加烟。

（效驗）服完藥膏。其癮立斷。並無難受之處。及一切疾病發生。百發百中。誠戒烟聲中之奇方也。

（禁忌）斷癮後。切忌再吸。戒烟服藥時。忌食酸味。

（注意）如戒烟期內。發生他項疾病。每兩藥膏中。照期多加烟一分。不可過多。自然病愈。萬無一失。

酉、松毛膏

「藥品及製法」。（一）鮮松毛數斤。略杵。井水煎成稀膏。（二）每土一斤。用松樹皮半斤。煎湯熬烟。

（服法及效驗）每晨。開水冲服一二錢。如能常服。癮亦漸斷。且無他患。

戌、戒烟酒

（藥品及製法）。閙羊花一兩。當歸三兩。熟地三兩。黨参二兩半。焦朮一兩。烟清一兩半。浸高粱酒中七日。

（服法及效驗）按日飲之。甚有效驗。

亥、淡菜綠茶膏

（藥品及製法）。淡菜一兩。綠茶葉一兩食鹽四錢。烟灰四錢。

右藥三碗。水煎一碗。儲有蓋磁器。

（服法）烟癮來時。冲服一匙。服完一料。服第二料時。前藥烟灰減去五分。為三錢半。餘藥照舊。第三料烟灰再減去五分。為三錢。烟灰漸減。至盡為度。

（效驗）藥中烟灰減盡。烟癮完全戒絕。百試百效。毫無流弊。且服後精神百倍。絕無倦態。誠奇效之神方也。

□幾張應時的驗方

秋

▲傷風咳嗽方　▲手足破裂方

▲凍瘡未潰方　▲凍瘡己潰方

每屆秋冬。每因入浴。或換脫衣服。或因勞動汗泄。易着風寒。而為鼻塞身重。咳嗽痰多。有一張簡易的良方。頗著效驗。方用真文冰糖三錢。同生西瓜子仁三錢共杵極細。再以蘇葉梗三錢。白杏仁三錢。煎濃湯。待極沸時將其藥湯速冲冰糖瓜仁屑服之。覆被臥片時。汗出卽愈。

西風怒吼。草木黃落。氣候乾燥。婦女每以洗滌關係冷水。熱湯。頻受刺激。或年老血枯液燥之輩。手足每易破裂。痛苦不堪。我有一方。介紹給諸位試試。方用紫草一兩研細。再以猪肉四兩熬去渣。卽以紫草末調入之。用以搽入裂紋中。能止痛柔皮。異常舒適。

凍瘡是冬令的應時品。好算十人中點有一二人。又癢又痛。雖無生命之憂。確是切膚之累。天氣冷得厲害。它也猖獗得最力。賣凍瘡藥的老板。也笑逐顏開。我來公開一張方子。搶些賣藥的生意。請看方子。在初起腫癢的時候。用皂莢一枚。放在火爐上燃之。(注意火不可盛)待其青煙起時。卽將腫癢處就而薰之。卽腫退癢止。連薰幾次。保你斷根不發。到了已潰。用棉絮燒灰操之。再用肉猪油(去油渣)調棉絮灰。敷於紙上蓋之。一日換二次。生肌收口。很神速。

丹方雜誌 第十一期

價目表

零售	每冊實售大洋二角		
時期	冊數	連郵費 國內	國外
半年	六冊	一元	二元
全年	十二冊	二元	四元

廣告價目

等第	地位	全面	半面	四分之一
特別位	封面		四十元	
特等	底面之內外 封面之內	四十元		
優等	封面內面之對面	三十元	十六元	
普通	正文之前	二十元	十元	五元

彩色另議

◀中華民國二十五年一月一日出版▶

編輯者 朱振聲

撰述者 全國醫家

發行者 幸福書局 上海三馬路雲南路轉角

上海特約 上海雜誌公司 上海福州路

華南特約 上海雜誌公司支店 廣州永漢北路二三九號

印刷者 興群印刷所 方斜支路五號

痢疾救星

痢疾泄瀉特效藥

奥生大蒜精

藥性和順　適合國人體格

大蒜本為我國特產。醫家早知為良藥。然因施用不得其法。以致毫無效果。本品參照歐西秘法。抽出大蒜有效成份。製成片劑。對于治療痢疾。及一切泄瀉。功效獨偉。有藥到病除之能。本品並非收斂劑。服後無大便閉結之弊。服本品後。菌蟲立可消滅。大便次數減少。腹痛消失。大便即轉復原狀。同時胃口良好。不幾日即得痊愈。本品應連服三四日。俾服二三日。然後再服三四日。如此則可使潛伏菌蟲。完全消滅。不致遺有後患。痢疾病人。應絕對靜臥。攝食流動容易消化物質。忌食一切生冷油膩之物。

主治

菌痢蟲痢（紅白痢疾）夏秋泄瀉　胃腸不和　腹漲多屁　胃口不振

用法

治痢疾最好先服瀉藥。如瀉鹽瀉油等。然後服本品三片。以後每小時服二片。日服十五片。夏秋泄瀉及胃腸不和等。飯前或飯後。每次服三片。日服三次。

價目

每盒定價大洋二元。現為普及病家起見。每盒祇收大洋一元六角。外埠另加寄費大洋二角。

上海奥生製藥公司出品

上海三馬路雲南路轉角幸福書局經售

丹方雜誌

國醫朱振聲編

第十二期

民國二十五年二月出版

上海幸福書局發行

利如草圖

丹方雜誌第二年起改名『幸福雜誌』緊要啓事

本雜誌自出版以來。倏已十一期。蒙讀者不棄。銷數日增。仝人等不敢自滿。故自第二年第一期起。擴充內容。增加篇幅。改名『幸福雜誌』。除原有丹方之外。對於內外婦幼咽喉花柳時症各科。莫不應有盡有。更添百病問答欄。以便定戶詢問一切疑難雜症。最後附有醫林餘興欄。文字淺顯。雅俗共賞。全年仍出十二冊。凡屬丹方定戶。自即日起至民國廿五年二月底止。預先定閱者。祇收半價。連郵計洋一元。並得贈送幸福書局一元代價券一張。(憑券可購本版書一元)通函問症券一張。(價值二元)以示優待。期滿之後。實收二元。贈品取消。(第二年第一期目錄。在十二期丹方雜誌中。預先披露。請讀者注意。)機會難得。幸勿交臂失之。

丹方雜誌十二期目錄

頁次

卷頭語

丹方與單方。音同而義異。丹方原為術士錬丹之用。以其有治病之功。故留傳於民間。單方之義。指僅用一味藥品治病之方而言。然丹方亦有僅用一味者。故丹方與單方。往往混誤。藥貴治病。固不必論其一味與數味。丹方雜誌之發行。因丹方配合之妙作用之奇。治病有意想不到之成績。一面向民間徵求。一面介紹於讀者。盡數月之力。得有千餘則。嗣後又承各界源源惠寄。除按月發行雜誌一冊外。尚存數百則。而此數百則中。有丹方。有單方。亦有普通之驗方。剔之不復成冊。棄之又復可惜。故混雜刊登。實際上已無「丹」「單」之分矣。

本雜誌自出版以來。倏已十二期。蒙讀者不棄。銷數日增。仝人等不敢自滿。故自第二年第一期起。擴充內容。增加篇幅。改名『幸福雜誌』。除原有丹方之外。對於內外婦幼咽喉花柳時症各科。莫不應有盡有。更添百病問答欄。以便定戶詢問一切疑難雜症。最後附有醫林餘興欄。文字淺顯。雅俗共賞。全年仍出十二冊。凡屬丹方定戶。自即日起至民國廿五年二月底止。預先定閱者。祇收半價。連郵計洋一元。並得贈送幸福書局一元代價券一張。（憑券可購本版書一元）通函問症券一張。（價值二元）以示優待。期滿之後。實收二元。贈品取消。（第二年第一期目錄。在本期末頁預先報露。請讀者注意。）機會難得。幸勿交臂失之。

富春醫局驗方

程中和

余家世代送藥。祖傳秘方甚多。試之屢效。現值西藥侵華。中醫藥岌岌可危。故再不敢自秘。願將擇尤驗者。以投之於本誌。

（老人喘嗽）氣促睡臥不得。服之立定。用胡桃肉去膜。杏仁去皮尖。生姜各一兩。共研膏。入煉蜜少許。和丸如彈子大。每臥時嚼一丸。以姜湯送下。

（眼流膿水）用龍膽草二錢。當歸尾二錢。煎服。五劑無不神效。

（爛眼風弦）鷄冠血。點之。一日三次。數次即能見效。

（喉閉乳蛾）鷄內金。勿洗。陰乾。燒末存性。用竹管吹之。

（隔症）用老桑榾柮。燒紅存性。爲末。好酒送下可愈。

（中風痰厥四肢不收氣閉隔塞者）生白礬一兩。牙皂角五錢。共爲末。每服溫水調下。吐痰爲度。

（一切氣痛）不拘男女冷氣。血氣肥氣。息賁氣。伏梁氣。賁豚氣。搶心切痛。冷汗喘息欲絕。天台烏藥。（酒浸一晝夜炒）小茴香炒。細青皮炒。

高良姜炒。等分為末。以溫水或童便調下。

(羊癲風)用經霜老茶葉一兩為末。又生白礬五錢。為細末。水泛為丸。硃砂作衣。每服三錢。用白滾湯送下。三服全愈。

(瘋狗咬傷)用萬年青連根。打融汁。灌服。貧人簡便幸勿輕視。

(婦女經閉腹脅脹痛欲死並消血痞)用陳久刀豆壳焙燥為末。以陳酒服一錢。能加麝香一厘更妙。

(小兒無故卒死)以葱白入下部肛內。及嗃兩鼻。氣通噴嚏即活。然後再治。

(驚風不醒)用白烏骨雄鷄血。抹唇。即醒。

(小兒陽物縮入)用生姜汁。葱汁。各半盅。灌下。外用燈草醮油。在臍下陽物上中間。連炙七壯即出。

(臍爛)赤石脂。枯礬。等分為極細末。摻之即愈。

(卵腫)蚯蚓屎和薄荷汁。調塗卵上即消。

(小便尿血)葱白一握。鬱金一兩。水一升。煎至二合。溫服。一日三次。每次一小茶匙。

(陰頭疳蝕)鷄內金(不落水)用瓦焙脆。研極細末。先以米泔水。將患處洗淨。再以此末搽上卽愈。

(腎腫如斗)用茘枝核。青橘皮。大茴香。等分各炒研。酒引。服二錢。每日飯前三服。數日卽愈。

(惡瘡似癩)(十年不瘥者均愈)用全蛇蜕一條。燒灰。猪脂和敷。再用一條。仍燒灰。以溫酒冲服。

(鶴膝風)肥皂一枚去子。芒硝一兩。五味子一兩。砂糖一兩。姜汁半盅。真陳酒四兩。共研勻。日日塗之。(如用真燒酒更妙)內服紫荊皮三錢。以老酒煎服。每日二次。

(治肺病要方)蓴菜(卽蒓菜)爲治肺病之聖藥。日日以此菜佐飯。不久自愈。(但勿加入葷腥)

(戒煙神方)甘草八兩。川貝母四兩。杜仲四兩。用清水六斤。熬至一半。將藥渣濾去。加好紅糖一斤。收膏。每次三錢。溫水冲服。

■慈航室丹方錄驗

■婦人年近五十。因生育過多。血氣虛損。以致周身氣痛方真阿膠三錢。外用當歸一錢。川芎二錢。煎水蒸膠。用酒烊服數次。忌服寒冷。

■溫毒時邪。喉嚨發白方

生菉豆一合。研細。用井泉水調取極濃汁一杯。外用甘草五錢。山豆根五分。射干五分。金銀花一錢冲服。

■久患目疾。雲翳不消方

青皮一錢。朴硝一錢。荸薺十五枚。木賊草一錢。冬桑葉十五斤。煎水。誠心向東方。日洗三次。再取鷹眼珠中水點之。無不復明。

■目視不明方

白菊花一錢。荸薺十一枚。木賊草二錢。旋覆花一錢。冬桑葉二十斤。朴硝五分。煎水朝東。每日薰洗三次。再用夜明砂五錢。蜜蒙花一錢。煎水蒸猪肝四兩。先薰後服。多食自明。

■風熱目疾方

白菊花二錢。生地五分。牛蒡五分。蜜蒙花一錢。款冬五分。歸尾二錢。生姜三片。煎水。先薰後服。

■風濕偏身疼痛方

石菖蒲四兩。全身紫蘇三兩。升麻二錢。煎水沐浴。總宜多出汗為佳。

■手足風濕痛方

威靈仙一兩。秦艽二錢。地骨皮三錢。煎水。外用苡仁米一合。糯米三合。將藥水煑粥服。五次效。

治膝痛方

石楠藤二兩。威靈仙五錢。煎水煑猪蹄筋四兩。服數次自愈。

癬毒方

桂圓核。以醋磨搽。

癩痢頭瘡方

蘆薈五錢。川楝三錢。黃丹五分。枯礬三分。共研細末。麻油搽調。

脫肛方

升麻五分。生黃芪一錢，俱用醋炒。水煎服五次。

黃腫病方

黃花茵蔯。白花茵蔯各五錢。煎水。外用苡米一合。糯米一合。冬瓜仁一杯。將水煑粥服之。

大腸下血方

猪小腸八寸。將白蓮肉去心不去皮。灌滿腸內。外用紅花五分。槐角十四莢。藕節九個。水煎。煑腸極爛。服五七次自安。

頭頂風癢方

花椒三錢。艾葉一錢。枯礬三分。煎水。洗數次自愈。

保生萬應方

治向有難生。或慣滑胎。或偶動胎氣。有胎腰痛。腹痛。或下血。勢欲小產。如有胎七八個月。每月一劑。臨產時母子平安。全當歸錢半酒洗。川芎錢半。菟絲子錢半。白芍酒炒一錢。川貝母一錢去心。黃蓍八分蜜炙。荊芥八分。川羌活五分。蘄艾六分酒洗。厚朴七分姜汁炒。枳殼六分炒。甘草五分。生姜三片。預服者。空心溫服。臨產服者。隨時熱服。如人行五里許卽下。

(按)此方頗驗。幸勿輕視。

效方五則

蕭懷之

一、咳逆失血。用山梔一兩。煎服。當於二句鐘內。立止其血。其效頗驗。

二、患目昏暗不明。當於每年九月二十三日。用桑葉煎水洗眼一次。永除此患。

三、小兒未能穀食。久瘧不瘳。用冰糖煎濃湯飲之。卽可愈矣。

四、漆瘡。用乾荷葉煎湯洗之。可除此疾。

五、小兒黃水瘡。或作痒。破流脂水

。疼痛不已。當用。松香。黃丹。鉛粉。硫黃等分。用蘇油調搽。刻日可愈。

■治腹內痞積方　章芝

用臭椿根皮。(在土中者佳)要一大束。去外粗皮。止用白皮二斤。切碎入鍋內水煎。瀝去渣。用文武火煎熬成膏。薄攤布上。先以生姜。搓出垢膩。後以膏藥烘熱。微加撒麝香少許。貼痞塊上。其初微痛。半日後即不痛。候其自落。即永不再發。孕婦忌用。

■治脫肛不收　章芝

用大蜘蛛一個。去頭足。瓦上焙枯研末。豆油調敷。片刻即收。或用大田螺一個。入片冰少許。即化為水。搽之亦效。

■治氣蠱鼓脹方　吳夢蘭

腹上按之隨手即起者是。用大蝦蟆一個。砂仁不拘多少。為末。以砂仁末裝入蝦蟆肚內令滿。縫口黃泥封固。炭火煅紅取出。研末。作三服。陳皮送下。以放屁多為佳。二三服全愈。

水蠱鼓脹方

吳夢蘭

腹上按之。下陷不起者是。用大田螺四個。去殼。大蒜五個。去皮。車前子三錢。研末。共為餅。貼臍上。以帶縛之。水從小便出漸消。終身戒食田螺。

治皮爛疔之經驗談

張曉屏

此症大抵係肺經積毒所致。惟與尋常疔瘡不同。治法亦異。初生一點白疱。遂漸延開。根不高突。亦不深陷。祗爛皮膚。多生四肢。若不早治。恐致環繞相接。成為脫靴統。勢頗危險。治法先剪去腐皮。以藥棉蘸一冲四十之石炭酸水。洗淨膿水。用麻油甘草粉塗之。其效甚速。

（按）石炭酸水。西醫為之消毒防腐劑。余治外科。嘗以之洗對口搭手諸腐爛症。確有效奇。

急救吞信石方

吳夢蘭

信石即紅礬。又名白砒。吞之即能斃命。急救之法。用仙人掌（。栽於盆中。質薄色紅。生有毛刺者。）一二頁。搗爛。以新汲水冲服即愈。又此物亦能救治鴉片煙毒。

■小藥囊

趙朋

桂圓核　研末。治刀傷出血不止。

荔枝核　研末。治疝氣。每服三錢。黑酒送下。

荸薺　燒灰存性研末。治小兒口瘡。

蟬衣　焙黃為末。搽脫肛有奇效。

山羊血　黃酒化服五分。治當心痛。

橄欖核　磨汁塗瘡疤。久而無痕。

生鵝血　治噎膈。數飲之可愈。

半夏　研末吹鼻孔內。治產後血暈立醒。

瓦楞子　炒研末。白糖拌食。治胃氣痛頗效。

紅梗莧菜煎湯薰洗。治初產陰戶腫痛。坐臥不甯。

野莧菜　煎湯薰目。治因頭風而目盲極靈。

胡桃肉　臥時嚼之。溫酒下。治小便頻數。

地栗汁　不拘多少。和好酒半杯。空心溫服。治大便下血。

黑芝蔴　生者口內嚼細。塗頭頂百會疽。立効。

治痘良方

啞壺道人

邇來天花盛行。用藥不愼。殞命隨之。推原其故。亦由無良方所致耳。現有一方。得自仙傳。不過藥籠中一味耳。其藥維何。紫草茸是也。凡痘初起時。身必熱。喉必痛。過三四日。痘始發齊。亟向藥店買「紫草茸」二錢。用清水一碗許。煎至半碗許。小兒減半。每日食二三次。或三四次。約五六日。其痘必結罨。一經結罨再用舊臘梅油搽之。（菜油亦可）。其痘便好矣。此方救活無算。實為痘方之第一。勿以味少而忽之。

讀書不成室驗方筆記

陳茱芬

洗眼方（錄池北偶談）

右通政袁密山。景星。廣西平樂人。嘗傳一洗眼方。云宋元豐間。某太守年七十。雙目不明。遇仙人傳此方。洗一年。目力如童子。錄之於左。每歲立冬日。採桑葉一百二十斤。懸風處。令自乾。每月用十片。水一碗於砂罐內煎至八分。去渣。溫洗。每日洗眼。忌葷酒。

治瘧疾方（錄庸閒齋筆記）

咸豐甲寅。先大夫七十二歲。患瘧甚劇。諸醫束手。蘇州馬雨峯太守傳一方。用燕窩三錢。冰糖三錢。先一日燉起。至次日瘧作之前一箇時辰。加生薑三片。滾三次。將薑取出。服之。倘胃不能納。即止啜其湯亦可。一劑不愈。則再。至三劑無不愈者矣。此方得之蕭山因校官王君。年八十。病瘧。服此而痊。其後試人屢驗。云云。余因遵方進之。先大夫一服即愈。二十年來。以之傳人。奏效甚衆。尤宜於老人。及久瘧不痊者。其方平淡無奇。而應驗若是。可謂奇矣。

治疿方（錄庸閒齋筆記）

夏日生疿。以蚌粉等撲之無效。惟以隔夜之熱湯水滌之。即瘥。

疿同痱。俗呼痱子。熱瘡也。小兒多患之。

治疝氣方（錄庸閒齋筆記）

疝氣病用薏苡仁。以東向壁土炒黃色。然後水煑爛。入砂盆內。研成膏。每用無灰酒調下二錢。即消。

儷玉室驗方叢錄

戴佩玉

沈嫗傳方

單方之佳者。不必出自方書。往往有鄉曲相傳。以之治病。應手取效者。吳江沈嫗。服役余家。曾傳數方。試之皆效。備錄之。

■痔瘡　用皮硝煎湯。乘熱薰洗。此方治熱毒。皆效。

■小兒雪口瘡　馬蘭頭汁擦之。

■眼癬　大盌幕布。以晚米糠置布。燃糠。有汁滴盌。取抹患處。

■瘡　方

餘姚吳蓉峯學博麟書。患膿窩瘡。醫久不痊。後有相識遺一方。云得自名醫。為療瘡第一良藥。如法治之。果愈。余於庚戌年。患此甚劇。亦以此方得痊。茲錄於左。

廚房倒挂灰塵三錢煅。伏地氣。松香一錢。茴香一錢。花椒一錢。硫黃煅一錢。癩蝦蟆一錢。枯礬一錢。蒼朮一錢。白芷一錢。硃砂一錢。

右藥共研細末。用雞子一箇。中挖一小孔。灌藥其中。紙封固口。置幽火中煨熟。輕去其殼。存衣。再用生猪油和藥搗爛。葛布包之。時擦癢處。

■治疝氣神效方

剝荔枝肉。搵食鹽。早晨空肚生喫十枚。小兒減半。久服有奇驗。此方曾經試過多人。奏效如神。

■治蛇頭瘡

用猪胆一個。大黄末五兩。拘胆汁套患處。一宵卽愈。又用龍骨槊樹一條。入火煨熱。用該木將心通出截取寸許。趁熱套患處。如戴班指狀。數次全愈。

■足癬良方

有人生癬。各處皆愈。唯足愈發愈多。後以螺丕草。（該草生花盆中形圓。邊有刺。隨處皆有）搗爛。炖猪油。取出後。和三仙丹少許。敷之一二次卽愈。效驗極速。真良方也。

■使痰從大便出方

薏米二盞。半夏三錢。煑汁服。

■喉病方

用礬少許。硃砂三分吹入。

■湯火傷方

用雞蛋白。或蜂糖。搽之。立卽清涼止痛。

■出鼻血方

用蘇茅花。煎木。冲蜂糖食之。立愈。

■色感方

槐角五錢。酒炒。煎水。冲黄酒食之。雖病極危篤。亦愈。

■瘋犬咬傷方

萬年青。連根帶葉。搗汁。冲蜂糖食之。多食自愈。

■治瘧黴方

瘧久不愈。變成瘧母。久成瘧黴。可用燒酒浸荸薺。每日服二枚。多服自愈。

■消羊肉積之驗方

冬令食羊肉。最能補身。但脾虛者。易於停滯。可用陳稻草一兩。山査炭三錢。煎湯服之。頗有靈驗。余曾見戚冢婦人。服此而效。故特濡筆誌之。

■治指瘡靈驗方

錢湖鷗侶述

雞蛋一個。紅靈丹五分。

右方將雞蛋頂破一洞。大可容指。以箸攪之。入紅靈丹五分。再攪之務使均勻。患指瘡者。無論其為蛇頭蝦眼。及指上癤毒等。均可治。治法卽將患指插入蛋孔者。約二三小時。或蛋殼內蛋味發生異臭。卽將此蛋棄去。視指上或破頭或未破頭。有膿無膿。仔細揩拭。重行再套指瘡。毒重者。套雞蛋十餘只可愈。輕者二三只卽愈。百試百效。誠治指瘡之第一良方也。

附應驗事實

名賢范某。擅外科。日為人治瘡毒。一日偶不愼。診治後未將指上毒膿拭淨。次日兩手大食二指。均起水泡。奇痛異常。百治無效。勢將潰爛。或以此方告。姑試之。初套一二只。卽破頭。拭淨再套。如是不間斷。套蛋近百只。毒盡而瘡亦愈矣。後范某卽以此方治人之指瘡。無不神驗云。

立止夢遺神効丸

錢髯

此藥專治夢遺。及萎黃瘦弱。服之卽健壯逾常。有不可思議之神効。白朮八兩飯上蒸燒。苦參六兩酒浸晒七次。牡蠣八兩。煅透水飛。用雄猪肚三個洗淨。同煑爛。搗如泥。丸桐子大。每日二次。每服三錢。

血症良方

蕭熙

凡患血症者。身體虧虛。卽取柴炭之灰。（茅草燒灰均可。惟煤倒外）。約一小杯。溫水冲服。立效。

（熙按）灰類性濇。失血過多。瘀滯已盡者。用之允當。此法余由棕櫚灰得来。去冬鄰人某。大下血不止。欲作暈厥。夜半叩門乞診。以深夜市藥不便。乃苦思得上述之方。連進二杯。適時而止。蓋植物體莖部枝部之組成。皆含鐵之有機酸鹽類。鐵性止濇。鐵鹽能強血。二者相作用。故有止血治厥之功也。又按服此方時。須俟其水稍稍澄清。否則恐難下咽耳。

■白喉藥方

李寒吻

元參一錢五分。麥冬一錢二分。薄荷五分。川貝母八分。丹皮八分。大生地二錢。炒白芍八分。生甘草五分。熱甚。加連翹。去白芍。燥甚。加天冬。茯苓。小便赤。加木通。數日不大便。加元明粉。如有內熱。及發燒。勿服。去表藥照方服。其熱自除。症輕重加減分量。藥雖平淡。用頗通神。體虛加熟地或生熟並用亦可。

■白喉吹藥

前人

青果炭二錢。黃柏一錢。兒茶一錢。薄荷一錢。川貝母二錢。冰片五厘。鳳凰衣五分。(即初生小雞殼內之衣)各研細末和勻。加冰片乳細。喉間起白。切忌麻黃。誤用咽啞不可救。桑白皮肺已虛不宜瀉。紫荊皮破血不可用。防風不可用。杏仁苦降不宜。牛蒡子通十二經不可用。山豆根不可用。黃芩過涼不可用。射干妄用卽啞。羌活過表不可用。桔梗肺虛不宜升荊芥不可用。諸喉症切不可表散。虛症不宜破血。慎之。慎之。

■又方　　前人

生土牛膝汁滴鼻孔。青魚喉內圓骨用濃茶磨漿。刷脰脛喉外乾則頻刷。以愈為度。

■疥瘡靈驗方

陸步青

疥瘡為皮膚病之一種。患者遍體鱗傷。奇癢異常。抓扒之間。不特醜態畢露。且因易於傳染。使人憎惡。患者苦無相當良藥。以脫此難。茲就管見所得。以告海內之患斯病者。

(一)大楓子肉二兩。枯礬四兩。樟腦三錢。蛇褪五分燒存性。蜂房五個。燒存性。共為末。入臼油四兩。水銀五錢。同搗成膏。能治膿窠黃水痛癢疥癬諸瘡。此方原名掃盡曹家百萬兵。曾屢試屢驗。非故作大言欺人者可比也。

(二)硫黃一錢。水銀一錢。油核桃肉

一兩。生猪板油一兩。共搗如泥。聞嗅及擦患處。此方原名疥靈丹。能於兩日之內。瘡退痒止。三可永不復發。實爲疥瘡之神敵。

（三）吳茱萸焙研細。硫黃粉。鋅養粉各等分。用凡士林調成膏。塗搽患處。每日二次。三四日全愈。此方原名皮膚萬靈膏。爲紹興裘吉生氏所發明。實則脫胎二妙丹。不過加入鋅養粉萬士林二味。藥雖平常。效則萬靈。可稱中西合璧之良方也。

（四）綠柳樹根皮川椒二味等分。炒爆取淨末四兩。枯礬一兩。全蠍五只（焙）。共爲細末。猪板油調搽。此方原爲不傳妙方。記者按既得不傳之祕。當有不可思議之妙。錄之以供病者採擇。

■各病經驗奇方

張海峯

■百病消散法

無論胃膈飽悶。肚腹疼痛。傷風發熱可用葱頭七根。生薑五六片。陳茶葉三錢。砂糖半杯。用水二碗。共煎。熱服。加陳酒隨量飲。蓋被出汗。諸病消散。

■偏正頭風

各種偏正頭痛。風邪頭風。。作事過勞。鬱火頭風等症。用甘松、白芷、甘菊、羌活、山奈、防風、荆芥、藁本。各二錢。北細辛五分。用水煎服三帖除根。

■吞金銀銅鐵錫急救方

取羊脛骨。即羊前腿膝盖骨)燒枯為末。米湯調服二三錢。一日必出。或用橄欖核燒灰研末。開水調服亦好。或用韭菜一把。稍煑使軟。不可切斷。淡食之即吐出。或由糞中出。

■治久年咳嗽

胡桃肉生吷。多服自愈。

■止鼻衄法

民國十六年余曾患鼻血之症。即延醫服藥調理。屢治無効。後得家祖祕才用白茅根一扎(去心節)藕節炭三錢。和水煎服。至今尚未復發。即可絕根。

■治虎口疔

生在唇左右。來勢極猛。渾身發寒熱。治不得法。動輒斃命。生蜆搗粗鹽。敷患處。對時。可穿口拔去毒莖。即愈。

■女科簡效良方

王南山

■婦人痞塊外治方

婦人腹有痞塊。攻撐作痛。可用麝香三厘。阿魏三分。芒硝二錢。鋪蓋痞塊上。。周圍用麵條圍住。以防藥末之散開。人面覆以青布。隨用熱熨斗頻頻熨之。使藥氣內走。即覺腹中暢快。如此多熨數次。無論遠年痞塊。均有消散之效。如再內服湯藥。則取效尤速也。

(按)痞塊之原因。多屬氣血痰三者凝滯而成。停積於皮裏膜外。服藥每難建功。用此外熨之法。可使藥氣直達病灶。且麝香為破氣之將軍。阿魏乃消痰之神丹。芒硝是軟堅之專藥。又加熨斗外熨。以助藥力。誠為治痞塊之良方也。

妊娠惡阻之簡單治法

婦人妊娠三四月間。多患嘔吐。名曰惡阻。可用淘淨粳米。和入姜水少許。炒微黃。每日於清晨未起床之先。嚼下二三十粒。其吐即差。有勝於服藥之神效也。

(按)婦人懷妊在二三月間。血液壅於子宮。子宮充血而起反應。反應於胃。而起嘔吐。故於晨起胃中空虛之時。易於嘔吐也。本法於未起床時。先服粳米者。使其得食而血充於胃。胃血既多。則子宮之充血。不能反應於上矣。加姜汁者。因患惡阻者。每多痰盛之人。用姜以化痰。且又能刺激胃膜。使其充血。上下之血液平勻。則惡阻之患自除矣。

產後小便不通外治方

凡胎前患腫脹者。產後每患小便不通。宜用食鹽一撮。麝香一分。填於臍中。外用葱白一兩。打成餅狀。覆蓋於上。用艾火灸之。病人覺有熱氣入腹。初頗難忍。稍忍片時。即小便通矣。

(按)此症由於膀胱氣化不宣。水濕停留者。用此法最為有效。惟因內熱盛而津液乾涸者。忌用。

產後腰痛方

胡桃肉一兩。鹿角屑三錢。陳酒煎服。甚效。

(按)產後腰痛。多因於虛。胡桃善於補益腰腎。鹿角善於溫和血脈。又得酒以引之。故能直達病所。而愈腰痛。但此二味。均偏於溫。若其人素體熱盛者。慎不可服。

產後乳少方

產後乳水缺少者。宜常用赤豆煎食。乳汁即能漸多。試之屢驗。勿輕視之。

(按)此方之赤豆。即平常作點心之赤豆也。赤豆內含滋養成分甚多。且能排除水濕。流通乳腺。故乳少者服之往往有效也。

乳吹腫痛外治方

哺乳之婦人。忽現乳房紅腫脹痛。乳汁難出者。名曰吹乳。宜用葱一大把。搗成餅。加麝香少許。攤乳上。用鉄罐盛灰火熨葱上。須臾汗出。其病即愈。屢試甚効。

(按)乳吹之症。由於乳腺阻塞所致。治不得法。每成乳癰乳巖等症。本方用葱以通乳腺。由麝香以達病所。再以熱罐熨之。助其藥力。使其乳腺得通。腫痛自消。屢試屢驗。誠為外治之良方也。

■痔方一束

濟蒼

諺云。十人九痔。故痔瘡為一種最普遍之病症。患者經年纍月。服久不愈。痛苦異常。記者本為醫救民疾苦之旨。爰將治痔各法和盤托出。編為痔方一束。公之於世。非敢云十全之效。亦聊供一得之愚。

(甲)內痔服方

(一)炒蝟皮一兩。雄鷄冠頭一個。血餘炭四錢。槐米一兩。白礬一兩。研末。每晨服三錢。

(二)猪大腸六兩。蚯蚓二十條。煮爛去蚯蚓。食大腸。

(三)猪大腸三尺。刺蝟皮二張。(瓦上炙乾)白礬四兩。槐米四兩。研末放入大腸內。二頭扎好。煮爛如泥。合丸。每晨開水送服四錢。

(四)生首烏研末。每晨米飲湯送服五錢。

(乙)痔漏內服藥

(一)胡黃連炒一兩。炒甲片一兩。煅石决明一兩。炒槐米一兩。各取淨末。秤準和勻。煉蜜為丸。如麻粒大。每服五錢。早晚二次。米飯湯下。至重者。四十餘日全愈。如四邊有硬肉突出。可加蠶繭廿個。和入藥內。

(二)薑汁炒胡黃連一兩。炙刺蝟皮一兩。當門子二分。共為末。飯糊丸。如麻粒大。每服一錢。食則酒下。專治痔漏。不拘遠近。服後管內膿水反多。是藥力到也。

(三)夏枯草十兩。連翹殼五兩。甘草節五錢。金銀花四兩。共炒研為末。淨銀花一斤。煎濃汁。和丸如綠豆大。每服三錢。空心淡鹽湯下。若起漏三五年。兩服全愈。一二年者。一料全愈。

(四)頭胎男子臍帶三個。瓦上焙存性。陳棕炭七錢。京牛黃三分。槐米二錢。刺蝟皮三錢。象皮四錢。地榆四錢。共研。酥油糯米糊丸。如黃豆大。每服七丸。空心白開水下。專治痔漏。自能化管收功。

(丙)痔瘡洗藥

(一)葱白十個。瓦花一兩。馬牙莧五錢。皮硝五錢。五倍子五錢。槐花五錢。茄根五個。花椒五錢。煎湯頻洗。

(二)爛石榴三只。五倍子五錢。烏梅七個。槐米五錢。地骨皮五錢。煎湯洗。

(三)徧地香。過冬青。鳳尾草各一種。俱要鮮。煎湯洗。

■培橘齋外科良方驗錄

戴橘圃

■一筆勾

消腫毒。

大黃四兩。藤黃五錢。蟾酥三錢。明礬三錢。射香三分。為末。用猪胆汁爲錠。茶水調敷。

拔疔散

專治十三種疔。挑起貼之。其根二日即出。

嫩松香一錢。白藥一兩。荔子肉四兩。巴豆十粒。漕雞糞五錢。蟾酥五錢酒化。黃丹五錢。輕粉三錢。白信石三錢。銀朱二錢。白丁香二錢。蒼耳虫二錢。乳沒各二錢。射香一錢。端陽午時。千搥成膏。勿見婦人。

偷糞鼠散

搽之立刻止痛。

貓鬍鬚(五個陰陽瓦焙存性)三仙丹六分。冰片六分。射香六分。共研末。

蠶蝎丸

魚口便毒。未成可消。

殭蠶(炙)。全蝎(酒炒)。甲片(土炒)。槐米(炒)。土貝各等分。末糊丸。每服三錢。

大麻風方

此方頗驗。仰有力君子。配合濟人。

生漆十斤。螃蟹四十個。明雄四十兩。先將生漆同螃蟹用罎貯好埋於土內。過十四天。取起用鐵鍋炒。約每斤可成灰八錢。冷涼再將明雄用布袋貯好。放白花酒內。下鍋懸掛。燒三滾取起。涼乾共研細末。每服一錢。輕者十天而愈。重者多吃數日。但每晚服。務要百花酒四兩。燉開沖和送下。

急救吞火柴方

郭志道

藍矾。的列並底油。(又名松節油)以上二物。向西藥房購備。價不甚貴。服法先以藍矾研末。約每盒四分之數。用清水調服。越數分鐘。即大嘔。嘔去毒質。再服的列並底油。每日服三次。每次服二匙。輕則可安。重則另服中藥。忌熱食一日。即萬無一失。此法得後。已救活四十餘人矣。(中藥方)浮萍草三錢。肥皂子三錢。玉桔梗三錢。細川連三錢。元明粉二錢沖服。蒲公英三錢。生山梔四錢。生甘草三錢。山豆根四錢。連翹壳四錢。番瀉葉四錢。金銀花五錢。生大黄五錢。黑大豆八錢。馬料豆八錢。綠豆壳八錢。川井水二升。麻油飴糖各四兩。煎濃冷飲。

強身助力丸

康仁山

治男婦先天不足。後天失調。氣血虧損。陰陽違和。飲食少進。身體羸弱。男患失血遺精。女患崩帶漏下。一切虛勞精症。皆可轉弱為強。並治陽物萎縮。久無子嗣。屢屢服之。定卜麟慶。牛骨髓一斤。虎脛骨二兩。白蜂蜜一斤。胡麻子(即脂麻)一斤。雄黑豆(黑皮綠仁者佳)。一斤。檳榔二兩。建神麯四兩。(按)上藥先將虎脛骨酥油炙透。晒乾剉末。麻子黃豆各微炒研末。檳榔神麯各生研末。再將牛骨髓熬化去渣。白蜂蜜煉熟。勿過度。將此二者。調合一處。同前藥末。傾入攪勻。乘熱為丸。每丸五錢重。作丸時愈速愈妙。不然。恐骨髓與蜜冷凝。難以成丸矣。每日不論早晚。各服一丸。滾水送下久服此丸。百試百驗。妙難盡述。須忌一切煩惱及五辛等物。

(方義)方內用生骨髓虎脛骨者。取其塡補人之精髓。調養五藏。助筋強骨。以去寒濕也。蜜蜂胡麻。取其補中潤腸。助腎益氣。以和營衛也。黑豆其形如腎。取其滋補真陰。益腎鎮心。以安魂魄也。用檳榔以調氣寬中。用建曲以消食和胃。同補藥為佐。取其補而不滯。行而不峻。使無格拒之患也。

吐血良方

濮昂千

竊維吐血之疾。苟非速治。患害非淺。輕則形容憔悴。重則或因戕身。皖南養性子。自吉林傳來。吐血一方。神效異常。前見一友。痰內帶血。遍醫罔效。骨瘦如柴。甚至病垂呼吸。一息奄奄。旋服此方。得以全愈。不敢矜誇。實有起死回生之功。茲因靈驗若斯。特此抄行方便。登諸報端。以為吾人共知焉。

紫丹參三錢。廣木香八分。川鬱金二錢。全當歸三錢。淨紅花一錢。炙乳香二錢。炙沒藥二錢。大蘇梗三錢。桃仁泥一錢二分。炒青皮一錢五分。扶撫芎一錢三分。廣陳皮二錢。酒炒白芍藥三錢。淨炒棗仁二錢。參三七八分。紅棗三枚。藕節四個。

重者。用陳酒一盃煎服。輕者減半。河水煎服。此方治暴吐為宜。

經驗良方

耐霜

白帶症中西治驗

宜先服萆薢分清飲。加椿皮車前草黃芩赤苓知母。清濕解毒。繼用西藥濃鉄綠水四瓦。溜水一百瓦。一日三次。每次用一匙。滚水和服最效。

■血崩中西急救法

婦人血崩。最為急證。宜先用西藥麥角流膏一瓦。勻服。或注射皮下再投生地阿膠西洋參杭白芍炒地榆麥冬藕片等。煎服。鄙人屢試屢驗。

■吐血中西急救法

吐血一症。是因胃中血管破裂。血液上沸霎時嘔血。傾盆盈盂。命懸旦夕。可用西藥醋酸鉛一瓦。阿片末半瓦。勻服止血。以治其標。復用四生飲。加阿膠茜草丹皮桃仁三七等。以療其本。無不奏效如神。

■治濕氣爛腳方

赤石脂四錢。煅石膏五錢。輕粉四錢。製甘石四錢。金爐底三錢。四六片一錢。共研為末用猪板油調搽之。

■治腳底生繭方

生南星生半夏各五個為末。用生薑一兩。連皮搗爛。加酒煑成膏。乘熱貼之。

■治兩足舉步無力方

淮牛膝三錢。宣木瓜三錢。炒薏仁八錢。虎骨膠一錢。當歸三錢。以藥煑猪腳連服數劑即愈。

■治流火秘方

生石灰四斤。以清水浸之。將上面浮起一層白沫。與蘇油調勻敷之。頗驗。

湯泡火傷外治方

麥炭粉不拘多寡用真脂麻油調和成膏敷之痛不止再敷。以痛止為度。聽其自落。且無疤痕。

腋下狐臭方

用蒸餅一個。劈作兩片。放密陀僧末一二錢。夾在腋下。略睡片刻。候冷棄之。如一邊狐臭者。只取一片夾之。即可斷根。

或捉蜘蛛大者一只。(如小可用二隻)以黃泥包好。放火煆紅取出。候冷去泥。加輕粉一錢。共研為末日搽數次。輕者二日。重者四五日。亦可除根。此方舍親刁義方君試用。三四人皆効。

普通傷藥方

統治五勞七傷。筋骨疼痛。威靈仙一兩。桃仁一兩。白芨八錢。蘇木八錢。杜仲八錢。紅花一兩。防已八錢。秦艽一兩。川芎一兩。澤蘭一錢。靈脂五錢。獨活一兩。當歸一兩。草烏二兩。六軸子五錢。延胡五錢。淮山藥八錢。五茄皮五錢。製半夏八錢。

五谷虫五錢。金銀精石各八錢。地骨皮八錢。川玉金五錢。白芥子五錢。川烏炒二錢。金毛狗脊五錢。共為末。陳酒調服二錢。

■水金鎗方

銀花二兩。當歸一兩。甘草五錢。大黃一兩。紫草五錢。地丁一兩。黃柏五錢。天花粉五錢。方八五錢。用蔴油一斤。熬去渣加黃占一兩。白占二兩。乳香。沒藥。藤黃。血竭各五錢。炒川連二兩。研細末。烊入油內。搽敷傷處。無不神效。

■治喉症良方

喉症初起時。喉間微作疼痛。急於草地覓土牛膝之根。搗汁盪口。將口中之涎吐出。其疾自愈。此汁切勿吞下。因其汁甚寒也。（俗名古樹楓根。其式樣方梗對葉。）草藥店內亦有出售。

■治婦人血崩良方

以舊棕棚剪下。煅灰。紅糖調服即愈。

■治跌打損傷良方

向藥店購紅花一錢。再向草藥店購活血龍藥草。同浸燒酒。吞服。

■治皮蛀良方

用生牛皮燒灰。以蔴油調敷之。即愈。

■治濕瘡爛良方

用猪油冰片蘆甘石同搗爛。敷之。即漸愈。

■治濕癢良方

用野苧麻根與松香搗爛。或以山藥與之搗爛。敷之亦可。

■治瀉痢良方

瀉紅痢者。以白糖調山楂炭吞服。白痢以紅糖調山楂炭吞服。即愈。或以三月三薺菜花風干。用冰糖煎服。亦效。並前二者均宜。

■凍瘡簡效方

龔蔭青

光陰迅速。由落葉蕭蕭。轉瞬朔風凜凜矣。嚴寒之來。凍瘡亦因之而生。疼痛熱痒。膿血淋漓。今回思之。猶覺慄慄也。後自友人處。得一簡效方。未數日即告霍然。爰錄之。請在貴雜誌刊出。以利同病是幸。

凍瘡初起時。發現紅腫。或疙瘩。即以火酒塗之。或以生薑切片擦之。可紅消腫退。如已破爛。購樟腦（中藥舖售）等許。同己煉過之猪油。裝於磁器內。下以火烘之。待化和勻。先將創口洗淨。然後以上藥敷患處。不數日即可完口。靈驗異常。望讀者不可忽略視之也。

家庭自療實驗單方

沈宗吳

(一)胞衣不下

同學吉星耀君。其鄉丹陽農人泠海南之妻。年三十許。因生育過多。于前年忽又懷孕三月。一日。故將少腹與檯角磨撞。其胎果因異常之震動而被墮。然胞衣附着子宮。三日未下。惡血淋漓。精神疲憊。合家驚惶。後由陵口資生堂藥夥。告以購乾荷葉一張。剪開煑服。不數小時。胞衣竟獲下墮。係鄙某親告其云。按荷葉本草載有療治損傷產瘀之功。不意其有如是之殊效也。

(二)金汁露能療肺癰

曩余就學舜湖王氏醫室時。有一江北婦人患肺癰。來室求治。聲瘖咳嗆。所咳之痰。均係粉紅色之膿液。異常腥臭。右乳有薄泡。以針挑之。吱然有聲。流下清水。蓋肺臟潰爛之膿液。浸淫胸腔。肋膜因之穿破矣。余師當敬謝不敏。越約半月。扶其來之江北人。復介紹他人來診。詢之。則云患肺癰者。有人教購金汁露後。今已略愈。中心稱奇。時又半月餘。見此婦蹁蹁行乞市廛。雖未詢其所患如何。然觀其形色已非昔比。奇哉。

（三）小孩便血之妙方

大便後鮮血淋漓。出離肛門。在中醫普稱便血。又謂腸風遠血。西醫名腸出血。又在登圊時。便前肛門。忽感疼痛。鮮血滴瀝而下。乃呈痔疾。與上症迥殊。罹此患者。必面色痿黃。精神衰憊現象。中醫之槐花散黃土湯。為治此症新舊聖方。然必加診斷施用為安。昔年余甥世乾。便血匝月。面色痿黃。而年幼惡藥。不知誰人教購南貨店甜柿餅。置鍋上油煤微焦。每日服一二枚。不半月而愈。上年八月。施於北四川路徐姓小孩亦愈。誠小兒便血之良方也。

（四）家庭止血散

吾人不能無偶爾之創傷。即不能不預備創傷藥。尤其在鄉村之間。每見一般人受創流血之際。以烟灰門塵為止血之良藥。不知此項灰塵內。有種種耐受乾燥性之細菌。以致創口作腐生膿。殆難避免。余家不知何人所傳。

備有煆牡蠣研成細末。創傷索討者甚夥。經敷之後。稀見化膿。蓋此物性微鹹而斂。有收縮血管與防腐作用。載諸本草。

□驗方

公玄

(一)家中磨刀水切勿輕洗去。宜入瓷缾保藏之。若被毒蛇所咬。飲之立解。

(二)秋日收集海棠花若干。去花心。置鉢中。搗爛。絞汁。和入白蜜。嚴密收藏。冬令皮膚爆裂。以此塗之。即可滋潤。

(三)牙痛時發時愈者。可於痛時用毛姜三錢。西洋參一錢五分。黑山梔二錢。煎服甚效。惟若因蛀牙作痛。則宜牙醫調治。

(四)冬日家中多供養水仙花。俟其開過後。勿輕拋棄。可掛於簷下。透風不見日之處。若婦人患乳癧者。以此搗爛。敷之頗效。

(五)走馬牙疳初起時可用石菖蒲)藥鋪中有售)磨水。常含口中漱之可愈。

(六)常食大蒜致口臭異常者。可常用黑棗。則即不臭。

(七)雞眼疼痛。步履不便。可用大荸薺一枚。搗爛。和喬麥少許。貼於患處。越一夜卽消。極效。

■驗方簡錄

李元吉

(一)疔瘡走黃方

芭蕉根。搗汁一飯碗。灌之。卽腫消而痊。本方不僅是治疔瘡走黃。凡瘡瘍熱毒盛者。亦能療之。

(二)無名腫毒方

大黃。黃芩。黃柏各三錢。陳小粉二兩。炒黑共研末。以醋調敷。

(三)火燙方

用老石灰浸水。調菜油擦之。遂愈。若能預用老石灰置瓶中。每年端午日添水入瓶。預備應用。尤妙。

(四)治癬方

以燈草少許。摩擦患處。至血影色起。如是三四次。卽可告愈。若將擦過之燈草。置之水中。細蟲隱隱可見。

(五)赤眼方

氣候乾燥。赤眼一症。應運而生。如聽其自生自退。與目光大有障礙。可用龍胆草。置碗以沸水冲之。當茶飲。以退盡爲度。

(六)牙痛方

細辛頭末七錢。冰片二錢。研和擦患處。無論風火蟲牙疼統治。

（七）婦人乳癰方

婦人乳上。若發現紅腫疼痛。則為乳癰。用生蒲公英搗爛。冲酒調服。渣子敷在乳上。略睡片刻。數次即愈。

（八）治魚口初起方

生雞蛋一個。打一小孔。用斑蝥一隻去足翅。入蛋內。封孔口蒸熟。去殼食之。再服解毒通腸利便之藥。數劑即愈。

▣喉症神效方

佚名

鮮薄荷　用開水冲入碗內。俟冷透不時漱口。用乾薄荷濃煎漱口。亦可。

（又吹藥方）土牛膝　僅用紅根。剝去皮。搗爛晒乾。研末。吹入喉間。最好於大暑天氣。一日晒乾。研細末。萬勿見火。

喉症來勢險速。書載切忌表散。茲有外治二方。屢試神驗。甚有患此三四天。食不下咽。用之而愈者。

一方。用米醋真白蜜和涼開水漱口。每日數次。黏涎吐淨為度。黏涎用火焚化。因易傳染。慎之。

一方。雞蛋兩枚。煑熟。用冷水激透

。剝去殼。再入滾水中燉熱。對準痛處滾運。冷則換之。兩蛋輪用。拔去熱毒自愈。此法有據可驗。用過之蛋。其黃堅硬有刺。重則現青黑色。以先用者為尤甚。

■治臟病之奇效方（轉錄快活林）

前人

平之先生曰。市糠若干。（不拘多少）先炒焦。將篩去其粗糙。然後和以糖。若米粉然。用沸水冲拌而日食之。無須戒鹹淡。旬日可愈。永不復患。

■立止牙痛方

前人

以羊前膝骨連盤骨。炙黃。研極細末。加雄黃一錢。細辛一錢。亦研細末。調勻擦患處。立刻止痛。奇效。

■治瘧單方

劉全年

（一）老瘧不愈。取肥大牛膝一握。剉。酒水相半煎服。

（二）痰瘧。半夏一兩。煎湯和姜汁服。

（三）白葵花。陰乾。搗為末。酒調服治日日瘧。

（四）夜明砂（即蝙蝠屎）擣為末。每取一錢。冷茶調下。治五種瘧疾。

(五)治瘧用小蒜研極爛。和黃丹作丸。梧子大。每七丸。桃柳枝煎湯呑下。名脾寒丹。

(六)鱉甲主治溫瘧老瘧。用甲炙為末。每二錢。溫酒調下。連三服。無不斷根者。

(七)不論日日瘧。間日瘧。用大荸薺。將好燒酒。自春浸至秋時。如瘧至。不食飲食。食則脹滿不下者每日服荸薺兩三個。三日即愈。

(八)久瘧不止。蒼耳子酒糊丸服。

(九)五臟氣虛。痰飲結聚發瘧。附子同紅棗葱姜水煎服。

(十)瘧疾。取生薑汁露一夜服。孕婦發瘧尤妙。

(十一)常山截甚效。凡瘧多痰水。非此不能。

(十二)瘧疾。多敗血痰水。當下而下之不盡者。再下之。大黃與常山煎服。有奇效。

(十三)胡椒。雄精。右二味。等分研末。將飯研爛為丸。如桐子大。外以硃砂為衣。將一丸放在臍中。外在膏藥貼上瘧即止。此法親自試過。甚為靈驗。

(十四)活大烏龜一個。連殼左右肩上

。各攢一孔。近尾處亦攢一孔。以明雄黃九錢。研細每孔摻入三錢。外以黃泥包固。勿令泄氣。炭火煨存性。研細。每服准一錢。空心陳酒下。二三服卽止。

■落花生可以治黃腫

席時玉

凡陽氣不運。水濕停留。久鬱則為濕熱。見患黃腫。可任意食落花生二斤。則愈。

(按)落花生其性辛香。既能行氣。又能燥濕。且其質油潤能補脾潤肺。脾足則濕自健運。肺足則水氣自行。故食之有效也。

■癩痢頭油膏

郭志道

專治癩痢頭。乾濕瘋癬。黃水瘡等。無不立見奇效。

嫩苦參一兩。嫩硫黃四錢。蛇床子六錢。煨枯礬六錢。開口花椒六錢。老烟膏四錢。大蜈蚣六條。川黃柏四錢。茅蒼朮六錢。香白芷六錢。花檳榔六錢。生甘草三錢。以上共研細末。用猪油熬煎。瀝下黑油。搽患處。

■婦女經閉成勞方

秦伯未

血道窒塞。周身壅滯。不亟治。則成癆。四蟲丸主之。虛憊孱弱者愼服。

䖟蟲。䗪蟲。水蛭蟲。大金牛幼蟲

按䖟蟲如巨蠅。綠頭金眼。好飛。食牲畜血。可攻上部之瘀血。䗪蟲形如壁蚤而大。色赤。好吮牛馬血。可攻全身之瘀血。水蛭蟲生水中。若蚯蚓。色白透明。好吸人畜血液。可攻經絡之瘀血。大金牛幼蟲即牛蜂之未成者。生牛馬糞堆中。色淡白。肥大如指。尾際一片白色。置地上。能以背行走。可攻下部之瘀血。四蟲除水蛭外。均焙乾。研細末。和以桃仁莪述三棱紅花細末。均等分。醋糊丸龍眼核大。陰乾收貯。每服一丸。黃酒下。以效為度。

又按製水蛭法。采取後。生搗極勻。如膠焙乾。再研極細。微火炒透。再研。重羅篩過。因此蟲最難死。一星之微。能復活成一蟲也。此方見正襟齋筆記。似脫胎于抵當丸大黃䗪蟲丸。而配合之完密專一過之。屢試良驗。可寶也。

黃水瘡方

前人

此瘡原因。不外濕熱毒。汁液所及。

蔓延滋盛。雖不危害。殊屬厭憎。且易傳染。頑劣之候也。生豆腐煅石膏。

按以生豆腐切片。貼患處。乾即易之。七次之後。以煅石膏細末撒其上。三日後。僅撒石膏末。與汁液凝結成片。剝去再易新者四五日即愈矣。

瘰癧驗方

吳去疾

鄙人見親友中患瘰癧者甚多。因勤求古訓。博採衆方。歷年既久。深知此病多頑固難治。其能治者。又非旦夕所能愈。而世人患者。每抱一欲速之心。方藥雜投。醫家又喜輕用刀針。以致潰爛流膿。不能收口。輕者變重。重者致死。心竊憫之。曾編有瘰癧秘傳一書。印以行世。後又得一奇方。乃同鄉蔣君松岩傳余者。蔣君幼年患此。已破爛出膿水。痛苦不堪。自分必死。後得此方。服之有效。以試他人。無不應驗。惟其中多珍貴之藥。非普通人所能備。今願借貴刊登載。以廣傳其方。倘好善之家。以及各大藥店。能照方配合。以便應用。尤為功德無量。其方列下。

珍珠四分。人中白三分。靈芝一錢半

。製半夏一錢半。木香一錢半。明石三錢。正梅片二分。白芨一錢半。陳南星二錢半。陳皮二錢半。血珀一錢。正牛黃六分。硃砂三錢。製香附二錢半。川貝一錢半。正熊膽二分。正龍涎香五分。正川射香二分。正猴子棗一錢。右藥共十九味研細末。每日早晨。用白粥水調服五分。重症一二料。輕症半料。即可全愈。惟病時及愈後須戒食生冷魚腥。及燥熱發物。橘橙萬不可食。房事尤忌。

我之經驗方

段靈環

（螃蟹殼的兩種用處）（一）能治手足凍瘡——燒存性。為末。蔴油調搽。先以蘿蔔根橘皮煎湯薰洗。或是僅用螃蟹殼面。將蜜調搽患處也可以。

（二）可以接骨——炙灰存性。酒調服。盡醉。其骨自合。

（治大便祕結神效方）大便祕結者。可用蜂蜜一兩。芝蔴油一兩。斟酌冲入適宜之開水。作一次服。無有不效者。又可治初起之痢疾。蓋因蜂蜜有殺菌之特效焉。

（治蛇咬簡便方）如果被蛇咬後。速卽生食辣椒十餘枚。須如手指大者。圓小之辣椒不用。凡中毒蛇之人。食大辣椒不但不知辣味。反覺甚為可口。嚼幾個。敷患處起小泡。流水止痛即痊愈矣。

(小便頻數方)凡小便頻數者。大都屬命門火衰。不能鼓動膀胱。購滋腎通關丸三錢吞服頗效。

(去重舌方)用竹園中老竹葉螵蛸。取下。置瓦上炙。研末。加冰片少許。吹入即消。

(六一散)治一切痰症均效。兼胃陽不旺者。加半夏附子甚妙。

(治瘜肉方)用苦杏仁去皮搗爛。人乳調勻。塗患處。數次即愈。

(治白喉方)用蒜瓣切破根鬚。塞入耳鼻。左患塞右。右患塞左。

(閃腰方)西月石。白洋樟。各等分。研末。貯于臍上。用桂圓肉貼上。再用空膏藥蓋之。約二時即癒。

(消疔方)(無論如何危險均能奏效。)杜字麝香三厘。上雄黃三厘。老式冰片二分。煨中白五分。共研細末。用棉絮包藥。塞于鼻孔。男左女右。另服太乙紫金錠一錢。葱頭湯送下。有百發百中之功。

(治皮蛀方)烟膠四錢。黃柏二兩。密

陀僧三錢。枯礬五錢。蛇床子三錢。製石膏二兩研末。用香油調搽數次。即愈。

（消疔方）白菊花一兩。生甘草四錢。煎濃得飲。重者兩服即消。

（鼻衂効方）活糞蛆卅個。新瓦上煆存性研末。用麦滚紹酒冲服。即止。

（治癧丁頸方）用蟉蜞（俗呼黎蘡圍水田中多有之。）不拘多寡。放瓦上炙炭。研細末。加冰片少許。如未潰者。取鐵針一只。火上燒紅。放白桐油一拖。再蘸上蟉蜞末。向患核中刺入三四分。即連針三五次。以散為度。如潰爛者。內服參貝丸。外貼綠雲膏自愈。

膏方用嫩松香一塊。放石上搥碎。以色白為止。加青黛少許。扯拽捻勻。臨症施治。

丸方用元參、土貝母、海藻、淨銀花、象牙屑、各等分。白蜜為丸。此吳與朱延齡家傳秘方也。

（風淚眼方）迎風即流淚。可用蛾口繭不計多少。煆存性。研末。或人乳調點之。或煎湯洗之。俱有効驗。

■寒疝脹痛方

楊舒榮

寒疝為七疝之一。因寒邪深襲至陰。厥陰失疏。拿化不行。腎囊腫大。少腹脹痛。小便癃閉。用生附子二錢。麝香一分。獨囊大蒜一枚。搗如泥。安臍中。紮緊。移時小便自通。脹寬痛激（按。此方溫經逐寒。較得藥就近且速。急救甚宜。如水疝因於濕熱癃閉。勿可輕試。方錄曲水潘氏家秘。）

□婦女病驗方一束

楊舒榮

（一、婦人慣半產。或三月或五月按期不移者。白朮一觔。去皮蘆。置糯米上蒸半枝香。晒乾研末。人參八兩。焙為末。雲茯苓六兩生研。桑寄生六兩。（以自收為真）為末。川杜仲炒去絲為末。以大棗一觔擘開。以水熬汁。和丸桐子大。晒乾退火氣密貯。早晚各服三錢。米湯送下。

（二）婦人陰癢或生濕瘡方

鯽魚切片。以稀軟布裹入陰戶。其蟲自出。以不癢蟲盡為度。再用蛇床子、朴硝、各五錢。煎湯洗拭乾。再用乳香、沒藥各錢半。枯礬六分。研末擦之。

(三)婦人小便不通方

杏仁七粒去皮尖。麵炒黃研末。水調三服。

(四)婦人前陰或後陰生白蟲方

蜂蜜煉二兩。甘草研末三兩。扣勻敷患處。蟲自出。再以蛇床子。朴硝各一兩。煎湯洗。

(五)室女乾血癆方

啄木虫十數個。瓦焙存性為末每用五分。上好黃酒調服。不過十服而愈。

(六)婦人乾血勞方

白鴿子一隻。去肝腸淨。入血竭。病一年之內一兩。二年內二兩。以針線縫住。用無灰酒煑數沸。食鴿肉。瘀血即行。如心中慌亂者。食白煑精肉一塊。即止。

(七)婦人慣墮胎丹方

懷孕將近三月。用老母雞煑湯。入紅殼黃米煑粥。食之。胎孕自固。

又方　以母雞蛋煑烏賊魚半斤食之。每月一次。亦保胎。

□實驗得來之腫脹良方

楊榮舒

鄰居族嫂某氏。中年卒喪所天。幾慟之絕。嗟夫。彼蒼不仁。不數月伊聰皺肌碩之長子。又奪之去。悲痛哀傷。殆不欲生。經親族婉解。扶養幼子。希延一脈。寡婦弱子。勉討生活。厥後伊中心之悒鬱。不言可喻。緜是病魔顧臨。不憫孤嫠。纏擾無休。良可哀也。始則頭眩脘痛。嘔吐泛噁。是為木乘土。（俗名肝氣）輒起輒愈。屢發為常疾。由稀而勤。寖至跗腫腹脹。相繼而起。雖經醫藥。病勢無減。脹滿及脘。腫延過膝。邇遐中醫延診殆遍。或謂病由情志中來。投以逍遙散越鞠丸等。或謂脾受肝侮。土潰水溢。投以五皮飲疏鑿飲合四君等。舒肝之鬱。扶脾之困。理氣導水。餘如丹溪小溫中丸。禹餘糧丸。及金匱五苓散。己椒藶黃丸。厚樸七物三物湯等等。治腫治脹。治氣治水。嘗盡苦水。毫無効果。藥鐺茶爐。結伴經年。沉疴難挽。生機幾絕。後經沈醫授一方。用鱧魚（俗名黑魚）一尾。（重約八兩）不去鱗。以竹刀割去腸雜。納砂仁末一兩。線紮緊。外塗濡韌之泥。（泥取自田中）約寸許厚。置炭火中。煨至泥變黃色。爆裂開坼為度。去泥（其魚之鱗與皮剝去）及砂仁。食魚肉。（須淡食切忌鹽醬）盡四尾。其病漸瘥。得慶更生。醫學幼稚如余。於斯案殊費索解。前醫治肝治脾。治水治氣。治本治標。或肝脾水氣標本兼治。何嘗有悖。竟無効驗。至沈醫單方。亦不外治水氣。（醫心鏡鱧魚和冬瓜葱白作羹治十種水氣）祇四服。沈痾霍然而愈。厥因前諸法。不若單方專純而近功乎。或藥味苦而徒傷胃氣。不若單方鮮香而為胃喜乎。癥結何在。確具研究價值。幸明達先進者。有以教我來。

■經驗良方

陳卓犖

（陳氏解砒毒方）防風一兩。研末。用冷水調。服之立愈。

（下死胎方）芒硝五分。熟附子三分。童便陳酒半杯。同時冲服。其胎立下。

（治心氣痛方）用刺蝟心掛簷口風乾後。研末。用陳酒冲服極效。

（治風痰神方）知母。貝母。各一兩。為末。每服一錢。用薑三片。二面蘸末。細嚼嚥下。即臥。其嗽立止。

（治吐血良方）用桑樹根皮。去粗皮。（即桑白皮）。燉精猪肉。淡食數次。即效。

（治哮症方）取露水。（夏秋間清晨可向池中荷葉上收取）和飴糖。（即麥糖）常食。即可斷根。此方極靈驗。閱者諸君。幸莫輕視之。

（治初生胎毒方）可用花椒三錢。黃柏三錢。鉛粉二錢。共研成細末。蘇油調搽患處。便愈。

（治水入耳方）以薄荷汁點之。立效。

（治唇中腫大方）用生蒲黃二錢。川連。頂上梅花冰片各一錢。共為細末。蘇油調敷即愈。

（治吐血不止神方）用當歸二錢炒黑。花蕊四分煆為末。杏仁一錢去皮尖。淮牛七三錢炒。茜草一錢。丹皮三錢。生地汁五錢。共煎湯和童便服之立止。

（治脚腫方）用紅棗一斤。去核。熟花生一斤。去殼。將二物同打爛。用吊鍋蒸露。每日服之。便愈。

（治痢初起神方）葛根一錢五分。陳皮一錢。查肉一錢。酒炒苦參八分。麥芽一錢。赤芍一錢。陳茶葉一撮。如係紅痢。則加小川連三五分。凡患者照此方服三四次。無不立愈。

（治耳聾方）凡患耳聾者。可用生花仁。和黃糖煮之。日服數次。即愈。

(治疔方)以家菊花搗爛之。取其汁。約碗許服之立效。

(治痰喘神方)用半夏二錢。甘草(炙)皂角各一錢五分。生薑一錢。煎水服之。至愈乃止。

(治肛門腫痛方)用馬齒莧葉。三葉酸草各等分。水煎湯薰洗。一日二次。極有效。

(治舌血神方)木賊草煎湯漱之。即止。

(治小兒赤眼神方)將黃連為末。用水調勻。敷於足心。即愈。

(止牙痛方)敷以梧桐淚於患處。即愈。須購自大藥店方妙。

(治沙石入目方)以雞肝搗爛塗之。極效。

(小兒赤遊方)赤遊丹紅雲成片。甚者色紫。蔓延不已。用活黃鱔數條。當時殺取鮮血。塗之即愈。

(黃疸方)方八廿個。煆存性。川柏一錢。煆石膏二錢。各研末為散。開水冲服。三劑可愈。

(金瘡止血方)鱉血以陳石灰和勻。揉成團。陰乾。臨用研末。摻上外墊棉花。用布紮緊。

(小產預防法)婦人受孕三月。每有小

產之患。甚至屢娠屢小產。今有一預防法。係用蛇殼一支。以等長之紅布一幅。縫作帶式。如孕後即繫於腰間。切勿解去。其患即除。靈效異常。

(治肝胃氣痛法)婦人患此症者極多。發時寢食俱廢。坐立不安。其痛苦之狀。實鮮有過此者。今據曾患此症之老婦言。此症無論老年新發。皆以福建荔枝樹根四兩。及猪肉一片。同入鍋煑爛。淡食之。自後則永不復發。神效無比。

(跌傷)如遇跌傷皮肉黑腫未破。以高梁酒置於杯中。用火燒着。以手用力抹着傷處。照此數次。立效。

(治鬎痢頭法)先用米汁水洗淨後。以樟腦丸研末和蘇油抹之。數次後。自可見效。

(瘰癧)夫瘰癧之病原。大都痰濕風熱結毒凝聚而成。凡初起頸項結核。皮肉如常。(亦有紅腫者)可向藥肆購生南星正塊。以陳醋磨汁。時時搽敷於患處。即可消散。

單方選

(一) 一民

(治乳頭開裂效方)寒水石八分。蚌蛤

粉八分。梅冰片八分。

以上三味。可向中藥舖購得。價約二角四五分。購時。須囑研細末。

雄雞糞白二分。取老雄雞（閹過者無用）糞尖端之白色者。不可帶糞。研末。

荸薺汁一小杯。將前藥調融敷患處。奇效立見。哺乳時可將藥洗去。

按此方係敝戚胡氏所藏。此次因家叔母亦患此症。痛苦不堪。雖經名醫診治。亦未見效。即將該方抄贈。按方配置。在上午十時搽敷後。至中飯時已止痛。次日下午。裂處脗合如故。毫無痛苦矣。

（治飛絲塵垢入目方）磨陳京墨濃汁點眼立出。

此方係顧氏醫鏡。余家修塋司務六八長命等。曾屢用之。頗見神效。

（治痔瘡腫痛難行）豬腿骨去兩頭。同萬年青。入砂鍋內煎滾一炷香。乘熱薰溫洗。日三次。四五日全愈。永不發。

按此方係為鄰人胡君所告。家二叔曾按法施治。至第四日上午全愈。迄今五年不發。

（二）　張子光

(治寒痛)冬收小鯽魚。將胡椒貫入魚肚內。風在簷口。用時。將陳酒燉熱。用魚一小個。研末。冲酒服。

(治骨碎筋斷)路傍人溺處。積久。瓦片醋煅七次令黃。刀(即銅刀)刮細末。服三錢。神效。(注意瓦須先洗一次)

(治走馬牙疳)婦人溺桶中白垢(火煅)一錢。銅綠二錢。麝香一分。冰片一分。牛黃一分。研細敷上立愈。

白馬蹄屑(煅為末)加食鹽少許。作吹藥。

(三)　錢傑

(小兒腹硬之治法)以鯽魚一對。打爛之。魚骨抽去。然後用麝香。(中國藥店均有出售)二錢。和魚泥合。以布包之。紮在患者腹部。惟夏季一日換一次。冬季二日換一次。如是者。紮五六次。則患者腹硬消矣。此方經鄙人試過多次。其效如神。無一不靈。

(安胎方)藥名　炒杜仲八兩。川續斷四兩。淮山藥四兩。

以上各藥。中國藥店。均有出售。

用法　右三味為丸。每晨服二錢。[illegible]湯送下。再食好桂圓七個。

(治爛牛痘神方)藥名　白芷一錢。密陀僧五分。滑石一錢。(中國藥店均有出售)

用法　右三味共研細末。塗患處。即愈。其效如神。

(治遺精效方)以白果。(南貨店均有出售)和冰糖煑之而食。可治遺精病。其效如神。

(四)　　劉趙南薰

(治癩子頭方)用老松香一大塊。磨菜子油。用熱水將頭皮洗淨。用長鴨毛一根。蘸油頻搽。日三次。數日後。膿乾結殼。自愈。

(治鵝掌風方)用細米糠拌燒酒炒熱。合兩手頻搓。日數次。數日即愈。

(治多年腿上爛瘡)用豆腐店內之豆腐渣。炒熱後。敷患處。數次。膿血自收而愈。

□治疔瘡方

顧振夏

蒼耳草梗中之蟲一百條。萆蔴子四十粒(搗爛)真雄黃一錢半。嫩松香十兩。葱汁一兩。漂淨辰砂一錢半。杏仁(去皮尖)五分。

製法　將以上藥品研細末。打成羔。一料。打時宜蒸。切不可以火燒之。

疔立出卽愈。

用法　每用三分。貼於患處。忌火。

咳嗽氣喘方

王少勤

麻黄五兩。藕汁二兩。韭菜汁。葡萄汁。梨汁各二兩。以上同煎取汁。陳皮。製半夏。土白朮。白茯苓各二兩。

以上共研細末。金石斛不計。煎湯製成丸藥。不論新久病。症當卽見效。病輕者服二錢。重者服三錢。開水服下。

單方一束

戚肖波

「單方一味。氣死名醫。」這是社會上流行的俗語。鄙人於醫學尚未入門。而於單方則早已拜倒。茲將經驗奇效者。抄錄一部分。以供有該種疾患者的應用。和醫藥界諸君的研究。

(治霍亂吐瀉)用食鹽一兩。瓦上焙枯。又黄色老姜一大塊。打碎。同用開水冲服。

(治風寒吐瀉)乾姜切片。加砂糖用開水冲服。

(治間歇熱)服常山。

（治食菱傷食者）服鷺申。

（治吐血）用真豆油四兩。吐時一口吞下。

（治爛脚）用老南瓜蒂。燒灰研末。用蘇油調敷患處。

（治刀傷）用陳年石灰屑。又用肉骨老鼠（初生時。未出毛。色紅）和石灰搗爛。晒乾後。磨成粉。

（治小兒夜啼）川連二分。燈心草一錢煎服。

（治銅錢入腹）用韭菜連根不斷服下。又食荸薺十數個。

（止血）用烏賊骨粉或木炭研末。

（治絞腸痧）吃菜油。（不吐不瀉。腹痛如絞。俗謂之絞腸痧。此為乾霍亂之類。菜油可以緩解腸痙攣。以減其痛苦。亦急救之一法。）

（治癟螺痧）嚼銅錢。（此痧即真霍亂。據故老傳說。謂倉卒無藥時。取古錢十枚。放口中少時。取出。錢上所沾之口唾。不必拭去。放碗中。以開水冲服。可治此病。愚未經目覩。未知驗否。）

（止吐狂血）服童使。

（瘰串　即栗子磨）用龜板冰糖各一錢。共研細末。蘇油調敷患處。又用肉骨老鼠（眼未開。毛未出之幼鼠）搗腐。蒸熟後用酒呑服。

（止瀉）用神曲研細化服。（治小兒傷食泄瀉有效。）

（消食積）用鷄肫皮煆灰。開水呑服。

（治口閉瘡）燕子窠連泥帶糞研末。用蔴油調敷。

（治諸種牙痛）用桂花樹皮。不拘多少。煎湯後去皮。用鷄蛋數枚。去殼投入。待熟就食。連湯飲盡。數次卽愈。

（治霍亂吐瀉）用原麝香。倭硫磺。上猺桂等分研末。每用一分。同葱白搗爛。放於臍之內外。並用煖臍膏藥蓋之。（此真霍亂之效方。惟一方易煖臍膏為生姜片。卽以艾灸姜上三壯其效尤大）

（治脚上生鷄眼）用蜈蚣研末。放少許於膏上。貼之。

（治諸般心痛）用芭蕉樹花研末。開水送下。

（治瘟疫）用烏桕樹葉二兩。煎取濃汁服下。

（治諸瘡露肉反出）用白毛風藤葉搗爛。敷一二次。

（治乾咳不爽）用冰糖蒸梨子食之。（

有外感者不宜。）
（治口臭脣綻或齒縫出血）用生地汁磨大黃服之。
（治赤白痢）用芍藥八分。甘草五錢煎湯服之。
（治疥癬與毒蛇咬傷）用生姜汁合砂糖塗敷皮膚。
（治小兒熱瘡）用葛根作粉敷之。
（治小兒遺尿）用甘草多量濃煎服。
（治黃疸）用生姜汁。和白糖摩擦全身（編者按。）焦白朮麦湯代茶。亦有奇效。
（治喉脹肥爐食物不能下嚥）用石膏及竹青（竹匠在竹上鏍下者）煎服。
（治產婦胞衣不下）用燕子殼內之胞衣杳服。
（治處女停經即乾血癆）用白鴿一只。納血竭一兩。入鴿腹中麦而食之。
（治產後乳竅不通。乳汁不出而奶脹）。用蒲公英四錢。淮木通二錢。雄猪爪一只。同麦而食。（猪爪通乳。見別錄。無乳者。此方可用。若乳竅不通。則宜取貓鬚以刺之。

華陀祕傳十種危病方

編者

漢神醫華陀。字元化。嘗云人有危病。急如風雨。命醫不及。須臾不救。覩其橫夭。實可哀憐。因選十種危病。處三十妙方。以救橫夭。詳錄於後。

(一)霍亂吐瀉

其症始因飲冷。或冒寒。或失飢。或大怒。或乘舟車。傷動胃氣。令人上吐。吐不止令人下瀉。吐瀉并作。遂成霍亂。頭眩眼暈。手腳轉筋。四肢逆冷。用藥遲緩。須臾不救。

吳茱萸。木瓜。食鹽各五錢。

右三味。同炒焦。用瓷罐盛水三大碗。煑令百沸。却入前藥同煎、至一碗。隨病人意。冷熱服之。藥入即醒。

如倉卒無藥。用枯白礬末。每服一錢。用百沸湯煎服。

如無白礬。只用鹽一撮。醋一盞同煎。八分溫服。或鹽梅酸鹹皆可煑服。

(二)纏喉風喉閉

其症先兩日。胸膂氣緊。出氣短促。驀然咽喉腫痛。手足厥冷。氣閉不通。頃刻不治。

巴豆(七粒三生四熟。生者去殼生研。熟者去殼炒去油存性)雄黃(皂子大明者研)鬱金(一箇蟬肚者研為末)

右三味研用。每服半錢（錢為銅錢半錢是用錢取藥得錢之半）茶調細呷。如口噤咽塞。用小竹管。納藥吹喉中。須臾。吐利卽醒。

如無前藥。用川升麻四兩。剉碎。水四碗。煎一碗。灌服。

又無升麻。用皂角三錠。泡碎。煎水一碗。灌服。或吐。或不吐卽安。

（三）吐血下血

其證皆因內損。或因酒色勞損。或心肺脈破。血氣妄行。如血泉湧。口鼻俱出。須臾不救。

側柏葉（蒸乾）人參（焙乾各一兩）

右二味為末。每服二錢。入飛羅麵二錢。新水調和。如稀糊服。血卽止。

如無前藥。用荊芥一握。燒過。蓋地上出火毒。研如粉。陳米飲調下三錢。不過二服。

如無荊芥。用釜底墨。研如粉。服三錢。米飲下連服三次。

（四）中毒砒霜

其症煩躁如狂。心腹攪痛。頭眩欲吐不吐。面口青黑。四肢厥冷。命在須臾。

黑鉛四兩。磨水一碗。灌之。

如無前藥。青藍一兩搗研。井水調一

碗灌之。

如無藍。用清油二盞。灌服。其毒即解。

又無油。掘地用水作漿。濃吃一二碗。土用黃色者佳。

(五)尸厥

其症奄然死去。四肢逆冷。不省人事。腹中氣出如雷鳴。

焰硝五錢。硫磺二兩。

右研如粉。作三服。每服用好陳酒一大盞。煎攪焰硝起。傾於盞內。蓋著服。如人行五里。又一服。不過三服即醒。兼灸百會穴。四十九壯。臍下氣海丹田。三百壯。身溫止。

如無前藥。用附子七錢重。泡熟去皮臍。為末。作二服。用酒三盞。煎一盞服。

又無附子。用生薑自然汁。半盞。酒一盞。同煎。合百沸。併灌二服。仍照前灸。

(六)中忤中惡鬼氣

其症暮夜。或登廁。或出郊野。或遊冷屋。或行人所不至之地。忽照眼見鬼物。鼻口吸著惡氣。驀然倒地。四肢厥冷。兩手握拳。鼻口出清血。性命逡巡。須臾不救。此症與尸厥同。

惟腹不鳴。心腹俱煖。凡中惡驀然倒地。切勿移動其尸。即令親戚衆人圍繞。打鼓燒火。或燒射香。安息香。蘇合香。樟木之類。直候醒記人事。方可移歸。

犀角末四錢。射香。硃砂各二錢半。右為末。每服二錢。井水調下。

如無前藥。用雄黃末一錢。煎桃枝葉湯調灌。

又無雄黃。用故汗衣。或觸衣。汗衣者。著在身上多時。久遭汗者佳。觸衣者。久着內衣襯衣也。婦用男衣。用用婦衣。燒存性。服二錢。百沸湯調下。

（七）脫陽

其症多因大吐大瀉之後。四肢厥冷。元氣不接。不省人事。或傷寒新瘥。誤與婦人交。其證。小腹緊急作痛。外腎蓄縮。面黑氣喘。冷汗自出。亦是脫陽症。須臾不救。先以葱白數莖炒令熱。熨臍下。次用。附子（一枚重二兩對八斤）白朮。乾薑各半兩。木香二錢半。各研末。用水二碗。煎八分碗。放令冷。灌服。須臾又進一服。合渣幷服。

如無前藥。用桂枝二兩。好酒（二升）

煎一升。分作二服灌之。

又無桂枝。用葱白連鬚三七根。細剉砂盆內。研細。用酒五盞煑至二盞。分作一服。灌之。陽氣即回。先用炒鹽熨臍下氣海。勿令氣冷。

又無白葱。用生薑二七斤。亦好依前法服。

（八）鬼魘鬼打

其證初舍到客舍館驛。及久無人居冷房。睡中覺鬼物魘打。但其人吃吃作聲。使令人叫喚。如不醒。此乃鬼魘也。不救即死。

牛黃一錢、雄黃一錢。硃砂半錢。右為末。研和勻。先挑一錢。床下燒之。次挑一錢。酒調灌之。

如無前藥。用桃柳梗。東邊者。各折七寸。煎湯灌下。

如無桃柳枝。用竈心土搥碎末。服二錢。井水調灌。更挑半指甲許。吹入鼻中。更用艾灸人中。次幷灸兩腳大拇指內。離甲一韭葉。各灸七壯。

（九）孕婦逆生

其症孕婦欲產時。遇腹痛不肯舒伸。行動多曲腰。眠臥忍痛。其兒在腹中。不得轉動。故腳先出。謂之逆生。須臾不救。子母俱亡。

烏蛇退一條。蟬退十四個。血餘（胎髮一毬）

已上各燒灰。服二錢。酒調下。併進二服。仰臥霎時。兒即順生。

如無前藥。用槐子二七粒。并井花水吞下。

又無槐子。用小絹針。於兒脚心刺三五針。急用鹽少許。塗脚心刺處。即時順生。子母俱全。

（十）胎衣不下惡血湊心

其症心頭迷悶。胎衣上逆衝心。須臾不救。

乾漆五錢。大附子一枚（泡去皮臍）各為細末。

已上用大黃末五錢。酒醋熬乾。即入前二味為丸。梧桐子大。每服三十丸。淡醋湯吞下。須臾又進二服。胎衣立下。此藥可預先合下炒。

如無前藥。用赤小豆一升。炒過。用水三升。煮二升。去豆取汁。溫服。其胎衣立下。

又無豆。用婦人自己手脚指甲。燒灰酒調服。須臾。又進一服。更令有力婦人抱起。將竹筒放心上趕下。妙。

幸福雜誌目錄

丹方雜誌 第十二期

價目表

零售	每冊實售大洋二角	
時期	冊數	連郵費 國內	連郵費 國外
半年	六冊	一元	二元
全年	十二冊	二元	四元

廣告價目

等第	地位	全面	半面	四分之一
特別位	封面		四十元	
特等	底面之內外 封面之內	四十元		
優等	封面內面之對面	三十元	十六元	
普通	正文之前	二十元	十元	五元

彩色另議

◀中華民國二十五年二月一日出版▶

編輯者 朱振聲

撰述者 全國醫家

發行者 幸福書局 上海三馬路雲南路轉角

上海特約 上海雜誌公司 上海福州路

華南特約 上海雜誌公司支店 廣州永漢北路二三九號

印刷者 興羣印刷所 方斜支路五號

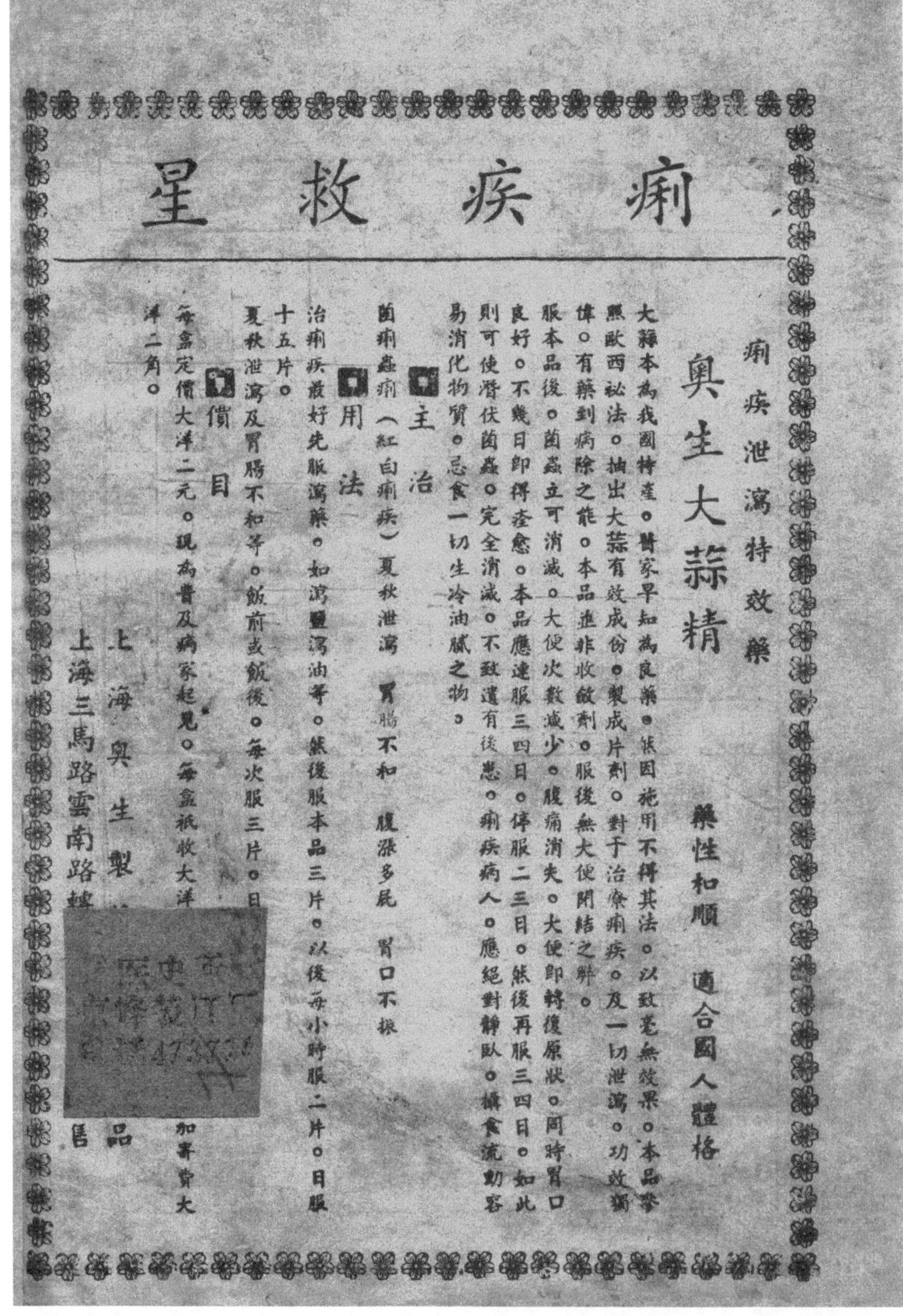

痢疾救星
痢疾泄瀉特效藥
奧生大蒜精
藥性和順　適合國人體格
大蒜本為我國特產。醫家早知為良藥。然因施用不得其法。以致毫無效果。本品參照歐西秘法。抽出大蒜有效成份。製成片劑。對于治療痢疾。及一切泄瀉。功效獨偉。有藥到病除之能。本品並非收斂劑。服後無大便閉結之弊。服本品後。菌蟲立可消滅。大便次數減少。腹痛消失。大便即轉復原狀。同時胃口良好。不幾日即得痊愈。本品應連服三四日。停服二三日。然後再服三四日。如此則可使潛伏菌蟲。完全消滅。不致遺有後患。痢疾病人。應絕對靜臥。擇食流動容易消化物質。忌食一切生冷油膩之物。
主治
菌痢蟲痢（紅白痢疾）夏秋泄瀉　胃腸不和　腹漲多屁　胃口不振
用法
治痢疾最好先服瀉藥。如瀉鹽瀉油等。然後服本品三片。以後每小時服二片。日服十五片。
夏秋泄瀉及胃腸不和等。飯前或飯後。每次服三片。日
價目
每盒定價大洋二元。現為普及病家起見。每盒祇收大洋
加寄費大洋二角。
上海奧生製品
上海三馬路雲南路轉
售

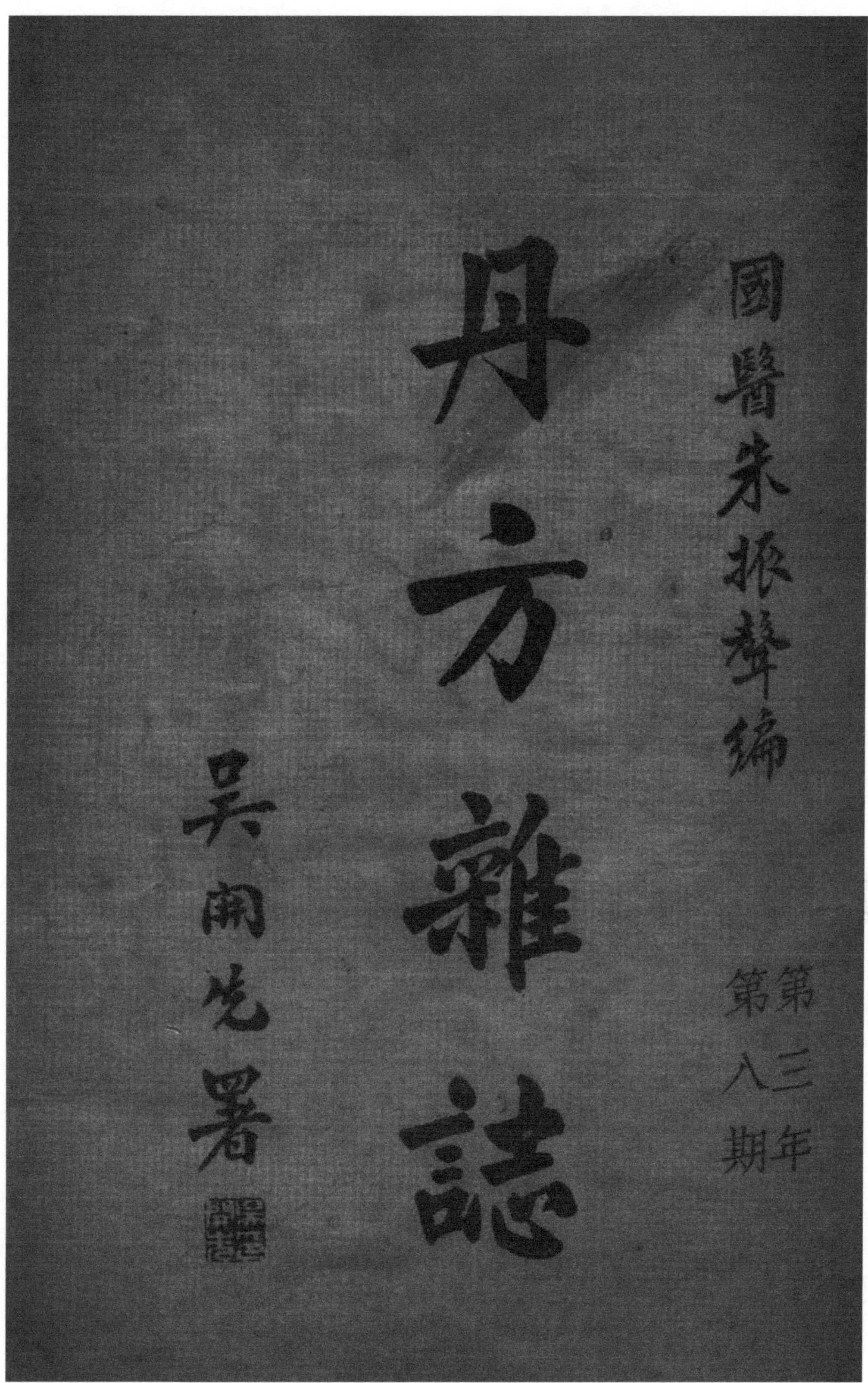
第三年
第八期
國醫朱振聲編
丹方雜誌
吳開先署

神經衰弱之防攝及治方

林步青

神經衰弱。是一種慢性的疾病。對於生命。雖沒有什麼直接危險。但旣得這個病。可使人惰氣驟生。一天到晚。精神萎靡不振。工作的能力。大爲減退。直接影響於個人的事業。間接卽有害於社會國家了。所以要預防本病發生及已病的攝養。以求早日治痊。是非常的重要。

神經衰弱症的發生。自有他的各種誘因。如果我們能避去。在平日生活上注意。也可以達到避免目的。

我們平日的生活。應當怎樣。這是很簡單的。如下所述。

(一)生活要有規則。(二)每日要行適當的運動。(三)注意修養精神。(四)要節制性慾。(五)多與自然界接近。

有規則的生活。無非是指睡眠。飲食起居等等而言。就睡眠說。最能恢復我們的肉體及精神的疲勞。充分而甜暢的睡眠。不但可以預防神經衰弱。就是已患神經衰弱的人。也是很有利益。

再說運動吧。平日我們如果爲增進健

康起見。每天要適度的運動。是不可缺少的。這也不是專門限於為預防神經衰弱而然。身心工作不調和。原是神經的原因之一。精神工作的人。腦部多有鬱血現象。同時胃的消化力也非常薄弱。假如沒有適當的運動去調節。自然發現腦漲胃呆的現象。這是神經衰弱的症狀。於是可見運動是怎樣的重要了。運動的種類。可擇性之所好。以能普及全身為最佳。不必勉強採取激烈的運動。

說到精神的休養。也佔重要的地位。神經衰弱是一種文明病。精神過勞。又是一種重要病。住在都市的人士。最易獲得本病。這是都市的生活狀態。多與自然相反之故。肉的運動。色的誘惑。事業的競爭。金錢的撈取等等。都是使人精神呈緊張的狀態。於是憤恨。妒嫉。憂鬱等情緒縈迴於內。可以整個使的人晝夜刺戟。精神不獲安甯。神經怎得不日趨病態呢。

精神的休養的方法。說來話長。簡單的說。要確定我們的人生觀。各事要認清因果關係。事業的成敗不論。惟求心之所安。事事光明正大。保守心境泰然。而古今賢哲所著的休養書籍。尤宜多多閱讀。色慾過度。或自瀆太甚。或無理由強抑性慾。也可使神神經衰弱。是以性慾的節制。很有一述之價值。

(一)讀正當生理書籍。俾了解人類的生理作用。(二)不閱能誘惑色情的小說及書籍。(三)不看所謂香豔肉感有刺戟性的電影。(四)不要涉足花街柳巷。歌台舞榭的地方。(五)要多與異性作正當的社交。(六)戒手淫。(七)儘早在適當年齡結婚。(八)房事不要過度。

神經衰弱的患者。本來最多見於都市居民。住在山野鄉村的人。可稱絕無僅有。其中的原故。可以想見了。從前古人早就說過。遊歷名山大川。可以開闊心胸。睹勝景奇蹟。可以頓忘煩慮。這足見和自然界接近。有很大的利益。小之培養花草。飼畜動物。也足以怡情悅性。使精神愉快。

以上所說。似覺平淡無奇。如能照此實行。則未患可以預防。已患者亦可減輕易愈。但若病根較深。病象甚重。除加意攝養外。亦應求正當藥物治療。孔聖枕中丹治神經衰弱。記憶欠佳最為有效。惟須常服。方用敗龜版

(炙酥)龍骨(研末入鷄腹煑一宿)遠志。九節菖各等分。研爲細末。水泛丸。每服一錢。熱湯送下。

■吐蚘方

回春

蚘。蛔蟲也。口中吐蚘。治法如下。因寒而手足厥逆。吐出之蚘色淡白者。宜人參炙甘草焦白朮各三錢。乾姜二錢。加川椒五粒。檳榔五分。再另吞烏梅丸。因熱而吐出之蚘。色赤而多。且跳躍不已者。用烏梅肉三錢。黄連 蜀椒。藿香。檳榔各一錢。胡粉。白礬五分。爲丸吞服。凡蚘遇酸則靜。得苦則安。遇辣則伏。皆宜用川椒黄連烏梅之類。

■嗜肉症驗方

尤學周

陳光曙患心飢。必食肉方解。若覺饑。不食肉。則偏腹淫行。并身體如在空中。不可支。每食肉。初一塊。必滿心前鑽作痛。至數塊方定。少則頻飢。多則脾虛。不能克化。且作瀉。閱醫者數人。將及半年。肌削骨立。家人親友。俱視爲鬼神作祟。祈禳已遍。偶其兄雲車。與余會於華林。述乃弟病狀曰。此症恐神仙亦不能療也。余曰。若非死症。豈有不可治之理。由人不識耳。遂拉余同歸。家人與曙光。因履藥不效。以為多事。免出就診。余診其六脈皆弱。而浮沈大小遲數不等。且不常。其面黃而帶青紋。余曰。此症易識。何前醫如此束手。雲車問何症。余曰。此症易識。何前醫如此束手。雲車問何症。余曰。此虫之為患。非死症。亦非鬼祟。余可力拯之。用史君子肉半斤。精猪肉半斤同煮。俟肉極爛。去史君子。進入膩粉一錢連汁頓食之。初吃。一如葥鑽。食後半日不飢。至五更。瀉盆許。皆虫。有全者。有半爛者。間有活動者。宿病頓除。從以參苓白朮等調理之。禁其一年不食肉。半月許。曙光偕兄率子　登門謝再生云。見陸氏三世醫驗。（學周按）蟲證驗糞。可以發見其殘體及卵子。辨識較易。當顯微鏡未發明之前。其診斷之法。全在叩問詳細。若憑其脈。未必可以得其肯綮。如本症「六脈皆弱。而浮沈大小遲數不等。」為虛損之象。不一定為蟲徵。面黃帶青紋。亦血虧之象也。讀者幸勿據以為憑。余意陸氏之斷為蟲症。在於食肉而飢解。初食如脅鑽痛。食數塊方定等處。一般醫家。以其脾虛不能克化。大約多投以健脾之劑。以致延誤耳。

小產的原因和預防靈方

畢程遠

什麼叫做小產。這就是說。一個懷孕的婦人。在懷孕的繼續期中。而尚未達到胎兒成熟時期。換言之。即是懷孕未達到四十個星期或二百八十天的孕育期中。就在這六個月之前胎兒還未能自活的時期。而產生出來。這就是叫做小產。小產這一件事情是一件意外的事情。是我們不能夠預料得到的事情。但是這件事能夠會發生的原因。大約不外是因為那個孕婦在懷孕的繼續期中。做着粗重的工作。例如洗衣服。打掃地方。舉起粗重的物件。移動着笨重的東西等等。這都是會發生小產的可能的。其餘在懷孕期中。當踏縫衣機器。或其他勞苦的工作。亦都使小產會發生的可能。他如太過縱慾的消遣。如跳舞。踏雪屐。打網球。打高爾夫。騎馬。上山。或爬嶺。對於身體上能夠致劇烈的刺激。亦會使一個孕婦。發生小產的。至於在一個不平的道路上。坐汽車往來奔馳着。及長足的步行。耐久時間的坐火車。或作久時的舟行。亦都會令一個孕婦會發生小產的。此外關乎生理的。如原來體質上的不妥。如孕婦子宮位置不正。懷孕期內之性交。隨時都會有令孕婦發生小產的可能。凡以上種種的原因都是我們應該注意的。會使小產發生的原因。雖然有上頭所說那幾種。然而近來醫學上的考証。對於小產的原因上的考證。從那顯微鏡上來觀察。發覺有些孕婦發生小產。是由於那個胚胎。在婦人子宮裏頭發育的失常。而致有發生小產。但是。倘若是這樣。這是一個自然的淘汰。原不關乎人們的禍福。但有時有些懷孕人發生小產。其原因究而不可得。亦有很多很多。有些婦人患了小產一次。重複地又發生第二次或第三次的亦有。這是無可究詰的了。按醫學上考證。孕婦發生小產的原因。他們多是從那婦人所排出的組織。而加以顯微鏡的觀察而發覺的。但這祇限於早期的小產而發覺其胚胎在子宮裏頭發育的異常吧了。對於小產的預防。這全憑着一個婦人在懷孕的早期。就不好做着太過勞力的工作。是最易會發生這一件不幸的事情的。倘若一個婦人。是曾經有過一次小產。那末。就尤其要小心。切不可太過工作而致疲倦。最好還是安眠在床上。以度過這個危險的時期。孕婦之有着花柳病。亦會有令他發生小產的可能。不過在兩個月內發生的頗少。所以倘若一個孕婦知道自己已經懷孕之後。同時又已知道自有了花柳的疾病。應該要快些請西醫施行驗血即是應用華氏曼的反應法。以確定自己花柳疾病之有無。如一個孕婦。前時曾有過一次小產。而其原因尚未明白的。那末施用那華氏曼的反應方法。不容緩延。因為這種驗血的手續。是很簡單。但從那孕婦手臂上吸取了些少量的血。就交與西醫化驗便了。倘若醫師發覺那孕婦是有了花柳的徵象。應該要馬上請他診治。一直至到痊愈為止。倘若能夠這樣。不獨那個孕婦得以平安無事。即那個嬰兒將來產生出來。亦不致有眼盲。及其不良的疾病了。至於我們要怎樣來觀察小產的預兆呢。最好是一發見有陰部出血。或有肚痛的感覺。就馬上知所以預防。從速服保胎之方。酒炒當婦一錢五分。川芎一錢五分。菟絲子一錢。荊芥穗八分。生黃芪八分。川厚朴（姜汁炒）七分。酒炒白芍一錢。川貝母（研末入）一錢。醋炒陳蘄艾七分。羌活五分。麸炒枳殼六分。生姜三片煎服。虚人入人參五分。即可預防小產。

■經行不止淋漓無時驗方

秦丙乙

此症驗方多用竹紙三十張。炙灰。用淡酒半斤和勻。俟其澄清。乘溫服下。致此症原因。無非經來之時。適行房事。致衝任受傷。氣虛不能攝血之故。竹紙性質甘平。功能補陽。酒善升提。更足以補助竹紙之奏効。

■能醫爛脚之祕方

思齊

余之傭工黃某。脚爛數年。時好時爛。經外科數十人醫治。均難全愈。後得伊之外婆。將家存最老之南瓜蒂。教以燒灰研末。用麻油調搽。試之。詎知搽上之後。日好一日。既見效果。遂以此醫治。不一月。果然全愈。真乃靈驗不可議也。

刀傷的聖藥

鮑清

我們縣城正在拆毀。我看見一個人用袋子把許多石灰屑拾起來。我問他有何用。他說。這是絕妙的刀傷藥。我也拾了些。帶家來試驗試驗。果然不錯。

湯火致傷的特效藥

梁進修

湯火傷膚。雖屬外傷輕症。然其焦疼之苦。亦不堪言。重則發泡潰爛。其苦更甚。余於友人處傳得一方。屢經試驗。頗有奇效。法用生鷄子清（即鷄蛋白）調銀硃塗傷處。聽其自乾。愈則自落。此方不但立止疼痛。雖泡破已潰。亦無不愈。

（附言）此法本草綱目亦云及之：用銀硃調菜油敷。其效等。余未曾試。蓋油類不若鷄子清之易乾。而便於行動也。

止血之妙方

梁進修

鄰人石某。農於山野。足背被鋤所傷。創大如口。出血不止。山野無藥。頗憂之。忽思曾友人云及。火柴盒外之擦火紙。能止血。且能不潰。往日因恐有毒。不敢試用。因無藥。不得已扯而貼之。適時血果止。血乾紙燥。粘住不落。後果不潰而愈。奇而告余。余於破傷出血時試之果效。至今用此止血者。大小凡數十次。無一致潰。真神藥也。

■手指腫硬之效方

果進修

余少時。小手指忽腫硬而痛。繼則破潰。雖百法治療。終少見效。後以鮮碗豆花搗爛。敷之而愈。又以此敷治一切無名腫毒。多即消失。雖已破潰。以此而愈者。亦屬不少。惜非時則難得鮮者耳。

■從青蛙裏得來的蜈蚣咬傷藥

梁進修

某夏余足被蜈蚣所咬。腫痛難忍。有友以鴨糞青。（又名鴨腳青草形詳附言）屬余搗敷之。適時果痛定腫消而愈。奇而詢之。曰。有鄰翁某。路過小溪。見岸下有蛙兩隻。競啣此草。一有斷者。必啣入石下洞中。出而復啣。似極忙急。怪而起石視之。則洞內草中。有蜈蚣一尾。已將死矣。後以此草治數蜈蚣咬傷者。無不立效云。

(附言)此草到處有之。形似蔓草而非。花開夏秋之間。色藍形似蝴蝶而小。花絲黃色。似蝶鬚。長出花外。脛有節。葉柄包莖。葉脈並行。如竹葉者是。

■治瘧單方

許升靈

治瘧用燕窩三錢。加冰糖三錢。先一日燉起。至次日瘧作。前一箇時辰。再加生薑三小片。滾三次。將姜取去服之。倘胃不能納。即阻噯。湯亦可。一劑不愈。則再服。三劑無不愈者。

■治痳單方

許升靈

本方以蚌蛤之粉。合研細末。以手撲之。若經數日依然無效。再加以隔夜之熱湯水滌之。其痳必瘥。

■治羊癲風法

馬驥

以明礬一兩。茶葉五錢。各研細末。以蜜和之成丸。如黃豆大。每服五六十粒。開水送下。數次即能痊愈。

魘死尸厥療法

預知子

魘死之病。臥忽不醒。勿以火照。但痛齧其踵及足拇趾。及早唾其面即甦。仍以舊蒲末吹鼻中。桂末納舌下。幷以菖蒲根汁灌之。尸厥之病。卒死脈動。聽其耳目中如微語聲。股間暖者是也。宜照前法治之可愈。

神耗精衰之簡便治療法

王迫一

凡人中年神耗精衰。蓋由心血少。火不下降。腎氣憊。水不上升。心腸虛。心腎隔絕。營衛不和。上則多驚。下則虛寒遺精。中則寒痞。飲食不調。方用去毛香附。茯神。炙甘草。三味研末為丸。或煎湯藥服亦効。

齒痛方

鶴年

凡患齒病者。病楚難熬。今有秘方三則。不敢自私。錄之於下(一)方用蓽撥五分。石膏五分。青鹽四分。川椒三分。如火牙去川椒。青鹽分量減至一二分。共研細末。點於痛處。其痛立止(二)方用細辛五分。白芷五分。薑黃五分。三味共研細末。點於痛處。其痛即止。(三)方用樟腦一兩。生石膏一兩。青鹽一兩。花椒五錢。薄荷一錢。連根葱三支。將各藥置於廣勻。內用炭火燒。倒在碗中。待冷取下擦牙痛立止。其效如神。此方屢試屢驗。患是病者。盍一試之。

蛇咬方

鶴年

凡被蛇咬者。急切不得良藥。若延不醫治。貽患匪淺。今有秘方一則。錄之以供讀者。方用炙全蝎一只。蜈蚣一條炙。去頭足。腰黃一錢。木香一錢。硃砂一錢。金銀花一錢。六味共研末。以黃酒送下。其病若失。

腳氣易治方

純一

腳氣一症。醫者視為難治。及其已有衝心之勢。固屬難救。惟當腹部微腫。已有上脹之勢時。早為設法預防。可以無煩多藥。即可告瘳。法以米店之糠一撮。以夏布袋包之。冲以開水。代茶飲之。並不難服。每日更換一二次。不可間斷則愈。因腳氣之症。由吃機米而不吃有皮米。缺少生活素之故。故糠為治腳氣之特效藥。

梅毒下疳之效方

守真

下疳龜頭潰腐。膿結馬口。淋漓齷齪。痛苦萬狀。用新鮮槐花蕊。揀淨。生用。祇取一味。每次食前。用清酒呑送三錢許。早午晚。每日三服。服至一二月。則熱毒去盡。可免終身之患。亦無寒涼敗胃之慮。下疳燻洗方。用生甘草。金銀花。茅朮。蒼朮。白芷。廣藿香。槐花米各二錢。共煎水洗之。

氣喘治驗方

李寒吻

胡桃肉（連衣）。杏仁（去皮尖）生薑各二兩。研爛。和蜜為丸。於晚間睡時服之。

鼻衄外治法

程次明

鹽附子一兩搗爛。捻作兩餅狀。貼於兩足之心湧泉穴。以布束縛。此引陽下達法也。止鼻衄如神。

足溼氣驗方

純一

春夏之交。足多濕氣。其最凶者。足指間出水不止。（俗名腳痔）艱於步行。苦不堪言。今有一法。簡而亦使。

用草紙燒灰。再加密陀僧少許。研細為度。置於足指間。每半小時換一次。數日而愈。

卒倒及觸電之急救方

劉九成

人忽暈倒。須臾而口噴白沫。手足伸縮不停。作鳴聲者。豬羊癲瘋也。可以青草或青菜葉納之口中。使嚼之立醒。此症隨時發作。極為危險。蓋猝仆馬路中。則被車馬所展。行走橋樑上。則有落水之虞。宜急設法治之。每用爛青菜十斤。和白礬四兩熬膏。每天服一調羹。開水沖服。輕者服半料即愈。重者服一料亦痊。人不幸觸電。臥之地上。以泥屑蓋其身。則電可去。人不致受大傷。

陰虛牙痛方

尤學周

陰者。指人身之液體而言。如血精。津液。胃液。膽汁等等。應用最多者。則為精液。故普通之所謂陰虛。即指性慾過度精液虧耗太過而言。

舊說骨與腎合。齒為骨之餘。又為腎之標。故腎病陰虛。足以影響於牙齒。此說頗欠圓滿。大約精血原屬一途。精虧者。血亦虧。故手淫及房事過度者。色澤不充。枯瘦無神。即貧血之象。齒賴血以涵養。精虧血貧。不能上榮其齒。同時局部神經。亦衰弱而不耐刺激。易於發生痛覺。

陰虛牙痛。有一特徵。齒齦搖動。而不堅固。其痛綿綿。輕微而不甚烈。用枸杞子一兩。蒸瘦豬肉。食一二次。神效之至。或用牛膝去心。鹽水炒豬腰一對（以一猪所具者為佳）煑粥食。亦甚效。

■小兒溺閉方

俞子雲

初生小兒。小便不通。急以葱白頭搗爛。作一小餅。如銅元大。用麝香三厘。糁其上。縛於臍眼。立刻即通。勿必用針刺挑動小肚等處也。

■治睪丸癰方

周思齊

腎囊中睪丸作痛。外顯紅色。將成子癰。遲則睪丸潰爛。即防有性命之憂。宜於其未成膿時治之。用枳橘一個。川楝子。秦艽。陳皮。赤芍。甘草。防風。澤瀉各錢半。煎服即愈。

■梅毒病源及治驗方

唐渭清

梅毒是一種最可怕的病。有先天和後天兩兩種。先天是由父母或祖父母遺傳而來。後天梅毒大都由不潔性交而來。但也有從其他方面感染的。這病原菌是一種螺旋形。。故名梅毒螺旋菌。此菌形狀好像螺旋釘。小而細長。非最高度顯微鏡不能看見。其長度比較窒扶斯或赤痢菌更長十數倍。其螺旋數共有回轉至三十幾轉。能作非常活動。或如蛇一樣地作蠕動運動。或如水蛭一樣地作伸縮運動。或如蝦子將身子屈成兩折。而作飛跳的伸屈運動。也如螺旋釘釘入木板時一樣。或能如鐘擺一樣地左右搖擺。又能縮做一團。忽然急急伸開來成為一條直線。這菌的兩端。非常尖銳。像錐子似的做着螺旋運動。錐入人體。而侵害人類。

梅毒螺菌。繁殖力非常旺盛。一個可分為五個或十個。各個都能完全發育。並且還能橫裂為二。故一個菌分為十個時。就可成為二十個。其繁殖力實可驚人。是以梅毒一經入體。倘不速急治愈。為害之烈可想而知了。

治療梅毒。固以六零六。九一四等為

最佳。然亦須多行注射。否則亦不易斷根。且業此者。多抱敲竹槓主義。索費之昂。為之驚人。故使人問而却步。中藥之靈效者。亦不亞於六零六。九一四。有人就診於余者。常用下列之經驗方。類能得效。方用木鱉子十個。川楝子十個。白蘚皮一兩。白蒺藜八錢。金銀花一兩。五茄皮一兩。土茯苓三斤。水十大碗。砂罐煎。至七碗。不時當茶服。渣再煎服。（如先服防風通聖散「防風。川芎。當歸。芍藥。大黃。薄荷。麻黃。連翹。芒硝。石膏。黃芩。桔梗。滑石。生甘草。荊芥。白朮。山梔」一二三劑。再服此方更妙）。

滿頭奇癢靈方

尤學周

山西醫學雜誌載有葛君蔭春。自記之驗案一則云。「光緒十七年。余作滬上寓公。有姓汪者。常滿頭額鬢癢不可忍。搔之出血。弗止也。積三歲而不愈。形消骨立。內服外治。經中西醫三十餘人。卒不得其要領。一日有人薦余為之診。脈息甚和。飲啖甚健。以頭癢故。常竟夜不眠。余曰。此髮中孩蟲也。必因雞頭浣水而得之。

遂生生不已。病者疑信參半。以諸醫言計窮。搔癢難受。強余為治。予曰此非服藥所能已。亦非敷藥所能愈。必須盡誘出之。絕其根株乃已。待予思一二日。再為汝治。蓋予亦一時倉卒不得善法也。明日午餐時。有蛋皮捲者。甚香冽。已隔宿矣。取而食之。蟻攢甚密。予悟曰。汪病得治矣。乃令攤蛋皮捲圍其頭。用布裹之。約五分鐘。滿頭大癢。汪欲去之。予勒不許。再三分鐘。癢略止。啓蛋刮視之。見蛋中皆嵌入紅頭細蟲。如萊子大小。纍纍不可數計。在座者皆驚歎。予曰仍未盡絕根株也。再以新捲裹之。癢又作。但不如前此之甚。片刻癢大定。抉視之。其蟲雖有。不及十分之二。更以新蛋捲裹之。癢不復作。從此其患若失。」

前人治此症。大約非作「虛」看。即以「風」論。靈樞刺節真邪篇云。「虛邪搏於皮膚之間。其氣外發腠理。開毫毛。淫氣往來。行則為癢」。又靈樞經脈篇云。「虛則癢搔」。此以癢作虛看者。中國醫學大辭典云。「衛氣素虛。腠理不固。風邪易入。浮游於皮膚之間。故渾身燥癢不息」。此以癢作風論者。蟲症而以塡虛或祛風之法治之。宜乎「積三歲而不愈」。葛君之診爲蟲症。未知何所見而云然。大約亦猜猜而已。一試而竟中。遂有「髮中孩蟲」之肯定語。治法則新穎可取。

斑疹傷寒救治方

朱治元

病原及流行。本病爲一種强烈性之傳染病。爲急性傳染病中最易感染之一。病原尙未明瞭。但其傳染之媒介。現已公認爲一種虱子。吸病人含有微生物之血液後。再咬他人。則其人亦患是病。故往往一家之內。迅速全爲感染。又病院內醫生及看護等亦屢有傳染之機會。此病對於無論何人。皆有感受性。無男女之分。年齡以十五至廿五歲者爲較多。貧困浮浪之人。戰地軍隊監獄工場。以及環境不良之地。較易發生。本病大多流行於春季及初夏。至炎暑乃止。平均死亡率爲百分之十五至二十。

病狀　於前驅期。突然惡寒戰慄。發熱。脈搏頻數。屢屢噁心。嘔吐。頭痛。關節痛。疲倦。鼻。咽。頭。及氣管支。發生炎症。脾脈腫大。尿內含有蛋白質。一發病後。其神經症狀。即甚烈。往往於夜間發譫語。四五日後即為發疹期。此乃本症名稱之由來。其疹子為帶紅色之薔薇疹。初發於腹。一二日中由胸部而驅幹四肢。及手足之背部蔓延。此時疹子甚多。或竟被覆全身。至七八日而為極期。神經症狀劇烈。神識昏迷。而發譫語。如經過此期。則體溫可望於第十日或十二日而漸次下降。各病狀亦漸見輕快。大概其全經過須二至三星期。

預防　發現此病之後。當極力提倡除虱運動。因此病之傳佈。全由虱子為媒介也。病人務必入醫院隔離。病室廣闊。窗戶開放。空氣流通者為佳。。病室之地板上。宜塗上火油之類。使寄生之虱子。不敢向四方亂散。同時須將患者之頭髮毛。腋毛。陰毛。第盡行雜去。以絕其寄宿。患者所用過之衣物器具。須極嚴厲消毒。如患者死後。須將其屍體用百分之三來蘇爾或百分之五石炭酸水全身洗滌。同時將布浸濕上述藥液後。纏被全體如遇流行地方。必須勵行。不可疏忽。

救治方　本症在熱期。高極不退。擾及神經以致神昏譫語。最為危險。往往變生不測。速用犀角尖四分水磨。另用大青葉三錢。黃連三分。生地四錢。玄參三錢。升麻八分。水煎沖服。

□治生子有肉無骨方

尤學周

粵省清遠西河王某之妾。孿生二子。墮地時。嘻嘻而笑。遍體皆肉無骨。產毋怪之。不敢與乳。至翌日而斃矣。妾之室中。懸洋畫一幅於壁。畫中有二兒。攜手而笑。妾愛其畫之工。賞顧而贊賞不止。其所產二子。乃酷似畫中兒。或謂卽感畫而致。理或然歟。事見梵天廬叢錄。

按小兒有五軟之症。為頭項軟。手軟。腳軟。身軟。口軟是也。項軟者。天柱骨倒也。手軟者。無力以動也。腳軟者。行遲也。身軟者。遍身筋軟也。口軟者。語遲也。五者之中。除口軟一症。餘皆與骨骼有關。蓋骨骼所以支持全體。骨弱骨痿。則軟而難支。治以健骨為主。局方鹿茸四斤丸。以治小兒骨弱。最為有效。方用肉蓯蓉。牛膝。木瓜。兔絲子。熟地。鹿茸。天麻。杜仲。五味子各等分為末。蜜丸。或用散蜜調服亦可。有一小兒。年已三歲。全身如癱。足軟無力。不能直立。有告以用蛋殼研為細末。和於飲食中食之。漸能起立。蓋症屬骨軟。蛋殼為石灰質。能補骨之故。本節所述。其亦為骨軟無疑。「無骨」之說。形容過甚之詞。或傳聞之誤耳。愛畫而酷肖畫中兒。乃感應之力。由心理而影響於生理。故胎婦宜注意此點。而注重於胎教。若曰該孩兒之胚胎。由於畫中感應。決無此理。骨軟。本發育不全之症。先天不足。難於長大。故隔日即斃也。

◘治食生冷致心脾痛單方

許升靈

本方以陳茱萸五六十粒。用水一大盞。煎取汁。去滓。入局方平胃散三錢。再煎熱一服即止。

◘病離魂之治法

王道一

凡人自覺本形作兩人。並行並臥者。病離魂也。或臥覺身外有身。但不言語。蓋人臥血歸於肝。此由肝虛邪襲。魂不歸舍。故曰離魂。宜用人參。龍齒。龍眼肉。硃砂。茯苓。煎服三。頗具神驗。

■鵝掌瘋治方

秦道達

(外治)豆腐熱沫。久久洗之。拭乾後塗以桐油。燒松毛煙薰之自愈。惟永遠戒食鵝肉。

(又)白礬四兩。皂礬四兩。兒茶研五錢。側柏葉八兩。河水十碗。久煎入桶中。以蘇布遮桶口。塗桐油於掌。擱布上使熱氣薰之。水冷乃已。七日可愈。忌以水湯洗手。

(另方)五加皮五錢。地骨皮五錢。蛇皮一條。皂角三個。鹽一酒杯。共用水煎洗。以上諸外治方。較內服有益無損。並皆奏効如神。

■爛頭方

高潔

小兒頭部潰爛、經年諸藥罔效。後得友人指教。以甘蔗渣燒灰。研末存性。用麻油調刷。不數日。果見神效。今已收口痊愈矣。如有同病者。不妨試之。

■腦膜炎之辨症與經驗治方

郭廢名

本年春間。各處多發生一種時疫。中

醫名之曰春溫。溫毒。或痙病者。西醫稱之曰流行性腦膜脊髓炎。有傳染性。中西醫雙方。因診。治療。藥物。理論等等之不同。故互相攻訐。各是其是。殊不知中醫有中醫之效能。西醫有西醫之功用。兩者雖歧途而實同歸焉。

一般民衆以及病者。對於中西兩醫。孰是孰非。無所適從之中。爰將研究及經驗所得。為文以記之。冀關心是病者得一共通之準則也。

查西醫對於腦膜炎。可分為三類。一。流行性脊髓腦膜炎。二。結核性腦膜炎。三。急性化膿性腦膜炎。三者之中。惟流行性脊髓腦膜炎。傳染甚速。並最劇烈。此即普通人所稱之為腦膜炎者是也。中醫稱之曰春溫。溫毒。或流行性痙病。實有其獨特之治法。雖無殺菌之藥。抗毒之素。未嘗不能醫愈其病。祇以中醫向無治療上清晰之界限。隨機應變。因時制宜。在高明者自屬胸中瞭然。而在淺見之徒。未免牽強附會。東扯西拉。臨症失措。頭緒紛亂。非但此也。即現今自號為新國醫。研究派者。吾每覷其著作物。亦未嘗不掛化學分析之牌子。未解説中藥。將其方劑。強加折剖。莫取耀於一時。因此。西醫振振有詞。曰中醫無確實之病名。無精良之藥物。其實彼輩祇以人而評醫。而不知醫而評醫之故耳。考西醫所稱之流行性腦膜脊髓炎。為一種腦膜炎雙球菌傳染而起。流行於春冬兩季寒冷時節。症狀以寒熱開始。繼即發劇烈之頭痛而以後部為尤甚。並發嘔吐。昏睡譫語等症。頭向後屈。軀幹麹曲。牙關緊閉。瞳孔縮小。脈搏細弱。中醫雖有是種症候。而無是種病名。查仲景傷寒中有「病身熱足寒頸項強急惡寒頭熱面赤目脈赤獨頭面搖卒口噤背反張者痙病也」之語。時人以流行性腦膜脊髓炎有頭向後屈。軀幹麹曲之症狀。與傷寒論所謂之痙病有「背反張」相似。即名之為痙病。且以此病有傳染之特証。又增之以「流行性」。總名之曰流行性痙病。此種病名均不妥當。要知傷寒論中所稱之痙病。雖有「背反張」之象。而無頭痛之證。而流行性腦膜脊髓炎則頭痛為主要之證候。驟視之稍似。而詳察之實非也。茲為研究便利計。特將有關「背反之張」之病。列表於後。俾可由之而評何者為是。

流行性腦膜脊髓炎。寒熱　頭痛　嘔吐　昏睡譫語　脊強或角弓反張　口噤

急性化膿性腦膜炎。寒熱　頭痛　嘔吐　昏睡譫語　脊強或角弓反張

結核性腦膜炎。寒熱　頭痛　嘔吐　昏睡譫語　脊強或角弓反張

破傷風。寒熱　脊強或角弓反張　口噤

傷寒論之痙病。寒熱　脊強或角弓反張　口噤

由上表而論之。則傷寒論中所稱之痙病。實近乎破傷風。而非現在之流行性腦膜炎。故其治法。以葛根湯為主。因破傷風菌之作用在於血液。故可以排除病毒。放散體溫之劑以得治。如以流行性腦膜脊髓炎而用葛根湯。吾知其必速人以死。可不戒歟。前見某新國醫所著之「近世內科國藥處方集」仍然不出此圈套。背着門板裁被。謂葛根湯之葛根為清涼性發汗解熱解毒藥。麻黃為發汗利尿藥。用於急性傳染病熱病初起。有驅除毒素隨汗液排洩之功云云。夫流性腦脊髓膜炎之病菌作用在腦膜脊髓。試問如何可

以用辛熱之劑而排除之也。蓋其未察細菌作用之所在。重其虛而滅其抗力而已。觀今日患此病者。手熱入口即斃。可為殷鑒。西醫以此而譏中醫無治傳染病之能力。可為浩嘆。

檢查流行性腦脊髓膜炎發生之原因。西醫雖謂係由腦膜炎雙球菌所感染。但此病既有細菌。何以秋季獨無。春冬寒冷之季最多。且發生是病之去年必冬季雨雪缺乏。氣候過溫。此原因蓋冬季少雨雪。人多伏熱。迨至春季。天時不正。應暖反寒。致釀而成疫。實與中醫所稱之春溫病原相若。惟病之重者。來勢兇惡。傳染迅速。亦名之曰溫毒。然春溫之名稱。實不過一個概括之總稱。如其分支。可別為下列數種。

春溫
- 錯誤的見解——如無傳染性者，單純的發熱、咳嗽、頭痛、頭重等實非春溫——普通人所稱之春溫——即溫毒
- 正確的診斷
  - 說明——有傳染性而有種種劇烈現象
  - 分類
    - 流行性腦膜脊髓炎
    - 流行性耳下腺炎
    - 大葉肺炎
    - 支珠管肺炎
    - 流行性感冒

流行性腦膜脊髓膜炎既屬春溫溫毒之

一種。則治法當以清涼解毒為主。切忌辛溫發表。爰將經驗所得彙述於後。此病初起。如以身惡寒而投以柴前羌獨搜風表劑。未有不增劇者。必須解毒為主。最善莫如下方。

銀花五錢　連翹五錢　桔梗二錢　牛蒡子三錢　竹葉三錢　芥穗三錢　生草二錢　薄荷二錢　葦根五錢　枳殼三錢

初起一二日。按法治之無不立愈。惟過此以外。則不能計日而愈矣。倘治療得法。仍可望全治。方用前方酌除芥穗薄荷葦根等加生地。龍胆。黃芩。梔子。川連。滁菊等。如果病至末期而有手足抽搐等症狀時。則當酌加犀羚。及回天丸等。此惲鉄樵先生遺法也。試之屢驗。其他隨症變化。未可定法。祇在執醫者神而明之。病家亦知所抉擇矣。人謂中醫不能治傳染病。吾於此而益堅其不信之念。願民衆其毋通惑焉。

又查西醫對於此病雖有用血清注射脊髓中而達治療目的。然血清值至昂。且非有高等醫師。不易施術。況據統計其全治者不過百分之七十。（或尚不及）。而以中藥治之合法。據最近個人之統計。其比例在百分之九十以上。由是觀之。中藥有勝西法矣。

瘧疾之調理與靈方

濟民

凡瘧作之時。及平時。口渴切不可飲冷湯。冷茶。及一切生冷之物。犯之則其病更甚。惟用生薑數片煎湯。乘熱飲之為妙。凡瘧疾熱未完全退之時。不可即吃飲食。必俟其熱退盡。方可食之。如熱尚未退。而食物。必成痞積病。

凡瘧疾正在發熱之時。切勿貪涼吹風致加別病。必須安眠蓋被。頭部勿蓋。俟汗出滿身。熱勢亦漸消退。然後避風將汗濕衣服換穿。如被濕亦須晒乾再蓋。

凡患瘧之人。無論男婦老壯。切戒夫妻同房交媾。犯之必成不治之症。切切。

凡服治瘧之藥。必俟發過之後。或於瘧未發之前三小時。空心服之。方可有效。若於瘧疾正作之時服藥。瘧必復發。且無效力。凡小兒瘧疾。每多穢氣。須薰燒檀香蒼朮等以辟其邪。並薰蒸其衣被。以解穢毒之氣。此法大人亦應照行。

凡患瘧之人。對於飲食尤應忌口。一切葷腥油膩。及難于消化之物。勿食爲妙。因瘧疾多因濕痰食積所致。不可不知也。治法。用班毛少許。入白膏藥貼在第三背推上（肺俞穴）即愈。

又方用熱石膏六兩。石碱末二兩。和研篩過。每服一二分。和醋於未發前服下。蓋被取汗。多則兩次愈。忌魚腥麵發物。

■吐血之驗方

尤學周

吐血之患者。近年以來。日見增加。

臨診之時。常探求患者之職業。以資比較。其結果勞心者較勞力爲多。初而疑。繼而恍然大悟。大凡血溢於絡。出於口。而成爲失血症者。必由絡脈破裂之故。而絡脈之破裂。必受絕大之震動。勞力之人。負重任遠。操作不息。絡脈之震動必甚。其受傷而吐血。宜也。乃患本症之人。勞心者反多於勞力者。則又何故。是以初而疑也。後經詳細之考察。知勞心者大多爲肺出血。勞力者大多爲胃出血。胃出血來勢雖盛。易於制止。民間流傳之多種止血方。頗多應驗之處。不必延醫診治。故覺較少。肺出血來勢雖緩。纏綿難愈。一再就診。往往不見效果。故覺較多。是以恍然大悟。勞力之工人。因其職業之不善。環境之不良。因肺病而患肺出血者。亦數見不鮮。如印刷工人。翻砂工人。鐵匠。彈棉匠等空氣混濁。吸入者多污濁之氣。易於釀成肺癆。轉為吐血。職業既與吐血有關。吐血之後。能否早日全愈。或延成不治。則與職業上之關係尤為重大。蓋吐血之症。貴在休養。過於操心。非其所宜。過於勞力。尤屬大忌。然年來因不景氣現象。到處皆是。生活不易。勞力之人。處境尤感困難。偶有不適。因受經濟之壓迫。子女之贅累。衹有抱病從事。不能得一日之休養。其在吐血之人。因身體之不能安靜。血液亦不得安靜。此則大為可慮者也。

本誌第七期三九二頁。余發表之大吐血方。因久咳而致者。用川貝母三錢。白芨錢半。參三七錢半。大黃錢半。如為普通之吐血。不用大黃。各藥分量。亦有增減。川貝母。白芨。參三七同等分。研為細末。每服一錢。日三服。白開水下。不論勞心勞力者皆有效。

□肺結核的種種驗方

肺結核俗稱肺癆。乃一種慢性傳染病。往時病因未明。多目為鬼神作祟之流行惡疾。嗣後病理剖解學興。解剖本病屍體。於肺部組織上發現節狀物。故名肺結核。此結核桿菌乃勞勃脫考克氏發現。此菌對於消毒藥之抵抗力頗大。惟對日光則抗力甚弱。曝之立死。此菌不僅侵犯肺部。如腸結核。皮結核。腎結核等均由此菌而發生。在各種結核中。以肺結核為最多。

肺結核可分三期1初期肺癆。（肺尖加答兒）結核菌先侵肺尖部組織。（多在右側）周圍起炎性侵潤。此期在臨床上有幾種主要症狀（一）一側肺尖之呼吸音著明微弱或反銳利。（二）呼氣延長（三）濕性或乾性之水泡音。（四）濁音（五）鎖骨上窩生高度之駋凹。2第二期肺癆。（確定期肺癆）較初期之病狀更進一步。浸潤進行。蔓延擴大。臨床上病側之呼吸運動轉弱。打診音短而濁。聽診音吸氣微弱。呼氣延長。往往雜以氣管支音。又有大小不等之水泡音。3第三期肺癆（

。完成期肺癆）病灶極度侵蝕。肺組織崩壞。遂形成大小不同之空洞。此時患者呼吸時。胸廓幾不運動。打診聽診上發現空洞症狀。

上述三期病變。有時不能劃然顯明區別。甚至有完全異型者。最宜注意。但最近愛克司光學進步。往往於略無結核症狀或偶罹感冒者之肺部。發現種種陰影。據此稱為早期侵潤之病變性質。因乏適當之屍體剖解。無從確知。各專家尚在聚訟紛紜。不過於醫師臨床上有重大之意義與貢獻也。

肺結核除正當之醫藥療法外。尚有其他種自然療法亦不可忽視。雙方並進自可事半功倍。現將各種自然療法分述於下。

一。衛生食餌療法（甲）氣候療法。新鮮空氣對本病有莫大利益。患者最忌居住人烟稠密之處。以高山療養為第一。蓋高山空氣中塵埃甚少。日光充足。冬夏咸宜。且能旺盛全體新陳代謝作用。增加食量。使體軀逐漸強壯。結核自然治愈。惜高山療養。非一般普通人都能享受。囿於環境。乃求其次。即以人工使空氣充分流通亦佳。如居室開放窗戶等。惟取效不及高山之宏大耳。輓近外氣靜臥法甚得一般專家推奬。法使患者一日至少五時半至六時靜臥室外。時間最佳者係上午下午黃昏各臥一時許。無關天氣。四季均可行之。寒冷之時則包被保暖。勿使受寒。惟此法適於完全無熱者。(乙)營養療法。本病易消耗營養。致患者多削瘦。抵抗力亦消失。故使患者攝取多量營養品。以補足其消耗。實屬必要。食物之選擇。可任病人之好惡。易消化及富於滋養或含有維他命者。儘可大量與之。普通如牛奶。新鮮蔬菜。果實鷄蛋。魚肝油。肉汁等最佳。惟不可專食一物。須混合食之。倘食慾不佳。可與少量酒類。如葡萄酒。白蘭地等。俾催進食慾。轉助營養。歐洲肺病療養院中。每個病人每日必給以一定量之白蘭地酒。據云成績甚佳。(丙)安靜療法。患者絕對安靜。能促其治愈。及和緩病勢。乃肺病患者療養中之最高原則也。(丁)運動療法。患者有時亦需要輕微之肌肉運動。以增進體力。祇適於完全無熱度者。其運動方法和首先在空曠中散步。散步如不引起熱度。可漸漸舉行他種運動。如單簡徒手操等。

但運動時宜常測體溫。若在夏季。短時間之游泳亦頗有益。惟相當運動須與充分休息交互而行。始克收效。否則殊難獲益。

二。轉地療法。在適當條件下轉地患養對肺結核亦頗有效。尤其於初期療者為顯著。惜因經濟關係。患者不克普遍如此。誠憾事也。冬季以南方沿海一帶為宜。夏季以山地為宜。至其細則如下。1咳嗽咯痰劇烈者。宜南方乾燥地。2有乾性咳嗽者。宜於南方濕潤地。3有喉頭病者。宜避去寒地。4有消化障礙者。宜避去熱地。吐血者宜避去山地。5轉地宜擇無風地更為適宜。

三。光線療法。1日光浴頗有效。須擇高燥地帶行之。惟頭部須遮護。先由四肢起而漸全體。時間亦由小而漸多。尤以春秋兩季為最宜。2人工太陽燈。照射法。分局部與全身兩種。局部照射胸部及背部。第一次約三分鐘以後逐漸遞。至三十分為止。初每二日一次。如皮膚起潮紅。須俟退後再照。最好須由醫師指導。3愛克司光。須有經驗之醫師。及確切之診斷。適量之照射。方可收效。故頗不易為。用之不當反而害。不可不愼。

四。水治療法—冷水摩擦。以濕手巾摩擦全身。至皮膚現紅色為止。擦畢再用乾布擦之。勿使留有潮氣。此法用之適宜。可退熱減痰。止盜汗。增食慾。惟體弱及不耐冷濕布擦身者。切不可免強。2胸部冷罨法。專行於有熱病人。各期肺病均可用之。方法用十度至十五度之水或百分之二食鹽水或酒精(火酒)濕潤胸部後。用溫手巾擦皮膚使發赤後。再用濕布罨包之。濕布之兩側置熱水袋。每二至六時間文換濕布時。先用冷水手巾摩擦。再用乾布摩擦。此法減緩胸痛。咯痰。咳嗽。盜汗。熱度等頗效。同時能使精神愉快3溫浴。每晚行十五分鐘之四十二度鹽水浴。對盜汗有效。又行三十六度之微溫浴。對神經質失眠症有效。

按肺結核病並非不治之症。惟在療治之得法耳。尤以早治為佳。療養兼施。應住居於有日光照射與新鮮空氣處所。則收效更速。藥劑方面以對証治法為最要。蓋無直接能殺死肺結核菌之劑也。丹方之有效者。為下列數種。

盜汗不止。用西黄芪三錢。癟桃乾八枚。糯稻根三錢。紅棗八枚。煮服。

咳嗽。用雄猪肺一個。（不見水者）桑白皮五錢。蜜蠟一兩。盛肺管內。共煮。空心食之。

久咳不止。欲止其咳。使肺得以安甯者。用訶子肉一兩（煨去核）白桔梗一兩。百藥煎五錢。五棓子一兩（炒）罌粟殼五錢。（蜜水泡去筋）生甘草五錢。烏梅肉五錢。（焙乾）共為細末。蜜湯調方寸匕。食後臨臥服。白湯漱口。忌葷腥酒醋鹽炙之物。

吐血。用鮮生地一兩。仙鶴草五錢煎湯。送下十灰丸二錢。

治疥瘡靈藥一掃巨

疥瘡乃惡症。瘙癢不堪。生於手指縫間。有失美觀、故宜早治。治方以一掃光為最靈。坊間有成藥可購余採得原方。錄之如下。

水銀一錢五分。乳香五分。蛇床子炒二錢五分。硫黃。沒藥。樟腦。花椒各五分。大楓子一兩（取肉）上藥共為細末。用蠟燭油調搽。

■跌打損傷方

菉竹

土鱉不拘多少。用好燒酒。浸死。晒乾聽用。每用土鱉一個。入雄黃一分。硃砂一分。射香三釐。乳香六釐。沒藥六釐。共研為極細末。以少磁罐盛之。勿令泄氣。

凡遇跌打損傷垂死者。只能入藥。即效。每服一分起。至一分五釐止。再不可多用。凡服藥時。先以磁杯盛酒。調藥與服。不能自吃者。灌入口內訖。再用好酒。盡其人平昔酒量。飲至醉。以被蓋令睡。至醒時。自然腫消痛減。如大人被傷。初服即一分五厘無妨。若小兒被傷。只八厘或一分止。不可多服。

■小兒語遲方

蔣祖蔭

凡小兒至四五歲。不能言語者。用赤小豆研末酒調。塗在舌上。二三次即能言語。

■風疹之治方

醫農

此証皆肺心脾三經而起。脾受濕積。致土衰不能生金。肺虛易感風邪。蘊蓄既久。變為濕熱。蒸鬱肌肉之間則生蟲。起初癮疹。如痲痘疥癬之狀。或痲癢不疼。或疼不痲癢。急用太乙紫金錠治之。因循失治。則連貫穿爛而不救。

大便下血之靈方

周惠初

大便下血。雖為習見之症。然不易圖治。攷諸古籍。頗多精警語。茲摘錄數則如下。

(一)先便後血。謂之遠血。先血後便。謂之近血。

(二)血鮮稠。為實熱迫注。多醇酒厚味釀成。血色瘀晦。為陽衰不攝。因中寒食冷所致。

(三)新血鮮紅。舊血瘀黑。

(四)初便褐色者為重。再便深褐色者愈重。三便黑色者尤重。

(五)風證色青。寒証色黯。暑證色紅。

(六)暴喜動心。不能生血。暴怒傷肝。不能藏血。積憂傷肺。過思傷脾。失意傷脾。皆能動血。

(七)暑善傷心。則氣緩而心不出血。故肝無所受。暴怒傷肝。則氣逆而肝不納血。故血無所歸。

(八)血得熱則洋溢。故鮮。得寒則凝滯。則瘀。瘀者黑色也。鮮者紅色也。

（九）起居不節。用力過度。陽絡脈傷。則血外溢而衄血。陰絡脈傷。則血內溢而後血。

（十）血由上竅出。爲血溢。由大小便出。爲血洩。

（十一）血妄行于上。則吐衄。衰涸于下。則虛勞。忘返于下。則便紅。

（十二）下血腹中痛。謂之熱毒。血色鮮。下血腹不痛。謂之濕毒。血不鮮。

（十三）結陰之病。便血一升。再結二升。三結三升。陰氣內結。不得外行。血無所稟。滲入腸間也。

（十四）治下血。防風爲上使。黃連爲中使。地榆爲下使。

（十五）腸風則足陽明積熱。久而爲風。有以動之也。臟毒則足太陰積熱。久而生濕。數而下流也。風則陽受之。濕則陰受之。

（十六）臟毒者。蘊積毒氣。久而始見。腸風者。邪氣外入。隨感隨見。

（十七）過勞即發者。元氣內傷也。後重便減者。濕毒蘊滯也。後重便增者。脾元下陷也。

（十八）便血之脈。尺必芤濇。關必微緩。以而。留連者生。散疾浮大者死右。關沉緊者。飲食傷脾。不能攝血也。右寸洪浮者。肺經積熱。下傳大腸也。

余家藏有治便血祕方一則。其藥雖雜。而收效頗大。經該方治愈者頗多。方用全當歸三錢。川芎二錢。淮牛膝三錢。五茄皮三錢。川朴錢半。白蔻仁五分。川鬱金二斤。香附（切）三錢。木通二錢。陳皮二錢。杜仲五錢。甘草三分。上桂心三分。紅花二錢。毛姜（去毛）二錢。沒藥（去油）一錢。烏賊骨二錢。水煎。日夜分作八次服。

癩痢頭方

同患初

吾看見有許多在小學校裏讀書底小學生。忠癩痢頭底很多。他底頭上都是極難看的。吾便細細底研究。覺得這個病。也是無形底傳染病。起初不過是一個人生起來。到後來漸漸底蔓延別人頭上去了。他的病因。大半是小孩子不曉得清潔。家庭上不講究衛生。學校裏底教師。也無法去療治他。所以任他傳染開來。把活活潑潑的小孩。變做一般小癩子。豈不可惜呢。我所以要把預防和驗方。宣布出來底給負責任底人。大家看看。

一預防底法子。

甲做父母的。應該注意小孩子底沐浴。在每晨洗面以後。尤當洗髮。

乙做教師的。應當注意不可使患癩痢頭底學生。與不患癩痢頭瘡底學生。共同游戲。體操的運動帽。又不可互相換易。

二治療底法子

甲用清潔底治療。每日用沸水沐浴一次。或二三次。以減滅傳染微生物。

乙用藥物底治療。癩痢頭瘡的藥方很多。但是不及下方為有效。

雷丸 蕪荑 苦楝子 檳榔 蛇床子 百部 鉄綿粉各等分。另加食鹽。生姜。加麻油飯上燉熟。用汁塗之。

◻出血不止方　卞患聾

皮膚受創。或錐刺。或刀破。或刲傷。損及血絡。則出血不止。用地錦研末摻上。血即自止。或用金狗脊毛或白糖按之。血亦能止。

◻乳癰乳癧方　卞患聾

婦人不幸而生乳癰乳癧。痛苦非凡。宜及早治之。用鮮蒲公英連根洗淨。

搥汁和陳酒燉熱明。蓋被出汗。將渣敷患處。每日一次。或一日數三次。

■肝胃氣痛方

卞惠羣

肝胃氣痛。患者甚多。而以婦女為尤甚。蓋婦女之心地狹窄。不能容物。偶感不快。鬱積於心。於是肝逆橫作。木乘脾土。所謂肝胃氣痛者是。前人多以抽吸雅片。為解除病痛之唯一方法。不知此為一時之麻醉作用。吸之既久。成為習慣。不特不能止痛。反因以加甚。職是之故。不得不加增雅片之吸量。雅片烟毒之漫延廣佈。此亦其一大原因也。故患肝胃氣痛者。初不可以雅片為對證治法。余有一簡便方。用鷄蛋糕焙研。每服一錢。陳佛手煎送服。清香適口。可不日而愈。

■黃水瘡天泡瘡靈方

周惠初

黃水瘡天泡瘡。小兒患之者最多。膿水淋漓。不易調治。四月至九月。為本症易發生之期如用真掃盆三錢。煅蛤殼五錢。川黃柏三錢。陳松花錢半。上青黛三錢。白枯礬三錢。共研細末乾摻。則易全愈。

夾驚肺脹方

周患初

夾驚肺脹。肺炎之重督者也。用紫菀。黃麻。鳳凰衣名一錢。煎湯服之。立止。

不寐驗方

冷廬醫話

韓飛霞謂黃連肉桂。能交心腎於頃刻。震澤毛慎夫茂才(元勳)嘗用之而奏效。某年四十餘。因子女四人。痧痘連綿。辛勤百日。交小暑後。忽然不寐。交睡則驚恐非常。如墜如脫。叫呼不甯。時悲時笑。毛診之。謂曰。衛氣行於陽不得入於陰。乃心腎不交之症。用北沙參。生地。麥冬。當歸。遠志。炙草。白芍。茯神。川連二分。肉桂一分。以甘瀾水(長流水揚之萬徧為甘瀾水)先煑秫米一兩。去渣。將湯藥服之。全愈。毛居黎里鎮。讀書三十年。中歲行道。名著一時。

汪春圃(純粹)醫案。亦有以黃連肉桂治不寐症者。丁俊文每日晡後發熱。微渴。心胸間怔忡如築。至晚輒生懊憹。欲罵欲哭。晝夜不能寐。諸藥不效。延至一載有餘。汪診其脈。左寸浮洪。兩尺沈細。知屬陰虧陽盛。仿靈樞秫米半夏湯。如法煎成。外用肉桂三錢。另煎。待冷。黃連三錢。另煎。乘熱同和入內。徐徐溫服。自未至戌。盡劑。是夜即得酣睡。次日已時方醒。隨用天王補心丹。加肉桂。枸杞。鹿膠。龜膠等味。製丸調理。全愈。偶從杭州沈雨溥書坊購得醫學秘旨一冊。有治不睡方案云。余嘗治一人患不睡。心腎兼補之藥。徧嘗不效。診其脈。知為陰陽違和。二氣不交。以半夏三錢。夏枯草三錢。濃煎服之。即得安睡。仍投補心等藥而愈。蓋半夏得陰而生。夏枯草得至陽而長。是陰陽配合之妙也。書係鈔本題曰西溪居士著。不知何許人。識以俟考。

不寐之症由於思慮傷脾。繁冗勞心者。非專恃醫藥可治。老老恆言。謂不寐有操縱二法。操者如貫想頭頂。默數鼻息。返觀丹田之類。使心有所著。乃不紛馳。庶可獲寐。縱者任其心游思於杳渺無朕之區。亦可漸入朦朧之境。余謂二法之中。縱法尤妙。蓋操則心猶矜持。未極恬愉之趣。不若縱之游行自在也。特恐稍涉妄想。即難奏效。猶當寓操于縱為佳。余師歸安沈鹿坪先生(焯)官台州教授時。因閱文繁勞。患怔忡不寐。有人傳一法云。每夜就枕後。即收斂此心勿萌雜念。惟游思於平素所歷山水佳處。任情一往。定而能靜。久而久之。心漸即於杳漠之中。則不期寐而自寐矣。如法行之獲效。是能得縱法之要者。

■粥食湯藥皆吐不停驗方

周惠初

千金方治粥食湯藥皆吐不停者。炙手間使穴三十壯。穴屬手厥陰。在掌後三寸。今人罕知用此法者。治吐湯藥。虞天民方最善用順流水二盞。煎沸湯。泡伏龍肝。研細。攪渾。放澄清取一盞。人參。苓。白朮各一錢。甘草二分。陳皮。藿香。砂仁各五分。炒神麯一錢。陳米一合。加薑同煎。至七分。稍冷服。別以陳米煎湯時時啜之。此法治胃虛不能納食者。皆效。又黃退庵治胃陰受戕。納食即吐者。用人乳同糯米飲。緩緩服之。亦應效如神。

□夢遺驗方

孔伯毅

遺精之病。舊說皆謂有夢為輕。無夢為重。其實不盡然。大抵少年血氣夢盛。滿極而溢。一月間偶遺一二次者。不足為患。結婚後自然停止。可無庸服藥。又或目覩佳麗。心旌搖搖。所願不得。手淫斲傷。以至腎關不固。夜夢即遺者。此則急宜正心修身。戒除惡習。以心理為治療。亦可以勿藥而痊。又或色慾過度。不予節制。以至腎陰虧耗。相火日熾。精關廢弛。夢中遺洩者。此則陰虧火熾。靡有底止。所謂玉關不閉。精盡即亡。其危險不言可喻。若非一面節慾。一面服藥。不能挽既倒之狂瀾矣。

吾友黃君益生。于役申江。嘗患腎虧夢遺。形銷骨立。枯若木偶。余每勸令暫絕色慾。服藥靜養。黃君笑而諾之。余旋以事他適。兩月後復遇。則黃君已體健色壯。神采飛揚。不復舊時憔悴矣。異而問之。黃君曰「與君別後。遵旨調養。復得鄭文甫君授以驗方。服藥月餘。遂恢復康健」且曰鄭君亦知君喜集驗方。謂如服此而效。可傳其方於孔君。庶不致湮沒云云。余曰。鄭君熱心若此。叢話之篇幅有光矣。亟誌之。

淮山一兩　芡實八錢　湘蓮五錢　茯神　棗仁各三錢　潞黨二錢　車前子一錢

右藥七味。淨水煎服。連服數劑。復將前藥研極細末。麵糊為丸。每服五錢。每日早晚二次。鹽湯送下。服一月左右。即愈。

▣治癬方

孔伯毅

疥癬為極易傳染之皮膚病。大抵係寄生蟲寄生皮內而成。任何局部。皆可發生蔓延。而胯間及頸際尤為纏綿難愈。通常皆皮膚起屑。形如圓圈。或輕薄如汗斑。或堅厚如牛皮。瘙癢不已。其頑固者。亙數十年不能愈。若蔓延入口耳眼鼻肛門等處。則尤難收拾矣。

前數年余之頸部患癬。初起不過一小點。癢極而搔。愈擴愈大。一月之間。蔓延半頸。中藥西藥。嘗試殆徧。即汪訒庵所賞用之燈草擦法。亦無效驗。極為嫌苦。無意中翻開先君手鈔之驗方。有用杉木油治一切頑癬之神方一則。法用紙糊碗面。以杉木屑堆紙上。取炭火放木屑上燒之。少頃火將近紙。即以筋抹去。燒數次。其油已滲入碗中。先用穿山甲片。將癬刮破。然後用毛筆醮杉木油搽之。數次即愈云。余以此法頗易。不妨試之。於是往熟識之木店購杉木屑（即鋸口木糠）一大包。如法燒製。得油甚少。急以破筆醮搽之。異哉。油才著膚。瘙癢頓止。且微覺痛。心知有效。再製再搽。一日三次。次日即不發癢。視之已焦矣。仍搽之。第四日痂愈厚。輕揭即去。遂愈不復發。

（按）燒取油時。可先用釘於所糊紙面札孔。孔之大小。以木屑不致漏下為度。則油易下。

狐臭靈方

孔伯毅

余客檳榔嶼時。友人王君小海納寵。因集諸友往賀。新人出拜。則長眉入鬢。秋波流睇。穠纖合度。修短得中。固一時代之可人。見者莫不稱譽。以為才子佳人。不讓冒董專美也。一日。王君柬約知友數人。小酌於靜室。余亦被召。坐定。王君微笑曰。小妾有暗疾。特邀諸君。訪問有何治法。衆愕然問何病。王君曰腋下狐臭頗烈。中人欲嘔。座中李君曰。何不以伏龍肝（灶心土）研細末擦之。曾君曰。伏龍肝實不如白礬遠甚。法用白礬研細末頻頻擦之。數日即見功。張君曰。用薑汁尤佳。舍妹已經驗矣。王君大善。命筆逐條記之。又問余。余答家藏一方。為先君所賞。列為珍藏驗方之六。但先君見背後未經試驗。君可先將諸友之方。各用二三日。驗則最佳。如不驗。然後試用先君之方。王君以為然。乃錄方如左。

正石綠三錢選上品飛淨　輕粉一錢

右藥二味。和勻。研極細末。用陳濃米醋調塗腋下。五六次即能斷根。方中石綠。即繪畫所用顏料。此品大有高下。須選上品飛淨用之。又塗藥以臨睡時為佳。

王君既得諸方。笑謂在座曰。請諸位勿揚。為小妾留地步也。皆笑諾。越二月。王君忽過我。亟問之。王君曰。歷試諸方。似薑汁一方較佳。惟仍未能盡善。後改用君賜之方。塗藥共七次。竟完全斷根矣。余笑曰。狐臭本極難治。任何人均無根治之把握。假使無余之驗方。雖室有佳人。其如不可嚮邇何。君將何以報我。王君曰

●請吃龍虎會可乎。相與大笑。

□漆瘡治方

銘　澤

近數年來。我於臨床上常見之皮膚病——漆瘡。不在少數・吾人對其證治。有相當之認識與經驗。然欲了解。何以有人患漆瘡。有人不患漆瘡。真實原因。果在何處。顧世澄曰。木形人遇漆起泡發癢。變瘡。所謂木形人者。究以何種身材體質為標準。何以木形人遇漆。即可成瘡。稍一究詰。乃即形成有趣之問題。於是本文乃有發表之動機。

就鄙見而論。中醫明知患漆瘡與否。視人體質其殊異。乃假定木形人之說。以解釋之。非此種體質之人不患漆瘡也。在西洋學者有所謂「反應之異常」Allergie 由於 Allergie 對於有特異質者能誘起異常反應之物質。並與 Allergie結合特殊之生體內物質。而產生炎症。換言之。即為一種「抗原抗體反應。」吾人苟有抗體之存在。即可稱為過敏性。或特異性也。準此以談。患漆瘡者。以漆液為抗原。存於人體者為抗體。由此以觀。抗體云者。等於中醫稱為木形人。同是術語也。設使抗原與抗體結合。即起反應。如濕疹蕁麻疹樣之皮膚炎。即是漆瘡。若其人無抗體之存在。即無此患。反之。其人之皮膚有抗體之存在時。稍有些微之漆沾染。亦可成患焉。昔通皆以一見新漆器。或走過漆店漆工之旁。即有漆瘡。認為漆有揮發性之毒物。含於其中。其實不然。除去此揮發性成分之生漆。其殘渣較通常之漆。誘發漆瘡之能力尤盛。

漆之主要成分。為 Urushiol 亦為漆瘡之抗原。陳實功謂漆為辛熱有毒之物指此。此外並含有蛋白。橡皮質。水分。Lakkase 等。並有少量之揮發物質。有人謂漆瘡有傳染性。可以傳染他人。此亦不過因微量之漆。介於人。或衣服手巾等物。以傳播而已。

患此者。先發痒。抓之漸似癮疹。出現皮膚。傳遍肢體。真皮滲出漿液。血管擴張。起泡流水。刺刺痛癢。甚則寒熱交作、顧世澄曰。此疾雖小。受者遍身頭面似癧癩。浮腫生瘡。痛癢。毛鬚脫落。心神恍惚。不得眠者。因療之遲。遂為他症。或成風癩。可畏也。以愚經驗。不戒於口者。其遺後症見頑風癬癩者。間有其人。

治漆瘡之單方。用川椒或銀杏樹葉。煎洗。數次即愈。或用蟹殼滑石等分。研細末。乾處用蜜調搽。濕則乾摻。又方。石膏三錢。輕粉五分。為細末。韭汁調搽。內服元參知母石膏人中黃黃連升麻連翹牛子甘草淡竹葉等藥。

預防。用川椒三十四粒。搗碎。塗口鼻上。即不能為害。素常易患此者。大可試用。

贈送青年叢書

茲刊印青年叢書之一。一、遺精常識單行本一冊。對於遺精之病理及療法。詳為闡述。乃慾海之南鍼。苦海之寶筏。慾索閱者。請附郵三分。函寄上海麋鹿路永華里二十五號尤醫室可也。

價目表

零售	每冊實售大洋二角		
時期	冊數	連郵費	
		國內	國外
半年	六冊	一元	二元
全年	十二冊	二元	四元

丹方雜誌

第三年 第八期

廣告價目

等第	地位	全面	半面	四分之一
特別位	封面		四十元	
特等	底面之內外 封面內之	四十元		
優等	封面內面之對面	三十元	十六元	
普通	正文之前	二十元	十元	五元

彩色另議

中華民國二十六年八月一日出版

編輯者 朱振聲

撰述者 全國醫家

發行者 幸福書局 上海三馬路雲南路轉角

代售處 上海雜誌公司 四馬路

印刷者 興羣印刷所

珍本醫書廉讓